WHISKEY TANGO FOXTROT

"Actes noirs"

Titre original :
Whiskey Tango Foxtrot
Éditeur original :
Mulholland Books / Little, Brown and Company, New York
© David Shafer, 2014

© ACTES SUD, 2017
pour la traduction française
ISBN 978-2-330-07555-2

DAVID SHAFER

Whiskey Tango Foxtrot

roman traduit de l'anglais (États-Unis)
par Laure Manceau

ACTES SUD

À Fiona.
Sans qui que dalle.

MANDALAY, BIRMANIE

Il faisait si chaud dans la pièce exiguë que Leila essayait de garder ses distances avec ses propres vêtements. Elle avait choisi la chemise beige avec la poche de poitrine passepoilée, car l'évocation de l'autorité militaire, même vague, impressionne toujours les bureaucrates. D'où aussi les chaussures noires cirées. Mais la dame qui s'occupait de son linge s'était lâchée sur la chemise, et lui avait fait comme une armure en papier kraft. Leila sentait un filet de sueur couler le long de sa colonne. Un gros scarabée blessé bourdonnait dans un coin. Elle étouffait.

Ça faisait presque deux heures qu'un des sous-fifres du colonel Zeya lui avait ordonné d'attendre ici. *Quelqu'un va venir vous chercher ! Interdiction de quitter cette pièce s'il vous plaît !*

Pas la peine de crier. Leila Majnoun pouvait attendre. Elle n'allait pas tomber dans le panneau qui consistait à faire poireauter la petite Occidentale jusqu'à ce qu'elle bouille d'impatience et abandonne. Elle sortit son carnet. Elle avait une préférence pour les blocs sténo lignés, qu'elle remplissait à toute vitesse. Son écriture, preste et aplatie, était presque illisible, sauf peut-être pour sa sœur aînée, Roxana. Elle écrivait principalement en anglais, mais elle avait aussi recours au pachto, et à des sténogrammes qu'elle avait inventés. Elle n'avait rien d'une technophobe, mais elle faisait plus confiance au papier qu'à n'importe quel appareil électronique. En général, on vous laisse vos carnets, même quand on vous prend votre passeport et votre ordinateur de poche. Quoique, une fois, dans la salle d'interrogatoire sécurisée d'un aéroport, on lui avait pris son carnet des mains. Le risque maximal auquel elle avait été confrontée. Peu après, elle avait occupé un poste où elle côtoyait des soldats type commando, et un de ces mecs avait scratché à son poignet une sorte de chemise plastifiée qui contenait une liste de directives. L'ardoise tactique de poignet – le genre d'agenda qu'elle aurait pu utiliser.

Tandis que l'ennui se répandait autour d'elle comme une coulée de lave, elle griffonnait des notes qui l'aideraient à aller au bout d'une nouvelle semaine de frustration. Elle avait un poste de directrice détachée au Myanmar/Birmanie. Mais à New York, il y avait déjà un directeur Myanmar/Birmanie. L'absurdité des intitulés aurait dû lui mettre la puce à l'oreille : Main Tendue n'était qu'une ONG d'amateurs. Aux poches bien pleines, cela dit – le siège occupait deux étages d'un immeuble en plein Manhattan. Ils l'avaient recrutée pour préparer le terrain à une présence de vingt ans dans le Nord du pays, dans le domaine de la santé publique. Elle était censée *mettre sur pied un programme national*! – les boss de New York l'avaient présenté comme ça, comme si elle était un général aux ordres dans une tente, alors que ce qu'ils attendaient d'elle, en fait, c'était qu'elle loue un bureau, achète des chaises et découvre qui d'autre était sur le terrain, ainsi que les créneaux qu'il restait à occuper. Au-delà de ça, ses deux ou trois supérieurs new-yorkais n'étaient pas foutus de se mettre d'accord sur ce que recouvrait la mission birmane. L'un pensait que Main Tendue devait dénicher des candidates à la bourse d'études en soins infirmiers de Boston College. Pour l'autre, l'organisation devait installer des dispensaires de soins courants dans les villages. Globalement, ils lui envoyaient des mails contradictoires et sabotaient leurs projets entre eux.

Et pour tout dire, Leila elle-même avait sous-estimé les difficultés qu'il y avait à accomplir quoi que ce soit dans un pays comme la Birmanie. Elle avait pratiqué les zones ravagées par la guerre, dévastées, mais le joug de la tyrannie, c'était l'emmerdement maximum. Les Myanmarais (les Myanmartiens, comme elle les appelait ; le sténogramme était un *M* avec un casque ovoïde et une antenne) passaient le plus clair de leur temps à protéger le peu de choses qu'ils avaient ou à éviter la persécution ; il n'y avait plus de place pour l'espoir. À l'international, on s'en fichait un peu, on n'était même pas fixé sur le nom du pays. S'agissait-il de la Birmanie, ce qui avait un rapport avec Orwell ? Ou du Myanmar, ce qui ressemblait davantage au nom que les chats donneraient à leur pays ? Le reste du monde évitait tout simplement cet endroit, comme dans la rue on éviterait un poivrot qui pue, à moitié à poil – parce que bon : par où commencer ?

Mais où était ce stupide petit colonel ? La patience de Leila fondait à vue d'œil. La pièce semblait avoir été conçue pour inoculer ennui et malaise chez tout occupant. C'était comme être en proie à des rayons qui étiraient le temps. Une couche de poussière recouvrait tout ; il n'y avait rien d'autre à lire que l'écriteau "Défense de fumer" ; il y avait bien un ventilateur dans un coin, mais son fil électrique avait été sectionné. Des odeurs suintaient des bancs en bois et des stores en plastique – fumée de cigarette, bouffe grasse et vapeurs d'humains angoissés.

Après avoir inclus tout ce qui était humainement possible dans le diagramme sur le boulot en cours, elle songea à sa famille. Elle s'inquiétait un peu pour eux ces temps-ci. Roxana lui avait écrit que la nouvelle petite amie de Dylan, leur frère cadet, était une pouffiasse. Mais Dylan ne lui avait parlé de personne en direct. Toujours selon Roxana, leur mère avait fait deux chutes suspectes au cours des neuf derniers mois, la seconde ayant occasionné une fracture du poignet. Impossible de dire ce que Roxana sous-entendait dans son mail. Suspect, d'un point de vue neurologique ? ou alcoolémique ? Une fois de plus, elle remarqua que personne ne donnait de nouvelles sur Roxana. Au final, l'ordre de naissance en disait plus long sur vous que n'importe quel test de personnalité. Est-ce que ça serait toujours comme ça ? Et quand leurs parents mourraient ? Dans combien de temps ça arriverait ? Aucun des enfants Majnoun ne s'était encore reproduit. Est-ce que leurs parents en souffraient ? Leur mère, oui, à tous les coups. Mais leur père était un principal de collège adoré de tous à Tarzana, en Californie. Ce poste comblait peut-être ses désirs grands-paternels ?

Leila décida d'attendre dix minutes de plus, au bout desquelles elle irait chercher quelqu'un, peut-être le colonel Zeya en personne. Bonne chance pour le trouver, celui-là. Il devait avoir un bureau dans le moindre bâtiment officiel de la ville, et un sbire posté devant chaque porte. C'était la troisième fois qu'on promettait sa cargaison à Leila, une cargaison qui représentait six mois de boulot pour elle. Mais bon, c'était la première fois qu'on l'avait conduite jusqu'à l'aéroport. Les deux autres fois, on l'avait convoquée à la gare de fret derrière l'assourdissant dépôt de bus, pour lui extorquer de l'argent – hausse des tarifs douaniers, une taxe à l'importation qu'on venait de découvrir. La plupart des ONG toléraient ces pratiques jusqu'à un certain point. Mais Main Tendue refusait de jouer le jeu. Pour New York, cela revenait à "encourager la corruption" – à moins que le boss n° 1 cherche simplement à faire chier le boss n° 2 – et les fonds qui auraient pu débloquer la cargaison de Leila lui avaient été refusés. Ce n'est qu'en harcelant le boss n° 3 qu'elle avait réussi à convaincre le siège que dans ce cas, la rallonge entrait dans le cadre de la transaction.

Et pourtant. Leila avait géré des cargaisons de ce type des centaines de fois. Là, il s'agissait d'un container de matériel médical palettisé – quatorze tonnes américaines – venu sans incident de Miami à Doha, puis Yangon et Naypyidaw, l'étrange capitale que l'armée avait construite de toutes pièces au beau milieu du pays. Mais alors le matériel avait été détourné par une mafia invisible de douaniers birmans qu'on ne pouvait joindre que par téléphone, puis uniquement *via* le téléphone de leurs sous-fifres, pour faire l'objet d'une rançon. Après avoir découvert quel bâtiment officiel abritait le département de l'Hostilité envers Leila, elle avait fait le trajet d'une demi-journée jusqu'à Naypyidaw avec son chauffeur, Aung-Hla, pour tenter une attaque frontale. Mais les responsables au couvre-chef ridicule qu'elle avait vus – presque choquée de les avoir trouvés – lui avaient demandé de revenir avec d'obscurs formulaires et la somme qui convenait.

Elle craignait que la cargaison soit l'objet d'un pillage en règle. C'était du matos haut de gamme. Avec un peu de chance, les abrutis du siège avaient fait estampiller les caisses HORS DE

PRIX, DÉJÀ PERDU et PARDON POUR LE COLONIALISME. Ça l'empêchait de dormir.

Mais bon, ce n'était pas la seule cause de ses insomnies. La chaleur subtropicale, les cafards gros comme des souris, les regrets à propos de Rich. Combien de temps est-on autorisé à se lamenter quand on est celui qui a largué l'autre? Et la solitude. Parfois – souvent – sa journée se résumait à un écran, un téléphone, un ou deux marchands, et trois repas toute seule. Lassant, à la longue.

Un homme venait vers elle. Un sbire de Zeya, mais pas le même qui l'avait fait asseoir dans la salle d'attente infernale. Elle avait déjà eu affaire à lui lors d'une précédente visite infructueuse, il lui avait apporté un coca. Il se rapprochait, mais elle ne se leva pas, et essaya au contraire d'avoir l'air indifférente.

— Suivez-moi, je vous prie.

Il faisait cinq degrés de moins hors du réduit, et le soulagement se ressentit aussitôt dans le biotope humide qui s'était créé sous sa chemise. Elle trépignait. À la fin de la journée, elle aurait déba̶ ̶i̶nventorié et rangé le matériel dans la réserve qu'elle av̶ ̶n bureau. Elle avait un effet sur le cours des ̶ ̶ ̶ ̶

Elle e̶ ̶ ̶ ̶ ̶ ̶u de tes yeux. Touché de ̶ ̶ ̶ ̶ ̶ment dans les per̶ ̶ ̶paules tomb̶

M̶ ̶ ̶ ̶ ̶ ̶ bout. Il ral̶

̶ ̶. Ce hourra
a̶ ̶ ̶ ̶ ̶avait encore
̶s arrivée, ou
̶ait été qu'une
̶avait été assez
̶ils jouaient, ces
̶tait vraiment en

̶. devant une clique
̶. sentit leurs regards
̶ un garçon avec un

fusil, transpirant sous un casque. La menace était omniprésente ; autant marcher à côté d'un homme qui ne disait rien mais avançait avec une matraque brandie au-dessus de sa tête.

Une fois arrivés au bureau du sous-fifre, il lui fit signe de s'asseoir.

— Mes cartons ne sont pas là, hein ? lui demanda-t-elle en birman.

Elle ne savait pas comment on disait "cargaison".

Il se retourna et secoua imperceptiblement la tête sans croiser son regard. Il détestait cette situation.

— Vous signez ? dit-il en anglais, glissant vers elle un tas de paperasse.

Elle avait déjà vu, et signé, ces papiers. Elle les prit dans sa main. Et puis merde. S'ils ne lui fourguaient toujours pas son matériel, autant qu'elle fasse un peu de grabuge.

Mains appuyées sur le bureau, elle se pencha vers lui. Elle était trop petite pour faire planer une menace sur quiconque, mais se pencher, pas de problème. Elle s'adressa à lui dans un anglais très sonore, imitant au mieux la fille qui a des responsabilités.

— Je dirige une instance reconnue par l'ONU – déclaration vide de sens mais qui comptait les mots *dirige*, *instance* et *ONU*. Vous n'avez aucun droit de me barrer l'accès à ma cargaison.

Elle tapa du pied pour la bonne mesure. Le sous-fifre blêmit et recula. À l'autre bout de la pièce, le tintement des cuillères dans les tasses cessa.

D'une voix très posée, Leila reprit, en birman :

— Je sais que ce n'est pas votre faute. Je veux bien vous laisser tranquille. Mais dites-moi où trouver Zeya. C'est à lui que je dois parler.

Leila travaillait seule ; il fallait qu'elle soit à la fois le gentil flic et le méchant.

Il la toisa en plissant les yeux. Elle s'attirait souvent ce genre de regard quand elle parlait birman ; elle avait sûrement un accent déplorable. Mais soudain il écarquilla les yeux et se radoucit, et Leila pensa avoir gagné.

— C'est le jour trois. Il est avec les *bird people* le jour trois, lui dit-il calmement, dans un mélange des deux langues.

Les Birmans associaient un chiffre à chaque jour de la semaine. Il parlait du mardi. Mais les *bird people* ? C'était quoi encore ce machin ?

S'en tenant au birman, elle reprit :

— Et mes cartons, comment je les récupère ? Pourquoi Zeya me met des bâtons dans les roues ?

Ce à quoi le sous-fifre, apparemment désolé de lui faire cette annonce, répondit en anglais :

— Madame, ils ne veulent pas de vous ici. Peut-être que si vous payez les taxes, et que vous ne faites pas trop de vagues, vous aurez vos cartons. Mais je crois qu'ils n'ont pas du tout envie que vous traîniez dans le coin.

Leila refusa de rentrer avec le chauffeur du ministère qui l'avait conduite à l'aéroport. Si elle trouvait le chemin du terminal voyageurs, elle prendrait un taxi. Le terminal en question était à environ huit cents mètres ; elle avait fait attention aux distances à leur arrivée. Elle sortit donc du hangar et marcha en direction d'où elle était venue. La route n'était pas faite pour les piétons, un tertre poussiéreux avec des fossés de chaque côté, où s'écoulaient des eaux usées et des déchets. Elle n'avait pas les chaussures adéquates ; sa démarche, bancale, générait d'autant plus de poussière. Enfin, elle était délivrée de ces grotesques apparatchiks.

Délivrée ? Pas tout à fait. Un tout jeune soldat en pantalon ample, armé d'un semi-automatique M1, la suivait à une distance de cinquante mètres. À contrecœur cela dit, plus petit frère boudeur qu'homme de main armé.

Sa chemise-armure en kraft était insupportable. Elle songea à défaire quelques boutons, mais se reprit. Elle était seule avec le soldat qui marchait derrière elle. Elle était arrivée jusque-là sans se faire violer, et elle avait bien l'intention que ça dure.

En se retournant pour voir si le soldat était toujours là, elle aperçut quelque chose derrière lui : un petit avion qui atterrissait. Un jet privé blanc très classe, rien à voir avec les appareils militaires birmans ni les turbopropulseurs français un peu ridicules d'Air Mandalay. Le jet s'arrêta au milieu du tarmac et trois gros 4×4 sortirent du hangar où elle venait de perdre deux heures. Ils filèrent droit vers le jet, en formation serrée, tels des cafards sur le carrelage d'une cuisine. Deux hommes – des soldats – sortirent de chaque véhicule, et chaque couple réceptionna une caisse métallique descendue au treuil de l'arrière de l'appareil. Les caisses furent chargées dans les 4×4. Un escalier jaillit de l'avant du jet et trois passagers émergèrent – des hommes, Leila ne put en dire plus – avant de s'engouffrer dans le premier véhicule. Les 4×4 avaient à peine disparu derrière un bâtiment lointain que le jet s'élançait pour décoller à nouveau. Au total, l'opération avait pris moins de trois minutes – de loin la manœuvre la plus efficace à laquelle Leila avait assisté dans ce pays. Probable que ces caisses débordaient de Johnnie Walker et de VHS pornos, destinés à un général bardé de médailles. Et pendant ce temps, ses fournitures médicales pourrissaient dans un entrepôt. Elle était à la fois énervée et navrée, un mélange fatal qui en avait fait abandonner plus d'un. *Ils se foutent franchement de ma gueule*, se dit-elle.

Une fois à l'aérogare, elle se dirigea droit vers la file de taxis. Mais comme elle venait de la mauvaise direction, elle tomba sur les chauffeurs qui se prélassaient à l'ombre d'arbres qui ressemblaient à des mimosas ; ils firent à peine cas d'elle. Comment faisaient-ils pour garder leurs chemises si blanches ? Ici, les hommes portaient des chemises éclatantes et de longs sarongs délavés – *longyis*, en birman, avec un gros nœud devant, une énorme braguette en tissu si on veut. Elle espérait que Aung-Hla serait parmi eux, mais non, elle n'en reconnut aucun.

C'est dans une clique pareillement alanguie que Leila avait choisi Aung-Hla quelques mois auparavant, lorsqu'elle avait commencé à s'aventurer hors de Mandalay pour Main Tendue. Au début, il avait gardé ses distances avec elle. Ses réponses étaient laconiques, et lors des pauses, il déclinait les coca ou sandwichs qu'elle lui proposait, préférant vérifier ses niveaux sous le capot de sa Toyota blanche, lustrer la sellerie en vinyle ou dépoussiérer les tapis. Elle n'avait jamais voyagé dans une voiture si bien entretenue. Les parents de Leila avaient conduit la même quand elle était petite. Sauf que la leur était beige, toute miteuse et tachée de trucs qui avaient fondu sur les sièges. Une Tercel ? À l'arrière du taxi d'Aung-Hla, elle se remémorait les trajets de son enfance. L'arrondi du dossier des sièges baquets, la bosse au milieu de la banquette arrière, le vinyle bouillant en été, et cette odeur de – de quoi ? du sable qu'on y ramenait ? de courant basse tension ? de moquette sur du métal brûlant ?

Au bout d'une dizaine de voyages, Aung-Hla s'ouvrit un peu à elle. Pas grand-chose, mais il lui arrivait de rire à ses blagues, de la présenter à un autre chauffeur de taxi, de s'arrêter pour lui montrer une belle vue. Puis vint le jour où Leila prit une photo de son taxi, de trois quarts, très flatteuse pour le véhicule ; lorsqu'elle lui montra la photo sur l'écran de son ordinateur portable, il manqua défaillir. Il n'avait pas d'adresse mail, alors Leila la fit imprimer en couleurs à l'accueil de leur hôtel à Yangon, et il la fixa à son pare-soleil avec un élastique. Il ne tarda pas à lui nommer des choses – les arbres ; ses trois filles, elles aussi présentes sur le pare-soleil ; les personnages de la tradition bouddhique theravada peints sur les façades en plâtre des petits temples en bordure de route.

Puis vint un autre jour, celui où il vit son visage se décomposer lorsque, lors d'une pause dans une de ces stations-services-cafés que les directeurs artistiques essaient toujours de reconstituer dans les pubs pour les jeans, Leila avait voulu une fois de plus commander la délicieuse soupe de poulet au riz qu'elle trouvait facilement à Mandalay, et s'était vu servir ce qui ressemblait à un annuaire déchiqueté par une poule. Elle avait tellement faim ce jour-là qu'une fois face à son bol de bouillie de poulet huileuse, elle avait eu les larmes aux yeux. À partir de là, Aung-Hla se chargea de commander à sa place. Il observait même la préparation de ses plats. Elle le voyait refuser le contenu de certains récipients, en approuver d'autres. Elle était gênée d'avoir flanché sur ce point. Elle savait qu'elle aurait dû commander sa propre nourriture, passer ses coups de fil elle-même, et évoluer en général dans les endroits bizarres sans donner la satisfaction aux hommes de voir une femme demander de l'aide. Mais elle était aussi en mesure d'identifier les problèmes dont la solution exigeait des capacités ou des ressources qu'elle n'avait pas. Comme dans le cas du poulet, par exemple.

Aung-Hla ne tarda pas à s'asseoir à la même table qu'elle sous les toits de chaume et de toile au bord des routes écrasées de soleil. Elle lui apprit un jeu de cartes. Il lui expliqua l'uposatha, une sorte de sabbat dans la tradition theravada. Elle découvrit qu'il maîtrisait plus d'anglais qu'il ne l'avait laissé entendre : grammaire très lacunaire, mais beaucoup de vocabulaire. Comme elle, il était bon élève, et elle lui apprit à conjuguer *aller* au futur. Il connaissait par cœur certains idiomes qu'il ne plaçait pas toujours à propos, ou dont il abusait. Il disait "Ne quittez pas", "Prêts, feu, partez", "Je ne le permettrai pas".

Mais Aung-Hla n'était pas parmi les chauffeurs présents, et elle rentra à Mandalay avec quelqu'un qu'elle ne connaissait pas, en silence. Un accident sur la prétendue voie rapide qui partait de l'aéroport provoqua un embouteillage malgré le peu de circulation ; elle détourna le regard lorsqu'ils passèrent à hauteur du motard estropié qui gémissait et dont la journée, et même toute la vie, se passait franchement moins bien que la sienne.

Elle essaya de se remonter le moral. C'était une déconvenue, rien de plus. Elle avait surmonté bien pire. D'un côté, elle voulait leur balancer, *Bande de connards, vous savez pas à qui vous vous en prenez*. Mais elle n'avait pas assez de cran. Et puis, ils savaient parfaitement à qui ils s'en prenaient : à une pauvre fille blanche dont l'organisation n'avait pas suffisamment d'influence, de volonté ou de fric pour récupérer quatorze tonnes américaines de matériel médical sous clé. En fait, c'était elle qui ne savait pas bien qui s'en prenait à elle.

Je crois qu'ils n'ont pas du tout envie que vous traîniez dans le coin. Le type avait dit ça avec de la peur dans la voix. *Ils,* sans qu'on sache qui au juste. Rien de rassurant. Et si en plus on avait des *bird people* dans le paysage, ça corsait sérieusement les choses. Qu'est-ce qu'il avait voulu dire ?

Elle retourna à son bureau – deux pièces au-dessus d'une épicerie, qui donnaient sur le grand rond-point d'une large avenue crasseuse du centre. Elle ôta son chemisier et ses chaussures stupides et se changea. Elle enchaîna quelques gestes pour faire croire qu'elle travaillait, jusqu'à ce qu'elle se rappelle qu'elle n'avait pas de public. Alors elle partit avec son ordinateur portable dans un sac en plastique, en direction de son salon de thé préféré. Elle commanderait un thé à la menthe et ces biscuits anglais qu'ils appelaient *Number Nine*. Elle aimait l'animation qui régnait dans les rues. Si elle marchait vite, ne parlait pas et portait les bons vêtements, elle pourrait se fondre dans la masse. C'était le cas dans beaucoup d'endroits – l'un des avantages de ses origines perses.

Mais se fondre dans la masse, ça revenait à se cacher, non ? Elle était trop seule ici. La quête de solitude était ce qui l'avait décidée à accepter ce boulot. Une année au loin, dans la chaleur. Après la rupture avec Rich, elle avait voulu sortir de New York ; retourner sur le terrain. Elle n'était pas socialement déficitaire ; elle évoluait dans la catégorie des gens heureux et entourés. Elle connaissait les règles, ainsi que les moyens de les contourner. Mais elle se dit qu'elle n'aimait peut-être pas tant de gens que ça. *Combien de personnes est-on censé aimer ?* se demanda-t-elle. À partir de quel chiffre est-on considéré comme affecté d'un trouble du lien social ? Elle n'avait rien contre un pot après le boulot entre collègues. Mais en général, ils étaient consternants d'inefficacité, et agaçants avec ça, avec leur sandwich à l'œuf et leur casque de vélo perché sur leur écran d'ordinateur.

Mais là, elle devait reconnaître qu'un peu d'aide n'aurait pas été de trop. À part Aung-Hla, sa seule autre amie était Dah Alice, une femme au physique de grue, qui parlait un anglais très précis et dirigeait un orphelinat local. Dah Alice lui avait été d'une aide précieuse dès son arrivée, notamment dans sa quête d'étudiantes en soins infirmiers, en lui présentant le personnel enseignant de l'école d'infirmières. Mais Leila avait du mal à lui avouer tous les problèmes qu'elle rencontrait dans son travail, elle ne voulait pas passer pour l'incapable qui se plaint tout le temps.

Surtout depuis qu'elle avait découvert ceci : même si l'orphelinat était son activité principale, Dah Alice s'occupait d'une association caritative au rôle social étendu – aide dans le domaine de la santé publique, programmes d'alphabétisation pour adultes. Plus Leila était active et efficace, plus les généraux la considéraient comme une menace et donc augmentaient leur surveillance ; elle devait abattre beaucoup de travail tout en faisant profil bas. Demander à Dah Alice d'intervenir dans cette histoire de recel serait pousser le bouchon trop loin ; elle serait direct sur la sellette. Dans un régime tyrannique, les gens sollicitent moins l'aide de leurs proches.

Le salon de thé préféré de Leila était au bout d'une rue qui n'avait pas de caniveau, ni de nom anglicisé sur la plaque émaillée fixée au bâtiment rose et criblé de trous qui faisait l'angle. Pour Leila, les caractères birmans ressemblaient à une écriture cunéiforme excentrique, ou aux gribouillis qui avaient encombré à une époque les marges de ses carnets : c'était une succession de fers à cheval et de "e" bouclés qui renfermaient apparemment, pour les vingt millions de locuteurs de la langue, toutes sortes d'informations utiles. Quand elle n'arrivait pas à déchiffrer un mot en birman, elle essayait de se souvenir de ce que lui évoquaient les symboles. Une lune au-dessus de trois balles de tennis, un smiley, un "e" à l'envers, un @ de traviole : c'était le nom de la rue de son salon de thé.

Rien qu'au bout de dix mètres dans cette rue, la chaleur s'estompait, grâce à l'ombre et aux courants d'air climatisé qui filtraient par les embrasures de porte. Tout du long, il y avait des gens qui entraient et sortaient des immeubles. Une impasse au nom absurde dans la deuxième ville d'un État kleptocratique d'Asie de l'Est. Mais au moins, il y avait du monde !

Un homme en lunettes noires et chemise blanche impeccable l'avait suivie depuis l'avenue – un agent de change zélé qui espérait qu'elle ferait appel à ses services, songea-t-elle. Mais lorsqu'il vit qu'elle avait d'autres intentions, il s'arrêta devant un étal de tee-shirts et de théières dont il salua chaleureusement le marchand.

Adossés au mur ou accroupis sur le trottoir, des hommes vendaient savon, piles, barrettes, le tout étalé sur des tapis qui avaient bien plus de valeur que ces babioles. Une vieille femme sur un perron pliait de la dentelle. Une femme plus vieille fabriquait et vendait des balais. Un petit homme hors d'âge cirait des chaussures, les mains noires et agiles. Deux moines se parlaient à voix basse. Leila se souvint de ne pas sourire trop franchement, de garder simplement son visage ouvert et de n'établir un contact visuel qu'avec ceux qui y semblaient enclins. Il y en avait. Ça faisait deux ou trois mois qu'elle passait dans cette rue deux fois par jour maintenant. La vieille à dentelle hocha le menton à son intention et un enfant en tee-shirt Hard Rock Cafe lui fit un large sourire et un coucou de la main.

Une fois au salon de thé, elle prit place dos au mur. Ça l'agaçait quand les travailleurs humanitaires se la jouaient rangers, mais un petit séjour de huit mois en Afghanistan lui avait appris à être prudente. Le serveur, qui avait peut-être le béguin pour Leila, s'empressa de venir prendre sa commande, bien qu'il eût pu deviner sans mal depuis le temps : thé à la menthe et une assiette de *Number Nine*.

Qu'est-ce que ça sentait ? Cumin ? Toile de jute ? Liquide vaisselle chinois ? Impossible à dire, mais c'était exquis, et ça l'apaisait. C'est ça qui lui manquerait quand elle partirait : les odeurs. Elle sentait tout ce qui s'approchait d'elle ; pas seulement la nourriture, mais aussi les livres, les visages, les téléphones. Elle reniflait avec discrétion, mais sa technique était efficace. Pas besoin de passer et repasser quoi que ce soit sous son nez comme un sommelier, à la différence de son frère cadet, Dylan, qui ne lui arrivait pas à la cheville dans ce domaine. C'est à ça que jouaient les enfants Majnoun le samedi quand ils s'ennuyaient : à deviner ce qu'ils sentaient. Par exemple, Roxana cachait un bonbon derrière ses orteils et agitait son pied devant son frère et sa sœur, qui devaient deviner le parfum. Leila était capable de dire qui avait occupé le fauteuil en velours rouge une heure auparavant. Dylan n'osait pas lui chiper ses affaires parce qu'un jour elle avait prétendu pouvoir sentir l'odeur de ses mains sur ses livres de bibliothèque. Coup de bluff ou non, elle avait raison.

La sensibilité de son odorat fluctuait entre les effluves proches d'elle – principalement de nourriture ou de personnes – et les odeurs plus lointaines, rapportées par une manche de manteau ou un courant d'air. La première catégorie incluait le sac à dos qui sentait toujours le curry, la brosse à cheveux posée trop près du poêle, la gueule de bois du mec derrière le guichet de FedEx. On trouvait dans la seconde la ventilation d'une bouche de métro mêlée à une odeur de papier journal sentie à Bushwick, la senteur âcre des mains courantes, le gravier mouillé, mais aussi les exhalaisons plus subtiles du papier, de la peinture, des surfaces dures industrielles. Ces fluctuations étaient d'une certaine façon liées à son humeur. Il était rare que son nez s'avère trop puissant. Elle était en général capable de l'éteindre, ou de faire abstraction du pire, comme lorsqu'un slip sale s'asseyait à côté d'elle dans le bus. Bref, ça l'agaçait d'entendre les femmes enceintes bassiner le monde avec leur odorat surdéveloppé, avec cette odeur de banane si forte qu'elles avaient dû sortir de la pièce.

Son thé arriva. La petite tasse, la théière et l'assiette de biscuits délicatement disposées sur le plateau en alu cabossé. Le serveur exécuta quasiment une révérence en partant à reculons.

Non, elle ne pouvait pas solliciter Dah Alice. Et elle doutait que Aung-Hla soit en mesure de l'aider. Il savait s'y prendre avec les agents de la circulation, mais là c'était une autre paire de manches. Il y avait bien cet Américain avec qui elle avait parlé quelques fois. Fred. Est-ce qu'il s'appelait Fred ? Une sorte de professeur invité à l'université, qui parlait le birman, le kachin et le shan couramment. Il savait peut-être comment traiter avec des douaniers corrompus ; il avait dit être à Mandalay depuis plusieurs années. Mais malgré un multilinguisme exotique impressionnant, il ne lui avait pas fait l'effet d'une lumière. Et puis elle se rappela en grinçant des dents que lors de leur dernière entrevue, elle l'avait jouée un peu pimbêche. Il lui avait proposé une visite guidée du palais royal. Mais elle venait d'arriver, elle avait beaucoup de travail, et des palais elle en avait vu des centaines de toute façon – et Fred n'était pas le genre de mec qu'elle avait envie d'entendre blablater sur le fenestrage, le crénelage et tout le bazar.

Elle resta dans le salon de thé jusqu'à trois heures de l'après-midi – plus ou moins la fin de la journée de travail birmane. Elle avait passé le plus clair de son temps à écrire le brouillon d'un mail destiné à Dylan. Il répondait environ à un message sur trois, mais il faut insister avec les petits frères, et elle voulait qu'il lui en dise plus sur sa copine, si leur mère buvait trop, et qui était le nouvel employeur si chic pour qui Roxana travaillait.

Elle appela Aung-Hla avec son portable jetable birman. La communication était assez foutraque dans ce boulot. Pour être honnête, ce n'était pas la faute de Main Tendue ; c'était plutôt lié au fait de travailler dans une autarcie militaro-socialiste. Leila disposait d'un smartphone qui pouvait recevoir certains appels de l'étranger mais pas tous, d'une ligne fixe au bureau que la loi l'obligeait à avoir, d'un téléphone satellite dont Main Tendue était très fier, et de son portable pour les communications locales. Les étrangers n'ayant pas le droit de signer des contrats, même pour un portable, elle achetait dans la rue des téléphones jetables prépayés. Quatre-vingts minutes pour dix dollars. Mais elle avait un numéro différent à chaque nouvel appareil. (Qui était par ailleurs d'occasion. Pan dans la tronche, les recycleurs des pays industrialisés !) Le numéro sans cesse renouvelé impliquait qu'il lui servait beaucoup plus pour passer des appels que pour en recevoir, comme si elle se trimballait sa petite cabine téléphonique personnelle.

Elle avait besoin de reconfirmer le déplacement du lendemain avec Aung-Hla. Il avait eu l'air inquiet quand elle lui avait appris leur destination – une ville du nom de Myothit, dans l'État Kachin, à cinq cents kilomètres vers le nord. Leila savait que la répression avait été particulièrement sévère dans le coin, à cause des séparatistes, mais ce n'était pas le Nord profond, et la ville était en bordure de la voie rapide. S'ils partaient tôt et ne traînaient pas, ils pouvaient rentrer le soir même.

Lorsqu'on lui passa Aung-Hla – il partageait son téléphone avec un autre chauffeur de taxi – il dit qu'il était d'accord pour la retrouver le lendemain matin, mais qu'il ne voyait pas comment ils pourraient faire l'aller-retour sur la journée. "Je pense qu'il n'y a pas moyen", furent ses mots.

— Bon. On trouvera un hôtel, alors. Un endroit où dormir à Myothit.

Elle le sentait perplexe. Est-ce qu'il était gêné ? Elle aurait peut-être dû éviter le "on" ? Où était-ce une question de temps, de tarif ?

— Je vous paierai plus. Le double du tarif habituel.

Elle le regretta aussitôt. Il allait penser qu'elle utilisait l'argent comme moyen d'arriver à ses fins. Elle aurait aimé pouvoir lui parler de ses prêts étudiants.

— Même tarif, dit-il, et elle grimaça. Mais l'hôtel. Je crois qu'il ne sera pas salubre.

Ils trouveraient à s'héberger, se dit-elle plus tard. C'était un voyage important. Il y avait une femme dans cette ville qu'elle devait rencontrer.

Les étudiantes en soins infirmiers qu'elle avait sélectionnées jusqu'à présent pour les présenter à la bourse de Boston College étaient toutes issues de foyers birmans aisés. C'étaient des femmes capables de se mettre en avant, des candidates idéales. Mais Leila voulait aussi des femmes qui passaient en général à côté de ces occasions. Sûrement à cause de sa sœur, Roxana, sûrement parce que quelqu'un était intervenu en sa faveur quand elle était jeune, et avait dit aux Majnoun, *Oui, votre fille est handicapée, mais c'est aussi un génie.*

La femme de Myothit s'appelait Ma Thiri. Une infirmière de vingt-huit ans affublée d'une prothèse à la jambe et qui avait, sans l'aide de personne, ouvert une clinique de village dans une région pauvre et dangereuse, dans un pays miséreux et sous-éduqué. Les soins prénatals que la clinique dispensait avaient entraîné une chute significative du taux de mortalité infantile. Leila ne doutait pas que cette femme retirerait le plus grand bénéfice de trois années dans une école d'infirmières américaine.

Bon Dieu qu'il faisait chaud. Une chaleur invraisemblable à une heure pareille. Minuit. Ses bras collaient à son tronc en sueur, sauf aux endroits où son tee-shirt empêchait leur contact. Il y avait un ventilateur au plafond, allumé. Mais il tournait et bringuebalait à un rythme si heurté que le faible courant d'air produit était annulé par l'angoisse qu'il suscitait. À son arrivée dans l'appartement, le lit était pile en dessous. Jamais elle n'aurait pu fermer l'œil avec cette pieuvre au-dessus de sa tête, alors elle avait poussé le lit, un monstre d'acier, vers la fenêtre, trois mètres plus loin. Même là, le boucan rendait tout sommeil impossible, alors elle avait mis au point un petit rituel qui consistait à éteindre toutes les lumières, prendre une douche froide, puis, enfin, à éteindre le ventilo.

L'eau que crachait la pomme de douche en plastique forma deux petites mares au creux de ses clavicules puis coula entre ses seins, drainant sur son passage la pellicule de sueur et de poussière jaune qui se formait tous les jours sur sa peau. L'espace d'un instant, dans la douche sombre, elle fut une équation résolue, heureuse comme un scarabée au grand air. Elle pensa à la Californie, sa mère patrie, ou plutôt sa belle-mère patrie, mais bon. Elle était sur un vélo cross, pédalait comme une forcenée, son petit frère debout derrière elle, en appui sur les cale-pieds de son essieu arrière. Elle arpentait la promenade de Redondo Beach dans son coupe-vent jaune adoré, avec sa grande sœur amaigrie perchée sur ses rollers.

Puis elle sortit de la douche, traversa l'obscurité en vitesse et à poil, éteignit le ventilateur et se nicha dans son lit défoncé. Le drap remonté jusqu'à ses côtes gisait sur elle comme un clair de lune. Les soucis l'assaillirent. Mais elle écouta le souffle qu'elle empruntait à l'air ambiant et resta immobile, laissant les soucis se livrer à leur petit manège. On ne peut pas bouger un cil quand on essaie de s'endormir à Mandalay en avril.

Aung-Hla était en bas de chez elle à six heures du matin. Ils roulèrent bien jusqu'à ce qu'ils tombent sur une file de voitures devant un barrage routier inexpliqué. Aucune voiture n'arrivait en sens inverse. Leila regarda Aung-Hla. Est-ce qu'il était inquiet ? Non. Elle essaya de prendre son mal en patience. Au bout d'une demi-heure, deux gros 4×4 croisèrent leur chemin, et après leur passage, la circulation fut rétablie. Ils n'arrivèrent à Myothit qu'à une heure, et dès qu'elle y mit un pied, Leila sentit comme une menace planer sur elle. Les chiens aboyaient pour un rien. Dans la rue, les portes se fermaient avant son passage. L'homme qui lui vendit un coca évitait son regard. Et au salon de thé de la lugubre place centrale, on chercha des noises à Aung-Hla, sûrement parce qu'il conduisait une étrangère.

Lorsque enfin elle trouva la clinique, Leila dut attendre une heure avant que Ma Thiri ait le temps de s'asseoir avec elle. Elle s'en agaça, mais la jeune femme avait beaucoup de patients. S'occuper d'eux était autrement plus important que de bavarder avec une riche étrangère qui serait repartie le lendemain. Leila aurait sûrement vu les choses ainsi si elles avaient échangé leur place. Parce que Leila n'ignorait pas que c'était comme ça qu'elle présentait. On la considérait riche. Cette question, sous toutes ses formes, la contrariait, la travaillait au corps : Est-ce que l'argent était tout ce qui comptait ? De toute évidence, oui. Ils étaient pauvres à ce point. La clinique n'était pas un modèle de propreté. Un chat pelé traversa la salle d'attente en trottinant. Eh oui, le monde se résumait toujours à l'opposition riches/pauvres. Est-ce que ça faisait d'elle une marxiste ?

Mais il lui arrivait parfois de voir que vivre de façon plus terrestre, connaître le besoin, avait un je-ne-sais-quoi qui nimbait l'âme de grâce. À moins qu'elle idéalise la pauvreté ? Ça l'exaspérait quand les gens faisaient ça. Au final, ce supplément ineffable qu'elle admirait tant chez ce peuple opprimé, elle ne le désirait pas assez pour céder la moindre part de ce qu'elle possédait.

L'entretien eut lieu dans la salle de consultation de Ma Thiri. Les murs étaient recouverts d'exhortations à vous laver les mains et d'affiches de propagande par le biais desquelles la junte affirmait que travailler ensemble permettait de surmonter toutes les épreuves. Il y avait aussi des fiches d'anatomie médicale et d'autodiagnostic avec des pictogrammes qui auraient fait fuir à toutes jambes une apprentie infirmière du Kansas.

Le birman de Leila étant à peu près du niveau de l'anglais que parlait Ma Thiri, il se passa cette chose rare : elles partagèrent plusieurs langues, avec ce que cela comporte de travail et de risques. Au cours de tous ses entretiens précédents, Leila avait trouvé difficile d'éviter le désespoir des femmes – la vérité brutale qu'elles étaient prêtes à tout pour obtenir ce qu'elle leur faisait miroiter. Mais avec Ma Thiri, il lui fallut une bonne dizaine de minutes pour comprendre que peut-être la jeune femme ne voulait pas de cette bourse qu'elle lui proposait. Elle s'entendit alors prendre des accents incrédules.

— Pourquoi ne pas sauter sur l'occasion ? Vous reviendrez plus informée, plus douée.

— Mais et si parce que je ne revenais pas ?

Un vrai charabia, mais le sourire triste de Ma Thiri, lui, ne laissait aucune place à l'ambiguïté. Comme Leila quelques minutes auparavant, elle s'effarait du clivage riches/pauvres, et lui disait qu'elle craignait que l'Occident la corrompe, alors qu'elle était promise à une vie difficile.

— Alors il faut partir avec la ferme intention de revenir, lui répondit Leila (ou plus exactement "la forte décision de revenir", car elle ne savait pas dire "ferme intention" en birman).

Mais il y avait cette chose extraordinaire que Ma Thiri avait créée – la clinique – et ce fut leur principal sujet de discussion. Elle l'avait fait pour sa mère, qui était morte de – Leila ne comprit pas le mot mais ne la fit pas répéter car elle avait saisi l'essentiel : on aurait pu l'éviter, et Ma Thiri s'en voulait toujours.

Elle recevait de l'argent d'une œuvre de charité chrétienne, peut-être bientôt d'une autre institution ; il se pouvait qu'une autre infirmière vienne travailler avec elle prochainement. Ma Thiri soupira. Puis elle sourit.

— Vous me donnerez aussi un mari, à cette école hospitalière ?

Elle évoqua le séduisant docteur d'une vieille série télé, et Leila se mit à rire.

Non. Trop de gens avaient besoin d'elle ici. Et puisque ses mots se réduisaient à l'essentiel, elle ne chercha pas à masquer la prétention qu'on pouvait percevoir dans son raisonnement.

— Je suis quelqu'un de trop important. Personne ne peut me remplacer.

Et puis il y avait aussi une sœur et un frère dont elle devait s'occuper, ainsi qu'un père malade.

— Oui, je sais ce que c'est, répondit Leila.

Mais ce n'était pas comme si Dylan ou Roxana l'avaient retenue, ou comme si son père avait des problèmes.

À la fin de leur entretien, Leila avait tout de même réussi à arracher à Ma Thiri la promesse de réfléchir encore à sa proposition. Mais Leila savait bien que la jeune femme avait pris sa décision et que cette concession n'était que pure politesse.

En sortant, elle eut l'impression d'être un présentateur télé qui rejoint le van de l'émission avec son énorme chèque cartonné sous le bras.

Cette nuit-là à Myothit, Leila fut seule dans tout l'hôtel. Pas seulement la seule cliente, mais la seule âme qui vive. L'homme qu'elle avait pris pour le propriétaire était parti, tout comme la dame qui lavait les draps sur le toit. Allongée sur un matelas humide en mousse, sous une moustiquaire, dans une chambre gigantesque avec cinq autres lits, eux aussi voilés, elle n'eut aucun mal à imaginer, derrière leurs rideaux de gaze, des fantômes, des violeurs, des tueurs armés d'une machette, ou des violeurs-tueurs fantômes armés d'une machette. Dans la salle de bains, un tube au néon clignotait en bourdonnant, et un robinet gouttait. Un papillon de nuit brun explorait les environs de sa moustiquaire. Toutes les heures, un générateur se mettait en branle à l'extérieur. Elle s'en voulait de ne pas s'être opposée plus fermement à ce que Aung-Hla dorme dans une sorte de dortoir pour taxis au bout de la rue. Cet endroit ne pouvait pas être beaucoup moins cher que son hôtel.

Le matin finit par arriver, et Aung-Hla vint la chercher. Elle lui dit qu'elle avait passé la nuit toute seule dans cet immeuble, mais aurait dû s'abstenir, car il eut honte de l'avoir laissée là. Il gueula un bon coup sur le propriétaire, dans un birman dont Leila ne comprit pas un traître mot.

— Venez, Aung-Hla, fichons le camp d'ici, dit Leila en anglais.

Il s'esclaffa, pensant sûrement qu'elle avait dit quelque chose de spirituel.

Mais au check point situé dix kilomètres plus loin, deux jeunes soldats décidèrent d'ausculter en détail l'autorisation de circuler librement sur le territoire de Leila. Ils la firent asseoir sur une chaise de jardin en plastique blanc, dans leur cabane en bois étouffante, à côté de leur barrière tordue zébrée de rouge et de blanc contrebalancée par un bloc de béton, et se mirent en peine de noter le moindre chiffre imprimé qui se rapportait à elle, jusqu'à son numéro de carte d'abonnée à la piscine d'Oakland. Ils demandèrent à Aung-Hla de rester dans son taxi.

Au bout d'une demi-heure, Leila vit Aung-Hla planté sur le seuil de la cabane. Il lui fit signe, en silence, qu'il était temps de partir. Elle se leva. Il entra et s'adressa aux jeunes soldats avec véhémence, sans hésiter à les interrompre quand ils tentaient de riposter, la façon dont on est obligé de s'y prendre si on compte bluffer des adolescents armés. Il récupéra le contenu du portefeuille de Leila étalé sur le bureau en mélaminé et l'escorta à reculons jusqu'au taxi, suivi des soldats. Il installa Leila à l'arrière, et sans cesser de leur parler sur un ton sévère, il leva lui-même la barrière qui leur barrait la route. Le geste de trop. Le soldat dégaina son pistolet brun mat et se mit à crier. Aung-Hla pointa un doigt vers la route en articulant des mots qui sonnaient très féroce. Le gamin se calma, et Aung-Hla ne se fit pas prier pour s'asseoir au volant, démarrer et quitter le check point à une allure très modérée. De toutes ses forces, Leila s'empêcha de se couler dans son siège pour éviter les balles, comme elle avait vu faire à la télé.

Une fois hors de leur portée, Aung-Hla roula à une allure beaucoup moins modérée. Leila remarqua la peur qui hérissait sa nuque tandis qu'ils sillonnaient les routes défoncées. Ces soldats étaient ivres, ou peut-être même perchés, finit-elle par comprendre grâce aux mimes explicatifs de son chauffeur. Il fit le geste de la bouteille qu'on bascule, avec le pouce en guise de goulot ; puis celui du joint pincé entre le pouce et l'index, duquel on tire une bouffée. Il leva ensuite une main à hauteur de son visage et actionna son index de droite à gauche, comme un métronome réglé sur quatre-vingt-dix battements minute, pour dire *non, négatif, il ne faut pas, non de non, surtout pas, danger*. Du grand art, cette négation manuelle, le doigt qui battait la mesure et le reste de la main parfaitement immobile, et ses yeux qui regardaient Leila dans le rétroviseur.

Il quitta la route principale pour s'engager sur un large chemin de gravier qui gravissait une colline déboisée en direction de la jungle. Leila remarqua qu'en matière de confiance, elle avait largement dépassé le stade de la soupe au poulet. Aung-Hla essayait de lui expliquer où ils allaient. Voilà ce qu'elle comprit : "Les chefs des soldats ivres travaillent là-haut. Si je me plains d'eux avant qu'ils signalent un taxi qui a forcé une barrière avec une femme blanche, tout ira bien. Pas de problème."

Aung-Hla connaissait peut-être quelqu'un là-haut, comme il disait. Son beau-frère. Ou son neveu. Ou son arrière-grand-père. Mais les liens de parenté en birman c'était coton.

Lorsqu'un nouveau check point se dressa à l'horizon, Aung-Hla lança une sorte de sarong sur la banquette arrière et dit à Leila de se couvrir. Elle s'en drapa à la va-vite en se débrouillant pour former un capuchon avec l'extrémité. Aung-Hla s'arrêta sur le bas-côté devant le barrage, coupa le moteur et lui dit de rester dans la voiture. Dans un anglais parfait : "Restez dans la voiture." Il sortit du taxi et se dirigea vers le baraquement, plus impressionnant que le précédent : on l'avait construit à partir d'un container puis surélevé ; unité de climatisation vissée à l'arrière, mât télescopique pourvu d'une antenne satellitaire à l'air menaçant qui atteignait les cinq ou six mètres de haut. Ce qui empêchait le passage n'était pas une pauvre barrière mais une sorte de ralentisseur métallique avec dents rétractables qui ne faisaient qu'une bouchée de vos pneus. Lorsque Aung-Hla salua l'un des gardes, Leila décela dans ses gestes de l'amicalité, mais aussi de la soumission. L'homme l'escorta à l'intérieur mais il réussit à lever discrètement son pouce à l'intention de Leila avant que la porte ne se referme sur lui.

Elle attendit. Il n'était que dix heures du matin, mais il faisait aussi chaud que dans un grille-pain. Elle lorgna avidement un coin d'ombre sous un arbre tout proche. Mais Aung-Hla lui avait dit de rester là, et c'est bien ce qu'elle comptait faire. Elle laissa sa capuche retomber sur son front et tenta de rester parfaitement immobile. Une chaleur pareille était propice au bouddhisme, à l'inertie. Son souffle faisait frémir le tissu près de son menton. Son regard tomba sur la photo des filles de Aung-Hla, sur le pare-soleil. Elles étaient assises en triangle devant un faux paysage alpin représenté sur une toile de fond. À l'époque, elles devaient avoir six, huit et dix ans. Puis elle vit la photo qu'elle avait prise du taxi, dont les couleurs commençaient déjà à s'effacer. (Il y avait un arbre bien vert aux branches tombantes à l'arrière-plan, et du macadam bien noir sous les roues du véhicule. Elle s'en était bien sortie au niveau de la composition.) Une petite horloge analogique était scratchée au tableau de bord. Le vinyle chauffait ; à chaque *tic*, la température augmentait.

Une grosse Mitsubishi s'arrêta au check point. Les dents avides de gomme se rétractèrent aussitôt et le véhicule franchit le passage. Deux hommes sortirent de l'arrière, et Leila trouva qu'ils formaient un couple étrange : l'un avait l'air birman, la cinquantaine, et l'autre ressemblait à un hipster dans un Starbucks – tee-shirt, lunettes carrées, casque à écouteurs, sacoche pour ordi portable. Ils se dirigèrent prestement vers le container et le plus vieux des deux tint la porte au plus jeune. Leur arrivée tira Leila de sa méditation superficielle. Deux autres Blancs sortirent de l'avant du véhicule et chacun se mit à – décoincer quelque chose d'entre ses dents ? Non. Ils se logeaient une petite boule de tabac à chiquer entre la lèvre et la gencive. Elle avait essayé une fois, et vomi. Ils étaient à environ quinze mètres. Ils parlaient mais elle n'entendait pas un mot. Elle essaya de retrouver son état de demi-conscience. Elle arrivait de mieux en mieux à identifier les situations sur lesquelles elle n'avait aucun contrôle.

Les deux hommes se rapprochaient. Ils s'abritèrent à l'ombre de l'arbre qu'elle avait convoitée. Elle eut l'impression qu'ils étaient tapis, en attente. Quelque chose lui disait qu'il s'agissait d'officiers de sécurité, bien qu'ils n'aient ni insigne ni uniforme. Ils étaient à environ cinq mètres de sa vitre ouverte. Ils portaient des lunettes de soleil galbées derrière lesquelles, elle l'aurait parié, ils scrutaient les environs. N° 1, le plus jeune, la remarqua, N° 2 aussi, mais ils ne firent pas cas de sa présence. Elle les voyait clairement à travers le tissu extrafin, mais ils parlaient comme s'ils étaient seuls, en anglais, avec un accent américain.

— ... petit con nous prend pour des majordomes ? dit N° 1 en crachant un glaviot marron dans la terre.

— On s'en balance, dit N° 2.

— Non mais bon, c'est rien qu'un mec de l'assistance technique. Il est là pour installer des logiciels. Tu le sais, ça ?

N° 2 répondit sèchement :

— Non, je le sais pas. Et toi non plus. Ce qu'on sait, c'est que c'est notre colis. On passe le prendre, on le dépose. C'est tout ce qu'on sait.

— Je sais que cette petite fiotte m'a fait faire demi-tour pour aller chercher sa valise, sa crème de jour ou je sais pas quoi. Ça, je le sais. Tout ce truc, c'est n'importe quoi, c'est tout ce que je dis.

N° 2 ne réagit pas. Mais il cracha, mieux que N° 1, un beau missile visqueux. Un léger mouvement de sa tête fit dire à Leila qu'il devait lever les yeux au ciel derrière ses lunettes sournoises.

N° 1 n'en avait pas fini.

— Même pas le droit de porter une arme. Ça aussi c'est n'importe quoi. Comme ces roulements sur huit semaines. Sans parler de la bouffe. Si ce qu'on a mangé était du poulet, moi je suis Pat Sajak.

— T'es payé, non ? demanda N° 2.

Les veines de son cou et de ses bras ressortaient.

N° 1 était payé, apparemment, car la réplique lui avait cloué le bec. Mais Leila, derrière son voile, voyait qu'il était encore en pétard. Il avait pris une pose de gros dur et lorsqu'il cracha à nouveau, il grimaça, comme s'il en voulait à sa chique.

— Quand on a bossé avec les Pakis, là c'était un vrai boulot.

— Petit, dit N° 2 – ils ressemblaient tous les deux à des armoires à glace, mais N° 2 était plus âgé –, si tu veux faire bosser que tes muscles, dans cinq ans, t'as plus de boulot.

— Y a pas de honte, dit N° 1, piqué. Je préfère encore faire le malabar que le chauffeur de taxi.

À ces mots, N° 2 tourna la tête vers Leila. Il la sondait. Est-ce qu'elle avait écouté leur conversation ? Elle essaya d'avoir l'air détaché. Elle sortit quelques graines de tournesol de son sac à dos, qu'elle avait apportées de Mandalay. Ils ne pouvaient rien voir, mais elle ouvrit bruyamment la feuille de journal dans laquelle elle les avait emballées et les porta délicatement à sa bouche, une à une, à la manière un peu farouche dont elle avait vu les femmes manger des graines ici. La ruse fonctionna

– N° 2 cessa de la regarder et fit tomber des miettes de tabac de ses lèvres. Leila tendit l'oreille de son mieux.

— Tout ce que je dis, reprit N° 1, boudeur, c'est que j'ai pas signé pour être porteur en Birmanie.

— On est en Chine, dit N° 2.

— Ouais, si tu veux. En Chine.

Aung-Hla sortit du bureau, remerciant chaleureusement l'homme à qui il avait eu affaire. Les agents de sécurité le suivirent du regard. *Ne me parle pas en anglais*, songea-t-elle de toutes ses forces lorsqu'il ouvrit la portière.

— Comme sur des roulettes, lança-t-il en anglais, content de ce qu'il venait d'accomplir, parce que ce n'était pas gagné d'avance.

Les agents se raidirent. Ils se mirent à la regarder avec insistance.

— Pas en anglais, Aung-Hla, tonna-t-elle en birman.

Elle s'essaya à une intonation haut perchée et nasale, espérant être convaincante. Le birman était une langue tonale, mais Leila, comme la plupart des locuteurs indo-européens, hésitait à en jouer le jeu, de peur de passer pour un corbeau dépressif.

— Les hommes, là, méchants. Parlez-moi en birman. Tout de suite.

Il s'exécuta. Il avait compris et lui débita un laïus en birman dont elle ne saisit pas un mot.

— Partir maintenant. Tous les deux.

Aung-Hla manœuvra pour faire demi-tour et ils repartirent par la route qui les avait menés jusqu'ici. Elle appuya sur un bouton de sa montre sophistiquée pour enregistrer sa position.

Elle essaya d'expliquer à Aung-Hla ce qui s'était passé. Pas facile. Elle ne savait pas dire "prestataires" en birman, ni "mercenaires". Elle s'en sortit avec "soldats qui ne travaillent pas pour le gouvernement". Et lorsqu'elle précisa à Aung-Hla que les Américains n'avaient pas le droit de travailler en Birmanie, il lui rétorqua :

— Mais vous, vous travaillez ici.

Ce soir-là, de retour à Mandalay, elle remplit le formulaire de Main Tendue qui lui permettrait de le rémunérer non comme un simple chauffeur, mais comme "collaborateur local". Elle glissa l'équivalent de trois cents dollars dans une enveloppe sur laquelle elle inscrivit tant bien que mal son nom en caractères birmans et la rangea dans son sac à dos. Elle avait hâte de la lui donner, et tâchait de se concentrer sur le bénéfice qu'il en retirerait, et non sur la différence frappante que cela mettrait en évidence entre son pouvoir et le sien.

PORTLAND, OREGON

En tournant la tête pour voir Fremont Bridge étinceler dans la lumière rasante de ce matin de novembre, Leo sentit son menton râper contre le col de ses deux chemises en laine et de son blouson en toile. Sa tenue empâtait la partie supérieure de sa mince silhouette qui, même au repos, avait un petit côté chancelant. Courbé sous le vent, fier au-dessus du guidon de son vélo, il ressemblait à une bouilloire pleine perchée sur une étagère, et les gens qu'il croisait décrivaient un grand pas de côté. Mais il était encore tôt, il faisait à peine jour et encore froid ; il n'y avait pas tant de monde que ça sur son chemin.

Comme presque tous les jours, il aurait voulu pédaler sur Fremont Bridge au lieu du pont sur lequel il roulait, Broadway Bridge, un pont classique, bordeaux, avec des millions de rivets ; un pont à bascule avec des piles trapues qui évoquaient des bottes en caoutchouc. Fremont Bridge, lui, était beau, à la fois massif et aérien, une merveille sur le plan technique. Une bourrasque dans la mouettosphère fit claquer les drapeaux au sommet de son arc. Le fleuve en dessous était d'un vert profond et agité.

Un matin, six mois auparavant, Leo avait trouvé sa voiture toute cabossée à moitié montée sur le trottoir. *Alors c'était pas un rêve*, s'était-il dit, pris de honte et d'un sentiment de panique. Comme il était plus facile d'arrêter de conduire que de boire, Leo était devenu un cycliste convaincu. Mais il vivait l'absence de piste cyclable ou piétonne sur Fremont Bridge comme un affront. Il savait parfaitement que conduire pied au plancher sur la plateforme supérieure de ce pont, c'était le pied. *Des montagnes russes fournies par l'État pour les accros à la bagnole*, songea-t-il en regardant l'élégante trajectoire du Fremont, qui s'insérait sur un trajet bien plus court entre son domicile et son lieu de travail – un autre affront : se voir refuser l'itinéraire non seulement le plus chic, mais le plus direct. Mais pourquoi l'État investissait autant dans la construction de ces rubans de béton pour que les citoyens filent à toute allure dans leurs bolides privés ?

Il était au bord de l'indignation. Une discipline dans laquelle il excellait. Ça et l'accablement. Il faisait un parfait accablé. Mais l'indignation était l'une des rares attitudes agressives dans laquelle il était convaincant – sûrement grâce au mélange de paysan américain au sang bleu, d'olibrius du *Mayflower* et du Protestant robuste de la prairie dans son ascendance. Un de ses oncles, un peu allumé, s'était lui-même enchaîné à de grosses structures pour empêcher la construction d'antennes-relais de téléphonie mobile. Hériter de ce gène n'aurait pas dérangé Leo.

Oui, se dit-il en frôlant de trop près un homme qui faisait son jogging, tapissé de tissu éponge détrempé, *pédaler sur Fremont Bridge de bon matin serait une excellente façon de démarrer la journée*. Il fallait peut-être qu'il se lance dans une campagne politique pour obtenir un droit de passage aux piétons et aux cyclistes. Grâce à ses efforts, le pont deviendrait un boulevard pour usagers non motorisés, servirait de modèle, et à sa mort, dans un accident de kitesurf ou autre, serait rebaptisé à son nom. Un homme qui ressemblait à un ours en peluche était en train de l'insulter. Mais pourquoi ?

Une nouvelle bourrasque venue de l'eau agita les ficelles à pompons de son bonnet en laine. Il pédala plus vite. Le vent était porteur de nouvelles – levure, résine, benzène, eau de Javel, pin, boue, pâte à papier, lisier. Sur Fremont Bridge, on pouvait sûrement renifler sur des kilomètres, pensait Leo tandis qu'il traversait le pont plus humble, emplissant ses poumons d'air et ses yeux de lumière.

Mais un nuage cacha le soleil et alors le pont cessa de fredonner sous lui, le vent cessa d'être porteur de sens, et d'une façon générale mille autres petites choses perdirent de leur splendeur, comme un rayon de lumière pris au piège d'une feuille d'or froissée. L'étrange bouillonnement des neurotransmetteurs qui l'avait encouragé dans son délire de dingo du cyclo venait de se heurter à un système de refroidissement radical ; la recette était modifiée, et les éléments chimiques se frôlaient, échangeant un regard, un groupe méthyle. Leo avait mis en branle le mécanisme d'autodépréciation qui se répéterait au fil de la journée à une fréquence et une intensité grandissantes : il n'était qu'un raté.

Par où commencer ? Les gens qui obtiennent des pistes cyclables sur des ponts sont des gens engagés, qui t'échafaudent des projets sur cinq ans. D'increvables militants qui font passer leurs idées avant leur propre personne. *Comment peut-on faire passer quoi que ce soit avant soi ?* se demanda Leo. Rêver qu'un pont porte son nom ? Non mais franchement. Il n'avait pas voté depuis des années, il ne portait pas de casque, il n'avait qu'un frein, il était en retard au boulot et il travaillait dans un jardin d'enfants.

— Putain. Je me déteste, souffla-t-il en postillonnant sur son menton.

En attendant aux feux au bout du pont, il s'émerveilla du gigantesque bureau de poste – était-ce ce qu'on appelait de l'architecture soviétique ? brutaliste, plutôt ? L'endroit aurait pu abriter une exploitation minière. Le feu passa au vert et il tourna à droite, dans un quartier sorti de la valise d'un représentant de commerce. Un pressing, une boutique d'accessoires pour chien, une sandwicherie, un camion FedEx à l'arrêt dont les warnings perçaient de halos rouges la brume matinale. Il roula tel un fantôme sur les trottoirs lisses d'une place vide, au milieu de laquelle trônait une fontaine à sec et des jardinières garnies de roseaux, de plantes exotiques et de galets. Autour se dressaient des immeubles d'habitation neufs, le genre où les éléments de la structure étaient visibles, les balcons excessivement proéminents, le parking un atout précieux et le système de surveillance panoramique. Bref, des immeubles pour la classe créative, ou du moins des citoyens qui payaient des impôts et se laissaient facilement gouverner : oisifs, riches retraités, et marchands de loisirs. Mais le tout était surgi de terre une minute auparavant, et seules quelques âmes y avaient élu résidence.

Le jardin d'enfants où il travaillait, Jour Nouveau, était à l'autre bout de ce nouveau quartier, mais il ne l'avait jamais traversé à vélo. La route qui le contournait, pas beaucoup plus longue, était dotée d'une large piste cyclable et le faisait passer devant son café préféré.

Mais arriver en retard aujourd'hui n'était pas une bonne idée, déjà qu'il y avait de l'orage dans l'air avec sa responsable au sourire hypocrite, Sharon. Rien que la veille, elle avait essayé de lui faire comprendre que ce serait vraiment un Jour Nouveau pour lui du point de vue du travail s'il ne s'employait pas à s'améliorer dans les domaines qu'elle avait précédemment évoqués avec lui.

— Au niveau des horaires par exemple, au lieu de l'inexactitude, vous devriez tenter le… la… synchronitude.

Leo, qui ces temps-ci surmontait de mieux en mieux sa timidité naturelle, avait répondu :

— Ou la ponctualité. Je pourrais tenter ça, plutôt que la synchronitude.

Couper à travers le quartier fantôme pouvait lui permettre de gagner les cinq minutes fatidiques. Le risque était de se heurter à un mur antibruit, et de devoir faire demi-tour. Il hésita un instant, puis se décida à s'aventurer en *terra residencia*.

Ouais, vraiment trop mort, songea Leo. D'ici un an ou deux, les façades auraient dit adieu à leur éclat virginal. Bientôt, chaque fenêtre émettrait son propre signal – ficus mollassons et enceintes stéréo des professionnels urbains, appareils de musculation et chats somnolents – qui renseignerait le passant sur les vies qui se déroulaient derrière le verre. Mais un jour, peut-être, se disait Leo, ces immeubles seraient réaffectés – il y aurait du linge pendu aux balcons, comme à Caracas, ou pourquoi pas des immeubles construits au-dessus de ceux qui existaient, comme à Hong Kong. La placette zen avec sa fontaine dépressive pourrait devenir un souk byzantin, avec des mâts de tente plantés n'importe comment et des tapis volés dans les magasins de design du coin. *Dans le futur, on vivra peut-être tous plus proches les uns des autres, comme dans un festival de Burning Man permanent*, se dit Leo. Ou alors cette proximité pourrait virer au cauchemar, comme dans un camp de réfugiés, avec des virus inimaginables, des virus qui vous désintègrent le visage, et qui empoisonneraient l'eau, alors il y aurait des processions de citernes dans les rues et –

Personne n'était à proximité de lui lorsqu'il décolla de son vélo. Son esprit chercha un coupable, une autre personne que lui-même sur qui rejeter la faute. Le vélo cessa tout simplement d'avancer, alors que lui, non. Ce que les lois de la physique pouvaient être malicieuses. Tandis que son vol de boulet de canon le rapprochait du trottoir, conscient que leur rencontre serait un désastre, il se rappela qu'il ne portait pas de casque, et sa surprise se mua en peur. Un mois plus tôt, à une fête à laquelle son pote Louis l'avait amené, il avait entendu (sans le vouloir) leur hôte prétendre qu'il n'avait pas peur de la mort. Une affirmation que Leo jugeait mensongère. C'est donc déguisé en Jésus (c'était une soirée d'Halloween) que Leo avait décidé d'aller démonter le raisonnement du type. *Pas peur de la mort, hein ? Dis donc, ça doit faire de toi un vrai psychopathe.* Par contre, il avait bien vu presque avant que ça lui échappe qu'il n'aurait pas dû le traiter de négationniste. Mais trop tard. *J'ai dit comme un négationniste. Comme*, il avait grogné tandis que Louis l'escortait sur le perron pour lui dire de profiter de la promenade vivifiante du retour – toujours déguisé en Jésus.

Non, se dit Leo alors que les doigts de sa main droite entraient en contact avec les aspérités du trottoir froid, *je suis bien plus qu'un simple corps, mais je crois être moins qu'une âme.*

Puis, avec une agilité dont il n'avait pas fait preuve depuis des années, Leo abrita sa tête et le haut de son corps dans le creux de son bras. Un souvenir musculaire en sommeil depuis ses cinq mois de jujitsu au YMCA McBurney quand il avait dix ans ? Il lui semblait que c'était celui-ci qui avait accueilli les *young men* de la chanson. Un point localisé sous son estomac devint l'axe autour duquel tournait sa masse corporelle, et il eut le réflexe d'adapter son souffle pour encaisser le choc lorsque son tronc heurta violemment le béton. Vinrent ensuite sa hanche et son cul, qui ne roulèrent pas seulement sur le trottoir mais aussi sur un cadenas bousillé qui était là par hasard. Enfin, ce fut au tour de ses genoux et de ses pieds, avec un *tchac* sonore. Le dernier mouvement fut celui de son bras gauche, à la traîne, qui se posa délicatement, et de sa paume gantée, qui atterrit et rebondit, comme la main d'un *conguero* sur la peau tendue de son instrument.

Il se redressa. Il allait bien. En pleine forme.

Il se releva complètement, prudemment. Bon, il s'était peut-être un peu emballé. Mais il n'était pas blessé, et il pouvait marcher. Il était légèrement euphorique, à vrai dire.

Son vélo gisait derrière lui, tordu, la roue avant toujours coincée dans le rail de tramway dont ils étaient en train d'équiper toute la ville. Ce n'est qu'à présent qu'il remarquait les panneaux jaune et noir qui l'auraient averti du danger. Le dessin représentait avec exactitude ce qui venait de se passer : un vélo dont la roue avant était bloquée par les rails, le cycliste-bâton basculant par-dessus le guidon. *De l'art pictographique honorable, un petit poème dessiné*, songea Leo, et il se mit à s'engueuler pour son manque d'attention.

Mais attends un peu. D'un côté – la direction de laquelle il venait – le panneau était bien là, mais enveloppé de plusieurs couches de plastique noir bien serrées.

La pensée se fit jour en lui comme une révélation : *Ce n'était pas un accident. Ils ont masqué ce panneau parce qu'ils veulent m'éliminer.*

Une voix intérieure rouspéta : *Arrête, c'est ridicule.* Mais alors pourquoi avait-on enrubanné un seul panneau ?

Le moral dans les chaussettes, le cerveau qui carburait, ça faisait un petit moment que ça durait, mais ces pensées révélatrices, c'était nouveau. Elles survenaient quand il était au plus bas. Les éléments autour de lui semblaient se mettre à vibrer, il avait l'impression d'être au cœur des choses, que la planète grouillait d'une infinité de connexions et lui était l'une des ampoules de Tesla.

Est-ce que c'était si improbable ? Qu'il existe une sorte d'agence chargée de garder un œil sur les membres indociles de l'élite intellectuelle ? Non, c'était même tout à fait sensé. Les mégadonnées et tout. Donc oui, il était plus que possible qu'on l'ait repéré, qu'on le surveille et qu'on le suive. C'était sûrement à cause de son blog, sur lequel il s'était intéressé à la question de gouvernement parallèle – à quoi ça pouvait ressembler, comment ça fonctionnait. Il avait peut-être vu juste – trop.

Quand il remontait la pente, il voyait bien que ces idées pouvaient être de l'ordre du délire paranoïaque, et qu'il avait peut-être besoin d'une aide psychiatrique. Mais il refusait de mettre les rouages de son esprit entre les mains de professionnels qui pouvaient avoir toutes sortes de tares, de préjugés et, oui, d'intentions cachées. Mais tant que les hauts étaient plus nombreux que les bas, à quoi bon se plaindre? À l'aube de chaque jour scintillait l'éventualité qu'il découvre une grande théorie fédératrice. Ce n'était pas une maladie qu'il fallait soigner, mais une idée à laquelle il fallait s'accrocher.

Il reprit le chemin du travail à pied, poussant son vélo accidenté. Son retard était désormais inévitable. Mais il s'en fichait. Gracié, il avait évité la mort. La vie n'était pas qu'une forêt de douleur où on en bavait, c'était une fable violente et divine dont il était un personnage essentiel. Cette annonce se répandit dans tout son corps en un éclair. Il était de nouveau relié au grand fleuve de la vie qui coulait autour de nous en permanence. Sous la voûte céleste, immense et bleu-gris, les arbres secoués par une bourrasque exécutèrent un roulement de tambour sur son passage.

Jour Nouveau se situait dans un bâtiment qui avait été un véritable entrepôt. On arrivait encore à lire BOBINES ET FUSEAUX SCHMIDT sur la façade, en grandes lettres fantomatiques. Cinq ans auparavant, on l'avait converti en bureaux qui avaient hébergé une start-up, étoile filante annonciatrice de l'éclatement de la bulle Internet. Jour Nouveau avait hérité des meubles et des décorations des propriétaires précédents, et le lieu ressemblait donc à une start-up gérée par des gamins de trois ans. Coupez les pieds de deux tables de réunion en béton coulé et vous voilà avec un espace "arts & travaux manuels" de luxe pour les Miró en herbe. Pourquoi ne pas allouer un box à chaque enfant, au lieu d'un lit? (Parce que les enfants chiaient dans leur box, voilà pourquoi.) La rampe de skateboard du hall d'entrée avait été garnie de gros coussins et baptisée espace

41

grenouillère. Les employés filaient sur le béton ciré à bord de leurs fauteuils à roulettes, tandis que les gamins rampaient, bavaient et tapaient sur des banquettes en cuir noir, des cubes et des poufs géants.

Les chaises à roulettes, c'était le pied. Leo était l'inventeur d'un jeu d'extérieur appelé Mort qui Roule ; un membre du personnel "ligoté" à son fauteuil par les enfants devait foncer dans tous les sens, en criant, idéalement, "Je suis la Mort. Je te touche, tu es mort", pendant que les enfants s'ébrouaient en hurlant, ivres de joie et courant morve au nez pour échapper à la terrible chaise. Leo n'était plus le seul à tenir ce rôle. Une dénommée Lisa faisait une chouette Mort qui Roule, ainsi qu'une toute petite dame d'origine dominicaine qui s'appelait Cecilie et riait encore plus fort que les enfants lorsqu'elle s'élançait après eux et qu'ils la fuyaient comme la peste. C'était le jeu archi-préféré d'à peu près tous les enfants, même s'il prenait garde de rouler moins vite quand il jouait avec les deux trois ans. La seule évocation de son nom pouvait motiver quatorze petits de cinq ans à ramasser l'équivalent d'une matinée de bouts de papier et de boules de coton gluantes.

La direction était embêtée au sujet de Leo et de ses méthodes. Il pouvait être un vrai boulet, surtout quand des parents potentiellement intéressés visitaient les lieux. Pourquoi les trois quatre ans écoutaient-ils les Clash ? Pourquoi les quatre cinq ans semblaient-ils être en plein procès d'un gorille en peluche assis sur un tricycle ? Sharon affirmait que la Mort qui Roule ne lui posait aucun problème en soi (elle adorait dire "en soi", et aussi "au jour d'aujourd'hui"), mais elle voulait changer le nom.

— Pourquoi pas Le Gentil Monstre ? suggéra-t-elle un jour à Leo lors du point "objectifs" de sept heures et demie.

— C'est clairement plus le même enjeu…

La vérité, c'était que l'espace de récréation était en fait un parking couvert adossé à une pile de pont d'autoroute, entouré de grillage et pourvu d'un revêtement caoutchouté orange. Malgré les jeux implantés çà et là, une très forte impression d'être emprisonné demeurait. Lorsque seuls les deux trois ans y tournaient en rond, la couche lourde, ou lorsque trois ou quatre gamins se battaient pour les deux voitures à pédales délavées, l'endroit était vraiment sordide et ressemblait à une prison de transit pour détenus en culottes courtes. Seul un jeu capable de faire pousser des cris de joie aux enfants, comme la Mort qui Roule pouvait transformer cette cour sinistre en joyeux théâtre et faire dire aux parents qu'ils avaient fait le bon choix en venant à Jour Nouveau, malgré ce que ça leur coûtait – en général bien plus que ce qu'aucun d'entre eux aurait imaginé payer un jour pour qu'on s'occupe de ses gamins.

Et les parents, au bout de quelques entrevues avec Leo, l'appréciaient, et lui faisaient confiance. En particulier les mères. Elles voyaient bien que leurs Luke et leurs Lola couraient se jeter dans ses bras le matin. Elles le regardaient s'asseoir sur une chaise minuscule et parler doucement aux enfants réticents à laisser partir leurs parents. Pas d'exclamations condescendantes de sa part, pas de *Et ça c'est ton doudou?* et toutes ces conneries. Mais un intérêt profond, et sincère. Il rinçait les vêtements salis et les pendait pour qu'ils sèchent au-dessus du lavabo; il glissait leurs œuvres d'art dans des enveloppes kraft pour éviter qu'elles soient abîmées. Et les parents aimaient sa façon de remplir les fiches de transmission qu'ils trouvaient dans le casier de leur enfant à la fin de la journée.

AUJOURD'HUI ON A JOUÉ _____. *Aux cubes*, écrivait-il. *Dingue, non?* Ou alors, pour AUJOURD'HUI ON A MANGÉ _____, il décrivait les menus, en émettant parfois une critique : *Bâtonnets de poisson mollasses, mais briquettes de jus bien fraîches.* Il lui arrivait d'imaginer des mélanges un peu dégueu, comme feraient les enfants. *Poisson-montre et pansements. Mousse de savonnette. Bébé carottes dans leur colle au latex.* Ou il associait un vin au repas : *Riz sauvage. Petits pois. Château-latour 1959.*

Mais sous ces petites bouffonneries, sur la moitié inférieure de la feuille, il ajoutait quelques remarques sur la météo, une référence à l'actualité, un détail qui ancrait ce bout de papier dans le monde des adultes. Ou alors une impression générale sur l'humeur du groupe. *Le vomi de Carla dans le lavabo a fasciné les quatre cinq ans, au point que certains ont refusé le goûter.* Ou bien, *La grosse averse de midi a calmé tout le monde, la pluie contre les vitres l'a emporté sur les chaussettes marionnettes.*

Puis il faisait une trentaine de photocopies de son modèle, aussi fier et impatient que Hearst face à ses presses. Après quoi il ajoutait des remarques spécifiques à quelques enfants et il distribuait le courrier dans les casiers. Il aimait voir les pères et les mères ranger ces feuilles dans leur poche ou dans leur sac. Il espérait que ses mots, ce qu'ils liraient à propos de leurs enfants, pour qui il s'échinait, améliorerait un peu leurs vies. Souvent, il tombait sur ses papiers, froissés en boule, jetés sans avoir été lus dans la poubelle à côté de la porte d'entrée. Certains parents n'avaient jamais dû lire une seule de ces fiches de transmission.

C'était pas grave. Leo était conscient que mettre de l'orgueil dans un truc pareil était ridicule. Mais puisque tout le monde faisait semblant de croire qu'il fallait être fier de tout ce qu'on fait, quelque chose chez lui frappait la plupart des gens.

"Le mariolle de la garderie nous parle de l'Afghanistan, aujourd'hui", lançait un homme à sa femme depuis la cuisine. Elle, qui nettoyait la tache de Cheerios sur le canapé : "Pas garderie, jardin d'enfants, crétin. Alors, il dit quoi?"

Quand ses collègues le charriaient sur le dévouement avec lequel il remplissait ces fiches, il essayait de bien le prendre. Mais franchement. Pourquoi faut-il que les adultes se foutent de la gueule de ceux qui se bougent le cul?

"Et voilà l'aphoriste", disait Eric dès que Leo entrait dans la salle de repos.

Eric était le seul autre employé de Jour Nouveau affligé d'un pénis et il ne savait apparemment pas bien ce qu'était un aphoriste, ou alors il ne lisait pas les fiches de transmission, car les rapports de Leo n'avaient rien d'aphorismes. Lorsqu'un événement venait lui rappeler que le monde était dirigé par des imbéciles mal dégrossis, Leo avait recours à des mantras qu'il articulait en silence, des directives à teneur morale aussi vraies que banales piochées chez les Alcooliques anonymes lors des rares réunions auxquelles il était passé après le retour en bagnole dont il n'avait aucun souvenir : Abstiens-toi de tout jugement. Ton côté de la route. Les principes avant ton intérêt personnel.

Mais pourquoi aucun de ses collègues ne se rendait compte qu'ils n'écrivaient pas assez de choses au sujet de ces gamins?

44

Que ces enfants – bien qu'à l'abri du besoin – n'avaient pas leur argent propre et étaient encore illettrés, et que si un récit de leur journée devait exister, il fallait bien que quelqu'un le fasse à leur place? Pour être honnête, Leo trouvait même que son travail était insuffisant. Tant de choses lui échappaient. Ils formaient un troupeau qu'il surveillait, guidait même. Il était le berger sous-traitant et l'autorité qu'il détenait sur eux venait de sa force supérieure, de sa capacité à extraire, voire porter, voire maîtriser un enfant qui brandissait une biscotte comme un couteau. On proposait rarement aux enfants un vrai choix, et Leo devait souvent les laisser évoluer à leur guise pour les voir exprimer une préférence, une pulsion. Dans ces moments-là, ou lorsqu'il s'agenouillait parmi eux en silence pour observer de plus près une dispute ou un geste de paix, il devenait conscient de leur société. Mais, globalement, il était aussi démuni face à eux qu'un journaliste télé blondinet largué sur la place Tahrir, et il ne se considérait absolument pas comme un expert de la petite enfance.

Leo faisait attention à ne pas tirer au flanc dans les autres aspects de son boulot. Ses collègues pouvaient compter sur lui pour abattre sa part des tâches quotidiennes nécessaires au bon fonctionnement de Jour Nouveau, voire un peu plus. Il s'agissait surtout de ménage et d'interventions dans les querelles des gamins. Il s'en sortait bien, et il était apprécié par presque tout le personnel.

Jusqu'à ce que Sharon débarque. Dès les premiers jours, elle lui bondit sur le poil à propos de ses retards. *Ouvrez les yeux et vous verrez que tout le monde s'en fout*, il avait envie de lui dire. *Je suis en retard de quinze minutes, et vous êtes en surpoids de quinze kilos. On est quitte, non?* Mais il se retint. Il aimait son job et craignait que Sharon cherche des raisons de le virer. Mais vraiment : tout le monde se fichait qu'il arrive en retard. Il était presque toujours le dernier à partir. Et il y avait environ neuf portes à verrouiller et trois cahiers à signer avant que le dernier à partir puisse réellement partir. Une fois par semaine, c'était lui qui restait tard pour accueillir les gens du ménage, une équipe spectrale de Mexicains en combinaison en Tyvek. Un jardin d'enfants, ça devait être de la gnognotte pour des types comme ça. Leo se disait qu'on faisait généralement appel à eux après des suicides ou des incendies.

Deux ou trois fois par mois, Leo était sûr de rester tard avec un petit garçon hyperactif du nom de Malcolm, dont la mère déboulait à sept heures et demie dans une BMW bringuebalante, se confondant en excuses. Selon le règlement et le contrat signé avec Jour Nouveau, on devait la facturer à hauteur de un dollar par minute à compter de dix-huit heures. Ce qui était stupide et revanchard, et donc Leo minimisait le retard et inscrivait quelque chose comme dix-huit heures quinze sur le cahier. La dernière fois, elle lui avait glissé des billets dans la main, à la nuit tombée, sous un ciel menaçant. Il les avait acceptés sans le vouloir ; elle s'y était prise de façon très discrète, comme s'il était un maître d'hôtel. S'était ensuivie une certaine gêne lorsqu'il avait voulu lui rendre l'argent, et il n'avait réussi qu'en insistant, en lui refermant les doigts sur les billets. Ce qui compliqua davantage les choses, parce qu'il y avait eu cette petite étincelle, et ils avaient tous les deux soudain entrevu le pied qu'ils pourraient prendre en baisant ensemble.

Tandis qu'il approchait de Jour Nouveau avec son vélo esquinté, il sentit que quelque chose clochait au niveau de son équilibre. Tout le côté droit de son corps était comme de la viande enveloppée dans du cellophane trop serré, et ses mains avaient du mal avec son cadenas, comme s'il avait deux doigts au lieu de cinq.

Une belle bûche pour ma tête de bois, se dit-il en ricanant, ce qui lui fit mal aux côtes.

Il laissa tomber le cadenas, composa le code devant l'entrée latérale, et fit rouler son vélo dans la zone de jeux. Où les bicyclettes des employés n'avaient pas vocation à être rangées, selon une règle promulguée par Sharon.

Louise, une petite de cinq ans, dégourdie, sur une trottinette, fut la première à le voir.

— Qu'est-ce qui t'est arrivé ?

— Je suis tombé de vélo, Louise.

— T'avais un casque ?

— Non, je l'ai oublié.

— C'est pas bien de pas mettre de casque, Leo, lui dit-elle sévèrement, et elle fila.

Puis Bennett et Milo, deux inséparables de quatre ans, arrivèrent jusqu'à lui essoufflés, en Nike immaculées.

— Qu'est-ce que tu as ? demanda Bennett.

— Rien, rien, Bennett. Comment ça va, aujourd'hui ?

— Ça va, dit Milo. T'es tombé de ton vélo ?

Ces gamins sont rhizomatiques, se dit Leo.

— Oui, mais je vais bien.

— On peut jouer à la Mort qui Roule ? demanda Bennett.

— Peut-être tout à l'heure, oui.

— Quand ? insista Milo.

— Laissez-moi le temps d'arriver, dit Leo en se laissant glisser le long du mur jusqu'à terre.

Son cou lui faisait l'effet d'une tige. Il essayait de garder sa tête bien droite entre ses épaules. Il envisageait sa peau comme l'enveloppe qui contenait sa personne. Sensation bizarre et très désagréable.

Alka s'approcha de lui. Une petite d'origine indienne, aux cils aussi longs que ses lacets.

— Ça va, Leo ?

— Ouais, ça va, Alka. – Et comme c'était une enfant et qu'elle ne le traiterait pas de dingue, il ajouta : Mais je crois qu'ils ont essayé de me tuer.

— Fais attention, alors, dit Alka.

— Absolument, Alka. On devrait tous faire très attention.

Il se sentait tellement désincarné – ou plutôt, ancré si profondément en lui – qu'il n'avait pas vu Sharon arriver.

— Je peux vous parler à l'intérieur, Leo, dit-elle.

— Ils ont essayé de tuer Leo, dit Alka.

— Mais non Alka, ce n'était qu'une blague, répondit Sharon. Leo plaisantait. Allez, va jouer avec Cecilie.

Sharon portait un pantalon de jogging violet. Du haut de ses cinq ans, Alka perçut de l'irritation dans sa voix et déguerpit.

— Leo. Dedans. Tout de suite.

Toute personne ayant réussi professionnellement est censée avoir un licenciement à son actif. Si quelqu'un vous raconte comment il a été viré, il va de soi qu'il a surmonté la gêne provoquée par cet événement et l'évoque sous le jour favorable de la revanche qu'il a prise depuis. Leo, lui, en était à plusieurs licenciements, ou échecs, et le chemin de l'espace récréatif jusqu'au bureau de Sharon lui sembla interminable, surtout parce que ses pieds réagissaient en décalage aux injonctions de son cerveau, ce qui veut dire qu'il titubait.

Les autres animateurs ne le regardaient pas. Ils étaient peut-être simplement en train de s'occuper des gamins qui restaient prostrés dans leur coin pendant une vingtaine de minutes après le départ des parents, ceux qui avaient vraiment besoin d'attention. Samuel, un enfant énigmatique qui jouait aux cubes en silence pendant que ses camarades hurlaient comme des dingues autour de lui et serait sûrement gratifié d'un diagnostic distinctif bientôt, venait de lâcher son tube de colle et filait droit vers Leo.

— Non pas maintenant Samuel, dit Leo, mais le petit se jeta sur lui, bras ouverts.

Leo le prit dans les siens et le serra fort, bien qu'il s'avisât d'une douleur et d'une impression de torsion dans son dos. Doucement, il reposa Samuel. Sharon attendait devant la porte ouverte de son bureau. Leo entra d'un pas traînant.

Le bureau de Sharon regorgeait de grenouilles rembourrées de billes de polystyrène; elle les trouvait irrésistibles et innocentes. Elle fit signe à Leo de s'asseoir, puis elle prit place parmi ses grenouilles, bras sur son bureau.

— Leo, je pense que nous savons tous les deux pourquoi vous êtes ici.

Sûr, mais hors de question qu'il lui facilite la tâche.

— Pour une promotion?

Les doigts dodus de Sharon étaient croisés sur son sous-main-calendrier.

— Vous êtes de plus en plus bizarre ces derniers temps. J'ai bien peur de ne plus pouvoir vous confier d'enfants. Je vais devoir vous demander de partir.

— Me demander? Vraiment?

— Non. Vous l'ordonner. Ça vous va? Je vous ordonne de partir. Leo, ne me forcez pas à être désagréable. Jour Nouveau n'a plus besoin de vos services.

48

Une sensation cuisante sur le visage, et l'impression que la pièce, déjà petite, rétrécissait, comme si quelqu'un avait actionné le zoom de ses yeux. L'impression d'être un enfant. Des larmes – oh non bordel, pas des *larmes* – lui montèrent aux yeux. Il allait perdre quelque chose qui lui était cher. La pagaille qui régnait après les travaux manuels, les fous rires de la Mort qui Roule, le calme pendant la sieste. Les enfants. Eux se fichaient pas mal qu'il ait gâché ses dix dernières années. C'était de la joie à l'état pur, de piètres menteurs, de la franchise en barre. C'étaient ses fans, ses magnifiques petits voyous. Ils l'adoraient.

— Mais qui va écrire les fiches de transmission ? voulut-il dire, mais les mots, aigus, sortirent de façon un peu heurtée pour contrer les sanglots qui poussaient derrière.

— Leo, je veux que vous quittiez le bâtiment aussitôt après être sorti de ce bureau. Est-ce que c'est clair ?

Leo essaya de se rassembler. Il se concentra sur son souffle. Il ferma la bouche, regarda ses mains. Et alors une chose étrange se produisit : la colère commença à remplacer la douleur et le désarroi.

— Vous devez me payer pour que je parte, non ? Vous ne pouvez pas me virer comme ça ?

— Si vous jetez un œil à votre contrat, vous verrez que nous vous devons deux semaines de salaire.

Son contrat ? Il avait oublié qu'il avait un truc pareil.

— D'accord. Je prends l'argent maintenant.

Le regard de Sharon se fit aussi absent que celui de ses grenouilles.

— Allez, tout de suite. Vous avez neuf cent soixante dollars dans vos tiroirs ?

— Bien sûr que non. Je demanderai à Linda de vous envoyer un chèque.

Je demanderai à Linda de vous envoyer un chèque. Et hop, Jour Nouveau serait débarrassé de lui. Son sang bouillait, il en avait le vertige. Si peu de gens étaient en mesure de donner à ces enfants l'attention dont il avait fait preuve à leur égard. Il en était persuadé. Il ne leur avait jamais menti, avait cherché à les intéresser à mille choses. *Je demanderai à Linda de vous envoyer un chèque.* Il avait envie de fouiller dans les tiroirs, son sac à main. Lui prendre tout le fric qu'elle avait, lui donner un coup de pied dans le jogging. Briser ses doigts potelés, envoyer valser ses milliards de dossiers, ordonner aux quatre cinq ans de se jeter sur elle comme des chacals. Oh-oh. Il venait de marmonner quelques-uns de ces mots tout haut.

Derrière la rage se profilait un autre sentiment : un réel plaisir à éprouver de la colère. Il tenta de s'y accrocher, parce qu'au-delà se trouvait un lac de tristesse sans fond, dû au fait qu'il venait de perdre un boulot qu'il adorait, qu'il ne reverrait pas ces enfants, que le lendemain les heures bâilleraient sous son nez. Les autres iraient au travail, et lui devrait se faufiler entre les gravats maussades de la journée. Sans compter que son budget était ce qu'on appelle serré. Il dépensait le moindre centime gagné. Et la dernière fois que ses sœurs lui avaient donné de l'argent, elles lui avaient bien fait comprendre qu'elles en avaient marre de lui sauver la mise.

Il se leva trop vite, et sa chaise se renversa. Sharon sursauta. La voir mal à l'aise le réconforta. Est-ce qu'elle avait peur de lui ? Parfait. Bouffi de rage et dévasté de chagrin, il ouvrit la porte du bureau pour partir.

— Je ne veux pas que vous perturbiez les enfants, Leo, dit Sharon à son dos. Vous m'entendez ? Je veux juste que vous partiez, tout de suite. Ne vous en faites pas pour les fiches. Je les remplirai.

C'est Sharon qui allait s'occuper des fiches de transmission ? Elle était même pas fichue d'écrire une liste de courses. Sa main tomba sur une grenouille. Il se retourna et la lança sur elle. La grenouille fendit l'air confiné de la pièce, heurta Sharon en plein dans l'œil et retomba à plat sur son bureau.

Ce fut un choc pour tous les deux. Seule la grenouille était imperturbable. Elle affichait le même sourire, très peu caractéristique des batraciens. L'incident prit fin, et Leo, fier du premier acte de violence de sa vie d'adulte, détala.

— C'est une agression ! Vous m'avez agressée, espèce de petit con, cria Sharon.

Elle s'emparait déjà de son téléphone.

Mais il était loin. Près de la sortie. Il s'arrêta pour regarder la grande salle une dernière fois. Les adultes semblaient nerveux, les gamins ne se rendaient compte de rien. Il leva le poing bien haut.

— Foutez le bordel ! cria-t-il.

À l'autre bout de la pièce, le petit poing de Samuel se leva en retour.

NEW YORK

— Par ici, monsieur Deveraux.

L'assistant guida Mark le long de couloirs bas de plafond jusqu'au foyer des artistes et lui tint la porte sans y entrer. Mark jeta un œil à l'intérieur. Canapés en cuir, toutes les barres de céréales existant sur le marché, bouteilles de jus de fruits réfrigérées, eau, bagels, thé en sachets individuels, des exemplaires du magazine *Margo!* sur une pléthore de tables basses, un homme attirant qui touillait délicatement son café, fasciné par la pile de papiers sous son nez. Mark n'entra pas non plus.

— Moui, écoutez, dit-il à l'assistant, mon agent a dû spécifier à la personne avec qui elle était en contact que j'avais besoin d'un espace privé pour me préparer. Avec une fenêtre? En vue de méditer? Vous croyez que ce serait possible?

L'assistant acquiesça lentement et cligna deux fois des yeux. Il regarda son bloc-notes.

— Oui, oui, sans doute.

Il souffla. Le micro fixé à son casque à écouteurs ressemblait à une grosse mouche en vol stationnaire devant sa bouche.

— Attendez ici un instant si vous le voulez bien et je vais voir ce que je peux faire.

— Très bien. Je vous attends là.

Mark l'observa s'éloigner et envisagea la possibilité de devoir aller sur ce plateau télé dans son état actuel, bien trop sobre. Mais à part cet éventuel pépin, tout était conforme à ce qu'il avait espéré : la voiture noire qui était passée le prendre; la jolie secrétaire assise sagement sur la banquette arrière (jupe grise, doudoune high-tech d'un blanc immaculé qui l'empêchait de promener son regard sur sa face nord, pouce manipulant la molette de son BlackBerry comme un chapelet) ; le sentiment, à son arrivée au studio, qu'une sorte d'aura le précédait d'une cinquantaine de mètres, à l'intérieur desquels tous semblaient conscients de sa présence et de sa notoriété.

Il se rendit compte qu'il reconnaissait le type attirant assis dans le foyer – un chef célèbre qui prétendait s'appeler Nicholas Rugby. Mark avait eu trois exemplaires de son livre en cadeau de Noël, de trois personnes différentes. Ça s'appelait *Mangez pour vous*, on y trouvait des photos de nouilles en courte focale, et des conseils désinvoltes riches en verbes cinétiques. Il aurait pu entrer et se présenter, ils auraient fait semblant d'admirer leur travail respectif, ils seraient peut-être devenus amis, Mark aurait invité Nicholas à dîner, et Nicholas lui aurait fait ses fameuses nouilles, dans la cuisine ouverte que Mark allait faire installer dans l'appartement qu'il venait d'acheter à Brooklyn. Mais non – Mark sentait l'angoisse monter en flèche. Après l'enregistrement peut-être. Pour l'instant, il allait se contenter d'attendre dans le couloir qu'on veuille bien le conduire jusqu'à une salle privée, le privilège auquel il avait droit.

Depuis le début de son ascension vertigineuse à travers les strates de ce type particulier de gloire, soit environ un an plus tôt, Mark s'était aperçu que les personnes chargées de son confort appréciaient qu'il formule des souhaits précis. Un numéro de siège inférieur à dix, à droite de l'allée centrale de l'avion. Un pupitre d'un mètre maximum. Les manies aussi étaient bien vues. Il se baladait avec dix stylos sur lui, et les poches bourrées de carnets. Le côté plein à craquer était important. Il préfroissait ses carnets, tordait le carton dans tous les sens et cornait les feuilles, de sorte que lorsqu'il en sortait un de sa poche, il avait l'air de déborder d'idées. Marjorie Blinc, sa conseillère rusée, l'encourageait dans ce sens, surtout dans les exigences pré-apparition.

— Ne leur cassez pas les couilles non plus, mais soyez ferme. Moi, je me charge de leur casser les couilles.

Quelques-uns des détails qu'elle avait tenu à faire figurer dans son contrat standard avaient fait râler Mark : des rondelles de citron, et non des quartiers ; maquillage hypoallergénique ;

thé vert issu du commerce équitable. Mais ce n'étaient que des leurres – des choses sur lesquelles il ne devait pas insister en vrai, et ce côté conciliant le ferait passer pour quelqu'un de bien plus raisonnable que ne le laissait entendre son contrat.

— Si la question se présente, dites carrément que vous ne saviez pas que votre contrat exigeait des rondelles de citron, et que vous trouvez une telle condition parfaitement ridicule.

Au début, ces manigances l'avaient gêné. Mais par la suite, il avait vu les merveilles qu'elles accomplissaient. Et bientôt il cessa de les considérer comme des manigances. Le fait qu'il accepte, poliment, une rondelle de citron ou un quartier dans son eau pétillante témoignait de son détachement. Oui, il savait que certaines personnes accordaient de l'importance à ce genre de choses, mais non, il n'en faisait pas partie.

Le besoin de se retrouver seul dans une pièce avec fenêtre, par contre, n'était pas un leurre. Dans quelques minutes, il allait s'adresser à dix millions de personnes. Si tout se passait bien, son nom serait sur toutes les lèvres. Des gens l'attendaient au tournant pour voir si le succès de son livre pouvait se répéter, si sa philosophie était extensible. L'agence de Blinc lui avait déjà rapporté plus d'argent que sa mère n'en avait dépensé pour lui depuis qu'il était né. Mais Mark n'était pas dupe. Quelqu'un d'autre surgirait avec une nouveauté, et d'un coup le charme n'opérerait plus. Avant que les classes friandes de magazines ne se lassent de lui, il fallait qu'il tire profit de l'extraordinaire coup de bol qui lui avait valu la gloire et en fasse quelque chose de plus rentable. Il fallait qu'il sélectionne dans tout ce bazar l'idée dans laquelle il croyait encore et la fasse fructifier. Après quoi il n'aurait plus besoin de Marjorie Blinc, ni de son armée d'éditeurs et de chasseurs de tendances. Plus besoin non plus du veule milliardaire James Straw, fan de la première heure du livre de Mark – il avait décrété que tous les employés de son empire technologique, SineCo, devaient s'en inspirer pour leurs méthodes managériales, et en avait offert un exemplaire à chacun d'eux; raison pour laquelle Mark avait dorénavant besoin d'un agent, d'attachés de presse, d'un comptable et (depuis qu'il avait reçu les lettres pratiquement illisibles d'un fan particulièrement enthousiaste et désaxé) d'un conseiller en sécurité.

Jupe Grise arrivait vers lui à une allure soutenue, précédée du *clac-clac* de ses bottines.

— Est-ce qu'il y a un problème avec le foyer? demanda-t-elle, apparemment sensible à sa requête.

— Oh non, non, pas du tout. J'aimerais juste quelques minutes de solitude avant de passer à l'antenne. Pour méditer. Me concentrer. Une pièce avec une fenêtre, si possible.

— Je crois qu'on peut vous accueillir ailleurs, dit-elle, avec un sourire légèrement pincé.

Oui, je crois aussi, songea Mark, pris de vertige, comme ça lui arrivait ces temps-ci, à l'idée que le monde pouvait et voulait l'accueillir. Est-ce que c'était forcément Je gagne/Tu perds? Une jolie fille le guidait jusqu'à une pièce rien que pour lui dans un studio télé; est-ce que ça voulait dire que quelqu'un d'autre, ailleurs, n'avait pas droit au même traitement? Il ne le pensait pas. D'un autre côté, il n'y avait probablement pas assez de jets privés pour tout le monde. Mark avait déjà passé des dizaines d'heures à bord de ces engins – il avait dormi sur un canapé dans un tube lancé à huit cents kilomètres-heure au-dessus de la Terre, toute bleue. Mais bon, voler en deuxième classe, c'est déjà un privilège, non? Ou même, allez, conduire une voiture. Qui, parmi nous, mérite tout ce qu'il a? Mark reconnaissait qu'il y avait une certaine hypocrisie dans sa vie actuelle ("Un jeune homme plein de sagesse et sans prétentions", avait écrit le *Times Magazine* à propos de lui, alors que la semaine précédente, il chassait le sanglier, ivre, sur le ranch californien de Straw), mais après tout, il ne faisait rien d'autre que demander les choses qu'il voulait. Ce qui était d'ailleurs le sujet de son livre, *Manifestez-vous*. Ceci dit, lorsqu'il fit remarquer à Jupe Grise qu'il faisait un peu frisquet dans le studio, c'était du simple badinage – il ne s'attendait vraiment pas à ce qu'elle lui tende un pull en cachemire sorti d'un placard qui en contenait tout un stock.

— Tenez, un pull à l'effigie de l'émission, cadeau de Margo elle-même, dit Jupe Grise. Elle maintient le studio à cette température pour stimuler notre vivacité. Un des nombreux changements auxquels elle a procédé après avoir lu votre livre.

Est-ce qu'elle se foutait de sa gueule ? Si ce n'était pas le cas, alors il avait affaire à une vraie lèche-bottes, ce qui était excitant. Il la scruta en quête de défauts qui auraient pu lui échapper de prime abord. Quelque part entre la voiture noire et le studio réfrigéré, elle avait troqué sa parka du Grand Nord pour une sorte de châle martial, qui en laissait voir un peu plus. Elle avait de jolies épaules, espiègles, et d'épais cheveux bruns. N'empêche qu'elle se foutait probablement de sa gueule. Elle s'adressait à lui avec une certaine indifférence, mais c'était peut-être dû au fait qu'elle était le troisième – voire second – lieutenant de Margo, ce qui, en termes de pouvoir et d'importance, la plaçait au-dessus de lui. Si elle était simplement agacée par la tâche qu'on lui avait confiée, ça irait. Il pouvait facilement la mettre dans sa poche en faisant comme s'il se moquait qu'elle soit supérieure à lui. Mais il aurait bien voulu éliminer la possibilité qu'elle fasse partie de ceux – sûrement très nombreux – qui trouvaient son livre d'une bêtise sans fond. Savait-elle qu'il était absolument incapable de se rappeler comment il était arrivé à ses fameuses conclucides ? et ce que ce mot était censé vouloir dire ? Pareil pour constanvariations. Savait-elle qu'après des centaines de relectures du manuscrit par au moins huit correcteurs différents, Mark ne retrouvait plus dans cet enchaînement d'aphorismes bébêtes les idées qui avait fait de *La Motivation dans un monde injuste* un bon essai ?

La Motivation dans un monde injuste était l'essai que Mark avait écrit deux ans plus tôt. L'essentiel lui était venu en une nuit, à sa table de cuisine, sur une Selectric d'IBM, qui ronronnait comme l'hélice d'un bateau à moteur. Défoncé à l'OxyContin et au pouilly-fuissé (puis au riesling une fois le chardonnay fini), il avait écrit dix pages sans se lever. C'était un peu confus, mais un fil conducteur lumineux reliait les paragraphes entre eux et guidait le lecteur jusqu'au bout.

Enfin presque, se dit Mark le lendemain matin, s'il parvenait à resserrer les virages entre ses idées et à trouver un moyen de ne pas paraître si agressif à la fin ; oui, c'était ça, se débarrasser de ce ton véhément et retrouver le détachement dont il faisait preuve dans le premier tiers.

Il s'attela à la réécriture le même jour, après une cigarette et un tour dans le quartier, à la même table, carburant au café et aux toasts beurrés le matin, puis à la Guinness et aux toasts beurrés l'après-midi. Le lendemain, il était l'auteur de dix mille mots qui expliquaient comment une personne – non, comment lui-même, Mark, pouvait prendre de bonnes décisions. Il y avait du Kant là-dedans. Du Elie Wiesel, du Hannah Arendt, du John Rawls. Du James Baldwin et du Walker Percy. L'astuce, c'était de se biturer suffisamment pour écrire avec courage, mais pas non plus au point de ne plus voir l'écran et de céder à la tentation du porno. L'astuce, c'était d'écrire pour un lectorat constitué d'une seule personne. *Je n'obtiendrai aucune récompense pour un geste honorable*, soulignait-il dans son essai. *Les récompenses viennent du dehors, et ce qu'on me donne n'est jamais tout à fait à moi. Même mon souffle est un emprunt.*

Les idées qu'il défendait étaient semblables à des nénuphars à la surface d'un étang – les nénuphars gigantesques qu'il avait vus une fois dans un marais en Floride. Ça ne donnait pas forcément envie de s'y éterniser, mais y poser un pied léger avant de passer au suivant, oui, pourquoi pas.

Bon, il avait pondu un truc au ras des pâquerettes, qui disait *grosso modo* qu'on ne pouvait jamais être sûr de rien, qu'il y a trop de variables et que sans doute notre but dans la vie est de trouver un équilibre, tâche qui se complique au fil du temps, alors ce qu'on peut espérer accomplir de mieux finalement, c'est être généreux et attentionné, et rien que ça, ça devient la récompense en soi. Mais il avait su trouver les mots justes. Rien ne lui était jamais venu avec autant de facilité. À l'écriture, il avait senti le poids de son être diminuer et vu les portes de la vérité s'ouvrir en grand. Même le pied de la chaise qui éraflait le sol lui disait de continuer.

À moins que ce ne soient les comprimés de Ritalin écrasés ? La vase alcoolisée qui se répandait dans les ruelles et les boulevards de son cerveau ? Son colocataire était parti pour l'été ; sa petite amie l'avait quitté depuis deux mois. Les gens qu'il connaissait se mariaient, avaient de vrais boulots, n'habitaient plus le genre d'appartement qu'on dégotte sur le panneau des petites annonces à la laverie automatique. Il avait peu d'amis parmi ses collègues, parce qu'il bossait dans une entreprise de biotechnologie pour laquelle il écrivait des communiqués de presse et des rapports annuels, dont le personnel se composait principalement d'Indiens hyper-intelligents et de non-Indiens hyper-cupides, et rares étaient ceux d'accord pour commencer à boire tout de suite après le bureau au Plough and Stars, comme Mark le faisait tous les jours. Il était donc plutôt seul à cette époque, sans personne pour le voir sombrer peu à peu dans le brouillard ni, partant, pour lire ce qu'il avait écrit. En marquant une pause à la fin d'un paragraphe écrit d'une traite (... *car il y a des juges. Quelque part. Dans notre paradis privé, dans nos battements de cœur. Dans le couteau qu'on racle sur la tartine, dans les mains qu'on pose sur l'autre. À la fois jugés et jugeant, nous nous annulons, comme dans le sommeil, et dans cette parenthèse de silence réside notre salut. Nous essayons de notre mieux de déterminer la valeur de x, alors que x = 0*), il se dit qu'il écrivait peut-être des absurdités. Il sortit faire un tour dans le juin inégal de Somerville, avec ses Vierge Marie et leurs écrins-baignoires à moitié enterrés, ses vieilles Portugaises qui poussaient leurs chariots grinçants dans le quartier. Une autre cigarette, un autre café au distributeur du Kwik-Mart. Et, pour plus tard, deux boîtes de Bud d'un demi-litre et une barre glacée prise dans un bac à côté de la machine à café. Il attendit à la caisse derrière un vieil homme qui comptait ses pièces avec ses gros doigts pour payer des tickets à gratter et un paquet de Old Gold. Puis il rentra chez lui, gravit les deux étages de l'escalier en bois fatigué et mit un CD trop fort pour deux heures de l'après-midi avant de s'allonger sur son canapé défoncé, pour rêvasser.

Non. Il tenait quelque chose. *C'est du solide*, se dit-il. Enfin, au moins aussi tangible que les tours de passe-passe que son père, pseudo-magicien à ses heures, lui avait appris avant de mettre les voiles, quand Mark avait douze ans, pour aller picoler jusqu'à ce que mort s'ensuive à Berlin. Tangible dans le sens où les effets sont bien réels, alors qui se souciait de la méthode?

Mais Mark copiait sur les autres à l'école, mentait à ses petites amies, rejetait les appels de sa mère, prétendait maîtriser des sujets auxquels il ne comprenait rien, avait en sa possession un BlackBerry trouvé dans la salle de pause du boulot, trichait habilement aux cartes, ne triait pas ses déchets, se fichait un peu de l'Afrique et des enfants, oubliait les anniversaires, et enjambait les gens qui faisaient la manche dans la rue. Il était prétentieux, sectaire, égoïste, et faisait passer les moyens d'entretenir sa toxicomanie avant ses relations personnelles. Comment aurait-il pu accoucher d'un code de conduite? Les habitudes et les comportements qu'il avait saisis dans ses paragraphes avaient, dans sa vie de tous les jours, la même qualité rare que des mouches bleues épinglées sur du carton plume.

Peut-être qu'une page se tournait. Peut-être que le pouvoir de changer lui était offert, ou jaillissait directement de lui. Il descendit une Budweiser, engloutit la glace et se remit au travail.

Le problème, il en était à présent persuadé, c'était que tout le monde – non, la plupart des gens; non, lui, Mark, avait l'impression, erronée bien sûr, qu'il existait un moi autonome assis dans un petit siège de voiture derrière ses yeux. Et que tout le monde – enfin, non, que lui, Mark, surestimait sa propre importance, son pouvoir, son rôle. *Tant que je ne vivrai pas dans la certitude que le Moi n'est ni plus ni moins qu'un heureux accident, je ne serai pas libre.* Laisse le lecteur voir pour lui s'il se reconnaît là-dedans. Ne parle que pour toi. Mais aussi : *Je suis toi et tu es moi. Si tu préfères être toi que moi, pas de bol. Ces gens qui tirent leur valise à roulettes plus vite ou plus lentement que toi dans les aéroports? Ce ne sont pas que des figurants; ce sont les protagonistes captivants de leur propre histoire. Ces abrutis avec leur blouson estampillé NFL qui beuglent dans leur téléphone dans le métro? Ils sont toi. Ceux qui se répandent sur la mort d'un proche sur CNN? C'est toi aussi. Même ceux qui n'ont pas de toit sont toi…* non, efface-moi ça. Redescends sur terre. Ou voulait-il en venir déjà? Est-ce qu'il restait de l'alcool quelque part?

— Ça vous ira ? demanda Jupe Grise.

Encore ce ton particulier. Moqueur ? Impossible à dire. Elle avait ouvert la porte d'une petite pièce et lui faisait signe d'entrer. Son geste était une fioriture ; coude fixe, moulinets du poignet pour finir paume vers le haut, comme si elle tenait un plateau invisible. Il se rendit compte qu'elle s'était arrangée pour ne pas croiser son regard de toute la matinée. Il jeta un œil dans la pièce. Boîtes à archives blanches empilées comme des Lego contre un mur. Quatre aspirateurs alignés contre un autre telles des sentinelles. Des bonbonnes d'eau contre un troisième. Sur le quatrième, une fenêtre. Difficile d'accès, mais une fenêtre, et il savait qu'elle s'ouvrirait.

— Oui, merci infiniment. Ça ira très bien. La lumière naturelle m'aide à avoir les idées claires.

— Bien sûr.

— Est-ce que vous pouvez faire en sorte qu'on ne me dérange pas, pendant, disons, dix minutes ?

Jupe Grise regarda son BlackBerry.

— Je crains que vous n'en ayez que huit. Vous êtes attendu au maquillage.

— Très bien.

Il était à présent persuadé qu'il ne l'impressionnait pas le moins du monde. Mais ce point n'avait plus grande importance. Ce qui pressait maintenant, c'était de fumer à la fenêtre le joint qu'il avait dans sa poche.

La porte cliqua derrière Jupe Grise et Mark estima la hauteur de la fenêtre. Merde. Elle devait être à deux mètres. Il fit rouler une bonbonne de flotte jusqu'au bon mur et y grimpa. En équilibre sur un pied, il ressemblait à un trophée sportif scolaire, sauf qu'il tenait un joint à la place d'un ballon de volley. La fenêtre s'ouvrait vers l'intérieur. Il tira trop fort, perdit l'équilibre et tomba à la renverse, sur le cul et le poignet.

Mais l'essentiel était sauf. Il avait toujours le joint dans la main. Il redressa la bonbonne et en fit rouler une autre à côté puis mit un pied sur chacune, tel un as du rodéo sur deux chevaux en même temps. Voilà. Parfait. Il actionna son briquet et le joint crépita comme un feu de camp miniature. Cou tendu vers la fenêtre, il fuma assidûment. En l'espace d'une minute, la drogue commença à agir, recouvrant ses craintes et noyant ses doutes, tout comme la marée engloutit les bâtons et les rochers du rivage. Le brouhaha du centre-ville lui parvenait, porté par une brise tiède. Un climatiseur se mit en branle. De l'autre côté de l'avenue, derrière des parois de verre, des gens gagnaient leur vie au téléphone. Un type sautait sur place, bras écartés, devant un écran plat géant. Un pigeon gris se posa et fondit son plumage contre la crasse d'un toit.

Mais à côté du pigeon vint se poser la peur de n'être pas tout à fait assez prêt pour *Margo !* Il avait fait quelques brèves apparitions à la télé, mais surtout dans des émissions matinales, en coup de vent, dont les présentateurs s'étaient extasiés sur son travail. Pour les séminaires d'entreprise qu'il animait, les platitudes lui suffisaient. De la matière, c'est bien, mais c'est la présentation qui captive un public : contact visuel et des mains partout, un talent qu'il avait hérité de son père.

En dessous de lui, une voiture de police beuglait sur un camion qui lui bloquait le passage ; le camion s'inséra dans la circulation malgré le feu rouge, et la voiture de patrouille fit un dernier écart avant de filer à toute allure. Dans le ciel, un jet échappé de LaGuardia traçait une ligne blanche en grondant – des gens dans un tube lancé comme un missile autour du globe. Quel monde. Quelle éclate. Non, il n'allait pas foirer. Des gens déblatéraient des trucs bien plus merdiques que les siens. Et non, il n'était pas un imposteur, il se lassait simplement de son propre numéro. N'était-ce pas là la preuve de son intégrité ? Il tenait l'occasion de marquer des points. Sa mère serait devant la télé – tout le magasin de pneus allait regarder avec elle. Elle adorait Margo. Quand il lui avait annoncé son passage dans l'émission, elle avait fait tomber le téléphone – il avait entendu le combiné rebondir par terre et les croquettes du chat s'éparpiller sur le lino.

— Tu as quelque chose à dire, dit-il tout haut, juché sur ses bonbonnes. Tu as quelque chose à offrir.

Il tourna ses paupières fermées vers le soleil lointain et laissa sa lumière baigner sa vision, amibes étincelantes nageant dans une mer rose. Il respira profondément dix fois.

Puis son téléphone sonna. Il sursauta, faillit tomber de son piédestal. Il voulut refuser l'appel, mais le nom affiché, même s'il lui arrachait une grimace intérieure, était bien le seul qu'il ne pouvait pas rejeter. Il écrasa le joint sur le rebord de la fenêtre et le jeta dans le vide. Il appuya sur ACCEPTER.

— Allô ?

— Mark ? James Straw à l'appareil.

— Monsieur Straw ! exulta Mark.

Il se mit à se farcir la bouche de petites bandelettes à la menthe qui fondent sur la langue, comme à chaque fois qu'il fumait.

— Marjorie Blinc me dit que vous passez dans cette célèbre émission aujourd'hui.

— Oui monsieur. Chez Margo. Je suis en coulisses, là.

— Oh Mark, je vous l'ai déjà dit, ne m'appelez pas monsieur. J'ai l'impression que nous sommes bien plus proches que ça.

Vrai, Straw lui avait déjà demandé, mais sans préciser pour autant quel niveau d'intimité au juste ils avaient atteint.

— Comme vous dites… monsieur Straw. Comme vous dites.

Le silence radio qui suivit était bizarre. En général, Straw annonçait rapidement la couleur quand il appelait. Au bout d'un moment, Mark dut briser la glace.

— Alors, de quoi vouliez-vous me parler, monsieur Straw ?

— Calmez-vous, dit Straw d'un ton enjoué. Je vous appelle pour vous souhaiter bonne chance. C'est un grand jour pour vous, je le sais bien. J'ai envie de vous aider à acquérir la limpidité que votre vision au laser m'a procurée tant de fois. Même moi, il m'arrive d'avoir le trac avant une réunion, ou à cause de toute cette affaire avec le Congrès l'an dernier. Et vous m'avez appris à m'en sortir. À ce qu'il paraît, cette Margo peut s'avérer redoutable. Elle vous berce avec ses *Comme c'est triste, Comme c'est intéressant*, et bim, deux secondes après, elle vous piège en plein mensonge.

Mark n'avait pas du tout pensé à tout ça.

— Je tenais à vous dire que je suis convaincu que vous serez brillant. Et histoire de ne rien laisser au hasard, j'ai fait savoir à toute sa société que l'équipe de SineCo et moi-même avions pleinement confiance en vous et dans votre travail.

— Merci, merci beaucoup monsieur Straw, je suis très touché.

On frappa à la porte.

— Monsieur Deveraux ? Deux minutes.

— On m'appelle. Il faut que j'y aille.

— Bien sûr. Je vous laisse. Dites, Mark ?

— Oui ?

— Inutile de souligner qu'aujourd'hui serait un jour parfait pour entamer cette promotion transversale que nous avons évoquée. Sur laquelle vous vous êtes engagé.

Mark mit un petit moment à comprendre.

— Oui, bien sûr. J'ai hâte de concrétiser.

Merde. À quoi est-ce qu'il s'était engagé ?

— Parfait. Parfait. Bon. Ne le perdez pas de vue, Mark. Ne le perdez pas de vue !

C'était une des maximes de la philosophie de Mark : Quel que soit l'objet de votre désir, *ne le perdez pas de vue*.

Après le maquillage, il fut guidé dans les couloirs par une cohorte de bloc-notes et de casques à écouteurs, jusqu'à la zone des coulisses qui jouxtait le plateau. Il entendit Margo prononcer son nom et imagina la fierté et l'euphorie de sa mère. Le bloc-notes en chef lui fit signe d'y aller, et il avança vers le plateau immaculé créé pour les besoins de l'émission, vers le regard à sens unique de dix millions de gens.

Il serra la main de Margo, fit le coucou de rigueur aux projecteurs, prit place dans le fauteuil de l'invité en exagérant légèrement ses mouvements pour se mettre à l'aise et – la partie la plus facile – acquiesça avec un léger embarras pour confirmer l'histoire que racontait Margo, celle du succès aussi soudain qu'ahurissant de son livre.

À la façon qu'elle avait de présenter les choses, on aurait pu croire que Mark avait mis au point un traitement contre une terrible maladie, ou un système de raccordement en eau potable dans toute l'Afrique. Elle dit qu'il avait changé des millions de vies. Puis elle fit remarquer, comme si ça venait de lui passer par la tête, qu'elle avait soutenu *Manifestez-vous* dès le début.

— Je ne crois pas que ça ait un rapport quelconque avec son succès, l'interrompit Mark, avant de sourire au-dessus de sa tasse de thé vert bioéquitable.

Margo sembla prise de court. Est-ce qu'il venait vraiment de dire un truc pareil? Qui serait assez bête pour la contrarier?

Puis il lui adressa un clin d'œil. Mark, c'était le pro du clin d'œil. Tout un art, qui ne devait impliquer aucune grimace toute rabougrie, aucun mouvement des lèvres. Trop lent, et vous passez pour un débile; trop rapide, ça devient un tic. (Mark savait aussi siffler comme personne, il pouvait appeler un taxi à l'autre bout d'une avenue.) La caméra n° 2 capta le clin d'œil de Mark à la perfection, tandis que la n° 1 faisait le point sur le visage légèrement empourpré de Margo.

— Une plaisanterie, je présume.

— Oui, Margo, je plaisante. Je vous dois à peu près tout.

— Moi je crois que c'est à votre travail que vous devez tout, Mark. Vous ne pensez pas?

— Si, bien sûr. Mais qui nous croirait si on affirmait que je mérite tout ça?

Il posa son thé sur la petite table d'appoint, avec un regard bienveillant pour les caméras.

— Tout de même, comme vous dites dans votre livre, vous vous êtes *projeté, engagé, et démené.*

Elle se tut et le regarda. Il leva les mains devant lui, paumes vers le haut, yeux baissés, puis arqua les sourcils: l'image même de l'homme qui a de sérieux doutes sur ce qu'il vient d'entendre. Margo prit le livre mince dans ses deux mains.

— Vous avez fait tout ça, dit-elle en lisant la page de garde, et ce que vous vouliez obtenir a jailli, je cite, "comme l'eau d'une source de montagne, comme les renseignements d'un moteur de recherche". Je crois que beaucoup, beaucoup de gens ont été inspirés par ces mots. Pas vous?

— Apparemment, oui.

Mark se pencha en avant, coudes posés sur les genoux, et joignit le bout de ses doigts. Il prit une inspiration, comme pour parler, mais la retint, créant un silence qui, à la télé, sembla durer des semaines.

— Et je remercie ces gens pour le simple fait de m'avoir écouté. C'est un tel honneur de trouver une écoute. Et vous en savez quelque chose, Margo.

Un nouveau silence, et une imperceptible grimace.

— Mais j'ai un aveu à vous faire. Ce succès, le succès de mon livre, c'est très difficile à croire pour moi. Je suis dans le doute, en permanence, et ça me met mal à l'aise qu'on me décrive comme l'homme qui a toutes les réponses.

— Mark Deveraux doute en permanence?

— Et comment, dit-il avec un peu plus de pêche.

— À propos de quoi?

— Oh, vous savez, à propos de la direction générale de ma vie, de l'impartialité des juges, du fait qu'on puisse s'améliorer.

— Pourtant, vous vous êtes amélioré. Vous le dites dans votre livre. Vous avez écrit que vous étiez un, comment déjà, un...

Margo se mit à feuilleter le bouquin.

— "Un bon à rien qui pleurnichait, n'assumait rien, et souffrait", lui souffla Mark.

— C'est ça. C'est tellement acerbe. Puis vous avez découvert les conclucides, enchaîna-t-elle. Vous vous êtes amélioré.

— Je suis devenu meilleur, oui, mais est-ce grâce à moi? Qui peut en juger? Et est-ce que j'ai découvert quoi que ce soit? J'ai donné une voix à quelque chose. Et elle a résonné. Et je tiens encore à dire ma reconnaissance, Margo, à tous ceux qui ont lu et écouté ce que j'avais à dire... Il faut juste que ce soit bien clair...

— On dirait que vous êtes en train de revenir sur ce que vous avez écrit dans votre livre, à savoir que le pouvoir de changer est en chacun de nous.

Margo carra les épaules et releva le menton. Mark inspira. Il se pencha vers Margo au point de lever son derrière du canapé, et posa son poignet droit sur la petite table entre eux. Son index tapa contre la table, quatre coups secs : *tac-tac-tac-tac*.

— Je. Ne. Renie. Rien, dit-il – un mot pour chaque tac.

Le geste le plus étrange qu'on ait vu sur le plateau de l'émission depuis le jour où un chef cuisinier avait mis le feu à sa manche et l'avait éteint avec un magret de canard. Mark retira son bras et se cala à nouveau dans son fauteuil.

— Écoutez, Margo, on est constamment en train de changer. L'inertie n'existe pas. Mais c'est une excellente nouvelle. Ça veut dire qu'on peut toujours s'améliorer.

— Réussir davantage.

— Hmmm oui. Réussir.

Mark était un peu paumé. Mais il entrevit une échappatoire.

— Quand j'ai écrit ce que j'ai écrit, j'étais une personne différente. J'ai fait mon acte de foi. Vous vous rappelez, Margo, l'époque où vous vous leviez le matin en vous demandant si vous étiez sur le bon chemin?

Margo acquiesça malgré elle.

— À présent, j'en ai la confirmation tous les jours autour de moi, poursuivit Mark. L'argent, les gens qui me demandent mon avis, ce que je souhaite. Et j'ai compris que c'est cette période de doute qui a donné de la force à mes idées. Le fait de devoir tenter sa chance, tous les jours.

— Vous savez quoi, Mark? Je me souviens très bien de cette époque. Un jour, il a fallu que je vende mon piano pour payer mon loyer.

— Votre piano? Oh, Margo, quel dommage. Parlez-moi un peu de ce piano.

— C'était un piano droit bas de gamme qui avait passé quarante ans au sous-sol d'une église. Il avait de jolies petites fleurs sculptées sur le devant et la table d'harmonie était tellement déglinguée qu'il était impossible à accorder. Mais je l'adorais.

Un large sourire éclaira son visage.

— J'ai lu quelque part que vous aviez douze pianos à présent. C'est vrai?

— Oh Mark, j'adore la musique.

— Mais vous donneriez tout pour récupérer ce premier piano, n'est-ce pas? Eh bien, désolé, mais ça n'arrivera pas. On est tous en quête de notre madeleine.

— Oui. On est tous à la recherche de quelqu'un, approuva Margo.

— Bien sûr. Un rien nous ramène vers le passé.

— C'est magnifique.

— Merci, dit Mark poliment. Oui, un rien nous ramène vers le passé. J'imagine qu'il en sera toujours ainsi. Or, pour accéder au succès, selon ma méthode, il faut passer par la projection;

il faut se projeter dans le futur tel que l'on voudrait être. Sans pour autant fermer la porte sur son passé. Nous devons exister en tant qu'êtres entiers. Margo, il faut que je vous dise, je me suis senti perdu. Pas plus tard que tout à l'heure, avant l'émission. J'étais en train de méditer, d'essayer de me projeter. Mais je pense beaucoup à mon père ces temps-ci. Parce que ça fait dix ans aujourd'hui qu'il est mort.

— Mes sincères condoléances, dit Margo.

Mark ne savait pas quel jour son père s'était éteint, mais il lui semblait parfaitement plausible que l'anniversaire de sa mort tombe ce jour-là. Et bien qu'il n'ait pas pensé à son père de façon consciente depuis plusieurs semaines, en entendant l'accent de sincérité dans la bouche de Margo lorsqu'elle lui présenta ses condoléances, il sentit une boule se former dans sa gorge.

— J'imagine que c'est ça qui m'a perturbé. Qui rend la concentration difficile. Cette pratique que je prône, ce chemin que je voudrais montrer aux autres, je m'aperçois que je n'y ai plus toujours accès.

La boule dans sa gorge était en train de fondre. Mais Margo était suspendue à ses lèvres. Il le sentait : dix millions de gens attendaient qu'il verse une larme.

Alors il pensa au petit chien qu'il avait eu quand il était gamin. Un terrier croisé du nom de Monopoly qui écumait de long en large le parking derrière la station-service, avec ses herbes hautes et ses tessons de bouteilles et, plus loin, le bosquet de pins. Un soir, Monopoly avait vomi de l'herbe et des os de poulet sur sa housse de couette Star Wars toute neuve ; furax, il avait foutu le chien dehors et était retourné se coucher. Dans la nuit, deux ratons laveurs venus fouiner dans les poubelles le dépecèrent après l'avoir éventré de leurs gueules fétides et de leurs griffes acérées. Mark avait cru entendre l'attaque, les jappements de Monopoly s'étaient immiscés dans ses rêves et l'avaient vaguement tiré du sommeil. Mais il n'était pas sorti parce qu'il était encore petit et qu'il avait peur de sortir seul dans la nuit : la lumière jaune des lampadaires, les bennes à ordures renversées, la terre humide, le goudron tiède. Il avait peut-être inventé la partie où il avait entendu le chien se faire tuer, impossible de le savoir avec certitude. Jamais il ne raconterait ça à qui que ce soit. Et jamais il ne pardonna à l'usine de produits dérivés Star Wars, ni à Luke Skywalker, de l'avoir poussé, à cause de cette stupide tache, à trahir son meilleur ami.

Mark ferma les yeux et secoua doucement la tête.

— Ah Margo, il est beau celui qui donne des leçons sur le succès et la sérénité.

Ses dents blanchies mordirent sa lèvre inférieure, à la Clinton. Il se rappela la patience avec laquelle Monopoly restait assis à côté de lui pendant qu'il fabriquait des parcours de billes dans la cuisine avec des bouts de lambris qu'il trouvait sous la maison. Ses pattes pleines de sable qui frottaient ses yeux le matin quand il se réveillait et s'étirait. Un accès de tristesse lui serra la poitrine au point de faire frémir sa mâchoire, sans que la caméra n'en rate une miette. Au bord des larmes, il ouvrit la bouche et savoura d'avance le timbre humide de sa voix.

— Excusez-moi. J'aurais dû me préparer mieux que ça.

Dans le studio, le public était captivé. Dans toute l'Amérique, des femmes virent un homme fort pleurer pour quelque chose d'imaginaire.

— Oh Mark, je vous en prie. C'est un honneur que vous nous faites. C'est parfaitement cohérent avec l'Honnêteté Totale dont on doit faire preuve selon vous si on veut atteindre nos propres conclucides.

— Oui, vous devez avoir raison… Vous savez, Margo, il faut que je… non, il faut que nous ajoutions cette composante dans notre travail sur nous. Ce… Ce doute, cette peur, cette insécurité – c'est une conclucide à part entière. Il faut l'intégrer, le confier à notre petit Doudou des Savoirs, qui n'en sera que plus résistant.

— Oh, le Doudou des Savoirs! J'adore ce concept, Mark. Je sors le mien à tout bout de champ.

— Aussi souvent que nécessaire, Margo, n'hésitez pas.

— Alors qu'est-ce que vous allez en faire?

— De quoi? renifla Mark.

— De cette conclucide? Du fait que nous sommes sans cesse ramenés en arrière? Qu'il peut vous arriver, même à vous, de perdre le nord en pensant à votre défunt père, un homme – et j'espère que vous ne m'en voudrez pas de le dire – qui vous a abandonnés votre mère et vous quand vous étiez petit.

— Oh mais non, je ne vous en veux pas, Margo. Dites tout ce que vous voudrez, répondit Mark, qui avait gonflé et soigné le côté classe moyenne de son récit à la demande de ses éditeurs.

Il avait forcé le trait sur la poussière rouge qui recouvrait tout dans le coin de Louisiane où il était né ; rabaissé les boulots de sa mère à des tâches subalternes ; exagéré le nombre de fois où ils avaient déménagé ; transformé une aide financière en bourse d'études. Aucune mention des deux semaines où elle l'emmenait en vacances en voiture, avec une liste de sites naturels et d'institutions culturelles qu'elle voulait montrer à son fils. À la trappe, les stages de tennis et l'orthodontie.

— J'imagine que je vais devoir apprendre à assumer celui qui, en moi, continue à souffrir et, hem, à ne rien assumer. Il faut que je l'écoute. Que je lui dise : *Je te crois, tu as souffert, je t'entends. Mais tu ne peux plus me retenir comme ça.*

Mark semblait avoir trouvé un filon.

— Parce qu'on a tous nos petites manies. Et si on veut se manifester, il faut le faire complètement, il faut tout faire sortir. Une fois que vous n'aurez plus de secrets, vous n'aurez plus non plus de honte, vous serez certain de ce que vous avez, certain qu'on ne vous le prendra pas, et que vous méritez le succès qui sommeille en vous, en chacun de nous.

— Mais comment on est censé s'y prendre ? demanda Margo, et c'était elle à présent qui se penchait vers lui. Je me lève, je lis le journal, et je me sens dépassée. Anéantie. L'environnement. Le réchauffement climatique. La pauvreté.

Tous ceux qui écoutaient Margo semblaient être anéantis exactement par les mêmes choses qu'elle.

— Pensez aux artistes qui triment, aux gens qui voudraient aider les autres, aux parents qui voudraient être plus présents. Qu'est-ce qu'ils sont censés faire ? Vous. Vous êtes parti de la case rien du tout pour atterrir à Harvard, et après vous êtes devenu – quoi ? Vous avez gagné votre vie en rédigeant des tests, en bossant sur des chantiers ? Vous avez consommé du cannabis ?

— Oui, j'ai fait tout ça.

— Et maintenant, où que vous alliez, on vous sollicite. Pour motiver les gens. Pour que les entreprises, les familles et les individus améliorent leurs méthodes de travail. J'ai entendu dire que vous étiez le coach de vie de stars de Hollywood. Et, bon, faut dire que vous êtes canon… N'est-ce pas?

Margo se tourna vers son public. Sifflets et cris de joie, car c'était vrai, Mark était canon.

— Et il paraît également – et je veux que tout le monde entende ça, je veux que vous, Mark, vous l'entendiez, puisque vous avez parlé d'argent – que vous reversez la majeure partie de vos bénéfices à une fondation, la fondation Manifeste-toi. Alors, je me trompe?

Ah, la fondation. La majeure partie de ses bénéfices? Hm, disons que c'était un arrangement complexe. Les gens de la compta lui avaient expliqué. C'était comme une rangée d'arbres aux branches protectrices pour empêcher le vent saisissant des impôts de souffler sur son pécule.

— Non, Margo, vous avez tout à fait raison. J'essaie de transmettre, dans tous les sens du terme. Même si, de toute évidence – il tamponna l'humidité aux coins de ses yeux d'une main, en pinçant l'arête de son nez entre son pouce et son index –, j'ai moi-même beaucoup à apprendre. Oui, poursuivit-il, la fondation Manifeste-toi a pour but d'aider les jeunes à devenir des citoyens de l'ère numérique informés. Il y a tellement d'opportunités à saisir pour eux, tant de contacts à créer. On leur fournit tous les outils dont ils ont besoin. Dont ces nouveaux appareils de la firme SineCo. En fait – il leva un doigt en l'air – j'en ai même un ici.

Il plongea une main dans la poche de sa veste en velours.

— C'est plus qu'un téléphone, pas de doute, et j'irai même jusqu'à dire que c'est bien plus qu'un ordinateur. Mince alors, où est-ce qu'il est?

Il sortit ses clés et les posa sur la table, comme un mec qui rentre du boulot. Puis un portefeuille à scratch, qu'il regarda comme s'il ne l'avait jamais vu avant. Ses yeux semblèrent dire à Margo *Non mais vous y croyez vous à tout ce qui peut se retrouver dans mes poches?* Il sortit encore deux carnets écornés ("Deux carnets. Toujours. Je note tout. Des fois qu'y aurait des idées de génie") ; des stylos ("Des stylos. Plus y en a, mieux c'est. Me demandez pas pourquoi") ; une serviette en papier ("Hm. Une serviette. Avec un numéro de téléphone, j'espère." Margo s'esclaffa, tête à la renverse) ; un gressin ("Ça alors, un gressin!") ; et, merde, sa minipipe en pierre ("Tiens, mon porte-bonheur"). Il la cacha dans sa main gauche et la glissa dans la poche qu'il avait fait coudre dans la doublure de sa veste. À grands renforts de moulinets de la main droite, il fouilla dans sa poche de poitrine.

— Ah! Enfin. Le voilà.

Il sortit le Node, le tout nouveau gadget de SineCo, à la taille et au poids parfaits. Pas de joint, pas de vis, pas de coque amovible, entièrement moulé et scellé à l'usine. Autonomie de soixante-douze heures.

— Ce truc est incroyable. Vous pouvez l'avoir pour une bouchée de pain. Enfin, peut-être un peu plus. Très facile d'utilisation. Je crois que je ne vais pas tarder à jeter tous ces carnets. Et les enfants, Margo. Avec ça, ils peuvent créer des cercles tout autour d'eux. Avoir une vie ultraconnectée, entre eux, avec des gamins à l'autre bout du monde. Créer de la musique, des poèmes. C'est extraordinaire.

La promotion transversale. On y était. Il avait rendu à Straw ce qui appartenait à Straw, et Straw serait content.

— C'est vrai que ça a l'air extraordinaire. Vous ne trouvez pas? demanda Margo à son public.

Et le public de siffler et d'applaudir, parce que c'est vrai que ça avait l'air extraordinaire.

— Donc, accomplir tout ce travail, c'est fantastique, c'est le but, mais comment? poursuivit Margo. Dites-moi, dites-nous rien qu'une chose qu'on pourrait tous faire pour nous aider à atteindre nos objectifs, à nous focaliser sur des solutions.

— Rien qu'une chose?

— Rien qu'une.

Il se sentit envahi d'une douce chaleur, comme désincarné, à l'aise comme chez lui face aux caméras. Rien qu'une chose? Avant d'ouvrir la bouche, il sut que ce serait le titre de son prochain livre, un livre qui l'emmènerait au-delà des talk-shows. Il se tourna vers Margo, prêt à répondre. Mais il se retint. À côté d'un cameraman, il se peut que Jupe Grise ait levé les yeux au ciel.

— Retentez votre chance demain, fit-il.

AUX PINS TREMBLANTS

— Leo Crane.

Le docteur appela le nom inscrit entre les rabats d'une chemise beige, qu'il tenait comme la carte d'un restaurant ; il prononça son nom comme s'il ne s'agissait que de mots, ce qui devait être le cas, se dit Leo. Le cabinet était petit. Leo s'installa sur un autre échantillon de mobilier institutionnel qui vous mettait en position d'infériorité, une assise trop basse, des accoudoirs trop hauts, une raideur qui vous poussait à capituler.

— Alors. Comment ça va ? lui demanda le médecin.

Comment ça va ? se répéta Leo et son ton sarcastique résonna à l'intérieur de sa tête encore endolorie. En voilà une question débile. On pouvait facilement supposer qu'une personne admise dans une clinique de désintox était mortifiée, abattue, et angoissée, non ? C'est comme ça qu'il se sentait, en tout cas. Il leva les mains pour dire couci-couça et balaya la pièce d'un coup d'œil circulaire. Une grande fenêtre, derrière laquelle s'étendaient les vertes pelouses de la clinique ; un écran d'ordinateur massif ; un téléphone décoré de post-it ; un pot à crayons qui disait *Crayons*. Et… une housse de boîte à mouchoirs de la marque Viagra ? Non ? Merde alors, si, c'était bien une housse de boîte à mouchoirs à l'effigie de Viagra. Tous ces éléments indiquaient à Leo qu'il avait perdu. Il s'était battu, et il avait perdu. Il se retrouvait sur la touche, le raté, l'homme-enfant assis sur un fauteuil cube.

— D'après Keith, vous n'avez pas souhaité participer au groupe de parole aujourd'hui, l'encouragea le médecin. Vous me diriez pourquoi ?

Tous les membres du personnel employaient ce ton faussement étonné. Vrai, Leo avait fait l'ours bourru depuis son arrivée, à peine vingt-quatre heures auparavant. Il haussa les épaules pour toute réponse. Jusqu'où devait-il remonter ? Il était sobre pour la première fois depuis des semaines, mais son pataugeage dans le noir avait été remplacé par un profond désarroi : il ne savait plus à qui, à quoi faire confiance. Mieux valait qu'il la boucle. En général, quand on lui posait une question, soit il n'avait pas de réponse, soit il en avait trop.

Et dans son esprit, une voix lui disait, *C'est pas parce que t'as foutu un bordel pas possible dans ta vie que les idées d'un autre valent mieux que les tiennes.* Surtout celles d'un homme qui a un pot à crayons avec *Crayons* marqué dessus. Est-ce que ce type était vraiment médecin, d'ailleurs ? Il scruta les murs en quête d'un diplôme.

Hmm. Psychologue clinicien. Diplômé d'une institution dont Leo n'avait jamais entendu parler. Et pour en rajouter une couche : *Manifestez-vous* en bonne place sur une étagère en mélaminé. La preuve flagrante que ce médecin était bien mal placé pour dispenser des conseils sur quelque sujet que ce soit.

Il y avait de ça des années, à la fac et un peu après, Leo avait été très ami avec l'auteur de ce livre stupide. Et dès que le hasard avait rendu Mark célèbre, il l'avait laissé tomber, retournant les appels de Leo *via* une sorte d'assistante. Le succès dingue de *Manifestez-vous* avait drôlement énervé Leo. Est-ce que c'était tout ce qu'il fallait faire pour réussir dans ce monde ? Balancer des conneries avec le sourire ? Une chose l'intriguait, cela dit : le Mark que Leo connaissait aurait étripé un bouquin pareil. Un livret, plutôt. Cent pages à peine, avec de grandes marges. Et c'était sans doute grâce à ce livre qu'il était devenu riche, et ça aussi ça agaçait Leo.

Il retrouva la voix.

— Vous êtes un adepte de Deveraux ? demanda-t-il au médecin en pointant le menton vers la bibliothèque.

— Je trouve que ce petit livre recèle bien des choses, oui. Vous connaissez son travail ?

— Sur le bout des doigts – la deuxième phrase qu'il prononçait depuis son arrivée.

Il vit que le médecin, dont le doigt feuilletait à nouveau son dossier, essayait d'exploiter cette brèche soudaine. Leo devinait ce qu'il contenait – le sinistre récit de ces derniers mois rapporté par ses sœurs et toute autre personne impliquée dans son admission ici.

La veille, quand on avait sonné et qu'il avait trouvé ses trois sœurs sur le seuil de sa porte, il avait tout de suite compris. Aucune d'elle ne vivait dans l'Oregon. Et même s'il en était venu récemment à n'accorder que très peu d'importance aux jours de la semaine (de la même manière, que nos unités de temps soient comptées par des pendules le surprenait toujours), Leo savait que chacune de ses sœurs avait un travail. Un vrai. On ne passait pas chez les gens juste pour un petit coucou le mardi matin à dix heures, même à Portland.

Deux d'entre elles géraient la fortune familiale bâtie par le grand-père, le roi des jeux de société Lionel Crane. L'entreprise s'était appelée Crane & Herron jusqu'à ce que Lionel Crane et Nat Herron se brouillent à jamais sur un terrain de golf, en 1975. Ne sachant ni l'un ni l'autre ce qu'étaient des excuses, un simple désaccord (un sillon de roue de tracteur sur le douzième trou du Golf Club de Millbrook faisait-il basculer cette portion du parcours dans la catégorie "en réparation"?) s'était aggravé et envenimé au point que les deux hommes ne communiquaient plus que par avocat interposé. On en avait parlé aux infos à l'époque – la coûteuse division de l'entreprise à l'origine du fameux jeu Conseil d'administration (dans lequel les joueurs devaient former des alliances entre eux pour foutre les autres dehors). Les deux hommes s'étaient surtout battus pour les droits du logo – une grue et un héron* entrelacés sur un fond bleu pastel – et avaient dû au final séparer les deux oiseaux, graphiquement parlant. Dix ans plus tard, CraneCo (désormais représentée par une grue qui clignait de l'œil sous un haut-de-forme, un logo moins puissant) entrait en Bourse et s'était depuis imposée dans le secteur de la jeunesse et de la famille.

* En anglais, *"crane"* signifie "grue" et *"herron"*, "héron". (*Toutes les notes sont de la traductrice.*)

Rosemary, l'aînée des enfants Crane, était la présidente du conseil. Elle n'avait jamais rencontré la moindre embûche sur le chemin du succès. Il arrivait que Leo la considère plus comme une tante austère que comme sa grande sœur.

Heather, la plus jeune, avait rejoint l'entreprise tout de suite après ses études. C'est elle qui avait négocié l'achat d'une petite société de jeux vidéo qui leur avait permis de sortir en ligne les succès inattendus qu'avaient été Ding dong dingo! et Attrape-lapin. Les gens du milieu la considéraient apparemment comme une sorte de génie des jeux, comme si elle pouvait, en regardant une série d'objets quelconques, en tirer un jeu en un clin d'œil. C'était marrant, parce que franchement, Heather était nulle pour ça, les jeux, les énigmes, l'effort d'abstraction que ça demandait. Ç'avait toujours été le cas. Quand ils jouaient étant gamins, en général les deux grandes lui mettaient la pâtée. Il arrivait qu'elle remporte une partie de Mastermind ou de Bataille navale – elle était pas mauvaise en combinaisons de possibilités. Et elle se défendait pas trop mal quand il fallait incarner un personnage, comme dans Les Grands Maîtres, ou au Cluedo, ou encore Sauver Bébé, jeu que les filles avaient elles-mêmes inventé qui consistait à mettre Leo, encore tout petit et dans son transat miteux, en position de danger (et elles n'y allaient pas de main morte : sur le frigo, dans les monte-plats…) et à élaborer une stratégie de sauvetage.

Daisy, celle du milieu, était sa sœur préférée. Petite, elle était sérieuse, et pas du genre à avaler des couleuvres. Elle n'avait pas non plus la langue dans sa poche. Une fois, elle avait gâché, ou sauvé, un film de mariage familial en regardant droit dans la caméra et en répondant à l'oncle-réalisateur hors champ, qui lui demandait ce qu'elle pensait de ce grand mariage : *Je trouve que le gâteau craint un max. Et le prêche de l'autre vieux était chiant comme la pluie. Et la dame qu'Oncle Farouk a épou-sée est méchante.* C'était aussi une menteuse effrontée et elle imaginait toujours tout un tas de scénarios catastrophes, du genre, "Mais papa, et si tu tombais de ta planche au bord de l'eau et que tu te cognais fort la tête et que tu te noyais mais que les poissons te mangeaient mais que avant t'étais quand même déjà mort?"

À sa façon et alors qu'elle avait une vingtaine d'années, Daisy avait manifesté les mêmes problèmes que s'était coltinés Leo, mais elle avait su s'en débarrasser bien avant de se retrouver au stade où lui en était, ou alors elle avait mis au point un meilleur mécanisme de défense, parce qu'elle était auxiliaire médicale et mère de deux enfants ; elle vivait à Austin, et globalement, elle semblait être devenue une citoyenne équilibrée et une personne de confiance.

C'est donc la seule qu'il ait regardée dans les yeux lorsqu'il les vit plantées sur le perron. De toute évidence, elles avaient pris leurs dispositions pour se faire remplacer au boulot, faire garder les enfants, acheter des billets d'avion et louer des voitures. *Oh-oh*, songea-t-il. *Elles sont pas là pour rigoler.*

Ça ne pouvait pas finir autrement. Au cours des mois précédant leur venue, elles l'avaient appelé souvent, et il avait dû détourner leurs élans d'amour fraternel et leurs inquiétudes, minimiser l'étrangeté grandissante des propos qu'il tenait sur son blog, promettre d'honorer les divers rendez-vous qu'elles lui avaient pris avec des médecins et des thérapeutes. Mais ces rendez-vous, il les avait ratés, et il avait cessé de répondre aux appels de ses sœurs au moment où culminait sa phase de manie et où s'amorçait la phase dépressive. Il lui restait cela dit un semblant de présence d'esprit pour tenter une parade.

— C'est pour une fête surprise ? leur avait-il demandé en agitant son mug, ce dont il aurait dû s'abstenir, car le tintement des glaçons provoqua une consternation glaciale ; ce fut Daisy, la plus proche de lui, qui se pencha au-dessus de la tasse pour renifler.

— Du gin ? Tu me dégoûtes.

— Est-ce que ça vous est déjà arrivé, ces fluctuations du moral ? demanda le médecin.

— Oui, quelquefois, finit-il par confier.

Des tonnes de fois. Mais jamais à ce point.

— Vous semblez avoir du mal à garder un travail.

— Mais je m'en sors.

— Ça sous-entend que vous êtes riche ?

— Ça sous-entend que j'ai un revenu complémentaire.

Le médecin parcourut une page.

— Votre famille fabrique des jouets ?

La seule mention de CraneCo poussait certaines personnes à penser qu'il avait grandi comme le gamin de *Ricky ou la Belle Vie*, circulant à bord d'un petit train dans une grande demeure. Alors qu'en fait, tout ce que ça impliquait, c'était que mille huit cents dollars lui tombaient du ciel chaque mois sans qu'il ait à lever le petit doigt. Plus ce que ses sœurs, qui l'adoraient, lui donnaient – et elles avaient des poches profondes. Le docteur ne put réprimer un petit sourire content de soi – on prend toujours un certain plaisir à voir un gosse de riche en mauvaise posture.

— Des jeux. Pas des jouets. C'est une entreprise cotée en Bourse, précisa Leo.

— Donc vous n'êtes pas obligé de travailler.

Leo empoigna les accoudoirs de ce stupide fauteuil.

— Vous avez raison. Je suis paresseux et pourri gâté.

— Ce n'est pas ce que j'ai dit, rectifia le médecin, mais bon, si c'est ce que vous avez compris, je pense que nous devrions en parler.

— Pas la peine.

— Vous, vous en pensez quoi ? Vous trouvez que vous avez la vie facile ? que vous êtes paresseux ? insista le docteur.

Ben oui, j'ai une vie facile. Mais seulement sur un plan. Enfin, c'est sans doute le plan qui a le plus d'importance, d'ascendant sur le reste. Par contre, paresseux, non. Des gens paresseux retireraient une sérénité certaine de cette oisiveté. Or, jamais il n'avait été quelqu'un de serein, de près ou de loin, harcelé qu'il était du lever du jour au seuil du sommeil par une horde de soucis – avec son contingent de sous-soucis et de méta-soucis. Donc on ne pouvait pas le qualifier de paresseux. Son problème, c'était qu'il semblait incapable de tracer une ligne droite reliant son état présent à ses objectifs futurs.

Pour Leo, le seul trait caractéristique de l'avenir, c'était qu'il ne ressemblait jamais à l'idée qu'on s'en était fait. Ses attentes et la réalité différaient tellement qu'il avait toutes les peines du monde à croire que le Leo de deux, cinq, ou neuf ans auparavant était le même que celui d'aujourd'hui. Malheureusement, cela signifiait que la plupart des choses devaient être réapprises, que les mêmes expériences devaient être menées, encore et encore, en tenant compte de différents paramètres.

Jusqu'à présent, il n'avait pas réussi à mettre ce savoir tout en nuances au service d'une activité professionnelle ou artistique. Depuis quinze ans, sa vie consistait à tenir bon tandis qu'il chevauchait la courbe sinusoïdale qui oscillait dans son cerveau. Mais depuis le plus jeune âge, il avait l'impression que cette cyclothymie était un trait féminin, et si un homme reconnaissait en être infligé, il fallait qu'il explique aussitôt après comment il s'en était sorti, ou comment il comptait s'y prendre pour surmonter ça.

Parfois, sans y croire lui-même, il souriait à la vie, grâce à l'amour, au vent, aux protéines, à ses neurones en bouillie, à des médicaments brevetés, au pH de l'eau du robinet, au ronronnement des lampadaires au sodium, ou à toute autre vibration plus profonde. Dans ces moments-là, il prenait des risques et roulait des mécaniques.

Le pire, c'était cette librairie qu'il avait achetée. Il avait vingt-six ans, et avait vidé son compte épargne comme un gamin qui secoue sa tirelire en forme de cochon (et emprunté autant que la banque voulait bien lui prêter). Quel bordel ç'avait été. Il avait pensé que le prolongement naturel serait de publier sa propre revue. Les écrivains réclameraient leur abonnement à cor et à cri. Il emménagea dans un studio au-dessus du magasin, où il passa un hiver long et froid, chauffé par un piètre poêle à bois ; il avait compté parmi ses clients de gentils habitants du quartier impressionnés par le puits de science qu'était l'ancien propriétaire, des célébrités en week-end et en jean à mille dollars, des étudiants dans le cirage en quête d'un exemplaire de *Siddhartha* à deux dollars, des universitaires en sciences humaines, sombres et dignes.

Mais pas assez de chaque variété.

Au bout de neuf mois, avec un chiffre d'affaires de six mille sept cents dollars, sa carrière de libraire en avait pris un coup, et il vendit tout son stock à un marchand venu de Floride en Range Rover qui le paya par chèque. Rosemary racheta les murs à Leo et les revendit rapidement, à perte.

Après cet échec, il avait fait un bref passage chez CraneCo. Mais l'entreprise n'avait pas réussi à lui trouver un vrai poste, et il passait ses journées au comble de la gêne. Et donc, même s'il s'agissait de son lieu de naissance, de sa patrie, de son Fern Hill, et même si la bourrasque froide et humide qui précédait l'arrivée du métro dans les tunnels le réconfortait, il quitta Manhattan et emménagea à Portland. Un endroit plus amical envers les gens comme lui.

Il fut chauffeur livreur pour une cave à vins, chauffeur de taxi ; il fit un piètre serveur, un commis de bar bourré. Les périodes d'espoir et de courage s'espacèrent. Et tandis qu'il basculait dans la trentaine, son paysage se mua peu à peu en vaste marécage de pessimisme ponctué de buttes fangeuses d'angoisse. Il fit des efforts pour s'améliorer. Essaya de se mettre au jogging, de lever le pied sur l'alcool, de saupoudrer ses yaourts de graines. Une petite amie lui fit faire du yoga. Il s'entraînait à adopter une attitude positive. Mais c'était une vraie guerre de tranchées. Il perdit son tapis de yoga et dut en acheter un autre. Qu'il perdit à son tour, et ne put se résoudre à en acheter un troisième. Il entendit des gens prétendre qu'ils adoraient boire, ce qui le laissait perplexe. Ils parlaient presque de leurs gueules de bois avec tendresse, comme pour apporter une preuve de leur vie de débauche. Ses gueules de bois à lui, c'était des jours entiers rongé par des idées noires. Il vit des thérapeutes et des psychiatres ; testa le Wellbutrin, le Klonopin, l'Effexor, le Celexa, le Paxil, le Xanax, le Zoloft et le Lexapro. Puis la méditation, le travail des abdos profonds, le jeûne aux jus. Il arrêta de manger de la viande. Entretint un jardin. Batailla pendant des mois pour garder un mode de vie sain, pour retomber dans des jours troubles comme un acrobate dans un filet.

— Parlez-moi des gens qui vous observaient, selon vous, dit le médecin.

Allons bon.

— Vous voulez dire ma parano, c'est ça ?

— Si j'emploie ce terme, vous penserez que je ne vous crois pas.

— Mais vous ne me croyez pas.

— Vous ne m'avez rien donné que je puisse croire ou ne pas croire.

Pas faux. Mais Leo ne savait pas si les constellations de sens qu'il avait repérées étaient destinées à être crues, précisément. À présent que certaines de ses théories lui revenaient, il voyait bien qu'elles étaient, littéralement, incroyables. Mais c'était sans importance – le beau et le vrai sont souvent durs à croire. Ce qu'il ressentait surtout, c'était de la tristesse : il n'était plus sûr de lui. Il n'avait jamais voulu convaincre qui que ce soit – et surtout pas ce docteur – que, par exemple, l'ex-mari de son ex-petite amie travaillait pour une instance gouvernementale chargée de monter des dossiers sur les membres de l'élite intellectuelle qui avaient tendance à trop l'ouvrir.

— Vous avez dit à vos amis que vous étiez suivi. Pourquoi avoir dit une chose pareille ?

— Parce que c'était le cas.

L'agacement creusa une ride dans le visage du docteur. Dans sa face. La face, c'est juste un masque de peau avec deux trous noirs pour la vue et une grotte humide pour manger et parler. Leo détourna le regard, non par dégoût, mais parce qu'il craignait soudain de ne pas être face à un médecin.

Et c'était vrai, on l'avait bel et bien suivi. Il le savait avec bien plus de certitude que d'autres faits – il ne savait pas vraiment, par exemple, si l'ex-mari de son ex-petite amie travaillait pour le gouvernement. Il se pouvait tout à fait que ce soit un vulgaire mari jaloux. Et puis, est-ce qu'on pouvait parler de petite amie ? Il s'agissait de Marilyn, la mère canon de Jour Nouveau. Ils avaient tenté quelque chose, quelques semaines. Surtout du cul, en fin d'après-midi, et des restaus chers, parfois suivis de disputes d'ivrognes sur le trottoir ou dans son vaste appartement moquetté de sisal, en général à propos de son boulot – dans la pub – que Leo se sentait obligé d'apparenter à une forme de prostitution intellectuelle, bien que, une fois, la querelle ait tourné autour du mari, fraîchement ex. Elle prétendait ne pas trop savoir ce qu'il faisait comme métier.

— J'en sais rien. Il est consultant. Pour des gens, sur des trucs, avait-elle crié à Leo, nue devant le réfrigérateur, scrutant le fond en quête d'une autre bouteille de vin.

Le médecin avait sauté quelques pages du dossier.

— Et ça?

Ah merde. Le doc avait des impressions de son blog. Comment était-ce possible? Leo avait tout effacé. Il n'était pas spécialement calé en informatique (il portait encore le deuil de MacWrite), mais il savait ce qu'une commande intitulée "Supprimer tous les fichiers" était censée faire. Sans se pencher, il essayait de mieux voir ce que feuilletait le médecin. Ça ressemblait plus à des captures d'écran qu'à des téléchargements. Qui aurait pu lui donner ça? Heather? Une assistante de Rosemary? Elles poussaient un peu le bouchon, non? Si elles voulaient en parler, pourquoi ne pas l'avoir fait face à face?

L'histoire du blog était encore plus gênante que celle de la librairie, bien que moins ruineuse.

Après s'être fait virer de Jour Nouveau, c'étaient les enfants qui lui manquaient le plus. Ne pas devoir être impérativement quelque part à sept heures quarante-cinq, ça, ça lui convenait. Mais ne pas voir ce que Viola ou Gus avaient choisi comme tenue (une robe Disney en lambeaux; un bonnet de bain adulte et une couverture de survie), ne pas incarner une personne de confiance pour les gamins… ça, ça craignait. Ce qui lui manquait aussi, en deuxième, c'était rédiger, corriger et distribuer les fiches de transmission. Et donc, à peine une semaine après son renvoi, il avait commencé ce blog, dans le but de publier ces fiches en ligne; ça s'appelait *J'ai partagé un document avec vous*.

Il envisageait de continuer à se rendre au jardin d'enfants pour pouvoir poursuivre son activité de reporter de leurs petites vies. Il se disait que s'il restait en dehors du bâtiment et de l'espace récréation, Sharon ne pouvait pas l'en empêcher. Et le Premier Amendement, hein? Mais lorsqu'il fit part de son idée à son ami Louis, dont la femme était avocate, ce dernier lui répondit : "Si tu vas rôder derrière un grillage pour observer des enfants, Leo, je te garantis que tu vas te retrouver dans une merde que tu n'imagines même pas."

Ce qu'il assimila parfaitement.

Et donc, ce qui avait été un rapport d'une page sur le quotidien d'un jardin d'enfants devint un récit en ligne constamment mis à jour par son auteur au chômage, hyperactif des synapses et en pleine introspection. Il était au sommet de la vague, le réseau des connexions secrètes mondiales lui apparaissait comme en plein jour. Il écrivait quotidiennement, ajoutait des liens vers des centaines d'articles, sur les panneaux solaires, l'hydroponie, les hiéroglyphes.

Mais la mauvaise pente sur laquelle il était engagé ne tarda pas à se faire sentir dans ses écrits. Lorsque la parano, l'arrogance et la mégalomanie gâtèrent les fruits de son imagination, ses amis commencèrent à s'inquiéter. Katharine, l'avocate, voulut intervenir.

— Y a des trucs très intéressants... Mais globalement, il faudrait retravailler l'écriture, et puis, y a des trucs vraiment trop bizarres.

C'était un matin, sur la galerie devant chez lui.

— C'est normal d'avoir ce genre de crise, Leo. Ça arrive à plein de gens. Mais il n'y a aucune raison de mettre tout ça noir sur blanc, d'attirer l'attention de tout le monde.

— La transparence est une qualité, Katharine, répondit Leo, qui avait surtout retenu qu'elle le mettait dans le même sac que *plein de gens*.

— Oui, si on veut. Mais un jour, il se peut que tu changes d'avis sur tout ça. C'est même quasi certain.

Leo réfléchit. Elle n'avait peut-être pas tort. Mais s'il devait avoir honte plus tard, qu'il ait honte plus tard. Ici et maintenant, c'est ici et maintenant. C'est tellement facile d'avancer dans le monde quand on ignore la honte et qu'on regarde les gens droit dans les yeux. Un regard franc, ça les secoue, les gens.

— Mais... tu n'as pas peur de ce gouvernement mondial secret qui garde une trace de toutes nos activités en ligne? tenta Katharine.

— Je prends mes précautions, répondit-il, énigmatique.

— Toi, tu prends des précautions? Leo, c'est moi qui t'ai installé Skype. Tu fais quoi? Tu enveloppes ton ordinateur de papier alu?

Leo scruta les alentours.

— Mon vrai nom n'apparaît nulle part sur le blog.

C'était vrai. Il signait toujours ses posts de noms inventés.

Puis les amis de Leo se mirent à débarquer à l'improviste, avec des prétextes farfelus. Et son dealer de beuh coupa les ponts avec lui. Pour son bien! Comme si les dealers prêtaient le serment d'Hippocrate. Sûrement un de ses soi-disant amis qui avait appelé ses sœurs. Il était vraiment observé; même les paranoïaques ont des ennemis.

Le sarcasme de Katharine à propos du papier alu lui fit comprendre que ses pseudos et le nom du blog n'étaient pas une couverture suffisante. Internet était probablement contrôlé par l'autre camp – mais oui, c'était évident! – et ils allaient fermer son blog, l'extraire de l'équation d'une façon ou d'une autre. *J'ai partagé un document avec vous* devait poursuivre son chemin hors ligne; il ne pouvait plus le diffuser comme ça. Il fallait l'écrire sur papier, le distribuer de la main à la main, en faire un vrai organe de dissidence.

C'est à cette époque qu'advint le tournant décisif. Un brusque changement de lumière, de point de vue, de tempo; un instant particulier. Il était dans son grenier en train de lire son pamphlet, la seule et unique édition papier de *J'ai partagé un document avec vous*. Il en avait cinquante exemplaires, imprimés grâce à la presse d'un ami artiste.

Mais il regarda par la fenêtre, et le ciel était bas, menaçant; un front gris hachuré qui avançait sur les West Hills. Une sorte d'obscurité l'oppressa; une voix – le seul délire psychotique qui lui soit jamais arrivé – lui dit, *T'as raison. Supprime-toi. Avant de te dégonfler.*

Le plus étrange, c'est que ça lui semblait logique. La dépression, il pouvait faire avec. Il se pouvait qu'il ait choisi d'être dépressif, d'une façon ou d'une autre. Et il trouverait un moyen d'y faire face jusqu'au bout. Mais s'il était vraiment détraqué, il devait trouver un moyen de se tuer. C'était le marché qu'il avait passé avec lui-même.

Il sortit et, tel un gorille, monta sur le toit, pentu, plein de coins et recoins; une fois sur le faîte, il se tint droit comme une girouette. Oh oui, cette dépression qui arrivait se dirigeait droit vers lui. Tourbillonnante, funeste, elle charriait des tonnes de mauvaises nouvelles sur son avenir. Il oscilla légèrement vers l'avant, imagina la chute, le vide.

Non, il n'y avait pas assez de vide. Il s'en sortirait en vie, avec une fracture tibia-péroné et un traumatisme crânien ; à vie, il serait celui qui avait raté son suicide, la poule mouillée.

Alors il s'en retourna dans son grenier et s'allongea sur le sol. C'était bel et bien un dégonflé, il ne voulait pas mourir.

C'est plutôt une bonne nouvelle, se dit-il. Et il se souvint de sa mère lui disant qu'il n'était pas autorisé à sortir de table (il mangeait très peu). Voilà qu'il entendait sa voix. Pas dans un délire psychotique, mais dans un souvenir très net, comme si elle venait du ciel, de l'espace, ou du compost. *Tu restes à table*, disait-elle. Elle était dure ; elle avait dû affronter ces flammes avec courage le moment venu.

Mais s'il décidait de vivre, comment est-ce qu'il allait vivre avec tout ça ?

Il se rendit compte que le pamphlet, le blog et toutes ses petites manies n'étaient que des distractions ; la question n'était absolument pas là. Derrière ses scénarios débridés, il avait respiré sans faire de bruit et gardé un œil sur la porte.

Dans le journal – le vrai – Leo lut un article sur les Africains qui se cachaient dans le train d'atterrissage des gros porteurs. Certains tombaient gelés sur le Queens, explosant les objectifs de leur quête de liberté. Mais peut-être que certains s'en sortaient ; ils pouvaient rebondir sur le store d'un Dunkin' Donuts, puis entamer une nouvelle vie, en tant que plâtriers, tondeurs de gazon ou marchands de journaux, emmitouflés dans une écharpe et un bonnet, à vous regarder de derrière leurs présentoirs à chewing-gums. Enlisés, ambitieux, à bout de souffle, les habitants les plus déterminés de la planète la parcourent en défendant infatigablement leur droit à vivre. Alors *quid* des gens comme Leo, à la dérive sur une mer de privilèges et de choix, qui laissaient vaciller la flamme de la vie ?

Au cours des semaines suivantes, ses pensées s'assombrirent et s'emmêlèrent comme des cintres au fond d'une penderie. Dans sa tête, les monstres tapaient du pied, sans relâche. Les matins étaient supportables, les après-midi intolérables, les soirs à peine apaisants.

Il achetait sa beuh à un mec un peu louche qui le faisait venir chez lui. Près de l'autoroute, une maison aux fenêtres aveugles, avec des aquariums sales.

Leo pendit un drap devant la fenêtre de son salon. Il cessa de répondre au téléphone et d'ouvrir sa porte. Le monde extérieur regorgeait d'adversaires. Il restait cloîtré avec son bong.

Les sœurs avaient bien calculé le moment de leur intervention. Une semaine plus tôt, il aurait pu leur tenir tête. En l'occurrence, il essaya. Il tenta un "C'est pas vos oignons", qu'elles balayèrent d'emblée. Puis un "Non mais en faisant un effort je peux encore m'en sortir tout seul", qui ne réussit pas à les convaincre. De toute évidence, elles ne le laisseraient pas tranquille avant qu'il accepte de devenir le patient d'il ne savait quelle institution. Rosemary évoqua quelques illustres endroits de la côte Est. Il y songea sérieusement.

Mais il n'avait pas envie que des docteurs fourrent leur nez dans son crâne. Il s'imaginait avec des électrodes sur le front, les souvenirs de ces derniers mois effacés, des mois, même s'ils avaient été un fouillis inextricable et une accumulation de crises, qu'il ne voulait pas qu'on lui enlève. Ils recelaient probablement des informations valables ; tout ne pouvait pas être à jeter. Et puis, sans ça, il ne lui restait pas grand-chose, et encore, un pas grand-chose merdique.

Donc, frappé par ce qui lui était apparu à l'époque comme une idée de génie, Leo décida qu'il s'éviterait l'asile de fous en acceptant une désintox. Le gin dans sa tasse de café était sa chance. Et à vrai dire, à l'écouter, il avait l'air plus ivre et moins fou que la dernière fois. Lorsque Heather lui demanda, "Et tout ce que tu as écrit dans ton blog ? Le gouvernement parallèle, la tyrannie qui s'immiscera dans nos vies par le biais du confort moderne, le vaste complot destiné à contrôler toutes les données mondiales ?", Leo essaya de leur faire avaler qu'il avait écrit du point de vue d'une personne qui aurait eu ces pensées. Qu'il envisageait d'écrire un roman sur le sujet. Même lui trouva l'idée convaincante.

Il n'eut pas trop de mal à rallier Rosemary et Heather à l'option de la cure au lieu de l'asile. Daisy, elle, renifla une autre stratégie d'évitement.

— T'es un ivrogne fini, pas de doute, mais il y a autre chose de pas net.

Par chance, les bacs de recyclage derrière sa maison débordaient de bouteilles compromettantes, tant par leur étiquette que par leur nombre : une armée de cadavres qui avaient contenu du gin et du rhum bon marché, des bouteilles de saké, de sherry, d'eau-de-vie de pêche.

Ce qui acheva de convaincre Daisy.

— Et tu vis tout seul dans cette coloc d'étudiants ? lui demanda-t-elle.

Ce n'est qu'une fois à bord du minivan blanc, dans l'allée coquette qui menait à la clinique, que Leo commença à douter de son plan. Il n'était pas impossible qu'il ait confondu Charybde et Scylla... Après tout, quel genre de guérison ils refourguaient, ici ?

— Tu vois, Leo, annonça Heather, assise à l'avant, ce n'est pas un établissement fermé.

Ç'avait été une de ses conditions. Et c'était vrai que les Pins Tremblants ressemblaient à une clinique de désintoxication chère et traditionnelle, réservée aux hommes dépendants à l'alcool ou à la drogue, dans un petit village coupé en deux par une rue principale, à une demi-heure de Portland vers le sud. On se serait presque cru dans une haute école, extrêmement bien paysagée – l'allée était bordée de cactus dans de grands pots. Peut-être pour donner une petite note désertique au lieu, le désert étant censé être très propice à la guérison, à la transformation.

Il avait passé la première nuit dans une sorte de lit d'observation. Un homme qui ressemblait à un oignon avait fouillé son sac en quête d'articles interdits, puis lui avait donné un Gros Livre, un volume moins épais sur les douze étapes en général, et un carnet sans pointillés prédécoupés, de sorte qu'une page arrachée aurait une bordure saccagée.

Le docteur lisait à haute voix un article que Leo avait posté sur son blog : "Encore un licenciement injuste", le récit dans lequel il évoquait son renvoi de l'équipe de chantier de son ami Gabriel. Gabriel avait embauché Leo quelques semaines après son éviction de Jour Nouveau, quelques jours après que Marilyn lui avait annoncé qu'elle ne voulait plus jamais le revoir. Ce n'était pas un geste purement altruiste – Leo savait manier la scie circulaire et l'équerre de charpentier. Mais le docteur avait des sources secondaires. Il sortit une feuille du dossier et en lut des passages. C'était quoi, la version de Gabriel ? Le récit de Daisy de la version de Gabriel ?

— On dirait que Gabriel avait toutes les raisons de vous laisser partir, dit le docteur.

C'était vrai. Il était monté sur un toit complètement bourré. Avec un pistolet à clous. Il se serait viré lui-même.

Une fois leur séance achevée, le docteur annonça qu'ils se reverraient le lundi suivant.

— J'espère que vous profiterez du week-end pour accepter votre situation. Vous vous rendrez sûrement compte que vous avez eu beaucoup de chance d'atterrir ici.

Beaucoup de chance ? Leo sortit du petit bureau, cerné par une brume de désespoir. Les extraits de ses articles résonnaient encore dans sa tête – il avait vraiment plané très haut. Finalement, ce type qui avait un pot à crayons marqué *Crayons* était sûrement docteur.

Il traversa la cour intérieure silencieuse, sans remarquer le temps magnifique. Il songea avec soulagement qu'on ne pouvait pas faire de capture d'écran d'une chose qui n'avait jamais été sur écran, et donc le toubib n'avait pas pu voir l'exemplaire papier de *J'ai partagé un document avec vous*.

Par contre, si le doc mettait la main dessus, Leo ne couperait pas aux électrodes.

MANDALAY, BIRMANIE

En se retournant, Leila vit que la petite Datsun blanche était à nouveau là, ses deux chaperons assis à l'avant. Heckle et Jeckle, elle les appelait. Ils étaient apparus deux ou trois jours plus tôt, le lendemain de son retour de Myothit. L'idée lui était venue de les approcher par surprise et de taper au carreau en disant, *Hé les gars, feriez mieux de vous occuper du problème d'insalubrité générale et du taux de mortalité infantile au lieu de gaspiller votre fric en jouant aux espions.* Mais son niveau de birman ne le lui permettait pas, et ce n'était pas évident de les prendre par surprise. Ils étaient toujours à deux pas derrière elle, et parfois ils étaient là les premiers.

OK les mecs, se dit-elle en laçant ses baskets sur les marches de son petit immeuble, *parés pour courir dix kilomètres ?*

Leila courait tous les jours, au petit matin. C'était le seul moyen de mettre son corps et son esprit au diapason, le seul moment où elle pouvait véritablement se détendre. Les idées qu'elle avait en courant semblaient plus efficaces, plus à même de mener à des décisions au lieu de rester au stade de la pensée. Dans Mandalay, courir était aussi un bon moyen d'échapper à la foule des Lonely Planetistes, prêts à s'engager sur tous les chemins défoncés si on leur promettait un monastère ou une ruine au bout.

Leila ne pouvait faire abstraction de sa surveillance rapprochée. Les deux hommes étaient toujours à une trentaine de mètres derrière elle ou au fond de son salon de thé. Au début, elle avait eu les jetons. Mais c'était finalement une filature très polie. Ils faisaient plus dans la discrétion que dans la dissimulation; leur omniprésence n'avait rien de menaçant.

Mais bon, c'était quand même une vraie plaie, parce qu'autour d'elle, tout le monde avait conscience de leur présence. Ses efforts pour se fondre dans la foule étaient désormais inutiles. Qui aurait envie de bavarder avec la nana pistée par la police secrète? Même le serveur du salon de thé s'était fait plus distant. Il lui apportait toujours ses *Number Nine*, mais sans tous ses moulinets habituels.

Il fallait qu'elle tienne Aung-Hla à distance le temps de tirer cette histoire au clair. S'il se retrouvait mêlé à ça, ce serait de sa faute, et les trois cents dollars qu'elle n'avait toujours pas réussi à lui donner – ce ne serait jamais assez. Elle l'avait vu une ou deux fois dans la semaine, mais ils s'étaient contentés d'un signe de la main, peut-être sa manière à lui de dire, *Oui, j'aime autant qu'on garde nos distances.* Dah Alice était elle aussi inaccessible, ce qui ne l'arrangeait vraiment pas. Leila aurait bien eu besoin de ses conseils.

Le problème, c'est que Leila ne comprenait pas ce qu'elle avait vu dans la jungle, ni de quoi ces hommes avaient parlé, ni où ils allaient. L'autre problème, c'est qu'elle ne savait même pas si elle devait tenter de comprendre. Ce n'était pas comme si elle manquait de boulot.

Il lui était déjà arrivé de croiser la route de mercenaires, en Afrique et en Afghanistan. Et elle avait une vision nuancée des choses; un prestataire dans le domaine de la sécurité pouvait tout à fait remplir un rôle légitime, non nuisible. (En fait, elle avait peut-être une dette envers un sexagénaire britannique, un consultant de G4S sur une de ses missions en Sierra Leone qui s'asseyait devant avec le chauffeur; il leur avait permis, à elle ainsi qu'à tous les occupants du Suburban, de passer un check point tenu par un gang armé. Sa seule intelligence de la situation les avait tirés de là, quoique... Leila se rappelait ses mâchoires serrées et la menace tranquille de son regard qui prévenaient les mecs dehors, *Un geste de travers, et j'ai une centaine de collègues qui vous tombent dessus en moins d'une heure.*)

Elle ne put s'empêcher de repenser aux deux hommes qu'elle avait vus au second check point, sous l'arbre, à leurs lunettes noires, leur allure intimidante. Si c'étaient ces deux-là qui la suivaient, elle serait vraiment flippée.

Lorsqu'elle voulut localiser le check point sur une carte, elle ne trouva même pas la route que Aung-Hla avait empruntée pour s'enfoncer dans la jungle. Elle n'était pas sur la carte. Et pas seulement ses cartes merdiques de touriste ; la route n'était pas non plus sur Sine Maps ni aucun autre site de cartographie. Impossible de la trouver, même avec le service de localisation par satellite auquel elle avait accès par Main Tendue. Elle s'était même rendue à la lugubre bibliothèque universitaire pour consulter les énormes atlas. Il n'y avait tout simplement pas de route à l'endroit où elle jurait pourtant qu'il y en avait une. Elle avait enregistré le point GPS sur sa montre de joggeuse. Que faire quand Internet vous traite de menteur ?

Parfois, nos efforts ne sont que des coups d'épée dans l'eau, disait le père de Leila. Il affectionnait ce genre d'expressions colorées alors que leur arrivée en Amérique était encore récente et son anglais assez moyen. Leila, son frère et sa sœur lui rapportaient de l'argot de l'école, et pour leur plus grand plaisir, il s'en servait. Ils lui avaient appris à dire *faire dans son froc* pour "avoir peur", mais il n'avait pas bien saisi, et l'avait répété à tort et à travers pendant des mois. Après s'être rendu compte de son erreur, il avait soumis toutes les suggestions de ses enfants à un adulte de langue maternelle anglaise.

Leila donnait sûrement des coups d'épée dans l'eau. Certes, la température était montée d'un cran en ce qui la concernait, et elle se doutait bien que c'était en rapport avec ce qu'elle avait vu dans la jungle. Mais si quoi que ce soit de criminel avait cours près de Myothit, il faudrait bien plus qu'une simple recherche Sine pour en avoir le cœur net – il y a des informations qui ne sortent jamais du coffre-fort, ou de la valise, enfin bref. Elle aurait presque souhaité qu'il y ait un moyen de leur faire savoir – qui qu'ils soient – qu'elle ne comprenait pas ce qu'elle avait vu et en resterait là s'ils la laissaient tranquille. Ce qui revenait à offrir son argent de la cantine au tyran du lycée, mais elle avait du boulot : mettre la main sur son matériel médical et sur des candidates à sa bourse universitaire, ce qui n'était pas une mince affaire avec Heckle et Jeckle sur le dos.

Que pouvait-il y avoir au bout de cette route pour attirer ce genre de garde rapprochée ? Des pierres précieuses ? Du teck ? C'était une des façons dont les généraux foutaient en l'air ce pays tout en s'enrichissant – en vendant tout ça à des intérêts étrangers. Mais les généraux fricotaient plutôt avec les Chinois dans ce domaine, il était peu probable que des mercenaires américains soient de la partie. Et à quoi rimait cette guérite haut de gamme, avec son antenne rétractable, son ralentisseur hérissé de crocs ? Il y avait aussi cette chose étrange qu'avait dite l'agent agacé à propos du hipster avec son casque : *C'est rien qu'un mec de l'assistance technique. Il est là pour installer des logiciels.* C'était quoi, ce bordel ?

Peut-être que dix kilomètres à un rythme soutenu l'aideraient à y voir plus clair. Et puis, ça l'amusait de voir ses gardiens tout faire pour ne pas la perdre de vue. En ville, ils se faufilaient partout. Si elle essayait de les semer ou de leur rendre la tâche difficile, ils trouvaient toujours un moyen de s'en sortir. Ils longeaient les trottoirs, se cachaient dans une embrasure de porte, faisaient marche arrière dans une rue encombrée de poulets. Elle les forçait à admirer les stands de souvenirs, comme elle. Ce qui amusait beaucoup les marchands, dans le secret d'une blague qu'ils n'auraient jamais été autorisés à faire.

Mais lorsqu'elle courait le matin dans les parcs broussailleux du bord du fleuve, dans la partie ouest de la ville, il n'y avait pas beaucoup de planques possibles. L'un des deux restait dans la voiture blanche sur la route carrossable la plus proche, et l'autre courait derrière elle. C'était ridicule. On aurait dit qu'il y avait deux joggeurs dans tout Mandalay, dont l'un portait un pantalon de ville beige et courait trente mètres derrière l'autre.

Ce matin-là, elle força l'allure. Jeckle suivit le rythme sans mal. Elle fit une halte pour s'étirer, après un point de côté douloureux. Elle se grandit autant qu'elle put puis se pencha vers le sol. Devant elle, le fleuve était gris et plat. Une vague puanteur remontait de ses berges sales. Jeckle aussi dut s'arrêter ; il s'absorba soudain dans la contemplation d'un poteau. Heckle était à trois ou quatre cents mètres, dans la petite Datsun.

Oh et puis merde – elle fit un petit coucou à Jeckle.

Le geste le prit de court, et elle eut l'impression de voir dans quel pétrin elle le mettait. *Tiens l'espion, prends ça*, songea-t-elle. Mais il lui fit signe à son tour.

Elle ignorait tout un tas de choses sur sa propre situation. Mais si elle avait été persuadée d'une chose, c'était que jamais ces types ne lui feraient un petit coucou pour lui répondre. Et Jeckle avait agité la main comme s'il était un *ami*.

Elle se retourna et se remit à courir. Jeckle cessa de contempler son poteau. Sur le chemin du retour, elle mit vraiment la gomme, et en effet, elle y vit plus clair. Sans faire une découverte extraordinaire, elle fit un pas de côté, changea de perspective. Tous ces petits prêchi-prêcha qui vous enjoignent d'adopter un point de vue nouveau pour résoudre vos problèmes – ils avaient raison. C'est juste qu'ils n'expliquent pas comment faire.

Elle connaissait un journaliste au *Los Angeles Times*, et il y avait un garçon dont elle avait été brièvement et éperdument amoureuse qui avait maintenant un poste important à la BBC. Un été, il y avait de ça une éternité, elle avait mangé beaucoup de champignons avec une fille qui était à présent directrice de l'info d'une antenne filiale de NPR. Une autre fois, elle avait secouru un photographe de Reuters dans une capitale africaine. (Après une soupe de poisson dont il avait senti à la première cuillère qu'il ne devait pas la finir mais l'avait quand même fait, il était retourné à sa chambre d'hôtel, et s'était cramponné au porte-serviettes pendant qu'il se vidait de ses entrailles. Il serait mort de déshydratation dans cette salle de bains s'il n'avait appelé Leila. Elle arriva comme l'éclair, réquisitionna une voiture de l'hôtel et lui fredonna une chanson de Leonard Cohen tandis qu'ils filaient dans le bleu de la nuit vers l'hôpital.) Le meilleur ami de son petit frère, qui, à onze ans, était transi d'amour pour elle, travaillait désormais dans le domaine de l'expertise comptable judiciaire à un très haut niveau pour de gros clients. Elle connaissait quelqu'un au *New York Times*, un chercheur au HCR, et un bibliothécaire à la CIA. Elle connaissait un flic qui patrouillait dans le Queens, un virologue au CDC, et la plume d'un membre du Congrès.

Cet après-midi-là, tous ces gens reçurent ce mail :

J'espère que l'un ou plusieurs d'entre vous pourront m'aider à déterminer s'il se trame quelque chose de louche près de cet endroit sur lequel je suis tombée par hasard. Vraiment, c'est pas l'expression toute faite, c'était vraiment par hasard. Je crois qu'un prestataire de services de sécurité connu (Exigent, ou Spire, ou Bluebird ?) protège un truc au milieu de la jungle, dans un endroit où, à croire les cartes, il ne devrait même pas y avoir de route. C'est quelque part dans le Nord-Est de la Birmanie, à la frontière chinoise. Difficile de dire quoi ou qui chercher. Peut-être une construction récente, ou une activité sensible dans un rayon d'une dizaine de kilomètres autour d'une ville dénommée Ashang. Ou alors près d'une ville chinoise appelée Baguanzai. Vous pouvez chercher autour du point GPS 24°22'40" Nord, 97°32'39" Est. Quelles que soient les personnes impliquées, je crois qu'elles font venir des techniciens protégés par des gardes du corps. Eh oui, je vous avais bien dit qu'y avait un truc louche.

Comme toujours, si vous vous voulez un point de chute dans le trou paumé d'une dictature, je vous accueille avec plaisir,

Leila

PS : Dictature ou pas, Mandalay est une ville splendide, et ma proposition est très sérieuse.

LM

Ned Swain entamait sa deuxième semaine sans tabac. Un combat qu'il n'était pas sûr de gagner. Il s'était essayé à la respiration contrôlée, à la consommation de son envie plutôt que celle de la cigarette, à l'indifférence. Mais comment réagissaient les gens vraiment indifférents au tabac ? En tout cas, c'était sûrement des gens qui n'avaient pas l'odieux Nigel pour patron. Nigel avait vingt ans de plus que Ned, fumait des Lucky Strike et, de près, avait l'air ravagé. Quand Ned avait très envie de fumer et que du coup il avait très envie de ne pas en avoir envie, il regardait Nigel.

En temps normal, Ned n'aurait pas dû côtoyer Nigel tous les jours. Mais dernièrement, Nigel exigeait que Ned se présente au bureau sans fenêtre dans l'hôtel qui servait de couverture à leur poste. Soi-disant parce qu'il voulait que Ned compile de nouvelles notes sur la région. C'était comme si on lui disait de nettoyer les têtes de lecture des magnétoscopes, ou de réviser une vieille circulaire des Ressources humaines. La vérité, c'était que Nigel était complètement dépassé par le nouveau logiciel de la plateforme, et il voulait que Ned fasse remonter tous les systèmes à la précédente mise à jour. Mais Nigel ne pouvait pas demander une chose pareille à Ned — parce qu'alors il avouerait ses propres déficiences technologiques, ce qui violerait environ une dizaine de protocoles sécurité — alors il demandait à Ned de lui montrer encore et encore comment franchir les étapes du trousseau d'accès et de l'identification biométrique. Ned s'assurait de le faire de bonne grâce, du moins en apparence. Ça peut être pratique de connaître les mots de passe de son patron.

Mais ces jours-ci, Ned avait une conscience hyper-aiguë de chaque cigarette autour de lui. Est-ce qu'il les détestait, les adorait ? À partir de quel moment l'adoration devient du besoin, puis de la haine à cause du besoin ? Quand Nigel se penchait sur le bureau de Ned pour lui donner des ordres sans queue ni tête, Ned haïssait les cigarettes. Elles puaient atrocement, et l'odeur émanait du boss comme une boue toxique.

— Il faudra que tu voies avec les Cambodgiens s'ils confirment, dit Nigel un matin posté derrière le bureau de Ned en tapotant une édition récente du *New Light of Myanmar*.

Autant dire *Il faudra que tu te torches après avoir chié*. Nigel n'avait pas son pareil pour donner à Ned les ordres les plus évidents. Ned enfonça ses ongles dans ses paumes pour s'empêcher de souligner que le moindre reportage qui paraissait dans l'organe grotesque de la junte était sujet à caution.

Quand Ned fumait encore, ce micromanagement de proximité n'avait été qu'un détail dans la longue liste de doléances qu'il avait contre Nigel. Mais alors que se profilait sa deuxième semaine sans Camel, il avait vraiment du mal à cacher le dégoût que lui inspirait ce type.

Par où commencer ? Ned aurait dû être en plein boum niveau carrière, au lieu de quoi il était bloqué par un sociopathe qui l'occupait avec de petites tâches dans un coin obscur du Service. Nigel refusait que quoi que ce soit d'utile sorte du poste de Mandalay s'il n'en retirait pas tout le crédit, alors il sabotait le travail de tous les analystes qu'on lui envoyait. Être affecté au département de Nigel, ça revenait à bosser dans un placard à balais, mais un placard à balais où on pouvait vous avoir à l'œil.

Ned était analyste de rang 4 pour une entité militaire américaine secrète appelée le Service central de sécurité. Un nom qui laissait penser qu'ils étaient agents de surveillance dans un centre commercial, mais en fait, le SCS était hiérarchiquement supérieur à toute autre agence de renseignements sauf une (cette dernière relevant peut-être du mythe ; on disait qu'elle n'avait ni nom ni emblème). Mais si Ned devait finir sa carrière sous les ordres de personnes comme Nigel, il aimait mieux démissionner. Est-ce qu'on autorisait les anciens espions à devenir instituteurs ?

Impossible de s'attaquer à Nigel de front. On ne pouvait pas s'en prendre à un rang 5. Sinon, il passait un coup de fil sur sa ligne sécurisée et vous faisait chuter de vingt points dans la hiérarchie, ce qui vous laissait avec quel genre de poste au sein du SCS ? Eh bien aucun.

Alors Ned faisait ce que font depuis toujours les gens invités à un mariage tendu ou confinés dans un petit bureau – il influait discrètement sur le cours des choses pour provoquer chez son adversaire un geste ou une déclaration à l'emporte-pièce. Puis il attendait son heure. Pas loin de deux ans qu'il agissait comme ça.

Et donc, quand Ned avait vu le signal qui indiquait une brèche possible dans la sécurité des opérations, détectée à un check point près de la frontière, il s'était dit qu'il tenait sa chance. Le signal arriva sur le poste informatique de Nigel après que ce dernier avait quitté le bureau. Nigel finissait la plupart de ses journées de travail vers trois heures de l'après-midi, mais il laissait son poste ouvert, parce que tout le protocole de sécurité pour l'ouvrir et le fermer le saoulait. Donc, Ned vit le signal avant Nigel. Il aurait pu ne pas en tenir compte, mais il s'assura au contraire que Nigel en prenne connaissance.

Dans le raisonnement de Ned, si Nigel s'agaçait, il se pouvait qu'il s'oublie et en dévoile plus qu'il n'y était autorisé sur le site de Bluebird. Ned en aurait mis sa main à couper. Nigel était malintentionné, mais il était aussi paresseux. Il avait déjà laissé entendre à Ned que c'était la société Bluebird qui protégeait *un truc* dans la jungle à la frontière, ce que Ned était censé ignorer. Ce que bidouillait Bluebird, c'était de l'ordre du rang 5, et non du rang 4.

Ned ne pensa pas un seul instant qu'il mettait cette Leila Majnoun en danger. À ses yeux, ça ne ressemblait pas franchement à une brèche dans la sécurité des opérations. La fille avait vu deux agents de chez Bluebird escorter un client sur ce site super-secret ? Et alors ? Elle était là par hasard et ne s'était pas approchée du site à proprement parler.

Mais la nouvelle agaça Nigel plus que Ned ne l'aurait cru. Peu importe ce que le client de Bluebird trafiquait au juste, Nigel décida que le Service devait fournir une réponse plus adéquate que le protocole standard, dit DADI (Détourner l'attention, décourager les investigations). Paf, il fit passer la surveillance électronique de la fille au niveau 6, ce qui était très cher, ne serait-ce qu'en bande passante. Il ordonna une surveillance de terrain par les agences locales et exigea que Ned le tienne au courant de ses allées et venues et communications quotidiennes.

— Monsieur? Si je puis me permettre? dit Ned avec ce ton particulier qu'il utilisait avec Nigel. Je ne pense pas qu'on ait de souci à se faire. Elle n'a aucune idée de ce qu'elle a vu et elle ne va pas aller fouiner dans la jungle. Elle a assez de problèmes sur les bras. Zeya s'en charge.

— Dites à Zeya d'augmenter la pression. Il faut réduire le risque à néant, éructa Nigel, les mains tremblantes. C'est compris, Swain?

Depuis son entrée au SCS et son évolution dans la hiérarchie, Ned connaissait la chanson. Étant une agence véritablement clandestine (l'insigne non public et non publiable du SCS était un gant de fauconnier sous un faucon qui tenait un combiné téléphonique), le Service devait travailler avec des contraintes budgétaires sans pareilles. Mais bon, il fallait bien aussi qu'il remplisse sa mission qui, depuis le 11 Septembre, avait été réécrite comme suit : *Construire et assurer la maintenance du dispositif ultime de collecte des données électroniques mondiales et des infrastructures de cyberdéfense.* Ned pouvait le réciter par cœur, tous les analystes le pouvaient. Et donc le Service avait fait cause commune avec quelques entreprises du secteur privé – principalement technologiques et pharmaceutiques, mais toutes patriotes. On les appelait les partenaires. Les partenaires fournissaient le Service en capital intellectuel et en technologie de pointe. Et quel service le Service rendait-il aux partenaires en échange? Le camouflage nécessaire à la recherche avancée et aux négociations complexes qui, pour être efficaces, doivent se tenir dans des zones ne dépendant d'aucune juridiction.

— On ne fait que jeter un voile sur les choses quand c'est dans notre intérêt, ou quand ça pourrait l'être, avait répondu un supérieur à Ned un jour où il avait du mal à saisir une nuance.

On disait de Nigel qu'il avait été un excellent espion à une époque ; sa spectaculaire ascension dans les couloirs obscurs de l'espionnage tenait de la légende. Il était d'apparence quelconque, fuyant dans ses manières. Il pouvait devenir un putain de portemanteau ou se fondre dans une colonne en marbre. Et puis bim ! il était là, en train de vous dire où vous aviez foiré.

Mais ça, c'était des années auparavant. Nigel avait dépassé sa date de péremption depuis longtemps. Cela dit, dans le Service, personne ne voulait risquer de perdre le fric qu'il faudrait débourser pour le dégager. Il pouvait donc faire à peu près tout ce qui lui chantait jusqu'à ce qu'il perde un bras, ou une jambe. Et ce qui lui chantait surtout, c'était de boire au bar de l'hôtel. Ned avait l'impression qu'il se foutait royalement de tout ce qui se passait en Birmanie.

Alors pourquoi cet excès de zèle autour de ce truc avec Bluebird ? On avait l'impression que c'était Nigel qui bossait pour le client de Bluebird ; comme si le rapport de force était inversé. Parce que honnêtement, Majnoun ne devait pas être le problème du Service. Si une civile un peu fouineuse pouvait faire dérailler votre plan, il fallait s'occuper de votre plan, pas de la fille. Enfin, selon Ned en tout cas.

Le plan de Ned, lui, fonctionnait. Le Nigel remonté comme un coucou était bien plus disert sur les problèmes de rang 5 que le Nigel qui s'ennuyait et picolait. Il se passait clairement un truc dans la jungle. Peut-être qu'une SGI (succursale gouvernementale immersive, ou spectre gouvernemental imaginaire, comme on disait pour déconner au Service) construisait un serveur déconnecté, dont Bluebird assurait la protection ? Mais pourquoi une agence américaine – même si elle n'avait pas de nom – jugerait bon de construire un machin pareil à la frontière chinoise ?

Et puis un beau matin, Ned ouvrit son poste de travail et vit le mail de Majnoun, et son moral tomba dans ses chaussettes. Il n'avait absolument pas prévu qu'elle rameuterait ses contacts pour lancer une enquête sur le site de la jungle. En général, les gens abandonnent après quelques recherches infructueuses sur

Sine. Mais pas cette fille. Et quelle liste de noms dans le champ des destinataires... Gênants, pour le moins.

Puisque la société Bluebird était clairement évoquée dans son mail, Ned ne pouvait pas l'empêcher d'apparaître sur l'ordinateur de Nigel. Il n'eut plus qu'à attendre que son boss ouvre sa session le lendemain matin et le voie de ses yeux.

— Merde. Cette fouine a pas pu s'empêcher, aboya-t-il à dix heures vingt-sept.

Le ressac de Nescafé bouillant dans sa tasse vint lui éclabousser les genoux et lui arracha une seconde salve de jurons. Ned le vit rejeter la faute sur Majnoun.

— Qu'est-ce qui se passe, chef ?

Dans son discours et son comportement, Ned ne laissait jamais transparaître le mépris que lui inspirait Nigel. Il faisait toujours le mec enjoué, pas très futé, conciliant. *C'est à toi d'être le plus souple dans la pièce*, lui avait enseigné un de ses mentors. *Comporte-toi comme un pétale de maïs dans un bol de lait.*

— Elle a transmis les coordonnées du nouveau... du site sécurisé. Mais bordel, comment elle se les est procurées ? Les locaux ont pas détraqué ses appareils avant de la laisser aller vers le nord ?

Mais si, ils l'avaient fait, mais ils avaient apparemment oublié sa petite montre de joggeuse high-tech. Ned avait remarqué cette négligence quelques jours après son retour.

Après avoir tamponné sa tache de café et juré pendant encore une bonne minute, Nigel s'isola dans un microDIS – un dispositif informations sensibles, grand comme une cabine téléphonique, dont tous les postes clandestins avaient été dotés un an plus tôt. En fait, ça avait tout d'une cabine téléphonique, sauf que le téléphone mural avait un écran en plus du combiné. Ned n'avait qu'entraperçu l'intérieur. L'usage en était réservé au personnel de rang 5, et impossible de contourner l'identification biométrique (à moins d'arracher les yeux de Nigel et de lui sectionner les mains, comme il se plaisait à l'imaginer parfois).

Nigel resta cloîtré vingt minutes, et sortit de là encore plus gris que d'habitude. Il fuma une cigarette, puis une autre. Ned voyait les petits mécanismes qui tournaient dans sa tête.

— Swain, écoutez. Il faut que vous alliez dans un café Internet sur la Dix-Huitième Rue. Vous y retrouverez un type.

— Quel type?

— SGI. Peu importe. Vous vous rappelez quand vous m'avez dit que la fille de l'ONG était allée au nord avec son chauffeur?

Ned acquiesça.

— Vous sauriez le reconnaître? Le chauffeur?

Ned acquiesça.

— Bon. Vous rejoignez mon gars, et vous lui montrez le chauffeur.

— Euh. OK.

Mais il tardait à partir. Même un pétale de maïs dans un bol de lait pouvait être rétif aux ordres. Il n'existait qu'une poignée de raisons pour lesquelles on identifiait un ressortissant étranger pour un agent SGI, et aucune n'était réjouissante. Nigel se doutait que Ned s'en doutait depuis le temps.

— Swain. C'est un terroriste. Il a choisi le mauvais camp.

Et ce que Ned vit dans le regard de Nigel – le durcissement, la cruauté, l'aiguillon de la paranoïa – lui donna des frissons de peur comme il n'en avait pas connu depuis qu'il était gamin. Aucun d'eux ne croyait que le chauffeur était un terroriste. Ce n'était qu'une formule magique, une sorte de Patriot Act local sorti du chapeau. Et l'idée de choisir son camp? La précision n'était destinée qu'à Ned, et Nigel l'avait agrémentée d'une touche délicate de menace.

Le type qu'il devait rencontrer au café Internet ne ressemblait pas à un agent SGI. En général, ces mecs-là avaient l'air de vouloir casser la gueule au premier venu. Ce serait très difficile d'en reconnaître un à un match de hockey, par exemple. Mais là, c'était un type aux cheveux fins, presque séduisant, bien qu'une fois dans la voiture, Ned ait eu l'impression qu'il avait l'IMC d'une cartouche de fusil et que tous ses mouvements venaient de nulle part; il ouvrit même la boîte à gants avec l'agilité d'un tueur.

L'agent était côté passager, Ned conduisait. Lorsque l'agent regarda à droite, Ned jeta un œil en coin et vit que le type avait une photo du chauffeur de taxi collée sur l'avant-bras, sous la manche ample de sa chemise.

— La photo est naze. C'est pour ça que t'es là, dit l'agent sans regarder Ned.

Ned conduisait lentement. Il avait besoin de réfléchir. On ne sait jamais quand ce genre de trucs va arriver. Savoir ce qu'on devrait faire, c'était rarement utile. Dire à ce mec *Désolé, monsieur, mais j'ai rejoint le Service pour assurer la sécurité de mon pays, pas pour servir de chauffeur à un assassin. Veuillez sortir de mon véhicule* n'était pas envisageable ; Ned avait franchi le cap de cette option il y avait un petit moment. Ils passèrent devant le cinéma défraîchi, le marché aux fleurs, le parc encombré de gravats et son manège qui marchait au diesel.

Il pensait à Leila. Il l'avait écoutée toute la semaine, bien qu'il ne l'ait rencontrée qu'à deux reprises, des mois auparavant. Une fois à son arrivée, et une autre à la cafétéria de l'université, lorsqu'il lui avait parlé des consonnes aspirées. Même si raser les gens pour qu'ils ne se doutent de rien quant à ses activités faisait partie du boulot, il était presque vexé d'avoir si bien réussi son coup avec elle. Elle était très jolie : compacte, persane, digne. Il aurait bien aimé un petit signe d'elle. Il songea aux types qui lui rôdaient autour.

— S'il travaille aujourd'hui, il devrait être là, dit Ned.

Ils arrivaient à la pagode le long de laquelle certains taxis faisaient la queue. Mais le trafic était devenu plus dense à un carrefour. À la maison, quand c'est comme ça, ils parlent de circulation en accordéon, songea Ned. L'agent ne disait rien, se contentait d'abattre les passants derrière ses lunettes noires bas de gamme.

— Et Majnoun ? demanda Ned sur un ton qui laissait entendre qu'il était capable de violence.

Pour ça, il imaginait avoir un truc dégueulasse dans la bouche, ça lui donnait une voix monocorde et un regard un peu bas.

L'agent se tourna vers Ned pour le jauger, puis se contenta de hausser les épaules.

— Ah, je crois bien que notre chauffeur est là, annonça Ned en imaginant toujours un truc immonde dans sa bouche, puis il fit un signe en direction d'un groupe d'hommes à l'ombre d'un arbre.

Le regard au laser de l'agent transperça le pare-brise. La circulation reprit et ils purent approcher la cible… et se rendre compte qu'il ne s'agissait pas du chauffeur de Majnoun. L'agent se détendit, bien que ce ne soit pas le mot juste. Ned commença à leur faire faire le tour du grand rond-point.

Au bout d'un demi-pâté de maisons, il fit une autre tentative.

— Sûrement pas le moment de s'occuper de Majnoun, j'imagine? Pas le lendemain de cette merde qu'elle a balancée?

Cette fois, l'agent apprécia : l'absence de sujet, la quête de son avis, l'emploi du mot *merde*.

— Ouais, c'est ce qu'ils disent. Enfin, elle est quand même en haut de leur liste. Mais bon, de toute façon, elle est sous protection. Deux mecs du monastère de Gettwin Nikaya la suivent en permanence.

Il fallut un petit moment à Ned avant de comprendre, parce que l'agent s'était emmêlé les pinceaux dans les mots birmans.

Quand enfin il saisit, il arqua seulement un sourcil. Il voulait avoir l'air de se dire *Et t'es en train de me dire que t'as peur de deux moines?* alors qu'en fait il pensait, *Des moines du Cathubhummika Mahasatipatthana Hnegttwin protègent Leila? Qu'est-ce que c'est que ce bordel?* Ned avait cru que les deux lascars étaient des hommes de Zeya. Les Hnegttwin étaient plutôt orthodoxes du point de vue religieux – ils vénéraient l'esprit plutôt que l'image de Bouddha – mais ce n'était pas non plus des vengeurs shaolin.

— C'est pas deux moines qui vont nous faire peur, dit l'agent à point nommé, mais tu vois, dans ces populations, les moines sont très importants. Ils ont beaucoup de pouvoir.

Ned se prépara pour un cours sur le psychisme sud-asiatique.

— C'est comme en Afghanistan. Avec leurs seigneurs de guerre et tout le bazar. T'as un mec dans le viseur, et pis il s'avère que c'est le petit protégé du lieutenant Abdul Machintruc, alors tu peux pas lui toucher un cheveu.

Ils s'étaient garés à une cinquantaine de mètres de la file de taxis. L'agent posa son avant-bras sur la vitre grande ouverte, un stylo à la main qu'il pointait tour à tour sur les chauffeurs présents, en tournant légèrement la mine, comme s'il attendait que lui vienne la dernière rime d'un poème. Ned comprit que l'agent était en train d'examiner l'image des chauffeurs qui se matérialisait sur l'écran de ses lunettes finalement pas du tout bas de gamme.

— On ne devrait pas la laisser s'en sortir, dit Ned en revenant à Leila, bien que l'agent ait semblé en avoir fini avec elle. Cette fille, entre le fait qu'elle pige que dalle et toutes les relations qu'elle a, c'est un cocktail explosif.

Il devait faire hyper-gaffe à ne pas être plus royaliste que le roi ; l'agent devait savoir qu'il était de rang 4. Mais Ned voulait à tout prix être au courant de ce que risquait Leila.

L'agent se raidit.

— Je l'ai, dit-il en tournant son stylo et en plissant les yeux.

Dans un tour de passe-passe, il ôta ses lunettes et les tendit à Ned.

— Confirme.

L'agent avait figé l'image sur son écran. Ned tordit la bouche, comme s'il n'était pas sûr.

— Fais voir le capteur.

Ned sentit une pointe de résistance, qui finit par s'évaporer. L'agent lui donna le stylo. *Inutile de te battre contre eux*, lui avait enseigné son mentor. *Face à certains, tu peux asseoir ta supériorité en leur faisant lâcher rien qu'une toute petite chose.*

Ned rafraîchit l'écran, orienta le stylo et zooma.

Ouais. Merde. C'était bien Aung-Hla. Trente-neuf ans, trois enfants, Toyota Tercel rutilante.

— Vous allez vraiment la laisser tranquille ? demanda Ned en pointant le stylo sur les autres chauffeurs.

— T'en fais pas, mec. Ton boss est sur le coup. Dans le genre vicieux, je sais qu'il est capable d'un truc bien rude. Il a fait appel à la nouvelle équipe, là. Les Démolisseurs. Tu vois ?

Il en avait entendu parler. Mais il pensait qu'ils faisaient trop méchants pour être vrais : un cadre d'officiers de rang 5 assis sur des chaises de bureau à roulettes au douzième étage d'un immeuble en Virginie du Nord. On disait qu'ils avaient accès à tout, *via* tous les objectifs, robinets, écrans, tuyaux. Qu'ils pouvaient mettre les mains dans votre vie comme un gamin dans son coffre à jouets. Ils pouvaient y ajouter des choses, en retirer d'autres. Ils pouvaient réécrire votre vie, jouer avec vous, vous punir, vous écrabouiller comme une vulgaire boule de papier.

— Nan, c'est pas lui. C'est pas le chauffeur, dit Ned.

— T'es sûr? répondit l'agent. Comprendre : *Tu tiens vraiment à prendre position?*

— Ouais. C'est pas lui, répéta Ned, et il haussa les épaules.

L'usage efficace de la condescendance pouvait se comparer à l'aïkido. C'était une question de dosage minutieux, de placement.

— Cela dit, je vois ce qui t'a mis dedans. Ils se ressemblent tous, de toute façon.

Leila détestait la conférence téléphonique du lundi matin. Comme d'habitude, les New-Yorkais oubliaient que pour la plupart des gens concernés, le matin était venu et s'en était allé. À Mandalay, il était neuf heures et demie du soir, et Leila se demandait si elle allait manger une soupe au poulet au restau bleu ou des nouilles aux jeunes pousses au restau avec le store en lambeaux. Et surtout, si ces endroits seraient encore ouverts à la fin de la conférence. Les New-Yorkais, affairés, avaient les choses en main, sirotaient leur macchiato et se répandaient en *C'est génial de vous avoir avec nous, Pat.*

Lorsque Leila composa le numéro, il y avait une friture terrible sur la ligne. Elle raccrocha et recommença. Les mêmes bruits parasites. Peut-être un peu moins sonores cette fois, et plus faciles à écouter qu'une quinzaine de collègues qui essaient d'en placer une. Elle appuya sur le bouton du haut-parleur, reposa le combiné et écouta distraitement la litanie de bonnes intentions et de manigances tout en écrivant sur son carnet le nom d'autres personnes à qui envoyer ce mail, se demandant si l'homme de main de Zeya qui avait parlé de *bird people* faisait référence à Bluebird, et puis aussi ce qu'elle allait bien pouvoir offrir à son père pour son anniversaire, qui était dans un mois. Lorsque son tour vint, elle évoqua le strict minimum.

Elle avait décidé bien en amont que cet appel n'était pas le lieu pour évoquer la mise à l'écart que lui imposaient les instances birmanes. Ces derniers jours, ça avait empiré. Des liens professionnels qu'elle cultivait depuis des mois se rompaient les uns après les autres. Heckle et Jeckle étaient toujours dans le paysage, mais plus distants, et complétés depuis peu par une équipe tournante d'hommes en civil postés au carrefour près de son bureau, à fumer des cigarettes en parlant dans des talkies-walkies gros comme des santiags. Et ceux-là, ils lui faisaient pas de petit coucou en retour. Elle n'avait pas vu Aung-Hla depuis des jours, et quand elle demandait de ses nouvelles aux autres chauffeurs de taxi, ils haussaient les épaules sans un mot. Le seul qui accepta d'ouvrir la bouche lui dit, *Vous n'avez pas besoin de tout savoir.*

Et puis voilà que ce matin un jeune homme du ministère de l'Immigration s'était pointé en mobylette pour lui remettre une notification selon laquelle son visa arrivait à terme la semaine suivante et qu'à compter de ce délai sa présence en Birmanie serait illégale. Il faudrait qu'elle mette New York au courant bientôt. Mais elle n'avait jamais su à qui faire confiance chez Main Tendue et elle craignait que l'organisation la lâche elle et ses projets dès qu'ils apprendraient qu'elle était politiquement nuisible. Elle avait besoin de quelques jours supplémentaires pour se construire une porte de sortie. Elle essayait de trouver comment convaincre Dah Alice de reprendre ses projets en cours. Elle ne savait pas si elle pouvait y arriver, ni même si ce serait un réel bénéfice pour l'organisation de Dah Alice. Mais il y avait l'argent qui attendait ces étudiantes ; il y avait la cargaison de matériel médical bloquée ; il y avait ce petit bureau bien équipé. C'était peut-être ça qui aurait dû constituer son modèle d'amélioration du monde : récolter des privilèges et des fournitures de bureau dans les pays industrialisés et les redistribuer dans ceux en voie de développement.

— Leila, est-ce qu'on aura bientôt les documents en ce qui concerne les candidates à la bourse d'études ? demanda un type du nom de Tim ou Tom Timmiken entre deux bruits parasites.

Mais c'était quoi son problème, à lui ? D'après ce qu'elle savait de la hiérarchie de Main Tendue, il n'avait pas à fourrer son nez là-dedans. Apparemment, le problème était qu'à New York, pendant les trois jours d'Intégration et de Définition des Objectifs, il l'avait dragouillée, de façon médiocre. Elle avait clairement manifesté son indifférence. Mais il avait continué à lui ouvrir les portes, presque au point de les soulever de leurs gonds. Elle le voyait vérifier son profil dans le moindre miroir, la saillie de sa mâchoire. Dans le taxi qu'ils avaient partagé, elle s'était concentrée sur son classeur tandis qu'il avait tenu à exposer ses avant-bras et sa connaissance du monde en se penchant pour parler géopolitique avec le chauffeur pakistanais, qui s'en foutait royalement.

— Oui, j'envoie tout ça dès que possible, Tahhm.

Elle avait essayé de mêler Tim et Tom, en espérant qu'un bruit de friture avait éclipsé sa maladresse.

Elle en était à se dire qu'elle pourrait peut-être prendre à son père une encyclopédie complète, genre la onzième édition de la *Britannica*, ou peut-être l'encyclopédie des jeux de cartes de Hoyle, ou alors le coffret OED + loupe, lorsqu'elle s'aperçut que tout le monde avait raccroché et qu'elle était toute seule sur la ligne. Sur haut-parleur et sans bruit concurrent, les parasites s'en donnaient à cœur joie.

Une heure plus tard, elle était en ligne avec son frère dans le hall de l'Excellents Hotel, sur un téléphone couleur avocat posé sur un napperon au bout du bar, le combiné aussi lourd qu'un marteau. L'Excellents avait été sa demeure quelques semaines à son arrivée à Mandalay. Le personnel la connaissait et semblait l'apprécier, quand elle entrait et faisait un signe en direction du téléphone, le réceptionniste acquiesçait avec un sourire.

C'était un édifice colonial, au bord de l'effondrement, c'était à vous déchirer le cœur. Vraiment, impossible qu'il tienne plus de dix ans debout. Les escaliers s'affaissaient comme des guirlandes, les embrasures de porte avaient un air penché. Partout où un pied avait laissé une trace, des millions d'autres pieds l'avaient fait auparavant et il y avait donc des formes imprimées dans le bois des seuils, dans la pierre des marches. Installée sur un tabouret haut, elle avait composé le numéro de son frère, avec une carte téléphonique qu'elle avait achetée dans la rue. Le barman lui apporta un verre de vin blanc atroce.

Dylan ne pensait pas grand-chose des bruits parasites. C'était d'ailleurs sûrement pour ça qu'elle l'avait appelé – de nature sceptique, il en fallait beaucoup pour l'inquiéter, et l'impressionner.

— Ils peuvent pas te foutre dehors, simplement ? lui demanda Dylan. Pourquoi ils te mettraient sur écoute ? Tu bosses pour une asso à but non lucratif. C'est pas comme si tu donnais dans les tractations secrètes.

— Mais ils l'ont fait.

— Ils ont fait quoi ?

— Ils m'ont foutue dehors.

— Attends un peu. Ils t'ont foutue dehors ?

— Enfin, on m'a remis une notification ce matin. Ils vont le faire. Dans sept jours, mon visa expire.

— Et y a aussi ces types qui te suivent.

Il repensa probablement aux bruits parasites.

— Leila, à qui tu les as brisées menu ?

Elle aimait le soin qu'il apportait à son expression. De six ans son cadet, c'était le seul de la fratrie Majnoun à être né aux États-Unis, à ne pas avoir été imprégné de farsi. Gamin, il avait joué au shérif, au shérif de l'espace, au policier ; il dégainait sa carte de transport comme si c'était un insigne. Il avait postulé au FBI une fois, mais lors d'un entretien préliminaire, il avait mal évalué la dose de sincérité requise et parlé très ouvertement de sa consommation de psychotropes à l'université.

— J'en sais rien, répondit Leila. À l'autre connard de général, sûrement. Mais peut-être d'autres gens, aussi. Tu as lu le mail que je t'ai envoyé ?

— Quand ça ?

— Y a une heure environ.

— Non, je suis au magasin. Je suis en pause.

Dylan avait laissé tomber la faculté de droit puis glissé vers quelque chose de très glauque. Un bref séjour à l'hôpital, suivi d'une longue année chez ses parents, de retour dans sa chambre, avec un traitement de cheval. Il semblait complètement rétabli, mais il était sur une trajectoire professionnelle beaucoup moins ambitieuse que celle qu'il avait abandonnée. Il bossait chez Whole Foods, aux produits frais.

Cyrus et Mariam Majnoun avaient eu du mal à encaisser la sortie de route de leur fils, si bien engagé sur le chemin de la revanche professionnelle de l'immigré qui en veut. Leila était persuadée que leur déception non dissimulée n'avait fait qu'aggraver et prolonger la crise de Dylan. Sans compter que c'était agaçant, parce qu'ils avaient deux filles qui avaient pleinement réussi, et auraient été heureuses de soulager leur frère de cette pression. Mais c'était un truc de fils, apparemment.

— Bon, lis le message que je t'ai envoyé. On peut se parler demain à la même heure ?

— Ouais, pas de problème. Mais, dis ?

— Quoi ?

— Pourquoi tu rentres pas, plutôt ? Vu qu'ils vont te virer de toute façon.

— Ben, oui, je vais rentrer. Je veux dire, dans pas longtemps.

— Non mais rentrer demain, par exemple. J'ai l'impression qu'ils t'ont bloquée de partout, là. Et puis tu me manques vachement. Et maman me tape sur le système. Elle arrête pas de m'appeler "le marchand de fruits".

C'est tellement bon de savoir qu'on manque à quelqu'un, songea Leila. Ceux qui sont vraiment seuls, qu'est-ce qui les relie à la terre ?

— Traite-la de femme au foyer.

Leila savait très bien que Dylan ne ferait jamais une chose pareille, mais elle pensait qu'il trouverait l'idée marrante.

— Ouais. (Non, il ne l'avait pas trouvée marrante.) Sauf qu'en ce moment, c'est pas trop le rôle qu'elle joue.

Leila voulut lui demander ce qu'il entendait par là, mais elle entendit le souffle appuyé qui signalait la fin de sa clope, et de sa pause. Où est-ce qu'on peut bien fumer, chez Whole Foods ? Dans une benne à ordures ?

Lorsqu'elle raccrocha, la question de Dylan lui revint : pourquoi ne pas rentrer le lendemain ? Ou dès que possible, du moins ? Elle ne l'avait pas vraiment envisagé. Il lui semblait simplement que s'ils la poussaient vers la sortie, il fallait qu'elle résiste. Avec un canon sur la tempe, d'accord, il fallait savoir céder, mais on n'abandonnait pas face à une simple menace. Et s'ils voulaient vraiment la foutre dehors, elle avait envie de les faire passer par chaque étape nécessaire. Comme ça au moins, elle se ferait conduire à l'aéroport.

Mais dans la vie, ça ne marche pas toujours comme ça. On n'est peut-être pas censé opposer tant de résistance. Peut-être qu'il y a là-dedans beaucoup d'orgueil, d'ego, et qu'en fin de compte ça ne sert à rien. Auquel cas elle s'était bien fait rouler par les ouvrages au programme de la fac et la trilogie des *Die Hard*.

Assis sur une chaise en plastique craquelé sur son balcon miniature, Ned buvait un whisky et fumait une cigarette, sa première depuis deux semaines. La brume du soir nimbait la ville
qui s'étendait sous ses yeux, au loin le coucher de soleil ocre
enflammait le fleuve. Le doux réconfort de la cigarette se mêlait
au sentiment de défaite qu'elle incarnait. Il avait le tournis.

Ned était en fait le descendant d'une longue lignée d'émi-
nents officiers des renseignements américains. Un lointain aïeul
avait espionné pour le compte de George Washington à New
York pendant la guerre d'Indépendance, et son grand-père était
une légende de l'OSS qui s'était battu à mains nues contre un
membre du Politburo. S'ils le regardaient, de là-haut... Ned
versa une goutte de whisky sur le ciment – une offrande, une
excuse. Parce que ses ancêtres n'approuveraient clairement pas
ce que le SCS, en la personne de Nigel Smith, agent de rang 5,
faisait subir à Leila Majnoun.

Ned avait lui-même dû faire preuve d'un certain sadisme
sur le terrain, mais uniquement face à de cruels personnages,
des hommes qui posaient une vraie menace. Et les missions en
question avaient été ponctuelles. Alors que ce que Nigel réser-
vait à Majnoun était une série de punitions logistiques censée aller crescendo, ce qu'un enfant qui n'a pas encore intégré
les normes morales ferait subir à des fourmis, en les versant
dans du solvant à l'aide d'un entonnoir par exemple. C'était
comme si en plus de la neutraliser, il voulait lui faire sentir toute
l'ignominie dont il était capable ; il voulait qu'elle se doute
qu'il y avait un lien entre ses questions sur le site de la jungle

et la pluie d'emmerdes qui s'abattait sur elle et sa famille, sans jamais pouvoir le prouver. En semant ce genre de confusion dans la vie de quelqu'un, on pouvait vraiment le faire dérailler.

Ned avait vite gravi les échelons dans le petit monde grégaire de l'espionnage. Il était plus intelligent que la plupart des autres types, des alcooliques en cravate à rayures pour l'essentiel. Après deux ans de formation, il avait débuté sa carrière en Grande Chine. Il y avait encore de vrais trucs de barbouzes dans le coin : des voitures aux lignes carrées qui en suivaient d'autres sur des routes désertes, des agents qui avaient rendez-vous avec des gens dans des toilettes, ce genre de choses. En Chine, Ned était Chuck, négociant dans l'industrie textile. Et les gens disaient des trucs de dingue à Chuck. Ned couchait tout sur papier ; ses rapports étaient frappants et précis, annotés de remarques clairvoyantes, de conseils facilement applicables. Ce qui n'échappa pas en haut lieu à Bethesda.

Malgré cela, il lui sembla qu'il pourrait attendre vingt ans avant de monter en grade en Grande Chine, alors Ned se concentra sur ses langues et ses talents d'analyste Open Source. Lorsqu'il fut court-circuité pour la troisième fois au moment d'une éventuelle promotion, il décida de quitter l'analyse de terrain pour retourner à l'analyse.

De retour à Bethesda, sa fiche de paie indiquait qu'il était statisticien à la Commission des finances du Congrès américain (il avait même du vrai boulot de la Commission sur son bureau, une tradition chez les analystes du SCS). Il conduisait une vieille Saab. Il lisait, lisait, lisait. C'était un professeur sans étudiants, ce qui, d'après les profs qu'il connaissait, était le rêve de tous. Il avait un abat-jour en osier au-dessus de sa table de cuisine ; des stalagmites de magazines et de revues poussaient dans son salon. Il habitait en face d'une garderie pour chiens, et parfois en partant le matin, il entendait un beagle se lamenter. Il essaya des sites Internet de rencontres. Il travailla au collationnement et à un intergiciel de traitement distribué de données pour Open Source, au quatrième étage. Ses parents lui envoyaient des poires pour son anniversaire.

S'il n'avait pas tapé un tel scandale à propos de Dear Diary, il y serait sûrement encore ; il serait un agent de rang 5, et peut-être serait-il en mesure de s'opposer à des gens comme Nigel et à tous ceux qui mettaient le Service au service d'un réseau grandissant de clients aux relations douteuses. Ces pensées, mélangées au whisky, remuaient la vase de ses regrets et de ses rancœurs.

La crise de Dear Diary avait failli lui coûter sa carrière. Il avait pris des risques, et la pente s'était avérée trop glissante ; il s'était retrouvé dans la position du néophyte qui a gâché les ressources du Service en courant après une menace fantôme. La mutation birmane était sa punition. Ils avaient fait plus que le virer d'Open Source ; ils l'avaient envoyé dans la zone d'influence malsaine de Nigel.

— Monsieur, je crois que nous atteignons le but recherché, avait dit Ned à Nigel ce matin-là, lors de son rapport quotidien qu'il devait présenter sur Leila Majnoun. Elle a accepté l'inévitabilité de son départ. Elle n'a reçu aucune réponse utile de la part des destinataires d'origine.

— Ça, c'est parce que je m'en suis occupé, répondit Nigel avec suffisance.

Ned acquiesça – *maisbiensûr* – et poursuivit.

— Et elle a envoyé ce message à une seule autre personne.

— Qui ?

— Son frère.

Pour souligner que le frère était sans lien avec l'affaire, il ajouta :

— Il travaille à Whole Foods.

— Je sais où il travaille, s'agaça Nigel.

Ned acquiesça à nouveau.

— Bref, je ne pense pas qu'elle contestera son expulsion.

— Qu'elle ne la contestera pas ? Non, en effet, dit Nigel, se moquant du vocabulaire de Ned. Je crois que cette sale petite fouineuse entamera son auto-expulsion dans disons – il regarda sa lourde Rolex avec de grands airs – cinq heures.

Ned arbora son expression la plus curieuse, mais Nigel ne poursuivit pas, et Ned ne posa pas de question. Ce petit jeu consistait à laisser Nigel croire qu'il était aussi énigmatique

que le Sphinx, alors que tout ce que Ned avait à faire était d'attendre qu'il sorte du bois. Nigel jubila toute la matinée. À midi, il prit un appel dans le microDIS, d'où il sortit en fredonnant. Quelques heures plus tard, un autre appel dans le DIS, et cette fois, lorsqu'il en sortit, il voulut allumer la télé du bureau, mais s'emmêla dans les télécommandes.

— Swain, vous avez modifié les réglages ou quoi ? aboya-t-il. Je n'arrive pas à changer de chaîne.

— Voyons si je peux remédier au problème, dit Ned en prenant la télécommande comme s'il s'agissait d'une équation aux dérivées partielles.

Il plissa les yeux, l'air de dire *Je vois*, décocha la fonction TV et sélectionna la fonction CÂBLE.

— Je crois que c'est bon, dit Ned.

Nigel lui reprit la télécommande des mains et zappa jusqu'à CNN. Il y avait une pub – *Si vous présentez ces symptômes, n'hésitez pas à évoquer Synapsiquell avec votre médecin* – mais Nigel attendait si impatiemment que Ned resta posté à côté de lui. Puis il y eut une autre pub, pour une société de gestion de patrimoine – un homme d'un certain âge, l'air en forme, marchait sur une plage privée avec soit sa grande fille, soit sa très jeune épouse. Il en était en tout cas très fier. Hors champ, une voix d'homme noir distinguée soulignait l'importance de *protéger l'héritage que vous avez construit*.

Puis retour sur le plateau, zoom sur les mains du beau présentateur qui remet de l'ordre dans ses papiers. Il avait l'air particulièrement troublé par le sujet qu'il s'apprêtait à aborder.

— Des détails supplémentaires nous parviennent sur cette troublante histoire à Tarzana, en Californie, annonça le présentateur – le mot TARZANA apparut sur la carte du comté de Los Angeles qui avait surgi derrière sa tête – où tôt ce matin les autorités locales ont saisi les ordinateurs et du matériel informatique dans le bureau d'un principal de collège.

Plan large d'un parking, puis zoom sur trois ou quatre types en coupe-vent bleu qui portaient des cartons et les rangeaient dans le coffre d'une Ford blanche.

— Plus tôt, avant l'aube, dans un quartier à proximité de l'école, un homme a été arrêté lors de l'intervention d'une unité tactique de police. Les autorités n'ont pas confirmé qu'il existait un lien entre ces deux événements, mais des voisins ont déclaré à un journaliste que l'homme arrêté était le principal du collège de Tarzana, Cyrus Majnoun – le présentateur articula de façon à souligner la consonance étrangère du nom.

Plan sur un homme en peignoir devant chez lui, qui parle à la caméra. "C'était dingue. Y avait des mecs en gilet pare-balles. Ils ont défoncé la porte. Je me suis dit, *Hé les gars, vous vous plantez de baraque. Là c'est chez le principal du collège.* Mais après ils sont ressortis avec *Madge-noon*. J'avais jamais rien vu de pareil. Un truc de taré."

Retour sur le plateau.

— Pour l'heure, les autorités se refusent à tout commentaire sur l'arrestation ou le matériel saisi. Mais certains téléspectateurs se souviennent peut-être du scandale qui a éclaté l'an dernier dans le comté voisin d'Orange, dans lequel le principal d'un lycée avait été inquiété dans une affaire de pédopornographie. Nous ne manquerons pas de vous tenir informés des derniers détails.

Nigel éteignit la télé, avec le sourire gourmand du mec qui vient de sortir une tarte du four.

— Ha! exulta-t-il. Vous voyez, Swain? Voilà ce qui arrive aux vilaines qui veulent jouer les détectives de choc. Je parie que ça va mettre un frein à sa curiosité.

Il se peut que l'espace d'une seconde, Ned ait laissé tomber son masque, car Nigel se sentit obligé de dire :

— Swain, il y a de quoi être fier du boulot qu'on a fait.

Il n'accentua pas particulièrement le *on*. Inutile. Était-il besoin de préciser que si un truc d'une telle ampleur s'effondrait, ça retomberait bien sûr sur Nigel, mais aussi sur tous ceux qui l'entouraient?

D'où les cigarettes, que Ned avait achetées en rentrant chez lui. Et le recours au whisky apéritif. Il se demandait comment on était arrivé là, et il pensait à tout ce merdier : l'alcool comme échappatoire, la solitude, le fait d'être en proie à l'autorité d'un homme qu'il détestait et qui avait fomenté un complot totalement immoral alors qu'il n'y avait aucun enjeu de sécurité nationale. Ned n'ignorait rien du principe d'intérêt général, ni des implications officieuses du Patriot Act, et les gauchistes qui prétendaient calmement chérir leurs libertés individuelles plus que leur sécurité avaient tendance à l'agacer un peu. Mais il avait toujours cru qu'il y avait un adulte dans la cour de récré, une sorte de contrôle permanent.

Il fumait comme pour rattraper ses deux semaines d'abstinence. C'était quoi la recette des Camel, bordel? Elles étaient délicieuses comme pas permis. Qu'est-ce qui se cachait derrière ce *"Turkish & American blend"*? Probablement des pesticides qu'on pulvérisait sur le tabac.

Laisse de côté l'immoralité de ce que Nigel fait subir à Leila, se dit-il. *Laisse ça de côté, et ben c'est toujours une aberration en termes d'affectation des ressources, non?* À moins que Leila Majnoun ne soit un Hitler du futur revenu dans une machine à remonter le temps, Ned ne voyait pas bien ce qui pouvait justifier une opération aussi vicieuse et sophistiquée. La soif de vengeance que Nigel nourrissait à son égard était tout sauf professionnelle. Et ce à quoi il se livrait était probablement illégal. Ce mot avait encore un sens, il le devait en tout cas. Extralégal passe encore; illégal, non. En plus, du strict point de vue de l'espionnage, la méthode était minable – une tonne de gens devaient être impliqués dans ce qu'il venait de voir à la télé. Et il en faisait partie.

C'est à ce moment-là qu'une idée traversa son esprit – une de ces pensées qui franchissaient la ligne rouge. Et s'il exposait à Majnoun ce qui était en train de lui arriver? Que ferait-elle de cette information?

La ligne en question était ni plus ni moins celle de la trahison. Parce qu'il n'y avait pas de section "Protection des droits du citoyen" au SCS; il n'y avait pas de médiateur prêt à recevoir sa plainte et à la transmettre à la hiérarchie. Les papiers qu'il avait signés lors de son recrutement étaient très clairs : s'il mettait son idée à exécution, il devenait un loup solitaire; en tant que loup solitaire, il constituait un risque; s'il était un risque, il devenait une menace; et s'il était une menace, il était une cible.

Il ne pouvait pas lui dire comme ça de but en blanc. S'il lui annonçait que quatre-vingt-cinq pour cent de la correspondance électronique mondiale et cent pour cent de la correspondance électronique en anglais passaient par le filtre antimenace d'un réseau dont le gouvernement américain avait passé commande, mais dont la gestion était de plus en plus sous-traitée à un consortium de sociétés privées, elle ne le croirait pas. Mais… s'il lui en laissait entendre assez pour qu'elle découvre elle-même le reste ? C'était une fille intelligente, et apparemment déterminée. Il suffisait de lui donner un début de piste – un des portails de Dear Diary qu'il avait identifiés mais dont l'accès ne lui avait jamais été autorisé – et elle la suivrait. Avec sa maîtrise du farsi et du birman, ses moines-gardiens et son Rolodex, elle était typiquement le genre d'agent que Dear Diary pourrait repérer et recruter.

Et si Dear Diary ouvrait sa porte à Leila, Ned pourrait la suivre à l'intérieur. Après le mail d'alerte, Nigel l'avait fait passer en surveillance de niveau 8. À un niveau pareil, elle pouvait être suivie par un drone basse altitude ; le moindre mouvement sur ses comptes était signalé ; son odeur serait agitée devant les ordinateurs. Si la situation l'exigeait, elle pouvait être extradée à tout moment, même si elle était aux toilettes. Garder un œil sur elle ne devrait pas poser de problème. Par contre, il faudrait qu'il s'éloigne de Nigel pendant quelques semaines. Et prendre des congés quand on travaille pour l'agence d'élite la plus secrète au monde, ça, c'était pas de la tarte. On ne peut pas se faire porter pâle comme ça et faire suivre ses mails. Si vous dites que vous partez en vacances, vous feriez mieux d'avoir du sable dans les godasses à votre retour, et si vous dites qu'il y a une maladie grave dans votre famille, ils voudront voir les rapports d'autopsie.

Il trouverait un moyen. Il pourrait peut-être bosser depuis Sydney. Plus il y pensait, et plus il buvait, plus Leila Majnoun lui apparaissait comme son sésame pour Dear Diary. Même si son obsession avait failli lui faire perdre les pédales, il cherchait toujours un moyen d'y entrer.

Bon, d'accord, il avait des intentions cachées. Mais ça n'empêchait pas que son intention première – faire en sorte que

Majnoun ait l'occasion de se battre contre le plan de Nigel – était sincère.

Il s'émerveilla du téléphone qu'elle avait choisi. Ned avait mis sur écoute le moindre de ses appareils et il avait un accès en temps réel à quatre-vingts pour cent des lignes téléphoniques de Birmanie. Si elle s'était servie d'une de ces lignes, il aurait pu être en train de l'écouter en ce moment. Mais les téléphones de l'Excellents appartenaient à un réseau qui datait d'avant l'ère numérique ; ils avaient des commutateurs matriciels de vingt paquets par seconde. De toute évidence, il pouvait récupérer les données à l'autre bout de la chaîne, mais il lui faudrait alors impliquer Bethesda, et les infos seraient copiées sur le poste de Nigel comme l'exigeait le protocole. Or il ne voulait pas prendre le risque de donner à Nigel d'autres infos sur Leila, ou de lui attirer plus d'ennuis, alors il fallait qu'il se contente d'un enregistrement qu'il récupérerait plus tard. Le dispositif qu'il avait installé dans le combiné du téléphone du hall de l'Excellents avait la taille d'un grain de riz basmati. Il était non alimenté et non émetteur. Il passerait le prendre le lendemain matin.

Mais le matin en question l'inquiétait ; il craignait d'avoir moins de cran au lever du jour, ou repris ses esprits. Il fallait qu'il agisse tout de suite, qu'il s'engage.

Il pédala à toute vitesse dans les rues sombres et chaudes jusqu'à l'appartement de Leila au-dessus de l'échoppe du couturier. Il passa devant deux fois, scrutant les alentours en quête de sa garde rapprochée en civil ou de ses moines-gardiens, mais il n'y avait personne. Si quelqu'un la filait, il était posté devant l'Excellents. Il planqua son vélo et se faufila jusqu'à son immeuble, par son flanc le plus obscur. Son cœur s'emballa comme jamais il ne l'avait fait en vingt ans d'espionnage. Son cœur s'emballa comme il ne l'avait pas fait depuis qu'avec une fille, il y avait de ça un million d'années, il avait escaladé deux mètres et demi de grillage un samedi soir pour s'introduire dans la marina puis dans le bateau de plaisance de ses parents.

Une fois devant chez elle, il glissa un mot sous la porte.

Je pense que votre père est victime d'un coup monté. Retrouvez-moi à l'Excellents demain soir. 20 heures.

Le lendemain, Ned n'alla pas au bureau. La gueule de bois n'était pas monstrueuse et pas spécialement indésirable – elle lui rappelait ce qu'il avait fait la veille. Il n'avait pas de regrets, mais à la lumière crue du matin, son plan lui sembla bancal. Jamais il n'aurait agi s'il avait attendu jusqu'au matin.

Il commença par récupérer son micro à l'Excellents et par le remplacer par un autre. Il le rapporta chez lui et écouta l'enregistrement tout en mangeant du fromage et en buvant du café.

C'était pire que ce qu'il pensait. L'arrestation du père avait été violente. L'équipe d'intervention avait fichu une peur pas possible à la mère ; le frère avait été blessé, sûrement en essayant de défendre son père dans ce qui avait dû lui apparaître comme un cauchemar. Cyrus Majnoun était accusé de recel et de distribution de matériel pédopornographique, faits aggravés par son statut de principal de collège. Après des heures et des heures d'interrogatoire, il avait fait une attaque cardiaque légère. Il était actuellement hospitalisé, dans un état stable.

Leila était bien plus en colère qu'inquiète ou apeurée. Sa voix fulminait dans le haut-parleur de l'ordinateur portable de Ned. Elle avait drôlement fait chauffer le téléphone de l'hôtel. Elle avait parlé à son frère, à sa sœur, à un avocat en Californie, à trois avocats de New York, puis de nouveau à son frère et à sa sœur sur les deux postes fixes de la maison de ses parents. Ned entendit les bouteilles en verre s'entrechoquer dans la cuisine des Majnoun lorsque le petit frère referma la porte du frigo.

Si les enfants Majnoun doutaient de l'innocence de leur père, aucun ne le laissa entendre. Leila était la plus remontée de tous. À un moment, Dylan évoqua la nécessité de "laver" le nom de leur père, et Leila rétorqua :

— Le laver, D ? Tu plaisantes ? On va le réhabiliter, exiger des excuses et un dédommagement. Un dédommagement qui va faire regretter au FBI d'avoir jamais entendu le nom des Majnoun.

Roxana annonça qu'elle avait commencé à coordonner les parents et les enseignants du collège.

— Est-ce qu'ils vont lui apporter leur soutien? demanda Leila à sa sœur.

— Difficile à dire pour le moment. Je pense qu'ils savent pour la plupart qu'il s'agit d'un coup monté ou d'une erreur. Mais il faut qu'on découvre pourquoi il a été piégé, et par qui. Il y a déjà quelques personnes qui disent des choses horribles, et ces voix vont se faire de plus en plus fortes. On a besoin d'une répartie, d'une théorie alternative à leur opposer. Ce qui nous aide, c'est qu'il n'y a pas de victime. S'il était véritablement un prédateur sexuel, il aurait sévi au collège, des victimes se seraient fait connaître.

Ned fut impressionné par son sang-froid, son analyse. C'était l'aînée, le génie manchot.

Dylan allait filer un coup de main à l'avocat et commencer à démonter les attaques du FBI et du procureur.

— Leila, l'avocat que tu as trouvé, il dit qu'on doit mettre la main sur les ordinateurs saisis le plus tôt possible. Mais les types dont on va avoir besoin, les experts judiciaires, ils sont hyper-chers. Genre, quatre cent cinquante de l'heure.

Leila leur avait annoncé qu'elle serait de retour trois jours plus tard. Ce qui signifiait qu'il ne restait plus à Ned que ce soir-là pour lui parler – si elle acceptait son rendez-vous.

Roxana quitta la conversation avant Dylan, et Ned entendit ce dernier demander à Leila :

— Dis, par hasard, tu crois qu'il serait possible que tout ça ait quelque chose à voir avec les ennuis qu'ils te font en Birmanie? Ou ce mail que tu m'as envoyé?

Ned se pencha vers son ordinateur.

— Non, non. Les Birmans m'ont déjà foutue dehors. Et quoi que j'aie vu dans la jungle – à compter que j'aie vu une chose que je n'étais pas censée voir – je n'ai pas pu en tirer le moindre truc.

Mais ça l'avait effleurée. Il y avait eu un petit silence entre ses deux *non*. Et c'était avant qu'elle ne lise son petit mot.

Ned décida d'envisager leur entrevue comme une soirée au potentiel romantique, parce que ça correspondait au personnage qu'il s'était créé ici – Ned le post-doctorant qui n'avait pas l'oreille musicale et s'intéressait à la diglossie et à l'empire païen de la vallée de l'Irrawaddy au IXe siècle. Leila allait se demander pourquoi il essayait de l'aider, et une attirance pour elle serait le motif le plus plausible. Une fille comme elle devait en avoir rencontré des tonnes de ce genre-là. Il passa une heure à se pomponner. Plaqua différentes chemises devant lui face au miroir. S'attrista à nouveau du fait qu'on ne le trouverait jamais beau parce qu'il avait une tête légèrement trop grosse – raison pour laquelle il n'avait jamais trouvé de grand amour à l'âge adulte. Il s'aspergea de parfum.

Il arriva au bar de l'Excellents avec une heure d'avance, commanda un verre qu'il but lentement. Il se demandait si elle allait venir, et ce qu'il ferait dans le cas contraire. Le bar n'était en réalité qu'un coin du hall de l'hôtel, avec une enseigne en bois flotté sur laquelle on avait formé les lettres B-a-r avec une longueur de corde. Le thème nautique de l'hôtel avait probablement été plus abouti à une époque, mais il n'en restait désormais que quelques traces : la corde, des gravures de bataille navale qui roulottaient dans leurs cadres. Peut-être était-ce un vieux contre-amiral de la Compagnie britannique des Indes orientales qui avait construit cet édifice pour s'assurer que des amis acheminés par vapeur lui rendraient visite dans cet avant-poste étouffant de l'Empire.

À huit heures cinq, Leila entra. Elle scruta l'endroit, comme s'attendant à un piège. Elle le vit. Il lui fit un signe de la main.

Elle s'approcha et le reconnut.

— Vous êtes Fred. De l'université.

— Ned.

— C'est vous qui avez écrit ça ? demanda-t-elle en lui montrant le mot.

Elle ne s'assit pas.

— C'est moi. Vous voulez boire quelque chose ?

Elle ignora la question mais finit par s'asseoir.

— Expliquez-moi ce que ça veut dire.

Elle avait l'air un peu chiffonnée, comme si elle n'avait pas dormi.

— D'accord. Ce message que vous avez envoyé à des gens à propos d'une société de surveillance dans la jungle, vous voyez ?

— Est-ce que moi, je vois ? Mais comment est-ce que vous, vous êtes au courant de ce message ?

À partir de là, tout reposait sur sa réponse.

— Je travaille un peu pour un mec qui est, je pense, une sorte d'espion. Un type de la CIA, ou un truc comme ça.

— Vous êtes un espion ? demanda Leila.

Ned s'esclaffa.

— Non, je suis linguiste. Mais je traduis des documents pour ce type. Et son ordi est protégé par un système merdique. J'ai jeté un œil dedans. Vous avez vu quelque chose que vous n'étiez pas censée voir. Ils veulent que vous partiez.

Une vérité et quelques mensonges.

— Qu'est-ce que j'ai vu ? Qu'est-ce qu'il y a à protéger là-bas ?

— Je n'en sais rien.

Malheureusement, ça aussi c'était une vérité. Mais dans le cas présent, peu importait. Il lui donna sa version remixée d'une explication possible.

— C'est une grosse société. Chinoise, je crois. Ils veulent tester un pesticide absolument horrible dans la jungle. Un truc qu'ils peuvent même pas faire en Chine. Alors ils le font ici, comme s'ils étaient chez eux. Est-ce que votre père va bien ?

— Comment s'appelle cette société ?

— New Solutions ? répondit-il en partant dans les aigus. J'ai regardé sur Sine. Je crois que c'est rien qu'un nom. La propriété d'un plus grand groupe.

Il fallait que Leila le croie moins intelligent qu'il n'était. C'était une condition élémentaire de l'analyse de terrain, mais c'était en fait très rare : la capacité et la volonté d'apparaître plus bête qu'on n'était. C'est pour ça qu'il avait démarré dans ce domaine : jouer un rôle lui venait naturellement. Il pouvait tordre un peu la bouche si nécessaire. Ou même prendre un regard abruti.

Ouais, c'est ça, regarde ma tête légèrement trop grosse, pensait-il. *Ne fais pas attention à ce que je fais.*

— Et votre ami espion, c'est qui ?

— Ce n'est pas mon ami. Vous voyez ce vieux schnoque tout maigre qui tient le Paradise Hotel ?

Une description un peu plate, à dessein. Mais Ned aurait pu qualifier Nigel de façon bien plus vivante : décrépit. Lustré. Vampirique.

— Le Canadien ?

— Ah il est canadien ? Je ne savais même pas.

— À l'entendre parler, on dirait, oui. Et vous dites que c'est un espion ?

— Ouais, je fais quelques travaux de traduction, pour lui, pour l'hôtel. Je crois qu'il bosse pour la CIA ou un truc du genre.

Leila le regarda, interdite.

— Et donc, quoi ? Vous avez épluché ses dossiers pour moi ?

— Non. Non, pas du tout. Il m'a demandé de régler quelque chose sur son ordinateur. Il est nul. Il peut à peine lire un mail. Mais bon, il m'a laissé seul dans son bureau et… j'ai vu le nom de l'organisation pour laquelle vous bossez, et je me suis dit, *Mais pourquoi il s'intéresse à ça ?* Et donc, une fois passé le pare-feu vraiment quelconque, j'ai vu ces mails que vous avez envoyés, à propos du site dans la jungle.

Il se pencha en avant.

— Ce type peut lire vos mails, dit-il d'un air incrédule. Et j'ai vu qu'il avait écrit à quelqu'un à son tour pour qu'on vous *retire de l'équation.* C'est mot pour mot ce qu'il a mis, qu'on la retire de l'équation. J'ai aussi vu des choses à propos du site, mais j'ai pas trop compris, à part ce que je vous ai dit tout à l'heure. Je n'avais qu'une petite heure devant moi.

Elle avait l'air intéressée. Très suspicieuse, mais intéressée.

— Et donc, comment vous savez que mon père a été piégé ?

— En fait, je n'en sais rien. Mais bon, on a un type qui bosse pour la CIA ou bien pour un grand groupe pas très bien intentionné, qui peut lire vos mails, et qui veut vous chasser de Birmanie. J'ai vu votre père aux infos et…

— Comment vous savez que c'est mon père ?

— Majnoun. Je n'avais jamais entendu ce nom. Et puis j'ai vu une photo de votre frère. Vous vous ressemblez. Quoi qu'il en soit, s'ils peuvent lire vos mails, je doute qu'introduire des fichiers pornos dans un ordinateur leur pose problème.

Elle faisait le point. Son cerveau ronronnait presque.

— Et ce verre, toujours pas ?

Elle secoua la tête.

— Vous allez rentrer ? lui demanda-t-il.

— Oui.

C'était la première fois qu'elle s'adoucissait face à lui.

— Mon père a fait une attaque cardiaque. Il est à l'hôpital.

— Merde. Je suis désolé. Écoutez, je peux peut-être vous aider.

— Ah oui ? dit-elle en arquant un sourcil. Et comment ?

— J'ai entendu parler de gens qui savent démêler ce genre d'affaires, dont c'est la spécialité, même.

— Vous voulez dire, la police ?

— Non, non, rien à voir. C'est plutôt une sorte de réseau qui défend les victimes de grands groupes et tout.

— Et vous faites partie de ce réseau ?

— Non.

— Alors comment vous le connaissez ?

— Ils ont déjà aidé un de mes amis, mentit-il.

— Et en quoi peuvent-ils m'aider ?

— Je ne sais pas exactement. Mais si vous vous faites emmerder par un gouvernement, ou par une grosse société, ils vous aident à leur rentrer dans le lard.

— C'est tout ce que vous pouvez me donner ?

Ned eut l'air vexé.

— Ouais. C'est tout. Mais c'est déjà ça.

Elle acquiesça, à peine convaincue.

— Admettons. Comment j'entre en contact avec eux ?

Ned nota l'adresse d'un site Internet sur un bout de papier et le glissa vers elle.

— C'est un site d'échange de maisons. Mais n'y faites pas attention. Écrivez ce qui vous est arrivé dans l'une des fenêtres du formulaire de contact. Après quoi ils sont censés vous joindre.

— Mais si la CIA peut lire mes mails, ils vont savoir que je cherche à contacter ces gens, non ? Parce que bon, ce que vous dites est quand même très très bizarre. Vous vous en rendez bien compte ?

— Oui, oui, je sais. Écoutez, si ça se trouve, je me plante sur toute la ligne. Mais ce que j'ai entendu dire, c'est que ces gens peuvent vous aider. Enfin, quand vous êtes dans le pétrin.

— Un peu comme l'Agence Tous Risques.

— Pardon ?

— Non, laissez tomber.

Leila prit le bout de papier. Elle se leva.

— Bien. Merci, dit-elle, presque réticente.

Puis elle sortit à grands pas dans la nuit torride.

Leila sortit de l'Excellents et retourna au bureau. Il lui restait seize heures avant de quitter le pays. Et beaucoup de travail à faire.

Ce Ned n'avait vraiment pas l'air d'être une flèche. Il devait se balader quelque part sur le spectre autistique. Et ce parfum envahissant… Drakkar Noir, peut-être? Ce qu'il lui avait dit était presque à coup sûr un tas d'inepties. Pour commencer, pourquoi un agent de la CIA demanderait au premier venu de réparer son ordinateur?

Cela dit, il avait l'air bien intentionné. Il lui avait dit qu'il était désolé pour son père. En entendant le mot, Leila avait bien failli fondre en larmes.

Dylan lui avait demandé la veille si elle pensait que l'arrestation de leur père pouvait avoir un rapport avec le mail qu'elle avait envoyé. Elle passa à nouveau en revue les raisons pour lesquelles elle pensait que non. Et oui, elles étaient valides. Une fois dans son bureau, elle jeta le papier où Ned avait inscrit le nom du site Internet à la poubelle.

Elle commença à faire ses cartons. Elle ignorait ce qu'elle était censée faire au juste en termes de déménagement. Le bureau était loué pour un an, et Main Tendue avait payé d'avance. Elle ne pensait pas revenir, mais quelqu'un d'autre prendrait peut-être sa place. Le bureau de New York ne semblait même plus très sûr de vouloir la voir revenir chez eux. Pendant un appel qui avait duré des heures plus tôt dans la journée, le directeur régional n'avait cessé de faire référence au bureau de Mandalay en évoquant un "programme partenaire", ce qui était inquiétant. Comme s'ils pouvaient juste laisser tomber toute l'affaire. Leila songea à toutes les jeunes femmes qu'elle avait encouragées à rêver d'une formation médicale dans un pays industrialisé ; elle pensa à leur espoir, se flétrissant comme un raisin au soleil.

Regarde toujours derrière toi pour voir si tu n'as pas blessé quelqu'un sans le vouloir. C'est son père qui lui avait dit ça un jour. Il ne lui avait pas dit de réparer tout ce qu'elle ratait, ni de ne jamais blesser personne. Ce n'était pas une de ces injonctions irréalisables. Ça, tout simplement : *Regarde toujours derrière toi.* Elle était assez vieille à présent pour lire le sens caché de tout conseil : le conseilleur lui-même n'a pas été à la hauteur un jour, et cet échec continue à résonner en lui, à le façonner. À quel moment son père n'avait-il pas regardé derrière lui ? Ce devait être quand ils étaient partis d'Iran.

Elle fit ses cartons comme un derviche. Stylos, cordons et câbles dans des sacs plastique à glissière. Rapports et dossiers rassemblés avant d'être enfoncés dans des cartons. Cartes et plans roulés dans des tubes. Quoi faire de l'ordinateur ? Elle transféra tous les fichiers du bureau sur son ordinateur portable. Mais ça ne lui semblait pas suffisant, vu tous les trucs bizarres qui lui arrivaient. Et s'ils se débarrassaient d'elle dans le simple but de punir les femmes qu'elle avait vues en entretien ? Elle fit de son mieux pour nettoyer le disque dur. Mais comment on devait s'y prendre ? Dans un menu, elle cliqua sur Écraser les fichiers supprimés, et la petite pizza multicolore tournoya à l'écran pendant quelques minutes. Est-ce que ça suffisait ? Elle songea lancer une brique dans la tour, ou la vider de ses entrailles. Mais elle ne savait pas où était le disque dur, à quel élément correspondait la carte mère… Et puis, ça la rendrait coupable aux yeux de ses ennemis, ou craintive, alors que ce qu'elle voulait, c'était les toiser de toute sa hauteur, qu'il s'agisse de corruptocrates birmans ou – comme ce Ned voulait lui faire croire – de la CIA.

Mais pourquoi elle n'y connaissait que dalle en informatique ? Ce domaine lui sembla soudain plus important que la théorie féministe ou les paroles de chansons des années 1980, deux univers qu'elle maîtrisait assez bien. Les ordinateurs s'étaient faits plus nombreux autour d'elle, toute sa vie, comme un lac qui grignote sournoisement toujours plus de terre arable, mais elle n'avait jamais appris à écrire du code, à aller fouiller dans les programmes qui se cachaient derrière les icônes, ni rien de ce genre. Elle se faisait l'effet d'une paysanne du Moyen Âge déconcertée par les livres, et impressionnée par les vitraux.

Elle reprit le bout de papier qu'elle avait lancé dans la corbeille et le défroissa : *Ding-Dong.com.*

Franchement ?

Assise par terre dans son bureau, contre un mur de cartons, sous la brise d'un ventilateur en plastique, Leila envoya le navigateur de son portable sur Ding-Dong.com. En effet, il s'agissait d'un site d'échange de maisons, en apparence du moins. La page d'accueil était assez stressante, en fait : *Le site n° 1! Destination : le changement!*; des témoignages sur lesquels on pouvait cliquer sous des photos de gens heureux, ravis de la décision qu'ils avaient prise. Dans la première fenêtre où l'on pouvait écrire, elle tapa son adresse puis ceci :

> Un type bizarre dans un bar m'a dit d'essayer votre site. Je m'appelle vous n'avez pas besoin de le savoir. Il se peut que j'aie des renseignements sur un grand groupe américain qui ferait de la sous-traitance pour la surveillance d'un site en Birmanie, ce qui est contraire à la loi américaine, pour info. Il se peut qu'ils sachent que je suis au courant et qu'ils aient voulu m'entuber à cause de ça. M'entuber du point de vue de mon visa, et peut-être plus que ça, ce qui semblerait pointer vers une complicité gouvernementale – criminelle, bien sûr. Si vous pouvez m'aider, contactez-moi. Si vous ne pigez rien, laissez tomber. Si c'est une blague ou un piège, allez vous faire foutre, vous devriez avoir honte de faire un truc pareil.

Elle verrouilla le bureau à double tour, rentra chez elle et déblaya son petit appartement. Ses affaires logeaient dans quatre grandes valises et un gros sac fourre-tout. Il lui restait des choses à faire, mais il fallait qu'elle attende le lendemain. Elle s'allongea et grappilla quelques heures de sommeil.

Elle ouvrit les yeux à la première sonnerie du réveil. Pendant que l'eau chauffait dans la bouilloire, elle lut ses mails. Pas de réponse des échangeurs de maisons. Elle était déçue, mais aussi, quelque part, soulagée. Elle mangea une orange et but du thé. Elle brancha une clé USB sur son portable et y copia tous ses fichiers en rapport avec la bourse d'études. Elle tenta de s'enregistrer sur son vol Mandalay-Rangoon, mais impossible. Elle s'enregistra en revanche sur ses vols Rangoon-Doha et Doha-Londres sans problème. Elle enfila sa tenue de joggeuse et glissa la clé USB dans la minuscule poche en résille de son short.

Elle commença à un rythme raisonnable le long d'un de ses itinéraires habituels. Deux policiers enrobés la suivaient en voiture, un demi-pâté de maisons derrière elle. Eux, rien à voir avec Heckle et Jeckle ; ils rôdaient sous les yeux de tous, mais ils étaient bien trop paresseux pour sortir de leur bagnole. Elle était sur le point d'en profiter.

Elle prit soudain à gauche, puis dévala une ruelle qui menait à un petit parc un peu crade où des pochetrons se réunissaient parfois en bande. Elle respira plus calmement pour tendre l'oreille. Rien que le pépiement des oiseaux. Est-ce que ce serait aussi facile ?

Non. Elle entendit la voiture de patrouille cahoter dans la ruelle. Ils avaient deviné par où elle passerait. Elle se remit en course, traversa le parc et monta une volée de marches qui menaient à un grand marché semi-couvert ; un bazar, bien que l'endroit soit moins exotique que ce qu'évoquait le nom. C'était là qu'elle achetait ses téléphones jetables, elle connaissait les différentes sorties. Il y avait des centaines de stands regroupés par catégories : l'allée des Piles, le faubourg des Bas & Collants, l'avenue de la Carte Sim. Mais à cette heure matinale, tous les stands étaient fermés, les façades de contreplaqué se faisaient face dans les allées étroites. Cela dit, Leila savait que beaucoup de vendeurs dormaient avec leur marchandise, alors elle ne se sentait pas seule. Elle courut doucement dans les allées désertes, repérant de loin en loin la voiture de police qui patrouillait dans le périmètre du marché. Lorsqu'ils s'engagèrent dans une direction, elle sortit à l'opposé et dévala un long escalier en pierre craquelé. Après quatre minutes à vive allure, et d'après son estimation un bon huit cents mètres entre elle et eux, elle ralentit.

Elle était sur le point de se féliciter lorsqu'elle repéra Heckle devant elle.

Elle ne changea pas de foulée. Heckle se contenta de la suivre une fois dépassé, comme s'il ne l'avait jamais quittée des yeux. Et c'était peut-être le cas. Elle approchait de chez Dah Alice – un mur de plâtre autour d'une maison en béton, un abri de voiture miteux, un arbre d'ombrage et un patio tacheté de lumière. Il fallait qu'elle se décide tout de suite. Elle sortit la clé USB de sa poche. Y avait-il un moyen de faire passer cet objet à Dah Alice sans être vue? Sans s'arrêter de courir, elle vit que la porte du patio était ouverte, il y avait quelqu'un à l'intérieur. Sûrement Dah Alice elle-même, qui préparait un mohinga pour le petit-déjeuner. Le mur d'enceinte avait un portail en bois qui donnait sur la rue. Prétexter une série d'étirements pour glisser la clé dans la boîte aux lettres? Pas de boîte aux lettres. Poser la clé sur le montant du portail? Merde. Elle dépassait le mur. Faire demi-tour, faire semblant de tousser, balancer la clé vers la porte du patio? Un Je vous salue Marie?

Putain de bordel de merde. Elle avait largement dépassé la maison, la clé USB toujours dans sa main moite, et Heckle qui ne la lâchait pas, comme la chaude-pisse.

Elle avait fait une cinquantaine de mètres lorsqu'elle entendit son nom. Elle se retourna et vit Dah Alice qui lui faisait signe par-dessus son portail; elle rabattait l'air vers elle de sa main couleur fauve, comme pour aspirer Leila et la ramener jusque chez elle.

Leila fit demi-tour. Elle passa devant Heckle. Jamais elle n'avait été aussi proche de lui. Il avait un beau visage large, mais une peau irrégulière; il lui sourit et continua à courir.

Les deux femmes parlèrent, chacune d'un côté du portail.

— Alice – Leila laissa tomber la particule pour transmettre un sentiment d'urgence – je suis venue vous voir, mais je ne me suis pas arrêtée parce que je craignais que ces hommes qui me suivent ne vous créent des ennuis.

Elle fit un signe vers Heckle puis un autre, plus vague, pour désigner Jeckle, où qu'il soit.

— Ces hommes sont des amis, Leila, dit Dah Alice. C'est moi qui leur ai demandé de vous surveiller. Il y en a d'autres qui vous suivent et eux ne sont pas du tout des amis, par contre.

— Je ne sais pas ce qui se passe, dit Leila.

— Ça arrive si souvent, répondit Dah Alice.

— Oui, mais là, c'est vraiment différent.

— C'est ainsi que nous vivons, Leila.

Leila ignorait si elles parlaient de la même chose. Mais elle n'avait plus assez de temps. Les policiers devaient encore être à ses trousses, ceux qui n'étaient pas ses amis.

— Je pars aujourd'hui, dit-elle. Je ne sais pas quand je reviendrai.

— Vous rentrez à Hollywood? lui demanda Dah Alice.

Leila n'avait jamais réussi à lui expliquer la différence entre le comté de Los Angeles et Hollywood.

— Oui. Mon père est malade. C'est son cœur. Et je suis encombrante ici de toute façon.

— Je ne sais pas ce que veut dire "en conbrante", mais c'est peut-être le destin qui vous veut comme ça.

— Non. Ça veut dire que je ne suis d'aucune utilité. Mais je reviendrai. Quand je le pourrai.

— Non, Leila, ne dites pas ça. Mais vous entretiendrez votre birman, d'accord? Un jour vous me montrerez peut-être Hollywood?

— J'en serais très heureuse, Alice. Un jour, d'accord.

Elle glissa la clé USB dans la paume parcheminée d'Alice.

— Voici toutes les informations que je possède sur les jeunes femmes à propos de la bourse d'études. Je pense avoir effacé toutes ces données ailleurs. Vous pouvez les garder en sécurité? Et peut-être leur dire que j'essaierai de faire en sorte que tout ça aboutisse malgré tout?

Lorsque Leila rentra, les deux gros policiers étaient garés devant son appartement. Elle voulut leur faire un petit coucou pour enfoncer le couteau dans la plaie, mais se ravisa. Il lui restait encore quelques heures à passer dans ce pays. Dans l'appartement, une cigarette fumait dans une soucoupe, sur la table de la cuisine. Bienvenue à Pétocheville.

Elle prit une douche rapide et finit ses cartons. Puis elle se connecta à sa boîte mail. Nouveau message de Ding-Dong.com. Elle l'ouvrit. Il se passa un truc bizarre : l'écran de son ordinateur portable s'éteignit et se ralluma aussitôt, comme après un redémarrage express, ou une minicrise d'épilepsie. Le message de Ding-Dong apparut.

> Message bien reçu. Peut-on se retrouver demain à l'aéroport d'Heathrow ?

Leila serait en effet à l'aéroport d'Heathrow le lendemain matin. Elle avait une escale de sept heures. Elle ferma le mail sans y répondre. Mais il ne se referma pas dans sa messagerie. Il se réduisit dans une petite icône en forme de chouette qui venait d'apparaître sur son bureau.

LONDRES

Mark émergea des recoins moites de son crâne pour se réveiller dans l'obscurité de l'appartement. Il ajusta la couette autour de ses jambes, tâta l'oreiller en quête d'une zone bien plate et projeta son esprit déshydraté dans cette nouvelle journée. La première tâche consistait à déterminer où il se trouvait. Ces derniers temps, c'était tout un processus. Sa vision brouillée explora la chambre. Par la fenêtre, on entendait le *plic-ploc* de la gouttière contre le rebord en brique. Ah oui : l'appartement de SineCo dans l'Est londonien, son port d'attache actuel.

Il avait écrit la veille. Il se rappelait avoir eu un avis très tranché sur une question. Comme une araignée, la moitié supérieure de son corps s'extirpa du lit pour ramasser le carnet qui traînait par terre. Il se frotta les yeux et lut ce qu'il avait écrit.

Il faut essayer tous les jours. La vie, c'est dix mille milliards de décisions. N'aimeriez-vous pas prendre conscience de tout ce que vous décidez?

Puis :

Ce sentiment de défaite que l'on éprouve, encore et encore, est toujours le même (mais d'un point de vue différent).

Il s'était aussi répandu sur le fait que ce que nous vivions n'était que notre Vie Intermédiaire, qui se déroulait entre la Pré-Vie et la Vie d'Après. Le tout agrémenté de gribouillages que tout adolescent aurait jugé médiocres, principalement des flèches sur lesquelles il avait passé et repassé son stylo, censées représenter des enchaînements logiques dont la beauté et la complexité ne pouvaient être exprimées par des mots.

Quelle merde. C'était vraiment à chier. Et le drame, c'était qu'il n'y en avait pas assez. Le piège qu'il s'était tendu avec toute cette malhonnêteté et cette vanité allait se refermer sur lui.

Oh-oh. Un matin au bord de la falaise. Attends que cette bouillie toxique ait fini de clapoter dans ton cerveau avant de réfléchir. Va faire du café. Y a du jus de tomate en brique au frigo. Du muesli digne de ce nom dans le placard. Il faut que tu continues à avancer, t'es un requin, même si c'est un requin qui se déteste et qui a une gueule de bois monstre.

Il lança le carnet sur le lit, rejeta la couette et louvoya en direction de la salle de bains.

Assis sur les toilettes, il laissa son esprit replonger dans les eaux troubles de la veille. Il avait dîné avec son agent, Marjorie Blinc, dans un restaurant sans étoile. Après deux verres de bourbon, il avait commandé le millefeuille du volailler – une tour vrillée à couches multiples : poulet, ellipse de pomme paillasson, poulet, chou rouge, poulet. Le truc à ne pas commander lors d'un dîner d'affaires. Son repas ne cessa de s'écrouler sous son couteau, et il finit avec un bout de paillasson qui dépassait de sa bouche en pleine mastication, telle une vache. Blinc commanda quant à elle un steak de thon grillé qui ressemblait à cinq jolies boîtes d'allumettes miniatures dans une grande assiette blanche.

C'était le stress au début du dîner qui l'avait poussé à commander du whisky. Il était censé remettre son second bouquin à Blinc six semaines plus tard. Ironiquement, il devait s'intituler *Tenez vos promesses, pas votre langue : une vie engagée en dix étapes*. Il avait essayé de lui dire qu'il aurait peut-être besoin d'un peu plus de temps, qu'il se pouvait qu'il ne s'agisse pas tout à fait, en fin de compte, d'un livre de développement personnel carré en dix étapes, et qu'il aimerait revenir sur le titre. À ce moment-là, Blinc posa sa dernière moitié de boîte d'allumettes piquée au bout de sa fourchette et dit, *Oh, mais tout figure déjà au contrat.*

Le putain de contrat. Il n'y pigeait que dalle ; c'était plein de *En vertu desquels* et de *délais impartis ne devant pas excéder x mois.* Quand il avait montré le document à l'ami avocat d'un ami, le mec lui avait jeté un regard oblique et dit, *Attendez, je ne comprends pas. Vous n'avez pas signé ce truc, si ?*

Mark s'était esclaffé en disant que non, mais l'angoisse lui avait vrillé le bide.

Globalement, Mark était quelqu'un de perspicace et pondéré. Il n'était pas né dans l'opulence, mais dans un foyer monoparental où on raclait les fonds de tiroir ; sa mère lui avait appris à être économe, alors il n'était pas du genre à se faire entuber par les télécommunications ou les compagnies d'assurances. Il arrivait même qu'il pense à échanger les coupons de réduction que lui valait l'achat d'une centrifugeuse ou d'un lave-vaisselle de marque allemande. Ce qui ne l'avait pas empêché de signer un gros contrat sans vraiment le lire. Il n'avait même pas tout à fait compris le rôle de Blinc. Il avait cru qu'elle était son agent. Sa société s'appelait Nautile Communication. Mais il avait fini par comprendre qu'elle était son employeur. Apparemment, Blinc avait bel et bien été son agent, au début. Et elle lui avait obtenu une grosse avance pour son premier livre, et une encore plus grosse pour le second. Si grosse, en fait, qu'il en avait oublié d'éclaircir quelques points essentiels. Comme celui-ci : Blinc avait vendu le second bouquin à Nautile Media. Mais Nautile Media était la filiale éditoriale de Nautile Communication, et Blinc était la PDG des deux entreprises. À quoi ça rimait, ce bordel ?

Il fallait bien reconnaître que Blinc était une parfaite illusionniste. C'était elle qui, d'un coup de baguette magique, avait transformé son essai en livre dont la teneur lui assurerait gloire et richesse. Mais son ascension en flèche s'était vue doublée d'une descente à la pente tout aussi raide. Dans l'année qui avait suivi son apparition sur le plateau de *Margo !* (qu'il considérait avec le recul comme le sommet de sa trajectoire),

Mark avait observé, impuissant, l'étoile filante du succès perdre son éclat. Blinc elle-même, qui un an auparavant encore, Mark l'aurait juré, le regardait avec respect et une étincelle de désir dans les yeux, s'ennuyait désormais à mourir avec lui, voire s'irritait de sa seule présence.

Presque toute la somme que Nautile lui avait donnée était passée dans l'achat d'un loft à Brooklyn et sa rénovation inutile, qui avait vite explosé le budget. Du coup, il avait besoin d'argent comme jamais ça ne lui était arrivé. En plus de la rénovation, il y avait son habitude de manger au restaurant, sa tendance toute féminine aux virées shopping compulsives, l'hypothèque et la voiture de sa mère, ainsi que son assurance santé. Sans compter le taux d'imposition des hauts revenus, dont il n'avait jamais eu idée.

Dieu merci, il y avait James Straw et toute la thune que l'homme engrangeait comme de la pluie qui dégouline d'un toit. Ça devait être tellement bizarre et merveilleux d'être à la tête d'une aussi grande fortune, se disait Mark en lâchant un bouillon clair dans la cuvette. La fortune de Straw poussait comme de la moisissure en symbiose avec le modèle du capitalisme financier. L'appartement de Londres appartenait à Straw, ou à l'une de ses sociétés, mais il ignorait probablement où il se situait. Il l'avait prêté à Mark avec la simplicité d'un voisin qui vous prête une lampe torche ; il s'était contenté d'appuyer un doigt noueux sur son interphone en gueulant : *Demandez à Nils de faire le nécessaire pour que Mark ait l'un des appartements de Londres à disposition.*

Tout ce magnifique bordel, en fait, c'était à cause de Straw.

Mark avait publié *La Motivation dans un monde injuste* sur le blog d'un ami, à l'époque où ce genre de choses était encore d'avant-garde. L'essai s'était répandu comme une traînée de poudre ; sa propagation était désormais citée comme un exemple précoce de texte viral. Un petit malin l'avait appelé le Camus américain, au motif que la *Motivation* témoignait d'une grande élévation morale et d'un certain populisme, était à la fois abstrait et instructif. Un autre avait décidé qu'il était le premier intellectuel public né d'Internet. Les médias traditionnels, pour ne pas paraître largués par ces histoires de blogs, avaient vu en lui la voix de la Génération X, à une époque où cette génération mettait de côté ses petits jeux puérils.

Mark avait adoré tout cela. Il donnait des interviews, était cité par Letterman, faisait des conférences pour étudiants. Son employeur, en découvrant qu'un de ses auteurs maison était devenu un phénomène sur Internet, lui avait accordé une belle augmentation. Mais Mark savait qu'il ne retiendrait pas l'attention longtemps ; il espérait simplement réussir à écrire un autre truc aussi bon.

Et puis un matin, son téléphone sonna. "M. Straw va vous prendre dans une minute", annonça une voix de femme. Le Straw en question l'invita à passer le voir, et une heure plus tard, une voiture noire s'arrêtait en bas de chez lui pour l'emmener dans une section banalisée de l'aéroport de Boston, puis il s'envola, calé dans le cuir et la ronce de noyer. Deux pilotes, une hôtesse de l'air et Dieu sait combien de litres de kérosène il fallait pour traverser le pays, tout ça pour que Mark Deveraux puisse être livré dans la journée à James Straw, le fondateur de SineCo, conglomérat de recherche numérique et de stockage de données.

Après quoi on le conduisit à un stade dans le centre-ville ; il longea des couloirs interminables qui finirent par déboucher dans la loge privée de Straw. Ce dernier remercia Mark d'être venu, comme si le Gulfstream V était un bus qui sillonnait la ville. Des assistants muets apportèrent du crabe, du cognac, des profiteroles, des cigares. L'équipe de basket de Straw, les Seattle Search, se faisait battre à plate couture par l'équipe adverse, la Oakland Tribe ; les supporters commencèrent à quitter le stade au milieu du quatrième quart, avec leurs mains géantes en mousse tristement pointées vers le bas. Straw ne s'expliqua qu'après le match. Il voulait que Mark adapte *La Motivation dans un monde injuste* pour en faire une sorte de philosophie managériale ; il voulait que les idées de Mark guident son entreprise. Il l'informa de ses ambitions : SineCo devait à l'avenir peser dix fois plus que son poids actuel, et son projet était de créer une plateforme mondiale intégrée de livraison d'informations et de services, qui devait à terme remplacer Internet et les ordinateurs personnels.

— C'est quoi Internet, après tout ? se demanda Straw à voix haute. Une télévision et un téléphone, voilà ce que c'est, au fond.

Il fit un petit geste du revers de la main pour montrer qu'il n'était pas du tout impressionné par Internet.

— Moi, je peux construire quelque chose qui changerait vraiment le monde.

Mark ne vit pas de lien immédiat entre son essai et le business plan de Straw. Le cigare lui tournait la tête. Mais on pouvait dire en tout cas que la *Motivation* contenait l'idée qu'il fallait partir de zéro. Et après deux heures et quelques verres de très vieux whisky, Mark finit par se dire qu'il ne serait peut-être pas si difficile de redonner forme à son essai pour qu'il soit moins abstrait, plus ancré dans le réel, pour aider les gens dans leur travail, dans leur vie privée, ou n'importe. Quoi qu'il en soit, Straw avait trouvé une mine de conseils utiles dans ce bouquin, et Straw était un changeur de monde potentiel.

— Réfléchissez-y, dit Straw tandis qu'ils foulaient la moquette des couloirs du stade.

Après quoi Mark rentra chez lui en voiture-jet privé-voiture, et lorsque la berline noire le déposa devant son immeuble défraîchi à Somerville, il aurait pu vous dire que quelque chose se préparait, qu'il entrevoyait un avenir radieux.

Et en effet, Straw le rappela trois jours plus tard.

— Je voudrais que vous rencontriez quelqu'un, beugla-t-il à l'autre bout du fil.

Mark rencontra donc Marjorie Blinc sur la banquette moelleuse d'un restaurant d'hôtel. Elle était canon pour une nana de quarante-quatre ans, et accompagnée d'une jeune et jolie assistante. Elle résuma la situation succinctement : en ce moment, il avait de l'or dans les mains ; il était en son pouvoir de transformer son essai en quelque chose de plus grand.

Mark fut flatté, mais il n'était pas bête.

— Vous voulez dire, en *votre* pouvoir, non ?

Puis il ajouta que ce qui était bien dans cet essai, c'était qu'il était fini.

— J'ai dit ce que j'avais à dire. Je n'ai rien d'autre à ajouter sur le sujet.

Il crut bien qu'elle allait se lever et partir direct. Mais elle s'adossa à la banquette et le toisa du regard.

— Je me suis peut-être trompée sur votre compte. D'après la *Motivation* et ce que James dit de vous, je vous avais pris pour quelqu'un d'ambitieux.

Mark ne comprenait qu'à présent, soit deux ans plus tard, qu'il s'était laissé manipuler trop facilement sur cette banquette en velours ; il avait suffi d'une bouteille à quatre-vingts dollars et d'une femme qui le traitait plus ou moins de poule mouillée.

— Oh, mais je le suis, avait-il répondu à Blinc, et c'est là que tout avait basculé.

— Alors pourquoi ne pas saisir l'occasion de laisser votre empreinte sur le monde ?

Une semaine plus tard, il avait signé l'épais contrat. Blinc lui signa un chèque dont le montant astronomique relégua ses années de travail au rang d'entraînement de *Karaté Kid*, un entraînement dont il n'avait pas saisi l'utilité jusqu'alors mais qui soudain s'avérait payant. Il s'était imaginé entrer dans la phase où son agent allait l'appeler quotidiennement pour savoir s'il avait une nouvelle version à lui soumettre.

Mais ça ne se passa pas du tout comme ça. En fait, une armée d'éditeurs et de correcteurs de Nautile s'empara de son travail pour le "façonner". Et n'exigèrent que de très maigres contributions de sa part.

Lorsque Mark reçut les épreuves à relire, il vit qu'ils en avaient fait la même matière standard que proposaient les spécialistes du développement personnel depuis toujours. Le livre disait que si vous vouliez changer, il suffisait de crier des ordres dans votre tronc cérébral. Il y avait ce concept ridicule de "conclucides", et celui de "raffermissement synaptique", qui était, à peu de choses près, une thérapie cognitivo-comportementale que l'on s'administrait soi-même. Il y avait de prétendues astuces inédites pour accéder à nos vastes réserves inexploitées de temps, de volonté et de concentration. On pouvait débusquer des heures cachées dans chaque journée, des secondes insoupçonnées dans chaque minute.

Très vite, il se rendit compte que *La Motivation dans un monde injuste* passerait du statut d'essai à celui de livre de poche grand public non sans subir quelques dommages ; du point de vue de la forme notamment, il ne serait plus une question, mais une réponse. Les gens ne paient pas pour des questions. Mais bon, il se dit que ça resterait entre lui et son sens de l'intégrité artistique. Le sens de l'intégrité, c'est une bonne chose, mais la sécurité financière aussi. Tout comme un loft de deux cent treize mètres carrés sur Water Street.

Il manifesta bien son désaccord lorsqu'il entendit qu'il était question d'intituler le livre *Manifestez-vous*, mais il n'eut d'autre choix que de fléchir. Ce n'est qu'en apprenant que le sous-titre avait été "suggéré" par James Straw – la chose devait désormais s'appeler *Manifestez-vous : en route vers un nouveau mode de fonctionnement* – que Mark découvrit que SineCo possédait... le Groupe Nautile.

En attendant, Blinc ne faisait pas le boulot à moitié ; à sa sortie, le bouquin se retrouva partout. Des revues de premier ordre publièrent des articles sur Mark qu'elle avait écrits elle-même. Il figura dans *Seventeen*, *Esquire* et l'*Observer* dans la même semaine, si bien que même si vous n'aviez pas l'intention d'acheter ou de lire son bouquin, vous étiez obligé de savoir qui il était. Après quoi, Blinc se servit de la notoriété de son nom pour obtenir encore plus de couverture médiatique, et ainsi de suite, six mois durant, jusqu'à ce que cela cesse, et que son point lumineux disparaisse des écrans radars.

Ce deuxième livre, c'était sa deuxième chance. Ou sa troisième, sa neuvième, sa millionième – qui pouvait dire combien de chances on lui avait données ?

Mais les élucubrations d'ivrogne qu'il avait lues sur son carnet au réveil n'allaient pas faire l'affaire.

Mark se sentit un peu moins miséreux lorsqu'il se leva des toilettes. Il prit une douche et se rasa. Il enchaîna une série d'abdos et de pompes – mais la moitié de d'habitude, sinon il aurait gerbé.

Il fallait qu'il se ressaisisse avant que cette gueule de bois ne lui bouffe toute sa journée. *Fais ce qui est juste – juste devant toi.* Une des formules qu'il utilisait aux ateliers d'optimisation qu'il animait pour cadres dirigeants.

Il était devenu conférencier de Nautile Media. Les vestiges de la célébrité que lui avait value son livre faisaient de lui le mec parfait pour ce genre de boulot. Dont il se tirait d'ailleurs très bien. Oui, il était doué. Il tenait peut-être ça de son père, qui avait eu la réputation de captiver, littéralement, les invités de fêtes d'anniversaire, petits et grands confondus, avec ses tours, son charme et ses sourcils. Blinc lui avait fourni un prof d'expression, un coach de prise de parole en public et un prof de chant pour placer sa voix. En quelques jours à peine il avait absorbé tout ce qu'ils avaient à lui enseigner. Il n'avait rien d'un PDG de boîte informatique à la retraite qui essaie de se faire un peu de fric en animant des congrès de républicains où on servait des plateaux-repas dégueulasses; non, lui, c'était Mark Deveraux, et il aimait avoir un public.

Mais dans ce ciel-là aussi son étoile semblait décliner. Blinc lui obtenait toujours des dates, mais dans des endroits de moins en moins prestigieux. Un an auparavant, c'était Abou Dhabi et Bâle; à présent il se tapait Cleveland et Leeds. Une fois, on l'avait payé trente-cinq mille dollars pour une conférence d'une heure. Maintenant il avait droit à cinq mille, parfois dix. Et il ne devait pas simplement parler, il fallait qu'il dirige des ateliers ou qu'il fasse partie d'un jury.

Mark avala son café bouillant d'un coup de glotte et se força à manger un peu de ce fameux muesli. Il devait se présenter au bureau de Straw à quatre heures. Il avait une bonne partie de la journée devant lui pour écrire. *Tu peux faire ça les yeux fermés,* se dit-il. *Il faut juste que tu sortes un truc bien léché sur l'Auto-investigation comme moyen d'Accroître son Pouvoir, sur ce Moi d'excellence qui se cache en chacun de nous, le héros d'airain de nos âmes, etc.*

Il s'assit. Il ouvrit son ordinateur.

Bien. Une vie engagée en dix étapes. Voyons voir.

UN : Arrêtez de picoler et de vous éparpiller comme ça, ça mène à rien.

Non. C'était un angle peut-être un peu trop personnel.

Le curseur clignotait comme un satellite.

Retentez votre chance demain lui manquait, ce livre qu'il voulait écrire, qu'il avait vraiment eu l'intention d'écrire. Dans celui-ci, il se mettrait à nu. Rien à voir avec le Mark Deveraux solitaire, vénal et creux qu'il s'était retrouvé à devoir vendre. Un imposteur. Dans la version "à nu", le lecteur découvrirait le Mark courageux, plein d'esprit et de sagesse, celui qui avait toujours su voir la vérité et la décrire mieux que les autres; celui qui avait pris les choses en main quand son père s'était fait la malle, qui avait aidé à la maison, vu clair dans le jeu fourbe du petit copain de sa mère et l'avait mis en fuite, au risque de se faire blesser.

Mais ce n'était pas franchement le genre de bouquin qu'il était tenu de remettre un mois et demi plus tard. *Retentez votre chance demain*, ça déborderait de partout, de folie, de sueur, de sang, de bruit. *Une vie engagée en dix étapes*, c'était un livre qui ferait semblant d'avoir pour sujet la prise de risque, la nécessité de l'échec et tout le reste, mais rien ne déborderait, tout serait bien carré sur la page et tous les doutes seraient balayés dès le début.

Étape nº 1, se força-t-il à taper, Prenez des risques sans craindre l'échec. Mais il se retrouva bloqué là, parce que la plupart des risques qu'il avait pris l'avaient mené dans l'impasse, et il était terrorisé par l'échec qui se dressait devant lui au moment même où il écrivait ces mots.

Et s'il écrivait les deux? La merde en dix étapes et *Retentez votre chance demain*? Ce dernier pour une publication ultérieure, ce serait un compagnon de travail plus sincère, un livre de l'ombre, une apostasie. Grâce à lui, il sauverait sa réputation, reprendrait la place que *La Motivation dans un monde injuste* lui avait brièvement permis d'occuper. Il dirait la vérité sur la vie : il faut arrêter de se prendre pour le capitaine doué d'un navire baptisé *Moi*, avec une barre, ou un gouvernail, ou une dérive, ou n'importe. Au contraire, il faut prendre conscience qu'on est une feuille portée par le vent. Il dirait aussi la vérité sur lui : il n'était qu'un toxico prétentieux, dépressif et égoïste, devenu par hasard un auteur de développement personnel au succès aussi colossal qu'éphémère. Rien que ça, c'était intéressant. Il lui suffisait d'être honnête.

Mais jusqu'à quel point ? Ça, c'était l'éternelle question. Déballer sa vie privée, c'est assez mal vu. Et un bouquin comme ça irait probablement à l'encontre des projets de Blinc. Elle, valait mieux pas la foutre en pétard, à moins d'être très sûr de son idée. Cela dit, s'il ralliait Straw à sa cause, il pouvait risquer une petite fâcherie avec Blinc.

Mais c'est pas vrai – je ne vois pas comment on peut écrire quand on est tendu comme ça. Il se leva et fit un tour de l'appart très chic, comme si cette petite promenade lui ferait du bien. SineCo mettait l'endroit à disposition des cadres pour de courtes périodes. Le mobilier était snob, stérile. Les livres sur les étagères étaient des faux, comme dans un décor de théâtre ; la nourriture de la cuisine livrée une fois par semaine. Ce qui était à lui ici tenait dans deux sacs. C'était une arrogance de toxico de faire semblant de ne pas savoir ce qu'il cherchait.

Mark aurait préféré de l'herbe plutôt que du shit. Mais il ne connaissait personne à Londres et il devait choper son matos dans des endroits encore plus glauques que ceux auxquels il était habitué, et il y avait moins de produits à la carte. Sur le granit noir du plan de travail de la cuisine, il se roula fastidieusement quelques joints. Il était dix heures du matin.

Sa situation globale était plus qu'inquiétante. Il n'y avait pas que le problème avec Blinc. S'il n'y avait que ça, il pourrait au moins se projeter dans l'après. Mais : était-il vraiment écrivain ? Il n'y avait pas si longtemps, il en était persuadé.

En tout cas, il avait l'impression d'en être un. Il s'habillait et se comportait d'une façon qui était, selon lui, celle d'un écrivain. Tout agité du bulbe qu'il était, il pouvait parfaitement transformer des idées abstraites en mots. Et il était disposé à dire tout haut ce que les autres trouvaient trop risqué, ou impoli. Donc, non, sa consommation de drogues n'avait rien d'un usage récréatif, elle était un moyen d'arriver à ses fins.

Cela dit, ces derniers temps, il avait quand même un problème : quand il éprouvait le besoin d'écrire, quand il était sur le point de saisir une idée, il se trouvait en fait qu'il avait juste envie de boire, de fumer ou de se défoncer la tête, tout seul.

Sa main tenait mollement son stylo, la machine à écrire ron-ronnait patiemment, le curseur clignotait d'un air accusateur, et il s'attaquait à l'alcool du minibar, du placard, ou il partait en quête d'un bar sombre dans une rue lumineuse.

Et quelque chose était en train de changer dans sa façon de boire. La parenthèse de lucidité, potentiellement produc-tive, se réduisait à quelques minutes, et la pente qui menait à l'épais brouillard inarticulé était de plus en plus raide. Un mois auparavant, il avait passé des coups de fil dont il ne conser-vait aucun souvenir. Ce fut – pour quarante-huit heures – une expérience dégrisante. Depuis ce soir-là, il avait dû mettre en place une série de règles qui limitaient son interaction avec les gens qu'il connaissait après dix-huit heures. Parce qu'à cette heure-ci, il était presque à coup sûr défoncé, bourré, et prêt à dériver seul dans un océan de souvenirs et d'impressions, avec l'espoir de regagner le rivage fort d'idées exploitables. Mais le menu fretin qu'il trouvait au petit matin au fond de son canot était bon à jeter.

Ça lui était égal d'être l'alcoolo qui a des soucis, qui perd ses clés. Mais ces histoires de trou noir à la con – vous pre-nez congé de vous-même et c'est une sorte de double malé-fique qui prend les commandes, puis la soirée vous revient par bribes hachées le lendemain, et vous êtes tiraillé entre le désir de savoir exactement ce que vous avez fait et celui d'ignorer la totalité de ce qui s'est passé – ça, ça ne lui était pas du tout égal. À présent qu'il était une personnalité certes secondaire mais reconnaissable, les dégâts que pourraient faire les frasques d'un alcoolique à sa carrière... il en avait des sueurs froides rien que d'y penser.

Alors il essayait de faire taire ce double en se haïssant féroce-ment pendant des jours après ce genre d'épisodes. Et ça mar-chait. Ça faisait un petit moment qu'il ne s'était pas absenté de lui-même. S'il sentait que les choses étaient sur le point de mal tourner, il scotchait une feuille à l'intérieur de sa porte d'entrée et y écrivait au marqueur : *Surtout pas*. Et donc il avait réussi à oublier son double maléfique, ou du moins à l'envi-sager comme un bourreau d'une lointaine époque, la petite brute qui tyrannisait toute l'école élémentaire. Lorsqu'un acteur milliardaire fut filmé par téléphone à son insu, en train de débiter des injures raciales, Mark se joignit allègrement au chœur des condamnations, mais au plus profond de lui, il eut de la peine pour le pauvre bougre.

Mais à vrai dire, il existait bien des recoupements dans le comportement de l'artiste productif et celui du toxico conscient de son état. Ce qui était problématique. Ou tout du moins, ça ne l'embrouillait que davantage : était-il un véritable écrivain ou un toxico extraordinairement chanceux doublé d'un alcoolo ? Beaucoup de choses dépendaient de cette réponse.

Il sortit de l'appartement pour fumer, ordi portable sous le bras. Une bonne idée. Comment pouvait-on travailler dans cet endroit bizarre et silencieux ? Il faisait un temps splendide, il y avait des gens dans tous les sens.

Le joint l'aida à se remettre sur les rails. Bien qu'avec le shit, la montée ait un côté sirupeux qu'il n'aimait pas trop, une sorte d'épaississement sclérosant, comme si dix idées se baladaient joyeusement et qu'il fallait tout à coup qu'elles passent par une toute petite porte. Il faillit se faire renverser par un de ces taxis noirs qui déboulaient de nulle part comme des walkyries, et du mauvais côté en plus. Là, son cœur battait pour de bon.

Mark adorait Londres. Depuis deux mois qu'il était là – à écrire, ne pas y arriver, boire seul et s'occuper presque quotidiennement des besoins et de l'ego de Straw, son mécène – il avait quadrillé le quartier. Il aimait partir pour de longs périples entachés de bière, aussi oisif qu'un sans-abri. Mais aujourd'hui, il allait rester concentré : se dégoter un autre café, peut-être un muffin, puis un endroit tranquille pour écrire.

Il se retrouva devant une sorte de musée du jouet près de Bethnal Green. Intrigant. Ce n'était pas franchement calme, mais il y avait un café.

Il commença par soigner sa gueule de bois avec une réintoxication douce et méthodique – une série de cafés amers entrecoupés de clopes fumées dehors, puis un autre joint. Au bout d'un moment, il se sentit à même de commander un sandwich poulet crudités et deux trois minibouteilles de vin blanc. Et il écrivait. À mesure que son humeur s'améliorait, un moyen d'écrire le livre que Blinc voulait se dessina. La vie était certainement régie par des règles. Enfin, probablement. Et il n'y avait rien de mal à essayer de les deviner.

Tous les cinq cents mots, il partait en promenade, ici une collection de yoyos en bois, là des vitrines de théâtres de papier, apparemment en vogue au XIXe siècle. Puis il écrivait cinq cents mots et retournait voir un objet qui avait attiré son œil, comme ce jeu de plateau de l'époque victorienne appelé la Vertu récompensée et le Vice puni.

Souvenez-vous de votre vie quand vous étiez enfant, tel était son point de départ, et très vite il avait pondu un millier de mots. Non que les enfants soient des êtres innocents (il venait juste de voir un gamin trouver le point de bascule de la poussette de sa petite sœur), mais ils avaient de la vie une approche scientifique. Ils analysaient les données et en tiraient des conclusions; ils démarraient de rien du tout. *Passé un certain point dans nos vies, on oublie d'agir comme ça*, pensait Mark. Donc, d'une certaine façon, grandir, c'était le contraire de la perte de l'innocence.

Il songea aux objets qu'il avait adorés étant gamin. Il y avait un jouet qui s'appelait Elastic Man, une figurine en caoutchouc souple vêtue d'un slip de bain; on pouvait l'étirer dans tous les sens et il finissait par reprendre sa forme initiale. Mais l'élasticité avait ses limites, et Mark les avait franchies à l'aide du fil à linge et de deux parpaings. Quelle déception. Il découvrit néanmoins que Elastic Man était rempli d'une sorte de gel verdâtre comme on pouvait imaginer en voir dans un accident de laboratoire.

Qu'est-ce qu'il avait aimé, à part ça? Son chien, sa mère, et une poupée du nom de Sasha. Mark avait adoré Sasha, avec une passion que les petits garçons ne sont pas censés avoir pour les poupées. Ça avait peut-être à voir avec la petite sœur qui était mort-née quelques mois avant le départ de son père. Quand on lui demandait s'il était fils unique, il disait oui, mais parfois il pensait que non.

Par contre, il était bel et bien devenu un adulte unique, si on peut dire. Où étaient passés ses amis? Il en avait pourtant eu. À la fac et quelques années après – des gens qui n'auraient pas hésité à débarquer en pleine nuit, chez qui il n'aurait pas hésité non plus à débarquer, il l'avait d'ailleurs fait. Mais dans le musée, assis là avec une série de chouettes cartes postales de la boutique, il se rendit compte qu'il avait plus de cartes que d'amis à qui les envoyer. Et il ne voyait pas où ça avait coincé. Certes, il avait jeté quelques filles, à chaque fois près du moment où il faut soit s'engager soit se tirer. Mais en fin de compte, c'était par respect pour elles.

— Tu ne penses quand même pas que tu gagnes au change à être tout seul ? lui avait demandé sa petite amie une fois.

Il avait mis trop de temps à répondre, et elle s'était changée en glace.

Mais n'est-on pas censé apprendre à s'occuper de soi-même ? C'était bien l'exemple que lui avait donné sa mère, non ?

Et Leo Crane. Qu'est-ce qui s'était passé, avec lui ?

Ils s'étaient rencontrés dans Harvard Yard, par une journée venteuse d'automne à la fin du dernier millénaire, et se lièrent naturellement d'amitié. Mark adorait Harvard, mais il avait eu du mal à se retrouver entouré de gosses de riches, tous ces princes issus de lycées privés qui étaient allés chez l'orthodontiste en taxi ou qui se prenaient pour Keith Richards parce qu'un portier pouvait leur avoir de la coke. Leo aurait pu être comme ça, mais non. Ils firent leurs études ensemble – insouciants, perplexes mais déterminés. Leo avait besoin de quelqu'un qui pouvait parler vite et ne se déballonnerait pas face à lui ; Mark avait besoin d'un peu de contrainte.

Leo, qui avait droit à une profusion d'amour et d'argent, mais aussi à de grands espoirs nourris par sa famille à son égard, était jaloux de l'enfance plus bohème de Mark. Mark, lui, adorait les Crane pour leur érudition, et l'enfilade de chambres d'amis à disposition dans leur manoir lugubre de Riverside Drive. Les Crane espéraient sûrement que le charisme de Mark déteindrait sur Leo, qui avait pour habitude de rester en retrait.

Est-ce que Mark avait jamais profité de Leo ? Il ne le pensait pas. Il lui arriva de lui emprunter de l'argent, mais il lui avait presque tout remboursé. Et de toute façon, quiconque les connaissait à l'époque vous aurait dit que Mark remontait le moral de Leo bien plus qu'il n'est coutume de le voir entre deux hétéros. Comme au moment où les parents de Leo avaient péri dans l'incendie, avec les lévriers. Ou la fois où, confrontées à l'évidence que la librairie de Leo était vouée à l'échec, les sœurs de Leo avaient appelé Mark pour lui demander d'aller trouver leur frère et le persuader d'arrêter.

Mais à la trentaine, Mark et Leo s'étaient éloignés l'un de l'autre. Plus du fait de Mark – il avait cessé de faire des efforts, laissé l'entropie et la fuite jouer leur rôle. Il s'en voulait un peu. Mais il trouvait que les petits problèmes psy de Leo, qui avaient fait de lui un étudiant cool malgré son côté sombre et un mec avant-gardiste jusqu'à environ vingt-cinq ans, l'avaient rendu insupportable passé la moitié de la trentaine. On avait tous les droits d'être maniaco-dépressif, mais si on était par ailleurs très riche, il fallait peut-être prendre un peu sur soi, envisager les choses comme une sorte de compensation karmique ; bref y a un âge où il faut arrêter de se plaindre tout le temps.

Bon, c'est sûr, il y avait ce personnage qui ressemblait beaucoup à Leo dans *Manifestez-vous*, ce que ce dernier avait dû mal prendre. Mark avait voulu le retirer, mais les éditeurs avaient adoré ce chapitre, et Mark avait fini par en faire une figure essentielle du bouquin. Il n'avait eu d'autre choix que de laisser tomber Leo au moment où le livre avait explosé. Il rejetait ses appels, n'ouvrait même pas ses mails.

Même si, d'une certaine manière, il l'avait retrouvé.

Lors d'une conférence de management innovant à Phoenix six mois plus tôt, Mark était tombé sur un ancien copain de fac qui lui avait demandé "T'as vu le blog de Leo Crane ?" sur un ton qui sous-entendait *Mec, faut absolument que tu jettes un œil au blog de Leo Crane*. En se connectant au blog, Mark comprit pourquoi. Ça s'appelait *J'ai partagé un document avec vous*, et c'était comme regarder un vase tomber d'une étagère. Par endroits, la prose de Leo avait ce mélange de folie et de vérité, qu'on retrouve par exemple dans les lettres qu'écrivent les gens quand ils viennent de se faire larguer. Mais le reste était tout simplement gênant. Mark commença à lui piquer des trucs qu'il aimait pour ses séminaires d'innovation radicale. Pour lui, ça n'était pas ce qu'on pouvait appeler du plagiat. Leo ne signait même pas ses articles, et puis, les idées de ses billets étaient pour ainsi dire dans le domaine public. Mark se contentait de reprendre quelques expressions, comme *peurs et désirs*. Leo déblatérait tout le temps sur les peurs et les désirs dans son blog de cinglé.

Dans le café du musée du jouet, Mark passa dix vaines minutes à essayer d'écrire une carte postale à Leo. Son stylo flottait au-dessus du rectangle blanc. Quoi dire ?

Tu adorerais ce musée, se lança-t-il. Mais là n'était pas la question.

Excuse-moi de t'avoir mis dans mon bouquin débile ? J'ai aussi piqué des trucs dans ton blog pour mes séminaires ? Qui ne sont que du foutage de gueule, je tiens à le préciser ? Tu me manques ? T'as pété les plombs récemment, non ? Y a une époque où toi et moi on était les rois du monde ? Je me sens seul ? J'ai des ennuis ? Je suis paumé, comme toi, mais c'est un peu différent ?

Non. Il était trop tard pour tout ça. Il lui semblait que toute la vie se résumait à ça : soit on avait tout le temps, soit il était trop tard. Il déchira la carte.

Il passa une heure supplémentaire à bidouiller des paragraphes, mais il avait perdu le fil. Et puis, qui se souciait de ses souvenirs d'enfance ? Un jour, un prof du lycée lui avait dit que si on n'arrivait pas à formuler clairement ce qu'on voulait dire, c'est qu'on ne le pensait pas vraiment. C'était le dernier véritable enseignement dont il avait profité dans une salle de classe.

Il était temps que Mark rejoigne Straw. Il rentra à l'appart se rafraîchir. Il essayait toujours de sortir le grand jeu lors de ces séances avec Straw. Non que Straw semble le remarquer. Et peut-être que "grand jeu" n'était pas tout à fait exact. Ce qu'il lui sortait en fait, c'était un gros mensonge bien enrobé et flatteur.

Mark était le coach de vie de Straw depuis un an à présent. L'arrangement lui convenait : il lui suffisait de trouver ses divagations captivantes, de faire semblant d'y voir un sens puissant, puis d'énoncer une sorte de prêchi-prêcha pas trop limpide mais pas trop obscur non plus qui confirmait ce que Straw pensait déjà. Straw voyait dans ces séances une véritable thérapie qui lui permettait de s'épancher sur le stress que générait chez lui son immense fortune. De toute évidence, Mark s'était vu proposer ce congé sabbatique à Londres parce que Straw, qui devait y passer quelques mois, voulait l'avoir sous la main.

Il se tramait quelque chose en plus de ce coaching. Il arrivait qu'après une séance, Straw emmène Mark déjeuner ou dîner dans un club privé ou dans sa grande maison bourgeoise de Mayfair. Ils traversaient Londres à bord d'une Bentley blindée, escortés de motards. La semaine précédente, après une séance et un déjeuner bien arrosé, Straw avait emmené Mark chez un chemisier de Jermyn Street, où il lui avait commandé douze chemises allant du blanc au crème, avec poignets mousquetaires et col à œillets, et acheté aussi ces petites tiges en métal qui passaient dans les œillets et derrière la cravate pour relier les deux pointes de col.

Rafraîchi et ragaillardi par une ligne de Ritalin réduite en poudre, Mark quitta de nouveau l'appartement. Il aimait bien traverser Londres en métro. S'il était de bonne humeur, il se sentait transporté par la marée humaine, et se coulait volontiers dans l'anonymat ; c'était l'application dans la vraie vie de sa théorie sur la feuille portée par le vent, et il se sentait connecté à tous ces passagers cramponnés aux poignées – l'adolescente qui transgressait les codes pour rendre son uniforme plus sexy, l'Indien débonnaire qui hochait la tête en rythme sur des paroles en hindi que Mark entendait à peine.

Mais malgré la pêche que lui filait la Ritalin, Mark était amer. Forcé de contourner les touristes méprisables qui se battaient avec la machine à tickets dans la station de métro, il éprouva une haine profonde à leur égard et les aurait personnellement envoyés au goulag pour avoir mis leur gros cul en travers de son chemin. Il n'était pas une feuille portée par le vent, mais une pierre qui coulait à pic dans un bassin d'eau noire, et il n'y avait aucun espoir pour l'humanité, parce que tout le monde ne pense qu'à sa gueule et on ne peut rien y faire.

— Vous aviez raison à propos des Chiliens, au fait, dit Straw une fois que chacun eut pris sa position habituelle – Straw allongé sur un divan et Mark sur une chaise Eames, les yeux perdus dans le lointain – Je n'aurais pas dû faire affaire avec ces gens. Un peuple peu recommandable, vraiment.

Ils étaient dans son bureau, une pièce immense avec double hauteur sous plafond, dans un coin nébuleux de l'immeuble SineCo sur Canary Wharf.

Mark ne se rappelait absolument pas avoir émis un quelconque avis sur des Chiliens ou sur un contrat avec eux, il ignorait de quoi parlait Straw. Ça arrivait toujours avec ce mec. Dans ce genre de situation, on dispose d'une trentaine de secondes pour dire à quelqu'un *Je ne vois pas du tout de quoi vous parlez*, après quoi votre silence signifie que vous faites semblant de comprendre. Mark fit semblant.

Par chance, James Straw n'envisageait même pas qu'une personne à qui il parlait puisse ne pas suivre son cheminement autocentré, alors il ne demandait jamais de confirmation. Il avait des assistants dont le boulot était de débriefer et rebriefer si nécessaire tout participant qui sortait d'une réunion avec lui afin de s'assurer que le pauvre imbécile avait bien compris ce qu'on attendait de lui. Mais la relation qu'il entretenait avec Mark était différente. Son écoute et ses conseils le soulageaient de la pression qu'il subissait au quotidien (personne ne le comprenait, pour faire court). Mark sentait bien que certains de ces assistants lui en voulaient d'être passé devant tout le monde, en particulier ce Suisse délicat du nom de Nils. Il fallait que Mark se méfie de ces types. Pour l'instant ça marchait parce que ses séances avec Straw étaient privées ; personne n'était là pour voir que la technique de Mark consistait tout simplement à brosser Straw dans le sens du poil. Straw passait des heures à se plaindre de l'incompétence de ses subalternes, de la fourberie de ses concurrents, de l'avidité de ses frères et sœurs, des autorités réglementaires "communistes"… Mark écoutait, acquiesçait, et intervenait de temps en temps : "Avez-vous songé à l'éventualité que ces gens agissent par jalousie, ou que votre vision à long terme leur fasse cruellement défaut ?"

Le tout était de faire écho aux idées et aux expressions de Straw au bon moment – *la vision à long terme*, par exemple, revenait régulièrement. En fait, même s'il était son coach de vie depuis un an, il n'avait qu'une très vague idée de ce qu'était une journée de travail pour Straw, et de la raison pour laquelle SineCo engrangeait des millions. Des consortiums achetaient des sociétés, ou monopolisaient un marché, ou encore fusionnaient. Mark avait saisi que Straw était une sorte d'objectiviste, bien que ce dernier n'ait jamais entendu parler d'Ayn Rand (il ne lisait que des romans d'aventures maritimes et des essais sur la gestion des marchés de masse), et au fil du temps, Mark se surprit à hocher la tête et à dispenser ses *Je vois* avec la conviction grandissante qu'il fallait gouverner le monde avec une approche commerciale et capitaliste.

Cela dit, depuis qu'ils étaient à Londres, Straw en disait davantage sur la nature de son empire. Ces derniers temps, il ne parlait que de la nouvelle branche de SineCo qu'il appelait Vision Globale. Mark supposait qu'il s'agissait principalement d'un département de communication qui allait pondre du bla-bla sur la vision globale de l'entreprise, comme quoi le choix devait être un droit, le savoir un investissement, l'accès aux connaissances facilité, etc. À peu près ce que Mark avait fait pour l'entreprise de biogénétique de Cambridge : écrire des articles très abstraits sur l'importance de l'innovation.

Mais lorsque Straw en dévoila davantage, Mark se demanda pourquoi il recrutait son personnel chez la crème des génies du numérique. Il débauchait les princes du code des meilleurs départements d'informatique, des bidonvilles d'Asie du Sud, des compagnies de logiciels de facturation, des plateformes de téléchargement de musique. Il évoqua le chiffre de trois cents recrutements en un mois. Ce n'était donc pas un bureau de communication. Mark était curieux.

Aujourd'hui, Straw était très enthousiaste au sujet de Vision Globale. Mais il avait l'impression que Straw l'appelait désormais Nouvelle Alexandrie. Il décrivait une sorte de royaume digne de Tolkien où le savoir serait stocké et protégé. Il disait que ce qui était important, c'était de réunir toutes les informations dans un seul et unique endroit, et alors tous ceux qui auraient accès à ces informations pourraient prendre les meilleures décisions qui soient.

— Imaginez un peu, Mark, dit Straw depuis son divan. Tous les autres modes opératoires, rendus confus par des marchés imparfaits, ou retardés par les bureaucrates, deviendront obsolètes. D'un seul coup! Et il ne restera que la Nouvelle Alexandrie. Le monde ne sera plus jamais le même.

Mark avait laissé filer depuis longtemps le moment où il aurait pu dire, *Pardon monsieur mais c'est quoi là votre délire, au juste?* Certes, on pouvait toujours faire semblant de comprendre, mais, même pour Mark, il y avait des limites. C'était quoi, les autres modes opératoires? Comment les marchés les rendaient confus? Comment les bureaucrates les retardaient? Par *bureaucrates*, Straw entendait généralement le service public, du président au facteur.

— Ça m'a tout l'air extraordinaire, James, dit Mark. Mais pour être honnête, je ne suis pas certain de vous comprendre. Il faudrait que vous reveniez un tout petit peu en amont. Si vous le voulez bien.

James effectua un retourné acrobatique sur le divan pour lui faire face. Il était en forme pour un homme de son âge, mais il avait vraiment fait ça avec une souplesse de jeune homme. Mark n'en revenait pas.

— Non. Évidemment que vous ne comprenez pas. Il est trop tôt. Excusez-moi, Mark. Il y a des aspects de ce projet que j'ai dû cacher, même à vous. J'ai des partenaires, de grands hommes. Visionnaires, audacieux, comme vous et moi. Mais il y a des règles, des procédures.

Il brandit une main devant son visage en haussant une épaule, comme pour se rendre à cette étrange évidence : oui, même James Straw devait se plier aux règles et aux procédures.

— Je vais vous dire, reprit-il. Rejoignez-moi à bord du *Sine Wave* la semaine prochaine, d'accord? D'ici là, je me serai occupé des autorisations nécessaires. Vous êtes disponible?

Le *Sine Wave*. Le yacht de Straw. Enfin. Est-ce que Mark était censé dire qu'il devait vérifier son emploi du temps? Faire semblant d'être pris par d'autres projets professionnels et intellectuels avait toujours été une composante de sa relation à Straw. Mais là, c'était différent; il montait en grade.

— Avec grand plaisir, James.

— Parfait.

Straw se leva et traversa le bureau pour défoncer l'interphone.

— Gertrude. Mark me rejoindra en mer la semaine prochaine. Faites le nécessaire. Disons, pour mardi.

— Mardi, vous êtes à la conférence Bilderberg, monsieur.

— Merde. Combien de temps ?

— Deux jours, monsieur. À Aberdeen. Votre transfert est prévu jeudi à…

— Oui, oui, d'accord. Arrangez-vous pour que Mark arrive vendredi.

— Très bien, monsieur.

Mark sortit de l'immeuble SineCo avec des ressorts sous les semelles. L'invitation à bord du yacht pouvait changer la donne. Straw la repoussait mesquinement depuis un an. Lorsqu'il parlait de *la traversée jusqu'à Majorque*, ou qu'il disait *Il faut que je vous embarque un de ces jours*, Mark tendait l'oreille, mais alors aucun assistant n'était convoqué, alchimie nécessaire à l'exaucement de tous les vœux de Straw. Mark était tout excité rien qu'à l'idée de rejoindre le tout petit nombre de personnes à avoir mis le pied à bord du méga-yacht. Il avait lu un article sur le *Sine Wave* dans le *Wall Street Journal*. Straw n'était pas du genre à permettre qu'on photographie son yacht ou qu'on le mette en vedette, alors les seules illustrations de l'article étaient des photos prises au téléobjectif. Enfin quand même, on y lisait que le vaisseau comptait dix ponts et deux héliports, un court de tennis, un dispositif antipirates, et un équipage italien tout de blanc vêtu. Ainsi qu'un practice de golf, un herbier et un bloc chirurgical.

Mais quelques heures plus tard, les ressorts avaient disparu. Ce fut une soirée en pente raide.

Il rentra à pied et dîna dans un restaurant bien snob et puant de Canary Wharf. Il adorait ce genre d'endroits. Les restaus qui se la pétaient, à notes de frais, avec leurs ardoises à menus, leurs petits pains emmaillotés dans des serviettes repassées, avec portions de beurre individuelles dans des soucoupes. Il aimait ces endroits tendance, pseudo grande cuisine, le mobilier carré, les serveuses mécaniques coiffées à la garçonne, les miroirs fêlés du décor. Charmeur, il aimait faire étalage de ses questions éclairées, de ses décisions sur le vif, de son bonheur, lui qui pouvait dépenser cent livres pour un dîner en solo. À manger seul dans un restau hors de prix avec un magazine ou un bouquin, il se figurait qu'on le prenait pour quelqu'un d'important et intrigant – un homme d'affaires en déplacement, un veuf dramatiquement jeune.

Mais ce soir-là, le cœur n'y était pas. Tout allait de travers. Arrivé trop tôt, il était quasi seul dans le restau chic, qui était un grill, ni plus ni moins, avec du laiton et de la moquette partout. Le personnel avait à peine fini sa mise en place ; il entendait une radio dans les cuisines et suspectait un seau d'eau de Javel derrière le bar. Et il n'impressionnait absolument pas la jolie serveuse. Ça, c'était clair. Lorsqu'elle aperçut *Le Mensuel des super-yachts* que son carnet ne suffisait pas à cacher, elle leva les yeux au ciel avec un air agacé qui lui brisa le moral.

Non, non, ce n'est pas ce que vous croyez, voulut-il lui dire. *Je suis pas un loser qui bave derrière la vitrine. J'ai acheté ce magazine parce que la quatrième personne la plus riche au monde m'a invité à bord de son yacht. Et ils étaient en rupture de Mégayachts. Les yachts de ce magazine sont plus petits que celui sur lequel je vais aller vendredi prochain.*

Mais la personne sensée qu'il était gueula sur l'imbécile qu'il était aussi – et qui voulait que la serveuse sache qu'il côtoyait des gens puissants. *Tu veux pas plutôt lui dire que la seule raison pour laquelle tu côtoies des gens puissants, c'est que quelqu'un a mal interprété le seul truc valable que tu aies écrit de toute ta vie, et que t'es empêtré dans un mensonge qui va te faire couler à pic ou te bouffer tout cru ?*

Et comme un enfant qui court se réfugier dans sa chambre pour échapper à l'engueulade de ses parents, le vrai Mark, qui n'était ni sensé ni imbécile mais un mélange des deux, commanda une bouteille de rioja à cinquante livres et un steak saignant. Il fallait à tout prix qu'il bosse sur son manuscrit pour Blinc. Il essaya de jeter deux ou trois mots dans son carnet, ou au moins de faire croire qu'il écrivait. Mais il savait de quoi il avait l'air : d'un mec qui boit vite, seul, en tout début de soirée.

Il partit à la fin de sa bouteille et erra en direction de l'ouest, pour finir dans Brick Lane. La soirée était bien entamée et les rues grouillantes de vie. Il trouva un pub bondé et s'enfila des pintes au bar. Il se rendit compte qu'il ressassait ce que Straw avait dit avant de l'inviter sur son yacht. Est-ce que Straw lui cachait quelque chose ? C'était bizarre. Mark savait bien qu'il y avait tout un tas de choses qu'il ignorait, et autant de situations dans lesquelles il avait besoin d'aide. Celle du bouquin à rendre à Blinc, par exemple, lui avait totalement échappé. Mais avec Straw, il pensait en général savoir mieux que le milliardaire où ils en étaient de leur relation. Et il n'en était plus aussi sûr.

D'un seul coup ! avait dit Straw en fendant l'air du tranchant de la main. Qu'est-ce que ça pouvait bien vouloir dire ?

Dans une semaine, il serait fixé ; il saurait tout de Vision Globale ou de Nouvelle Alexandrie ou peu importe. Probablement un projet inutile et ruineux qui en disait long sur la mégalomanie du type. Même les pires idées de Straw bénéficiaient d'une équipe à temps complet. C'était un collectionneur d'art, un philanthrope, la nemesis professionnelle de plein de percepteurs des impôts à travers le monde. ("Je n'ai pas d'argent, Mark, avait-il dit un jour en séance. L'argent ne fait que transiter par moi.")

En sortant du pub, Mark ne se pensait pas aussi bourré et heurta deux types qui fumaient près de la porte. Son "Pardon" ne suffit pas à l'un des deux qui, après l'avoir toisé de haut en bas et s'être estimé hors de danger, lâcha : "Je vais te démonter la tête, espèce de tarlouze." Vu l'accent du type, et son sourire de travers, Mark mit quelques instants à comprendre. Le mec se pencha, et Mark vit sur son visage une cicatrice effrayante. Son pote fit mine de le retenir.

— Tu ferais mieux de bouger, là. Il a pas bu que de l'eau.

Alors Mark bougea, fissa. C'était sûrement leur petite routine de gros durs à la manque, mais n'empêche, Mark avait eu les jetons. Et comme souvent, honte de sa lâcheté. Dans ces moments-là, Wallace, un ami perdu de vue, lui manquait cruellement – un homo taillé comme un ours, né dans le Wyoming, diplômé de Harvard, qui en avait invité plus d'un à le sucer avec son accent de garçon de ferme, et prenait un grand plaisir à provoquer des bagarres dans les bars qu'il remportait toujours haut la main.

Comment ce mec savait que Mark serait facilement impressionné ? Est-ce que son aura de lâche le précédait ? Charme et artifices étaient ses seuls attributs, et ils n'étaient que de peu d'utilité en combat rapproché.

Il y avait de ça très longtemps, alors qu'il jouait aux petites voitures chez un copain, il avait entendu le père, chef d'équipe dans le bâtiment, dire du sien : *l'autre follasse.* La mère avait dit *Hank, voyons !,* sur un ton qui lui avait fait comprendre que le choix des mots n'était absolument pas fortuit. Jamais ça n'avait cessé de le tourmenter.

Il approchait du kebab et de son débit de boissons attenant, mais c'était déjà fermé. Alors il s'arrêta au pub aux portes noires comme des bottes cirées. Il n'avait pas assez bu pour dormir. Et c'était là qu'il avait rencontré le mec qui lui avait donné le numéro du type qui livrait de la came à vélo. Il prit une pinte au bar et envoya un texto à ce numéro en utilisant le code inscrit au dos de la carte. Sardines pour du cannabis. Hareng pour coke. Saumon pour sels d'héroïne. Mark n'avait pas besoin de hareng – la Ritalin était meilleure – et malgré son apparence de dur à cuire, il avait un peu peur du saumon. Il commanda des sardines. Vingt et un grammes. Parce que bon, ce bouquin n'allait pas s'écrire tout seul.

Rentrer à pied s'avéra plus compliqué qu'il ne l'aurait cru. Problèmes d'orientation. Un conseil qui aurait dû figurer dans *Une vie engagée en dix étapes* : Prenez bonne note du chemin qui mène du pub à votre maison. Il erra une heure, complètement paumé, sûrement dans un rayon de cinq cents mètres autour de sa destination. Il y avait Sheepshead Lane, Mince Pie Close, mais où était sa rue, bordel ? À un moment, il se retrouva dans ce qui ressemblait à une avenue romaine de garages automobiles : des boulonneuses pneumatiques gémissaient dans la nuit sans lune, des portes d'atelier en bois hautes de trois mètres laissaient filtrer la lumière des néons. Mark entendit un type gueuler dans une langue inconnue. Plus tard, il tomba sur une impasse, un canal au bout de la rue qu'il avait empruntée. Il se pencha pour voir ce qui flottait à la surface graisseuse de l'eau, à côté d'un bidon à essence.

Ah. Un pitbull tout ballonné, les yeux exorbités, la langue enflée et distendue.

Il aurait pu être pris de panique. À cause de cette bête infâme qui le fixait depuis un tourbillon de mousse jaunâtre, ou à l'idée de s'être pris les pieds dans son orgueil et son avidité. Mais non. Avec sang-froid, il revint au dernier endroit qui lui était familier, trancha une bonne fois pour toutes et quadrilla un secteur toujours plus restreint de rues et ruelles, jusqu'à ce qu'enfin, il tombe sur la sienne.

Toutes les étapes, de la première à la dixième, se résumaient à celle-ci : N'abandonnez jamais.

Dix secondes sur le seuil de l'appartement à chercher ses clés, puis une image très nette de son trousseau sur le comptoir du dernier pub.

Mais soudain, hosanna! Elles étaient bien là, dans la pochette secrète que son tailleur avait cousue dans sa veste. Dans le pan gauche inférieur de la doublure. Sept centimètres par dix, rabat horizontal.

Il déverrouilla, et referma à double tour derrière lui. Mais la lumière de l'escalier refusa de s'allumer. Il trouva son briquet et gravit les marches raides tel un égyptologue, à la lueur vacillante de son Bic, la main gauche tâtonnant sur les aspérités de la brique.

Il l'avait vue. Sa sœur mort-née. Sa mère la tenait dans ses bras, elle-même dans les bras du père de Mark. Son père l'avait assis sur une chaise en plastique dans le couloir en lui disant d'attendre là. Mais il avait entendu sa mère pleurer et l'amour l'avait emporté sur la peur. Il était entré dans la chambre. Dans son souvenir, son père portait un chapeau. Un feutre? Un Borsalino? Peu probable. Il lui arrivait d'en porter, mais quand même pas en pareille circonstance?

Le bébé était sec, mauve, immobile. Il était mort avant de naître. Son père était sur le point de le renvoyer de la chambre, mais sa mère avait dit, *Non, laisse-le.* Alors il était venu prendre la minuscule main dans la sienne, celle de sa mère enserrant les deux leurs. On lui avait demandé un jour s'il avait déjà vu un fantôme. Il avait dit que non, mais il aurait pu répondre le contraire.

AUX PINS TREMBLANTS

Après son entretien avec le docteur, Leo fut transféré de sa chambre individuelle à une autre plus spartiate, partagée, dans l'aile masculine de la clinique. On aurait dit une chambre dans un petit motel bas de gamme. Moquette taupe et stratifié.

La quarantaine, une barbiche, le colocataire de Leo ressemblait à un diable mélancolique et portait le nom improbable de James Dean. Il ne s'étendit absolument pas sur quelle commode était à qui, le fonctionnement de la douche ou ce genre de trucs. Le premier soir, Leo resta dans la chambre, et James garda ses distances. Leo sauta le dîner, par pure gêne – il n'était pas prêt à expliquer à quiconque ce qu'il fabriquait ici. James revint dans la chambre avec une barquette de riz au lait qu'il tendit à Leo comme s'il s'agissait d'un petit bouquet.

— Le riz au lait est pas mauvais ici.

À neuf heures et demie, lorsque la lecture ou l'écriture d'un journal était conseillée, James lut un livre de poche sur le stoïcisme. Depuis la couverture, le buste d'albâtre d'un barbu austère fixait Leo de ses yeux sans pupilles. À dix heures, le conseiller qui ressemblait à un oignon passa dans le couloir et tapa à chaque porte ou chaque chambranle. James ne bougea pas, alors Leo non plus ; personne ne fit un geste en direction de l'interrupteur ou de la porte.

— Couvre-feu ! lança l'Oignon en arpentant le couloir dans le sens inverse.

Il posa un pied pile sur la barre de seuil de leur chambre, comme un gros dur.

— Ouais, ça va. Rien qu'une minute, Gene, dit James. Je suis dans un paragraphe très intéressant.

L'Oignon prit la pose du mec agacé qui patiente tandis que James imitait à la perfection celui qui est fasciné par ce qu'il lit. Puis l'Oignon tendit la main vers l'interrupteur, mais James leva brusquement un index sans quitter sa page des yeux. Le geste arrêta celui de l'Oignon, après quoi il se rendit compte qu'il s'était interrompu, ce qui l'énerva, et *paf*, extinction des feux.

— Ce sont de fausses idoles, James, de fausses idoles, dit-il, et il ferma la porte avec un empressement qui signifiait que James avait de toute évidence remporté ce petit duel.

Leo se dit que le spectacle était en partie pour lui, et il en fut reconnaissant. Le seul été où on l'avait envoyé en colonie – à quatorze ans – il avait eu droit à un camarade de chambrée obèse, tyrannique et émotif qui jouait du cor d'harmonie et se masturbait sans cesse. Dans ce genre de situations, un bon coloc, c'était utile.

— Gene est très chrétien, dit James dans l'obscurité. Très facilement irritable, tu le découvriras à la longue.

Le clair de lune qui filtrait par la fenêtre éclairait le placage en pin et la moquette taupe. Leo remarqua l'étrange viscosité de la literie institutionnelle.

— Le bon docteur est chrétien lui aussi, je pense. Mais plus rusé, et plus difficile à enquiquiner.

Ce *Tu le découvriras à la longue* était le meilleur signe de bienvenue qu'il eût reçu depuis son arrivée. Les mots firent germer en lui l'idée qu'il allait peut-être rester.

Il était loin de trouver le sommeil. L'enchaînement des trente dernières heures, l'incertitude quant aux trente prochaines… au moins, c'était un tournant inattendu dans ce qu'il considérait à présent comme une existence mal menée et sans espoir. Il avait envie de rester un peu pour voir si se persuader du bien-fondé de cette désintox était une bonne idée ou un simple détour dans sa descente inexorable.

James dut sentir que Leo, bien que muet, était à des kilomètres de s'endormir. Il commença à parler, à raconter son histoire de sa belle voix de baryton. Une berceuse de désintox, une ballade country sans musique.

Il était avocat au pénal à Vancouver, dans l'État de Washington. Il s'était fait serrer pour conduite en état d'ivresse trois mois plus tôt. Les plaintes simultanées de son ex-femme, de son associé, de sa petite amie, de ses parents et du procureur de l'État l'avaient fait opter pour une admission aux Pins Tremblants – il n'avait de toute façon pas beaucoup de choix. Il avoua ses fautes aussitôt. Plus ou moins. Il avoua qu'il n'arrivait pas à s'empêcher de fumer du crack, qu'il perdait régulièrement sa voiture, que sa carrière juridique était en miettes. Et tout en réfutant tout ce que le mot pouvait avoir d'effrayant, il admit avoir techniquement, d'un point de vue légal, traqué sa petite amie. "Mais je l'aime, dit-il. J'aime tout ce qui est mauvais pour moi." Il concéda qu'on pouvait dire de sa femme que c'était une sainte d'avoir supporté le calvaire qu'il lui avait fait vivre. D'un autre côté, c'était aussi une harpie castratrice assoiffée de vengeance qui aurait pu flinguer l'ambiance de toute une fête foraine. Ces derniers temps, Caleb, leur fils de cinq ans, se la jouait antisocial et foutait le bordel dans tout le système scolaire de Vancouver.

L'associé, lui, était un enfoiré de manipulateur qui ne valait même pas la peine qu'on parle de lui. Sur ce point, James était catégorique. Ils possédaient une sorte de café des sports en bordure d'une voie rapide très passante. James en détenait cinquante-cinq pour cent.

— Ça s'appelle Aces. Un endroit assez glauque. Y a plein de silhouettes publicitaires en carton et des enseignes qui pendent partout. Mais bon, c'est dix mille balles que t'encaisses, facile, les bons soirs.

On avait interdit à James l'accès à son propre bar.

— Tout ce qu'il faudrait, c'est que j'aille y boire un verre tous les soirs, histoire de rappeler au personnel que j'existe. Ce connard les a tous retournés contre moi. J'aurais pu boire du Sprite. Enfin non, j'aurais pas pu. Mais bon, tu vois. Le juge était prêt à ne pas faire figurer le lieu de travail dans son verdict, et ce connard me fait interdire. Il présente un affidavit disant que le personnel pouvait se sentir compromis du simple fait de ma présence. Je vois même pas ce que ça veut dire. Je veux dire, si tu bosses dans cet endroit, t'es déjà assez mal barré comme ça, pour être honnête. Ce que je me demande, c'est lequel de mes ennemis a expliqué ce qu'était un affidavit à ce crétin. Si ça se trouve, il fait du plat à mon ex-femme. Tu y crois, toi ?

Leo décida sur-le-champ qu'il était du côté de James ; l'autre connard était vraiment pas fréquentable, Leo en avait fait son ennemi aussi. Dans le noir, calé contre son oreiller, il fit une grimace qui voulait dire tout ça à la fois.

— Bref. J'ai un peu de mal à accepter tout leur baratin sur le pardon, comme quoi ça serait une condition nécessaire pour rester sobre, ce qu'ils peuvent absolument pas démon-trer. En ce moment, je vois que deux raisons de rester en vie, clean ou pas : sortir mon fils de cette mauvaise passe, et faire une descente au Aces avec un fusil pour tirer dans la tronche de ce connard.

— Non. Fais pas ça, dit Leo, la voix enrouée à force de l'éco-nomiser. Tu te mettrais en danger, ça t'exposerait même au suicide. Ou en tout cas à la prison, pas vrai ? À moins que tu prennes la fuite après avoir tué le connard ? Non. Tu ne peux pas abandonner ton fils. Enfin, un jour, ça arrivera. Mais pas tout de suite, faut pas.

De peur de paraître un peu donneur de leçons, il voulut faire savoir à James qu'il savait de quoi il parlait.

— Je sais de quoi je parle. Je suis orphelin.

Il se demanda si le mot était justifié. C'était la première fois qu'il le lâchait, comme ça. Il avait vingt-deux ans, à l'époque : l'incendie, sa fuite, la non-fuite de ses parents.

Le silence se prolongea de quelques secondes dans la chambre bleutée, le temps que James enregistre l'info.

— Ouais, je sais. Je ne peux pas abandonner Caleb, dit-il, puis il soupira, en glissant dans son soupir un *Putain* plein d'une tristesse qui donna à l'injure éculée un véritable poids. Mon fils a peut-être un cerveau pire que le mien, mais il a meilleur cœur. Je devrais faire une croix sur l'autre connard et le laisser me voler ce bar de merde. La banqueroute, c'est le cadet de mes soucis en ce moment. Je sais ce que je suis censé faire. Mais j'arrête pas d'imaginer des moyens de faire souf-frir cet enfoiré, c'est plus fort que moi. J'ai voulu prendre ça comme Puissance Supérieure – mon désir de vengeance obsessionnel contre ce type.

— Et ils ont dit non, je parie?

— Ils ont dit non. Je crois que je vais prendre Zénon de Cition, pour qui la passion est le résultat d'une erreur de jugement. Ouais, une fois que je me serai débarrassé de cette obsession, les erreurs de jugement tomberont d'elles-mêmes.

Est-ce qu'il était ironique? Leo n'avait jamais trop su reconnaître l'ironie. Quoi qu'il en soit, il trouvait rassurant de découvrir le carambolage qu'était la vie de cet homme en ce moment. Comparé à celle de James, sa situation ne lui semblait pas si terrible que ça. D'accord, son équilibre mental était précaire, il n'avait pas de boulot, il était un bon à rien entretenu. D'accord, il avait une inclination pour l'alcool et une passion pour la beuh. Et d'accord, il avait un peu trop laissé libre cours à son imagination; il avait vu des motifs et du sens caché là où il n'y avait que le monde, routinier, terne et difficile pour tous les pauvres pécheurs. Il avait honte. Tellement honte. Mais la honte avait à voir avec l'humilité, non? Et l'humilité, à ce qu'on disait, était une bonne chose.

Le moral revenait un petit peu, là, dans le noir. Crack? Traque et harcèlement? Banqueroute? Finalement, il s'était arrêté bien avant le bord de la falaise.

Le lendemain matin, avant le petit-déjeuner, Leo suivit James jusqu'à une sorte de foyer au milieu de l'aile masculine. James lui expliqua que tous les matins, un homme différent menait une séance de méditation guidée. Ça figurait au répartisseur de tâches punaisé au mur : goûter, bibliothèque, cuisine, méditation, balayer le patio. Avec des noms à côté. Celui de Leo n'y était pas encore.

Les hommes prirent place par terre ou sur des chaises. "Seule contrainte, pas le droit de t'allonger", précisa James. Certains étaient à la limite de la triche, vautrés sur des coins de canapé comme pour une grosse sieste. La plupart avaient les yeux fermés. Un frimeur était en position du lotus. La méditation était menée par un type en mocassins et arborant une coupe de cheveux à la Farrah Fawcett. Il prenait son rôle très au sérieux, avec une voix grave d'animateur radio qui commença par décrire un chemin forestier le long d'un rivage paisible. "L'eau vient lécher le littoral vaseux, une brise matinale berce les branches des pins", dit-il. Mais son stock d'images relaxantes s'étant épuisé au bout de quelques minutes, il fit halte à l'écart des pins, au bord de l'eau, où ils tombèrent sur un hors-bord de pêche sportive, "un XB21 BasSport Pro 2+2 du fabricant Allison, avec chaise moteur hydraulique, GPS Garmin incrusté dans le tableau de bord, double batterie, pompe Livewell, consoles rabattables, tête d'attelage pivotante, éclairage LED, freins à disque, moyeux à bain d'huile, moteur auxiliaire Minn Kota pro 80 et double support de canne à pêche". Vaillamment, Leo essaya d'imaginer l'engin.

Après la méditation en hors-bord, Leo suivit James à la zone fumeurs, soit un cendrier sur pied installé comme la loi l'exigeait à dix mètres du bâtiment principal. À côté du cendrier se trouvait une colonne en béton d'un mètre quatre-vingts de haut dotée d'un cercle en métal crasseux près du sommet, dont la fonction demeurait pour Leo un mystère. Caméra de surveillance? Statue cyclopéenne?

James glissa une menthol slim très féminine dans sa bouche, puis passa une main derrière la colonne et appuya sur un bouton. En quelques secondes, le cercle en métal devint incandescent. James porta sa cigarette contre le rond orange vif.

C'était un briquet électrique, comme ceux qu'on trouvait sur les tableaux de bord de voiture. Bien sûr, les briquets au gaz étaient des articles de contrebande par ici. Et chapeau bas, c'était très dissuasif d'obliger les fumeurs à embrasser une colonne en béton avant de fourrer leur clope dans l'anus de feu qu'elle avait à la place de la tête. Quoique, James n'en perdit pas son flegme, et Leo l'en apprécia d'autant plus.

— Pardon. T'en veux une? proposa James en lui tendant son paquet ouvert.

— Non merci, répondit Leo.

La fumée qui s'élevait de sa clope avait l'air grasse.

— Les stoïciens, ils nous interdiraient sûrement de fumer. Ça existe peut-être, les cliniques stoïciennes. Si je choisis les stoïciens comme Puissance Supérieure, ils devraient m'y envoyer, non ?

— À propos, quelle portée ont leurs recommandations ? Déjà, est-ce que les gens peuvent s'en aller quand ils veulent ?

Leo commençait à échafauder un plan pour se tirer de là. Il faudrait d'abord rassurer ses sœurs, ainsi que le docteur Pot-à-Crayons. Mais il ne voulait pas tout faire foirer et risquer de se retrouver dans un endroit pire encore, un endroit avec des électrodes.

— Tu sais, il ne s'agit pas d'une institution fermée.

— Ouais, mais pourquoi ils arrêtent pas de dire ça ?

— Je crois que ça aide le business s'ils ont un fugueur de temps en temps. Ils restent en flux tendu. On a eu droit à une vraie star du rock ici la semaine dernière.

James évoqua un nom. Leo haussa les épaules pour dire qu'il n'en avait jamais entendu parler.

— Le batteur de Skinflute ? insista James, et Leo hocha la tête comme si ça voulait dire quelque chose. Il portait un pantalon en cuir. Une fille est venue un soir et l'a fait monter dans sa Jaguar. Je te laisse imaginer le nombre d'ateliers qu'on s'est tapé sur le sujet…

Un homme cria à l'intention de Leo depuis le patio.

— Hé le nouveau ? Tu fumes ?

— Seuls deux hommes sont autorisés en même temps dans la zone fumeurs, dit James à Leo, puis il cria au type : Leo et moi ne faisons que parler, Bob.

— La zone fumeurs, c'est pour fumer, les mecs, c'est tout ce que je dis, répliqua Bob.

— On dirait que tu nourris en toi-même une sorte de rancœur, Bob. Tu ferais mieux d'aller en parler dans ton journal, lança James avant d'adresser un clin d'œil à Leo, comme s'ils faisaient des blagues téléphoniques au supermarché du coin. Bah, y a des mecs ici qui sont plutôt sympas. On se marre, tu vois ?

Leo voyait. Même au bout de trente-six petites heures, tout le côté absurde de cet endroit l'amusait et le soulageait de la haine de soi et de la terreur incessante qui avaient rempli les semaines précédentes.

— C'est une "phantasia", dit James.

Leo ne comprit pas.

— L'impression que laissent les sensations, précisa James. – Il faisait beaucoup de gestes quand il fumait et parlait : il appuyait son coude dans sa paume, grattait sa barbichette, faisait rouler le bout de sa cigarette contre le bord du cendrier pour faire une braise bien arrondie. – Même Philippe, reprit-il, le mec avec le hors-bord. C'est un égocentrique, mais il est sympa. Je veux dire, au fond de lui.

Il se redressa, la brise tomba et le soleil réchauffa la terre. Il cita un stoïcien dans l'air matinal.

— Je ne puis recevoir aucun tort de ces hommes parce qu'aucun d'eux ne pourra me déshonorer ; je ne puis non plus m'irriter contre un frère ni m'éloigner de lui. Nous sommes nés pour l'action en commun.

Il frotta son mégot contre la petite grille métallique, se frotta les mains et dit à Leo :

— Allez viens, allons nous fabriquer des souvenirs.

En faisant la queue à la cafèt pour le petit-déjeuner, Leo fit la connaissance d'un borgne qui s'appelait Kenny ; il avait la vingtaine, était de petite taille, portait un jogging, et en avait clairement plus bavé que la plupart des autres patients. Dehors, il ramassait des chutes de métal sur des chantiers "non sécurisés" ; il respirait la vie à la dure et la débrouille, ce qui dénotait pas mal avec le cadre des Pins Tremblants, ses petites allées bien nettes qui serpentaient entre les pelouses au cordeau, sa farandole de jus de fruits au petit-déjeuner. Enfin, Kenny devait quand même avoir des parents riches pour avoir atterri ici.

— C'est quoi ta drogue de prédilection ? lui demanda Kenny. À moins que tu sois juste alcoolique ?

Leo se sentit pris au piège. Le vocabulaire présupposait qu'on était sur la même longueur d'ondes que les préceptes des Douze Étapes, et lui essayait de garder une certaine réserve sur la question. Il aurait pu dire, *J'en sais rien, j'ai pas tout essayé.* Ou, *C'est pas vraiment la drogue mon problème.* Mais Kenny aurait pu le trouver prétentieux. Il était sympa, il discutait en faisant la queue, rien de plus. Alors Leo répondit :

— La beuh, je pense.

Kenny acquiesça, un peu blasé, et dit que la sienne était la méthamphétamine. Il ajouta qu'il avait perdu son œil en sautant d'un train alors que des flics le coursaient. Leo, qui n'avait rien demandé et pensait prendre des œufs, se rabattit sur les céréales, qu'il fit couler d'une bonbonne en plastique en ouvrant une sorte de robinet.

Apparemment, les autres patients voulaient en savoir plus sur Leo et lui raconter leur histoire. À table, un jeune anesthésiste lui dit qu'il était aux Pins Tremblants pour ne pas perdre son droit d'exercer. Son hôpital avait découvert qu'il s'était posé un verrou d'héparine à la cheville pour pouvoir s'injecter des opiacés entre deux protocoles. De toute évidence, il considérait que son addiction était d'un ordre supérieur à celle des autres patients, avec leurs bouteilles de vodka planquées, leurs petits flacons de prétendues amphètes fabriquées dans des baignoires, et les médicaments contre les troubles de l'attention qu'ils volaient à leurs enfants.

Après avoir mangé, les hommes retournèrent dans leur aile ; certains à la zone fumeurs pour aspirer comme des brutes sur leurs cigarettes, d'autres dans leur chambre pour finir leurs devoirs ou faire une série d'abdos avant le groupe réduit du matin.

Leo prit une douche. Au fil des semaines précédentes, son hygiène avait laissé à désirer. S'améliorer sur ce point était un fruit accessible dans le verger des preuves de progrès. Et il aimait bien la douche de sa chambre. C'était une sorte de cabine en plastique blanc moulée d'une pièce, avec un gros distributeur de savon visqueux comme du liquide vaisselle dont Leo se badigeonna des pieds à la tête. Après quoi il se brossa les dents comme un forcené. Il se peigna. Se rasa comme dans les pubs de mousse à raser, près du miroir. Il y avait des mecs ici qui avaient la tremblote dès le petit-déjeuner. Les gestes de Leo étaient sûrs. *Je vais m'en sortir*, songea-t-il.

Mais James n'était pas dans le groupe réduit du matin de Leo, et le groupe réduit se retrouvait dans une pièce vraiment minuscule, et Leo sentit l'angoisse monter. Son conseiller s'appelait Keith. Keith était un homme élégant en jean noir corbeau. Il portait son badge à cordon dans la poche de poitrine de sa chemisette.

Si on devait se trimballer un badge au bout d'un cordon, c'était aux yeux de Leo la façon la plus classe de le porter. Ils commencèrent par l'appel : il fallait dire son nom et décrire son état en un mot. Il y avait apparemment une brouille au long cours entre Keith et Kenny, le voleur de métal en jogging, qui restait voûté sur sa chaise, l'air agité. Kenny utilisa *ras le cul* pour décrire son état.

— *Ras le cul*, ce n'est pas un mot, Kenny, dit Keith.

Ça va, c'est une expression, se dit Leo.

Et que je croise les jambes et que je baisse la tête.

— Mais c'est ce que je ressens.

— Est-ce que tu peux le dire d'une façon moins agressive ? demanda Keith.

Kenny passa en revue les mots de la liste agrafée au dos de son carnet. Il choisit *furieux*, l'air d'en avoir encore plus ras le cul.

Leo choisit le mot *perplexe*. Il lui trouvait un côté brut qu'il aimait bien.

Il espérait pouvoir commencer à convaincre les responsables qu'il n'avait rien à faire en désintox, à souligner, quoique poliment, les différences flagrantes qui existaient entre les autres hommes et lui. Pour lui, ses bitures étaient de l'ordre du symptôme, pas du syndrome. Certes, ça pouvait soulager de s'asseoir en rond et de parler de pères absents, des déceptions quotidiennes, de l'étrange colère qui montait et envahissait votre journée comme la marée submerge le sable. Mais franchement, personne n'en aurait rien à foutre. Un monde cruel les attendait au-dehors, et il lui semblait que ce qui avait cours surtout dans cette institution, c'était une tendance obstinée à voir leurs problèmes de manière simpliste. Il était un peu gêné pour ces types, prompts à envisager trente ans de rapports familiaux difficiles comme la preuve de leur maladie commune, à mettre tous leurs problèmes sur le compte de leur dépendance. *Ce n'est pas aussi simple*, avait-il envie de dire. Ils étaient même évasifs sur le sens du mot *dépendance*. En général, ils disaient que c'était une maladie, au même titre que le diabète, mais ça pouvait devenir plus abstrait, comme s'il s'agissait d'un ennemi sinistre et sournois, tel un spectre d'une gravure sur bois de Blake.

Mais impossible de trouver la moindre brèche pour dire tout ça.

— Tu es bien silencieux, Leo, dit Keith. Bob vient de dire que c'est très difficile de rester sobre alors qu'on est cerné par l'alcool. Qu'est-ce que tu en penses ?

Bob était le mec qui s'était énervé après Leo parce qu'il squattait la zone fumeurs sans fumer. Il était pilote pour une célèbre compagnie aérienne.

— Que Bob devrait sûrement partir pour La Mecque s'il veut arrêter de boire.

— Et toi ? dit Keith. Tu ne veux pas arrêter de boire, de te droguer ? Tu dois quand même bien voir que c'est ce qui t'a mené ici ?

Mais pour qui il se prenait lui, avec ses *Tu dois quand même bien voir* ?

— Écoutez, dit Leo sur un ton agressif, s'adressant uniquement à Keith, je ne vais pas le nier, j'aime bien fumer des joints, sûrement plus que la moyenne. Et tout cet alcool que je me suis enfilé, ouais, c'est dégueulasse. J'aurais pu boire du lave-vitres, pour le bien que ça m'a fait. Je me suis laissé dépasser. Alors oui, je devrais sûrement arrêter tout ça. Mais ce n'est pas tout à fait comme ça que j'ai atterri ici.

— Ah non ? Comment, alors ?

— Mes sœurs se faisaient du souci.

— Et ce n'est pas à cause de l'alcool et du cannabis qu'elles s'inquiétaient ?

— Je crois que c'est plutôt à cause de l'euphorie excessive, de l'absence de sommeil, les délires, la folie des grandeurs.

Keith plissa les yeux. *Super, un amoureux du vocabulaire*, put presque l'entendre dire Leo.

— Et si on parlait de ce qui est venu après tout ça ? L'alcool, la marijuana, les journées passées au lit ?

D'accord, d'accord, mais Leo trouvait que ça n'avait rien à voir. Enfin en tout cas que ça n'avait pas autant d'importance que ce qui avait précédé. Personne n'avait essayé d'intervenir quand il avait la tête pleine de lumière et de connexions. On lui avait dit de ne pas parler aussi vite, de ne pas se prendre autant au sérieux. Mais personne n'avait pu empêcher l'escalade. Les laisses s'étaient rompues une à une à chaque ruade de son égocentrisme galopant. Ils avaient attendu qu'il s'essouffle, qu'il décline. Et il pensait connaître leur motif : la jalousie.

À présent que tout ça était derrière lui, il voyait à quel point il avait pu être chiant avec ses délires visionnaires, et qu'il en avait trop dit. Et il voulait bien admettre que certaines de ses pensées étaient de la parano pure et simple. N'en demeurait pas moins qu'il avait flairé un truc, un truc réel. Et la perception des autres sur ce point ne devait pas entrer en ligne de compte. Ce que les autres voulaient, c'est qu'il laisse tomber tout ça et qu'il vise la sérénité. Et il trouvait ça très attrayant – le clapotis de l'eau sur le rivage, tout ça – mais il savait que jamais ça ne serait pour lui. Il fit une nouvelle tentative, s'adressant cette fois à tout le groupe.

— Je me rends bien compte que je ne suis pas au top. Parfois, j'ai l'impression d'avoir abouti à une sorte de vérité, vous voyez ? Et quand ce sentiment disparaît, quand il est remplacé par son exact contraire… là, je suis au plus mal. Tout devient tellement noir autour de moi que je n'y vois plus rien. Je suis une tasse de thé persuadée qu'elle va se briser ; mon esprit n'arrête pas de ressasser les mêmes données. Et du coup, c'est peut-être dans ces moments-là que je vais fumer un joint et boire, histoire d'échapper à tout ça. C'est sûrement pas une bonne idée. Mais la beuh et l'alcool, c'est pas la racine de mon problème, ni un trouble sous-jacent ou quels que soient les mots que vous utilisiez.

Keith attendit que quelqu'un réagisse, mais personne n'ouvrit la bouche.

— Wallace, dit Keith à un membre du groupe. Toi, tu t'es battu avec la dépression. Est-ce que tu peux nous dire ce que t'évoquent les mots de Leo ?

Wallace était un Noir trapu, vétérinaire à Tacoma, avec un regard doux et de grandes mains.

— Je sais pas trop, répondit-il. Cette histoire de tasse qui va se casser, ça ressemble pas trop à ce que j'ai eu.

172

— J'ai entendu dire que t'avais semé la zizanie en groupe réduit ce matin, dit James alors qu'ils s'allongeaient dans l'obscurité bleutée de la chambre.

— Ouais. Ça s'est pas franchement passé comme je l'espérais.

— Faut faire gaffe à ce que tu dis. Débite-leur ce qu'ils veulent entendre, sans en faire trop.

— Mais comment veux-tu que je leur dise ce qu'ils veulent entendre ? Je crois que je n'ai rien à faire ici, James.

— Et est-ce que ça ne pourrait pas tout simplement être du déni ?

De la part de James, la question ne le heurta pas.

— Peut-être. Mais je crois qu'il y a quelque chose de pire derrière tout ça.

— De pire ?

— Pire que de me soûler et de me défoncer, quoi.

— Genre, une espèce de folie ?

— Ouais. Enfin, c'est comme si j'avais été fou. Et maintenant, je voudrais le redevenir, parce que je me sentais mieux que maintenant. Mais je ne peux pas regagner cet état, parce que je vois à présent que c'était... que j'étais tout seul dans un monde à part. J'étais vraiment seul. Et être seul, c'est comme être mort.

— Mais fou... à quel point ? Donne-moi un exemple.

Convaincu que James était véritablement celui qu'il semblait être, Leo se mit à parler, à lui raconter toutes les choses qu'il ne pouvait pas dire au médecin (parce qu'il avait un côté louche, ce toubib), ni à ses sœurs (parce qu'elles l'aimaient, se feraient du souci, et ne pourraient s'empêcher d'imaginer qu'il était affecté d'une forme de schizophrénie à déclenchement tardif).

Il commença par les trouées de vérité. C'était la première fois qu'il essayait d'expliquer ce phénomène à quelqu'un. Il voyait bien que rien que l'expression faisait un peu taré. Mais quel autre nom leur donner ? Et ces huit ou dix premières années de sa vie au cours desquelles ses parents avaient nourri sa passion pour les dragons, les mondes engloutis, les animaux en gilet qui buvaient du thé et conduisaient des automobiles, lui avaient donné à lire Tolkien, Susan Cooper, les Frères Grimm, Madeleine L'Engle, C. S. Lewis ? Est-ce qu'un garçon est censé laisser son imagination au bord de la route quand il prend le bus pour l'âge adulte ?

Les trouées de vérité, donc : entre cinq et dix fois par jour, une zone du champ de vision de Leo (de la taille d'une montre de gousset tenue à bout de bras) se dilatait, avant d'être inondée de lumière et de sens. Leo y pénétrait, et en un clin d'œil un pont apparaissait, un câble ou un cordon, qui le reliait à une autre parcelle de connaissances ou d'informations. Et en fait, à vivre, ce n'était pas si bizarre que ça – ça faisait l'effet d'un outil de communication qui pourrait être tout ce qu'il y a de banal au XXIIe siècle. Les données distillées n'étaient pas absconses, ni livrées de manière autoritaire. Ça ne venait pas du futur ou autre stupidité de ce genre, et dans ces moments-là, Leo n'avait pas l'impression de comprendre le mayen, le martien, ou le kwakiutl. Mais il captait des informations *via* une bande très large.

— Je crois que je vois de quoi tu parles, dit James.

Il se rappela un jour d'été deux ans auparavant, lorsque le soleil s'était diffracté en rubans étincelants alors que les petits pieds de son fils laissaient leurs empreintes dans le sable mouillé de la plage de Manzanita.

— J'ai cru que mon cœur allait exploser. C'était l'amour. L'amour que je ressentais pour Caleb. Pur. La meilleure drogue au monde. C'est peut-être le genre d'informations privilégiées dont tu parles. Tout le monde devrait avoir le cœur au bord de l'explosion de temps en temps. Mais dix fois par jour, ça ressemble à une pathologie. Tu fumais peut-être trop de joints ?

— C'est certain. Ou alors je ne fume pas assez en ce moment.

— Et tu les vois toujours, tes trouées de vérité ?

— Non, ça fait un petit moment que c'est pas arrivé.

— Bon, alors franchement, ça fait pas si taré que ça.

— Attends, c'était que le début.

Et au début, c'était le bonheur ; il avait passé des mois dans la lumière, le sommeil était une coupe de fruits dans laquelle il picorait, le monde entier lui donnait des nouvelles qui, sans qu'il sache trop comment, se connectaient entre elles. Il n'arrêtait pas d'écrire. Des lettres, des manifestes. Des sonatines, des villanelles. Des nouvelles. Des mininouvelles. De minuscules pièces de théâtre. Des menus de banquets auxquels il aimerait participer. Des haïkus sur ses voisins. Des mots de remerciement adressés à des gens qui ne s'y attendaient pas. Des synopsis d'opéras. Une rubrique backgammon dans un journal, un manuel d'autodéfense, une monographie *(Reconnaître les faux humains au téléphone et déjouer leurs pièges)*. Des lettres à la rubrique Conseils d'un journal, au siège social de diverses entreprises, aux membres du Congrès qui le représentaient, à des quotidiens. Pour ses nièces new-yorkaises, *Les Mémoires du Señor Skrapits, l'écureuil du 7A*. À cette époque, la réverbération du soleil sur les casseroles accrochées au mur avait un sens ; la façon dont les vers de terre se tortillaient sur le trottoir après une averse avait un sens ; même les nouvelles de la presse avaient un sens. Tout signifiait qu'il y avait une direction commune aux événements humains. Et lui, il était en mesure de voir ce cours des choses. Il en parlait dans son blog.

Puis il raconta à James comment la paranoïa avait commencé à grignoter la beauté, pour l'engloutir totalement.

Il essayait de rester à l'écart des zones les plus stupides d'Internet, celles où des énergumènes voyaient des complots partout. Mais il était tenté, en permanence. Il suffisait qu'il lise un peu trop de choses sur les nanotechnologies pour se mettre à voir de minuscules machines autour de lui. Ou alors il apprenait qu'une énorme société privée était en train de fabriquer une prison mobile composée de containers, livrable et implantable en quelques jours, et, dans le même temps, que l'un des responsables de cette société était un haut gradé de la FEMA, l'agence fédérale des situations d'urgence. Le problème, c'est que quand on commence à avancer l'hypothèse qu'il pourrait y avoir des personnes malfaisantes à la FEMA, les gens se détournent de vous. Alors quand il relisait ses articles et y débusquait la moindre divagation farfelue, il l'effaçait avant de cliquer sur Publier.

Et puis ce fut la spirale descendante ; ses écrits n'eurent bientôt plus rien de pertinent et virèrent tellement au délire mégalomane qu'il devint évident pour la cinquantaine de lecteurs du blog que Leo était sous emprise, peut-être celle de l'alcool et de la drogue, mais pas seulement. Sa production augmenta, et il cessa globalement de se relire. Il se plaignait du manque de respect du livreur d'UPS, publiait des avertissements sur le fait de laisser votre ordinateur sans surveillance, sur les portiques de sécurité des aéroports, sur les revêtements de poêles anti-adhésives, sur le déclin de la culture. Dans un langage fleuri et vindicatif, il s'en prenait aux idées reçues et au statu quo, encourageait ses lecteurs à emmerder la respectabilité, leur proposait un nouveau code de conduite.

Puis il expliqua à James comment il en était venu à se concentrer sur un complot aussi vaste qu'horrible, qu'il était le seul à avoir deviné.

— Ah, nous voilà au cœur des choses, dit James. Vas-y, raconte.

— Bon. J'étais sur le Net. Je traînais, quoi. Et, tu vois qui c'est ce vantard de Mark Deveraux ?

— L'auteur de développement personnel ? *Sortez de chez vous*, ou je sais pas quoi ?

— Voilà, c'est lui. Avant, je le connaissais. Y a dix ans. On était très proches à la fac. Bref. Je suis tombé sur une vidéo sur le Net, dans laquelle il explique qu'on peut avoir tout ce qu'on désire, qu'il suffit d'aiguiser sa capacité à formuler des souhaits.

— Un truc de mytho, encore.

— C'était plus dans sa manière de le présenter. Mais voilà où je voulais en venir : il a tout pompé de mon blog. Pas mot pour mot. Mais c'est clair que c'étaient mes idées.

— L'enfoiré.

— C'est fou, hein ? Et ça lui rapportait sûrement de l'argent. Mais bon, il a mal compris ce que je voulais dire. J'ai jamais dit qu'on pouvait avoir tout ce qu'on désirait. J'ai juste dit qu'au bout du compte, si on y faisait un peu gaffe, oui, on obtenait en fait la plupart des choses qu'on souhaitait. On fait le vœu de s'insérer dans le flot des voitures sans égratigner la sienne, de propulser son corps endormi jusqu'aux toilettes sans ouvrir les yeux, de comprendre un peu mieux telle ou telle situation – tout ça, ce sont des vœux exaucés. J'étais en pétard. Alors j'ai commencé à faire des recherches sur mon bon vieux pote Mark Deveraux. Et j'ai découvert qu'à chacune de ses conférences, ou que dans chacun de ses essais débiles, il en profitait pour faire la pub du dernier gadget de SineCo, le Node...

— Ah oui, j'en ai déjà vu, l'interrompit James. Ce truc a l'air cool.

— Non, détrompe-toi, James, dit Leo d'une voix glaciale. C'est le mal incarné. Ce sont des outils de surveillance et de récolte de données biométriques que SineCo – ou quiconque se cache derrière cette entreprise – distribue à tout va.

— Comment ça, distribue à tout va ? Ils les vendent, non ?

— À perte. La presse technique ne comprend pas. Selon les spécialistes, soit SineCo fabrique ce truc dans une zone secrète d'Asie en faisant bosser des enfants incarcérés, ou alors c'est le même modèle commercial que les rasoirs à tête rechargeable, c'est-à-dire qu'ils nous vendent à perte LE truc qui nous force à en acheter un autre indéfiniment.

— Ouais, c'est vrai que c'est la merde ce système.

— Mais moi, je dis que c'est un complot bien plus vaste que ça. Je dis que ce qu'ils veulent, c'est mettre cet objet entre les mains de tout habitant de cette planète, afin de recueillir tous nos mouvements, nos données vitales, notre image, nos voix, notre environnement sonore, notre ADN. Tout.

— Ils peuvent recueillir tout ça ?

— Oh, ils le font déjà, autant que possible. Ils surveillent et analysent ce qui s'écoule dans tes égouts, ils siphonnent les données électroniques de l'assurance maladie, ils font appel à la reconnaissance faciale aux distributeurs automatiques de billets, mettent des caméras de surveillance à tous les grands carrefours. Et je ne te parle même pas de la sécurité dans les aéroports. Mais avec le Node, tu fais entrer un putain de mouchard dans ta maison. Sur ta table de chevet, dans ta poche, sur ton tableau de bord, en rendez-vous intime. Il voit tout ce que tu vois.

— Et tu as réussi à découvrir qui se cache derrière ce "ils" ?

— Pas vraiment. Mais écoute un peu ça : la TSA* a mis en place un système de pré-accréditation qui permet de ne pas passer la sécurité dans les aéroports et tout. Ça s'appelle CLEAR.

---

* Transport Security Administration : agence nationale américaine responsable de la sécurité dans les transports.

— Oui, j'en ai entendu parler. Mais je vois jamais la file d'attente que ces gens sont censés prendre.

— Je crois qu'ils sont même pas dans la même zone de l'aéroport que toi et moi. *Clear*, ça fait aussi référence à l'état que cherchent à atteindre les scientologues. Et c'est le nom que SineCo a donné à son dernier système d'exploitation. Et le grand groupe pharmaceutique Baxter-Snider, ceux qui font le Synapsiquell, eux ils donnent carrément des lentilles de contact gratuites. Soi-disant pour des recherches. Le programme s'appelle Lentilles de Contact – Éléments de Recherche sur l'Astigmatisme, soit l'anagramme de CLEAR.

Ambiance bleutée ; réflexion de James.

— Bon, c'est vrai que présenté comme ça, c'est louche. Mais alors tu penses vraiment que SineCo, l'église de Scientologie, la TSA et Baxter-Snider sont de mèche ?

— Han-han. Et mon pote Mark Deveraux.

James ne dit rien.

— Je sais, ça a l'air dingue.

Mais à l'époque, il y avait cru. Il avait voulu avertir le monde entier. Après s'être convaincu que tout ce qui était transmis électroniquement se faisait aspirer par la base de données géante d'un gouvernement parallèle, il avait demandé à son copain Jake s'il pouvait se servir de sa vieille presse, puis passé les trente heures suivantes dans l'atelier de Jake à positionner ses caractères d'imprimerie, jusqu'à en avoir les mains noires.

Lorsque le premier placard était sorti de la machine, il était allé le lire dehors, à la lumière de l'aube. L'encre avait un peu bavé, la police était mal crénée, mais en lisant son texte, il sut qu'il tenait une piste électrisante. Ça pouvait changer le monde, galvaniser les gens, leur faire prendre les armes. Le titre s'étalait en caractères de trente-six points : ILS RECUEILLENT TOUt (il n'avait trouvé que deux T de cette taille).

— *Combien d'exemplaires tu veux imprimer ? lui avait demandé Jake en lui tendant une tasse de café.*

— *Cinq mille ? Dix mille ?*

— *On va commencer par cinquante.*

Mais dans son récit, Leo omit de mentionner les détails les plus sordides de sa dérive. Il ne dit pas à James qu'il s'était allègrement vanté de son illustre pedigree. "Descendant de l'élite intellectuelle américaine", voilà comment il s'était présenté. Il ne lui dit pas non plus qu'il ne s'était pas gêné pour menacer Mark Deveraux. À la quasi-fin de son pamphlet alarmiste, il disait simplement disposer d'"images compromettantes de Mark Deveraux, l'escroc qui sert de vitrine à SineCo". Ce qui semblait plus pondéré qu'exhorter tous ceux qui voulaient entrer en résistance à faire tout leur possible pour déjouer ce plan machiavélique. Ce qui était en son pouvoir, au final, c'était de faire un croche-pied à l'homme de paille de SineCo.

Il voyait bien, avec le recul, tout ce que ces menaces publiques avaient de bizarre. Il n'avait pas pris en compte la dimension morale du chantage. Et à ce stade, c'était absolument nécessaire. Mais bon, rien ne s'envisageait dans l'absolu, hein ? Il y a toujours un contexte.

— Tu sais quoi ? C'est pas tant tiré par les cheveux que ça… dit James. C'est pas ça qui cloche.

Leo le savait bien. Il savait aussi ce que James allait ajouter.

— C'est plutôt que… pourquoi tu serais le seul à le voir ? C'est le cas typique du schizophrène qui se place au centre de tout.

Il y a beaucoup de centres, songea Leo. *Pas forcément Jésus-Christ, mais plutôt le Saint-Esprit.*

— Même si l'argument sur la scientologie est moyennement convaincant, je dois dire que le reste tient la route.

Leo apprécia le jugement de James.

— Tu vois, le batteur qui a fait un passage éclair la semaine dernière ? Il était aussi ingénieur du son, et il a dit qu'il était sûr qu'il y avait des micros dans toutes les pièces.

Dimanche soir. Après le dîner. La plupart des hommes regardaient *Quand Harry rencontre Sally* en VHS, sur les canapés profonds marron et bleu du foyer. Leo regardait l'écran distraitement tout en mangeant des miniyaourts pris dans le frigo de la salle de repos, qui n'était qu'une partie surélevée du foyer.

En fait, tous les hommes regardaient le film, mais la moitié faisait semblant de faire autre chose. Ils tournaient bruyamment les feuilles de leurs devoirs sur les Étapes, ou écrivaient dans leur journal avec force mimiques. Un flux régulier de fumeurs sortait dans la nuit fraîche au-delà du patio. Un type en maillot de football essayait de faire du popcorn au micro-ondes mais semblait incapable de programmer une cuisson de plus d'une seconde. On entendait *crrr bzzz ding*, puis le type pestait et tripotait les boutons, et à nouveau le four faisait *crrr bzzz ding*.

— Putain Larry, on te demande quand même pas de fissionner l'atome.

— Y a une fonction spéciale popcorn sur celui que j'ai chez moi, se plaignit Larry.

Leo avait envie d'un autre miniyaourt, mais il avait un peu honte du tas de petits pots qu'il avait sur les genoux. Il scruta les visages dans la pièce obscurcie pour voir si James était là. Les téléspectateurs avaient joint les canapés et les fauteuils en U devant l'écran. Les retardataires – ceux qui s'étaient rangés dans le camp des "Je regarde que d'un œil" mais s'étaient pris au jeu – s'étaient assis sur des chaises en plastique disposées à l'extérieur du U. Quelques-uns, les plus jeunes, étaient installés sur de gros coussins à même le sol. On aurait dit une pyjama party organisée par un petit vieux.

James n'étant pas dans le cercle, Leo alla voir du côté de la zone fumeurs. Avant de sortir, il vit toute la salle obscure se refléter dans la porte vitrée du patio. Au loin, un point incandescent dansait dans le noir, comme une balise flottante. Le vaste monde vert lui murmura, *Tout ira bien Leo, viens, laisse-moi te prendre dans mes bras.*

Il sortit. Au bout de l'étendue de pelouse plongée dans la nuit se dressait un fouillis d'arbustes derrière lequel se trouvait un chemin de fer. Au-delà du chemin de fer, le quai de chargement d'un entrepôt commercial et sa lumière blanche. Il se trouve que Leo entendait le ronron de ces tubes au néon. Il avança jusqu'au bord du patio. Ce n'était pas James qui fumait là-dehors. L'homme n'était pas voûté; il avait une main dans sa poche, pour avoir l'air dégagé.

— Tu regardes pas le film, petit?

La voix venait de derrière lui, il ne l'avait jamais entendue avant. Il se retourna pour voir un vieil homme assis dans une chaise de jardin. C'était l'homme qui était arrivé aux Pins Tremblants après Leo et qui avait occupé la chambre individuelle tout le week-end. Leo l'avait aperçu par sa porte parfois entrouverte, assis bien droit au bord de son lit comme le sont souvent les personnes âgées avant de se lever, sa canne à côté de lui, les deux mains en appui sur le matelas. Il l'avait aussi vu attendre devant l'infirmerie. Pour qu'il se déplace, c'était tout un chantier : canne plus déambulateur – il pendait sa canne à son déambulateur et s'en servait pour les trajets de courte distance. Il portait également une sorte d'appareil orthopédique des hanches à la poitrine. On aurait dit qu'un ventilateur s'était décroché d'un plafond pour l'embrasser de ses pales.

— Mouais. Pas un chef-d'œuvre.

— Je m'appelle Al.

— Leo.

— Comment que t'as atterri là?

— J'ai commencé à perdre les pédales, et j'ai picolé et fumé en quantité pour tenir la folie à distance. Mais il se peut que ça ait empiré du coup. Je ne sais pas trop.

— Ça m'est arrivé aussi. Quel âge que t'as?

— Trente-six ans.

Al émit une sorte de sifflement comme pour dire que c'était ridicule d'être aussi jeune.

— Et vous? Comment vous avez atterri ici?

— L'autoroute, dit Al, puis, après un gloussement : C'est ces foutus gamins. Ils sont sortis de nulle part.

Al faisait tourner sa canne entre ses mains, plus agiles que le reste de son corps. Il n'avait pas son déambulateur.

— Une fille qui bosse dans la médiation-prévention anti-drogues était avec eux, articula-t-il lentement. Leanne, de son petit nom.

Un bruit de moteur de petit avion leur parvint. Le fumeur qui n'était pas James éteignit sa cigarette avec détermination, toussa et retourna vers le patio et les portes coulissantes, qui émettaient un petit *pschitt* de vaisseau spatial quand elles s'ouvraient et se fermaient.

— En tout cas, c'est sympa ici, dit Leo.

Il voulait apparaître comme un mec ouvert d'esprit. Il s'assit dans une autre chaise de jardin.

— Tu l'as dit, c'est sympa. Mais moi, faut que je plante mes choux de Bruxelles, que je donne un coup de peinture à l'abri de jardin. Et pis, j'ai envie de boire un coup. Alors je vais pas m'éterniser dans le coin.

— Vous aimez boire?

— Personne aime ça.

— Oh, j'en connais qui aiment, je crois.

— Alors ils boivent pas comme y faut, répondit Al.

Il portait une chemise à carreaux et un gilet en molleton; on voyait le plastique de son corset entre les deux. Il avait aussi une vieille casquette vissée sur la tête, avec une sorte de résille plastifiée derrière. La visière gardait son visage dans l'ombre, mais lorsque la télé diffusait une lumière vive, Leo l'apercevait; Al n'avait pas la mine voilée qu'arboraient certaines personnes âgées de la clinique.

— Et comment que vous comptez vous y prendre pour sortir? demanda Leo qui, inconsciemment, mettait son langage au niveau de celui d'Al – un parler des grands espaces et des autoroutes de l'Ouest.

— C'est pas un établissement fermé, dit Al. *Leo*, ça veut dire "lion", pas vrai?

— Ouais.

La plupart des gens pensaient que c'était le diminutif de Leonard. Il aimait bien dire, *Non, c'est juste Leo, comme lion.* Sa mère était lion – avant.

— Eh ben je vais te dire, Lion, moi, je suis une souris, tu vois? Et je vais te dire comment t'en sortir.

Souviens-toi de ce moment. Mot pour mot, se dit Leo. Mais il faisait comme quand une serveuse récitait les plats du jour – il se concentrait sur le fait de se concentrer au lieu de faire attention à ce qui se passait.

— Tu vas faire exactement ce qu'ils te demandent, OK?

— En fait, j'essaie de réserver mon jugement.

— Hein? Pfff. Fais ce qu'on te dit. Ils ont raison, sauf que c'est pas pour les bonnes raisons. Y a pas de terre promise et tout le baratin, mais si tu continues à boire, je te garantis qu'y a un enfer.

— Alors pourquoi vous partez?

— Tu sais quel âge que j'ai?

Ne jamais répondre à cette question.

— Non.

— Soixante-six piges.

Il en faisait vingt de plus.

— C'est pas si vieux. Vous devriez rester.

— Nan, y a rien qui m'intéresse ici. Une Puissance Supérieure? Parce qu'ils se figurent que j'ai pas déjà un avis sur la question? Mince, j'ai pas bu tout le temps que Reagan était aux commandes.

— C'est peut-être lui que vous devriez prendre comme Puissance Supérieure?

Al s'esclaffa.

— Et pourquoi pas, dit-il, pourquoi pas.

— En tout cas, ça m'a fait du bien, dit Leo. Plusieurs jours d'affilée sans cuite. J'ai tendance à oublier que je bois depuis un paquet de temps.

Mais qu'est-ce qu'il en avait à foutre qu'Al reste ou non aux Pins Tremblants?

— Écoute petit, j'en ai renversé plus que t'en as bu. Allez, arrête de picoler. Maintenant. Plus une goutte. Ça redevient jamais bien, ça fait qu'empirer. Tout fera qu'empirer. Écoute le vieux, il va te faire gagner trente ans. L'alcool, ça sert à nettoyer une plaie, ou à décoller le chewing-gum du bois. C'est pas fait pour être avalé. Boire ce truc, c'est inviter la douleur, et émousser la seule lame que t'as pour te battre dans la vie. Tu gâcheras tes journées, tu saliras ton nom, et ta famille aura peur de toi. T'as compris?

Leo acquiesça sans pouvoir s'en empêcher, les yeux écarquillés.

— Tu veux bien m'aider à retourner à l'intérieur?

— Hein? Oui. Bien sûr.

— Là, donne-moi cette chaise.

Leo posta une chaise en plastique blanc face à celle d'Al.

— Tiens, prends ma canne.

Leo s'exécuta; c'était le genre qu'on trouvait dans les boutiques de matériel médical, à hauteur réglable. Al traversa le patio en prenant appui moitié sur la chaise, moitié sur l'épaule de Leo. En arrivant aux portes vitrées, ils perçurent du chahut. Le générique défilait à l'écran et les hommes bondissaient sur les canapés comme des sauterelles. Un mec qui s'appelait Phil tâtait ses poches de jogging frénétiquement puis se mit à fouiller entre tous les coussins en quête de ses cigarettes. Ceux qui pouvaient clamer haut et fort qu'ils étaient restés dignes et n'avaient pas regardé le film repliaient leurs devoirs et buvaient le reste de leur briquette de jus à la paille.

— Chiotte alors, on dirait que je saurai jamais ce que Harry a fait à Sally, dit Al.

Leo ouvrit la porte coulissante. Al prit appui sur l'épaule de Leo et leva un pied pour atteindre le seuil. Mais le bout de sa basket heurta la barre en métal et il tomba à la renverse. Leo supporta tout son poids, il avait l'impression de tenir une pile d'assiettes. Il posa une main sûre au creux de ses reins pour qu'il retrouve son équilibre. À travers le gilet et la chemise, il sentait le plastique du corset.

— Merde, lâcha Al, de douleur.

Leo mit son autre main contre l'arrière de sa cuisse pour l'aider à lever le pied. Leurs contorsions barraient le passage à ceux qui voulaient sortir fumer mais devaient d'abord les laisser entrer. Al demanda à quelqu'un d'aller chercher son déambulateur, et Leo, à la fois derrière et sous lui, fit entrer cet homme deux fois plus âgé que lui dans une autre structure pour accidentés.

— Je te remercie, Leo. Pense bien à ce que je t'ai dit, ajouta Al avant de s'éloigner.

Une heure plus tard, dans son lit, Leo pensait à ce qu'Al lui avait dit. James fignolait son brossage avec du fil dentaire, en caleçon et en tee-shirt à l'effigie de sa fac de droit, comme tous les avocats.

— De quoi vous avez parlé, avec ce type? lui demanda James en examinant ce qu'il avait extrait de sa bouche.

— Il s'appelle Al. Il m'a foutu les jetons.

— Tu m'étonnes. Il a l'air rafistolé de partout.

— Non, c'est pas ça. Il m'a sorti un plaidoyer contre l'alcool, aussi court que convaincant.

— Ouais, tu peux toujours t'en sortir avec des principes, en parlant sur un plan général, dit James en jetant son bout de fil à la poubelle.

— Non, là, c'était plutôt concret.

James éteignit la lumière et se glissa dans son lit. Il ne faisait pas si noir. Une lueur pâle en provenance du parking s'immisçait dans leur chambre.

Leo se dit à nouveau qu'il devait peut-être rester ici un moment. Le jus de tomate était bien froid. Il y avait une petite salle de muscu sous la cafétéria, à côté de la buanderie; un chemin de terre était accessible aux joggeurs, le long de la voie ferrée. (Il y avait un grillage sophistiqué entre les Pins Tremblants et les rails. "Non close. Mais ils n'ont jamais dit que c'était une institution non clôturée", avait souligné James.) Il pourrait s'empiffrer de miniyaourts, et courir sur ce chemin à en perdre haleine. Histoire de se remettre les idées en place. Il fallait qu'il écoute ce qu'ils avaient à dire, qu'il leur laisse une chance. Il y avait James. Il y avait Al. C'était peut-être ce qu'il lui fallait.

Le lundi matin, Leo était assis avec tous les autres dans une grande salle ronde; ils essayaient de se concentrer sur le cours de science que leur donnait l'Oignon – il dessinait des neurones désorientés sur le tableau blanc – lorsque Keith, le conseiller de groupe réduit de Leo, interrompit la classe.

— Désolé, Gene, dit-il à l'Oignon. Est-ce que je peux voir Leo?

Leo ne voulait pas y aller. Il avait peur, en quittant l'arène, de la quitter pour de bon.

Une fois dehors, Keith lui dit que le médecin voulait le revoir, et que ça ne pouvait pas attendre l'après-midi. Il ajouta qu'il trouvait ça bizarre.

— Écoute, Leo. Je crois que tu devrais vraiment essayer de rester avec nous. Il faut que tu décroches, mec. Tu n'iras pas bien tant que tu ne te seras pas désintoxiqué. Je crois que tu as un problème de comorbidité. Tes sautes d'humeur ne sont pas anodines. Mais ce qui est sûr, c'est que la sobriété ne peut que t'aider.

— Je sais, je sais, dit Leo, et il voulait vraiment que Keith le croie. J'ai bien réfléchi, et vous avez raison.

Il avait mis le paquet sur le gel douche ce matin-là, et s'était brossé les dents jusqu'à ce que sa bouche rutile comme le hall d'une banque.

— Je crois que je vais rester.

— Il va falloir que tu fasses mieux que ça, dit Keith.

Ils se tenaient devant la porte de ce qu'ils appelaient ici l'aile médicale, nom que Leo trouvait inutilement angoissant.

— Pourquoi tu as écrit des trucs aussi déments dans ton NIMP?

— Dans mon quoi?

— Le nouvel inventaire multiphasique de personnalité. Le questionnaire vrai ou faux auquel tu as répondu à ton arrivée ici.

— Ah, celui où on devait dire si on avait peur des boutons de porte? Je croyais que c'était une blague.

— Dis-lui que c'était pour rire. Au médecin. Arrange-toi pour qu'il croie à ton vœu de sobriété. De tout arrêter.

— Tout arrêter. OK.

Mais oui, qu'est-ce qu'il avait envie de tout arrêter.

— Dites-moi, Leo, se lança le docteur.

Il était d'excellente humeur, et portait une blouse de laboratoire. Sûrement une coquetterie; il n'y avait pas de laboratoire aux Pins Tremblants. Le dossier de Leo s'était épaissi.

— Est-ce que vous savez ce que nous faisons, ici?

Le cœur de Leo s'emballa.

— Vous soignez la dépendance. J'ai compris.

— Oui, nous soignons la dépendance. Et vous, vous avez des dépendances.

Leo n'aimait pas du tout ce ton.

— Mais nous ne voudrions pas vous faire perdre votre temps – petit sourire en coin – alors si vous n'êtes pas réceptif à certains principes de base, je crains que nous ne puissions pas grand-chose pour vous.

— Non, si, je suis tout à fait réceptif à ces principes, dit Leo en avalant l'air confiné à petites goulées pour faire taire celui qui voulait lui rentrer dans le lard, à ce docteur, et résister, parce qu'on emportait le meilleur morceau quand on résistait. Plus que réceptif, même. Je suis impuissant face à ma dépendance à euh… l'alcool et au cannabis.

— Je suis très content de vous l'entendre dire.

Le docteur ouvrit le dossier de Leo, le referma, pivota légèrement sur sa chaise, le faisant attendre.

— Le problème, c'est que vous avez, disons, une sorte de maladie préexistante.

— Ma dépression, vous voulez dire ? Je sais, mais je crois que ça a un lien. Avec l'alcool et la drogue. Enfin, sûrement, non ?

— Euh, peut-être. Sûrement, oui. Mais je crois que vous avez un problème de personnalité.

Là, j'imagine qu'on n'y peut pas grand-chose, si ? songea Leo.

— Comment ça ? demanda-t-il.

— Je pense que vous souffrez d'un trouble de la personnalité.

— Vous me prenez pour un malade mental ?

— Un trouble de la personnalité n'est pas synonyme de maladie mentale.

D'une pichenette, le docteur se débarrassa d'une poussière accrochée aux broderies de sa poche de poitrine qui débordait de stylos.

— Vous présentez des symptômes… Les accès de colère, la dépression, l'angoisse ; votre difficulté à garder un emploi malgré votre enthousiasme du début, à avoir une relation durable avec une femme ; le sentiment d'inutilité. Certes, votre imagination à tendance délirante et votre égocentrisme ne sont pas des symptômes usuels mais… en temps normal, une forme bénigne de TPB ne vous empêcherait pas d'être traité ici –

— TPB ? demanda Leo.

— Trouble de la personnalité borderline, répondit le docteur en faisant pivoter son siège de vingt degrés. Je me dis que vous êtes peut-être même un poil Aspergien.

Ouais, et toi t'es peut-être même un poil Pubien. Il aurait dû être un peu plus sérieux en répondant aux tests. Pourquoi il n'avait jamais la bonne intuition sur les situations où il fallait assurer, et celles qu'on pouvait foirer? Ç'avait toujours été comme ça.

— Est-ce que vous comprenez l'expression "C'est l'hôpital qui se moque de la charité"?

— Vous êtes sérieux?

Vous voulez dire quand ce sont vraiment des gens qui travaillent dans un hôpital qui l'utilisent et qu'ils se moquent de la charité?

— Oui. Qu'est-ce que ça veut dire, d'après vous?

— C'est un proverbe qui invite les gens à l'introspection, qui met en garde contre l'hypocrisie qu'il peut y avoir à critiquer chez les autres des erreurs qu'on a commises soi-même.

Le médecin se contenta d'acquiescer.

— Mais bon, en vrai, ça ne veut pas dire grand-chose, poursuivit Leo. Enfin, c'est surtout sans intérêt. Ces histoires de moqueries. Hou, je suis le méchant hôpital, et je vais me moquer –

Mais le médecin avait repris le cours de la discussion.

— … manie et la paranoïa que vous manifestez ont atteint un tel degré – le complot du grand groupe informatique, les scientologues, les lentilles de contact du laboratoire pharmaceutique – que vous seriez sûrement plus à votre place dans une institution à vocation psychiatrique.

Parce que les institutions ont des vocations?

— Non. Il faut que je reste ici. Je veux essayer cette sobriété que vous proposez.

— Bien entendu, la désintoxication est la première étape, et elle peut se, euh, réaliser dans l'institution que nous jugerons, en tant qu'équipe soignante, la plus adaptée à vos besoins.

Non, la première étape, c'était admettre son impuissance – même Leo le savait. *Et c'est qui, ce "nous"? Vous et ce presse-papier?*

— Vous voulez parler de mes sœurs?

Le docteur ne répondit pas.

— Voilà ce que nous allons faire.

Il avait pivoté davantage et regardait par la fenêtre derrière son bureau, comme M. Burns.

— Demain matin, votre sœur viendra vous chercher –

— Laquelle? l'interrompit Leo. C'est que j'en ai trois.

Il essayait de parler comme Al. Il leva trois doigts. Le docteur fit demi-tour et jeta un œil dans son dossier.

— Daisy, dit-il.

C'était logique. Et il était un peu moins mortifié à l'idée que ce soit elle qui sèche le boulot pour cette histoire plutôt que Heather ou Rosemary.

— Elle vous accompagnera dans un endroit qui correspond mieux à vos besoins.

C'est-à-dire? Un asile, ou plutôt Amsterdam?

Il opta pour une approche frontale.

— Et donc vous êtes convaincu que je ne dois pas rester ici?

Il ne fallait pas qu'il le supplie. Ce toubib avait tout l'air de quelqu'un qui prendrait un certain plaisir à voir un patient l'implorer.

— Écoutez, je suis preneur de ce que vous vendez.

— On ne vend rien du tout.

— De ce que vous proposez, c'est pareil. Vous êtes bien censés traiter les gens qui le demandent, non? J'aime vraiment cette idée de sobriété, d'idées claires. J'ai tout bien intégré. Je pense que je vais vraiment arrêter de boire et de fumer. C'est de ça que j'ai besoin.

Leo se rendit compte, un peu tard, qu'il lui faisait de la lèche.

— Mais vous avez dit que vous étiez gêné d'être ici, dit le médecin.

— Oui, bien sûr que ça me gêne. Est-ce que ce n'est pas légitime?

— Eh bien, je ne sais pas. Beaucoup de gens se sentent soulagés quand ils arrivent ici.

— D'accord, c'est vrai, je suis à la fois gêné et soulagé. Ce sont deux mots qui décrivent mon état.

Mais ça ne servait plus à rien. Leo voyait bien qu'il était en train de se faire virer d'ici aussi. Ça ressemblait à ce fameux matin dans le bureau de Sharon. Il comprit trop tard qu'il voulait rester parmi ces hommes déchus.

Une inquiétante légèreté s'immisça dans ses membres.

— Bon. Eh bien, euh, vous dites que je sors demain, c'est ça?

— Nous sommes en train de vous aménager un espace dans un endroit plus approprié, oui.

— Un endroit qui s'appelle…?

— Nous aborderons tout cela demain à l'arrivée de votre sœur.

— Parfait, dit Leo en se levant. Bon, je vous laisse. J'ai des choses à écrire dans mon journal.

— Vous êtes dispensé des activités thérapeutiques de l'après-midi, Leo. En fait, vous dormirez dans l'aile médicale cette nuit.

Vraiment? Ça, c'est ce que tu crois, coco.

— Vous craignez sans doute que ma personnalité border-line soit contagieuse?

Leo traversa la cour intérieure et réintégra l'aile masculine. C'était une nouvelle matinée splendide; les sapins et les trembles agitaient leurs poings verts dans le ciel. Il décida qu'il allait tout simplement partir d'ici. Ce n'était pas un établissement fermé.

Mais il y avait une très longue allée, qui menait aux confins d'une banlieue verdoyante que Leo ne connaissait absolument pas. Il faudrait qu'il marche trois kilomètres jusqu'au supermarché Fred Meyer et qu'il appelle un taxi pour rentrer chez lui. Ce serait une fugue sans panache. Mais c'était très bizarre que le docteur lui ait annoncé qu'il dormirait dans l'aile médicale. Y avait-il seulement un lit?

Ce n'était pas le seul truc bizarre. Comment le toubib était-il au courant du complot, des scientologues, et des lentilles de contact? Ça n'avait figuré que dans les cinquante exemplaires de son pamphlet. Est-ce que Jake l'aurait refilé en douce à ses sœurs?

Le batteur de Skinflute pensait qu'il y avait des micros dans toutes les pièces.

Non, ça, c'était de la paranoïa. Mais bon, pour plus de sûreté, il allait partir aujourd'hui même. Il retrouverait Daisy chez lui le lendemain, et il assumerait les conséquences de son acte depuis sa base. Peut-être qu'elle accepterait de le prendre chez elle quelques mois. Il irait à des réunions, il s'occuperait de ses nièces. Il insisterait sur le fait que tout ce qu'il était censé avoir accepté ici – James Dean, Al, le médecin, les vies brisées, un aperçu de ce que pouvaient être la grâce et la convalescence – il l'avait bien intégré.

L'aile était déserte ; les autres subissaient encore le cours de l'Oignon sur les neurones. Il fit une halte dans la cuisine et s'avala deux miniyaourts. Il se rendit à l'accueil et demanda à l'infirmière de bien vouloir lui ouvrir la cabine téléphonique. C'était un téléphone de bureau tout simple à l'intérieur d'une authentique cabine en bois.

— Désolée, je ne peux pas. On n'ouvre la cabine que le soir, dit-elle d'une voix mielleuse, exempte de toute gentillesse.

Tout le personnel avait l'air de croire qu'il fallait traiter les patients en gamins. C'était bon, là, franchement.

— D'accord, mais je crois que je me suis fait virer. Ce qui fait que je ne suis plus un patient. Plutôt, disons, un invité. Je veux juste appeler ma sœur. Elle doit venir me chercher.

La bouche en cul de poule, l'infirmière posa une main protectrice sur son trousseau de clés.

— Je vais devoir appeler le docteur pour voir s'il est d'accord.

— Faites-vous plaisir.

Leo poussa des *pfff* sonores tandis qu'elle composait le numéro, puis il dessina des huit sur la surface en plexi du guichet, qui était une sorte de mur d'enceinte à hauteur de taille, à l'intérieur duquel des infirmières en sweat roulaient sur leurs chaises et consultaient des dossiers. La femme se rassit à son poste, décoré de plusieurs Ziggy, le personnage de BD.

— Bonjour docteur. Oui, c'est Brenda. D'accord. Oui ? J'ai Leo à l'accueil. Il dit que sa sœur va venir le chercher et qu'il aimerait l'appeler. Oui ? D'accord. Merci docteur. Leo, c'est bon, vous pouvez aller appeler votre sœur.

L'infirmière lui remit la clé de la cabine, assortie d'un jouet en plastique en forme de téléphone pendu au porte-clés.

Il fit appel à son moyen mnémotechnique pour se souvenir du numéro de portable de sa sœur. *Sept sept quatre un neuf un neuf.* Deux calamars géants qui dînaient dans une pagode, ça c'était pour le sept sept quatre. Dix-neuf, c'était une montgolfière au-dessus d'un lac, et il en fallait deux.

La voix de sa messagerie le réconforta.

— Coucou, c'est Leo.

Il ne pouvait pas dire, *Pas la peine de venir me chercher*, au cas où Mata Hari tende l'oreille derrière son guichet. Il décida de parler comme si Daisy était à l'autre bout du fil, pour gagner du temps. "Ouais. Bien, bien." Le faux coup de fil était une astuce de base à laquelle il avait eu recours au quotidien à l'époque où il essayait de discerner ce qui était établi de ce qui était aléatoire. Il l'utilisait aussi pour décourager les rabatteurs de Greenpeace dans la rue. Il aurait fait un bon comédien.

"Non, non, enfin bon, écoute… quoi? Oh, sûrement un moule à gaufre. Ouais." Il rit, comme s'il avait fait une blague.

Quand ils étaient petits, ses sœurs jouaient à un jeu un peu particulier : tel mot ou telle expression servait à nier le mot ou l'expression qui suivait, ou à exprimer son contraire. C'était l'un de leurs nombreux langages codés. Leo ne comprenait qu'à moitié les principes qui régissaient la plupart de leurs langages secrets, mais celui-ci était assez simple, et lorsqu'il y jouait, il avait choisi le mot *moule à gaufre* comme mot-déclic parce qu'il adorait cet appareil, avait été autorisé à s'en servir très jeune et ne s'y était jamais brûlé. Ses sœurs avaient trouvé ça hilarant, parce que *moule à gaufre* n'était pas le mot le plus évident à caser dans une conversation. Et donc, "moule à gaufre" était devenu le code secret de la fratrie – ça voulait dire : Ce qui suit est un mensonge, il faut comprendre le contraire.

"Je suis content que tu viennes me chercher, dit Leo dans le combiné. Je serai là quand tu arriveras. Je préférerais qu'on se retrouve chez moi, mais bon, faisons comme ça." Il fit quelques *hum-hum* appuyés, bisous, et raccrocha. Il remit la clé de la cabine à l'archipel des infirmières.

De retour dans sa chambre, il s'aperçut qu'on avait fait sa valise pour lui. Ses pantalons pliés en trois, ses tee-shirts bien alignés et ses paires de chaussettes qui ressemblaient à de gros cailloux étaient passés de la penderie en contreplaqué au sac en toile bleu avec lequel il était venu, à présent posé au pied de son lit. Des mains inconnues avaient rangé sa brosse à dents, son peigne et son déodorant bio dans sa trousse de toilette. Flippant. *Qui a fait ça ?* Il s'allongea sur son lit. Une senteur de jasmin portée par la brise entrait par la fenêtre. Il était fatigué. Il décida de se reposer un peu avant sa fugue ; il voulait dire au revoir à James.

AÉROPORT D'HEATHROW

Leila avait quatre heures devant elle avant son rendez-vous avec le type de Ding-Dong, et quatre de plus avant son vol pour Los Angeles. Débraillée, en manque de sommeil, elle s'ennuyait. Elle regrettait d'avoir accepté ce rendez-vous. Au cours de ses trente-six heures de voyage, le caractère invraisemblable de ce que Ned lui avait raconté avait fini par lui sauter aux yeux. Une partie de son histoire devait être vraie ; ce dont elle avait été victime n'était pas très net. Mais pour elle, l'action du gouvernement birman se résumait à ça – vous mettre des bâtons dans les roues.

Et pourtant. Elle n'arrivait pas à se débarrasser de la petite icône en forme de chouette que le premier mail de Ding-Dong avait déposée sur son bureau. Les autres programmes de son ordi ramaient, comme au bord de la panne, alors que celui-ci clignotait sans cesse, et s'était ouvert deux fois de façon autonome pour faire apparaître des messages d'un certain Matt : Un café ? Puis : Au Java-Jiva ? Terminal 3, 14 heures ? Ils appelaient une réponse, mais il n'y avait pas de bouton "Répondre" ni rien de ce genre.

Si son père n'était pas à la fois en convalescence et en liberté provisoire, si son frère ne l'avait pas suppliée de rentrer pour s'occuper de leur mère, alors peut-être aurait-elle eu plus de temps à consacrer au Mystère des Agents de Sécurité dans la Jungle. Mais vu la situation, elle était prête à tout oublier. Elle se laissa distraire par les charmes de l'aéroport. Ses courbes, son atrium. Elle déambula dans des maroquineries, s'aventura dans une boutique de cigares, passa devant un salon d'épilation à la cire, et un endroit qui s'appelait Bretzel Connexion.

Il devait bien exister de meilleurs moyens de bâtir une économie, non? Si les gens dépensaient leur fric dans des trucs moins stupides, ça éliminerait pas mal de problèmes. Oui, enfin, stupides selon qui? Elle savait que là était le problème. Elle était capable de lâcher pas mal de blé pour des produits cosmétiques, ce qui faisait probablement d'elle une hypocrite. Mais elle était prête à faire des compromis, pour l'intérêt général. Alors que le monde que reflétaient les vitrines de l'aéroport semblait aller dans le sens contraire. Il y avait une boutique qui vendait de l'eau, mais dans des bouteilles incrustées de strass, pour plusieurs centaines de dollars. Il y avait des confiseries dégueu fabriquées en Chine, qui arrivaient à Londres par avion, où on les vendait, parfois à des gens qui prenaient l'avion pour la Chine. Il y avait de la lingerie kitsch, une boutique de vitamines, et deux franchises différentes spécialisées dans le yaourt. Il y avait des presses, qui au moins vendaient des produits en rapport avec la vie. Mais pourquoi accorder autant d'espace aux magazines *Abdos!*, *Le Mensuel des super-yachts*, ou *Le Fana de maquettes*? Non, bon, *Le Fana de maquettes*, passe encore. Elle acheta une brassée de journaux et des noix de pécan.

Elle arriva au Java-Jiva avec dix minutes d'avance. Elle lut le *Irish Times*, parce qu'elle ne l'avait jamais lu, et parce que c'était un de ces journaux immenses qui nécessitaient une certaine force dans le haut du corps. Elle dut l'étaler à moitié au-dessus d'une autre chaise pour le lire correctement. Elle se rappela les mouvements vifs que pouvait répéter son père en pliant un journal, jusqu'à ce qu'il ait sous le nez pile les rubriques qu'il voulait. Quand ils étaient plus jeunes, il leur lisait le journal le matin, et Leila se rappelait quand les otages de l'ambassade étaient rentrés chez eux, l'assassinat de Sadate et l'attaque du président Carter par un lapin aquatique.

— Leila? lui demanda une femme.

Elle avait la trentaine. L'air grec. Cheveux bruns. Tailleur de ville. Accent américain, sans que Leila puisse préciser davantage. Il semblait sans couleur.

— Oui, Leila? répondit-elle, comme si elle se rencontrait elle-même. Et vous êtes... pardon, je l'ai noté.

Elle plongea une main dans son sac.

— Matt Moissa? Non. Matt a eu un empêchement. Je le remplace.

Matt Moissa. Oui, c'était bien ça. Mince. Leila ne l'avait pas dit tout haut, ni entendu, et était passée à côté de la blague, si c'en était une.

— Dune Seultrett, dit la femme.

— Quel nom improbable, dit Leila.

— Je peux m'asseoir?

— Mais je vous en prie, répondit Leila, qui commençait à être aussi intriguée qu'agacée.

Elle voulait juste se voir confirmer que ce prétendu réseau n'était qu'une sorte de combine, dont elle n'aurait absolument pas l'usage, pour enfin tout virer de son bureau. Mais si c'était le cas, quel genre de combine, au juste? Une sorte de coup de pub, de marketing viral débile, ou encore un culte, ou bien le projet d'un étudiant des Beaux-Arts? Même dans les problèmes familiaux ou professionnels jusqu'au cou, Leila avait une analyse fine des situations. Une qualité qu'on pouvait appeler le compartimentage. Quand elle entendait les gens s'y référer en disant que c'était plutôt une caractéristique masculine, et sous-entendant que ce n'était pas une bonne chose, elle était mal à l'aise.

Certaines personnes pensent pouvoir escroquer les femmes en misant sur leur politesse, ou sur le fait que leur réserve naturelle l'emportera sur leur curiosité, ou leur scepticisme. Un jour, Rich l'avait qualifiée de *bornée*, un mot qu'il avait vite regretté.

Mais Leila n'avait pas couru depuis deux jours. Elle était fatiguée. Le peu de sommeil qu'elle avait volé dans l'aéroport ne l'avait pas reposée. Comme son père aurait dit, elle n'avait pas assez de sandwichs pour un pique-nique.

Dès que Dune Seultrett fut assise, Leila enchaîna.

— Allez, je vous laisse dix minutes pour m'expliquer si vous faites bien partie d'une sorte de réseau d'opposition, à quoi vous vous opposez, et en quoi, selon vous, vous pouvez m'aider.

— Oui, je fais partie d'un réseau. On s'appelle Dear Diary. Nous ne sommes pas des opposants à proprement parler, nous cherchons plutôt à déborder l'État-nation. Nous pouvons vous aider en vous demandant de nous rejoindre. Nous avons de bonnes raisons de croire que vous voudrez faire partie de notre projet. Sur le court terme, cela dit, oui, nous nous opposons à quelque chose. Au "Comité", dit-elle en mimant des guillemets avec ses doigts, une sorte de cabale d'hommes d'affaires et d'autres types malintentionnés en train de monter un coup d'État électronique qui a pour but de contrôler le stockage et la transmission des données mondiales. Les hommes que vous avez vus dans la jungle birmane en faisaient partie. Déjà, vous n'étiez pas censée les voir, mais en plus, vous avez envoyé des mails les concernant. C'est pour ça qu'ils vous ont entubée.

Elle parlait sans en faire des tonnes, mais avec une sorte d'articulation exercée, comme si elle récitait les plats du jour.

— Non mais vous vous foutez de ma gueule, dit Leila. Vous êtes quoi, au juste? Si le "Comité" – Leila fit les mêmes guillemets que la femme – est une cabale, vous, vous êtes quoi, hein?

— Nous ne sommes qu'un réseau. Nous restons en contact, nous nous tenons au courant les uns les autres, nous partageons des idées.

— Comme sur Friendster?

— Oui, si vous voulez. Bon. À votre place, j'aurais des doutes aussi. Mais écoutez. Le Comité a mis sur pied un État secret et souverain pour parvenir à ses fins. Nous voulons les arrêter. Mais on ne peut pas simplement passer un coup de fil à la police, parce qu'ils opèrent à un niveau bien supérieur.

— Comment ça?

— Ils contrôlent soixante-dix pour cent de la bande passante asiatique, tous les organes de presse des zones de conflit, et les plus grands laboratoires pharmaceutiques. Ils possèdent Sine, Skype, Facebook, la totale. Ils ont des forêts, des réservoirs d'eau, des mines de silice, des chemins de fer, des aéroports. Ils ont des actionnaires dans les services de sécurité de presque tous les pays du monde. Ils disposent d'une équipe dirigeante très compétente, et très déterminée. Ils recrutent par leur force de persuasion, par cooptation, ou par chantage. Ils ont des équipes d'extraction, une batterie d'avocats, et un département des ressources humaines. Et tout ce petit monde ne va pas tarder à jouer son rôle. Très bientôt.

Une serveuse s'approcha de leur table.

— Je vous sers quelque chose?

Leila ne s'était pas rendu compte que c'était un endroit avec service à table; elle s'était choisi une chaise à l'écart et avait squatté là.

— Un thé à la menthe pour moi, dit Dune Seultrett.

— Rien pour moi, ça ira, dit Leila.

La serveuse tendit la main pour débarrasser une tasse de leur table, encombrée par les journaux et les magazines de Leila.

— Oh pardon. Attendez, voilà.

Elle rassembla le tout en pile et la fourra dans son grand sac, qu'elle posa ensuite à ses pieds. La serveuse hocha la tête en guise de remerciement, puis se pencha pour pousser le sac davantage sous la table. Elle tapota le coin de son œil puis désigna le flot de passagers pour expliquer qu'il fallait faire attention.

— Oui, merci, dit Leila en lui souriant.

Une fois la serveuse repartie, Dune Seultrett poursuivit.

— Ils vont sûrement se lancer dans une sorte de racket. Se débrouiller pour vendre un service qui était gratuit auparavant. Certains d'entre eux sont malthusiens. Ils pensent que la Terre aura atteint un trop-plein à environ dix milliards d'habitants, et donc ils veulent s'assurer un accès aux ressources : eau, matériel génétique, transmission électronique des données. Mais ils sont sûrement très nombreux à être de simples profiteurs. Pour les arrêter, nous avons mis sur pied une plateforme de diffusion qu'on pense pouvoir faire tourner et défendre pendant soixante-douze heures. Nous allons nous en servir pour répandre dans le monde entier la vérité sur ce qui est en train de se passer. Idéalement, nous nous en servirions également pour proposer à chaque citoyen du monde une troisième voie?

Son intonation partit dans les aigus à la fin de sa phrase, comme si elle n'était pas sûre d'elle, ou qu'elle attendait une approbation de Leila.

Cette histoire de troisième voie, ce n'était pas un truc de Clinton, ça?

— Continuez, dit Leila.

— Bon, à l'heure actuelle, il suffit d'être né à tel endroit pour être baisé sur toute la ligne, OK?

— Oui. Carrément.

— Nous profiterons de l'attention mondiale pour renvoyer à chacun les données qui ont été collectées sur lui. Puis nous détruirons ces données et proposerons à chacun de nous rejoindre.

— Et qu'est-ce que vous leur donnez?

— Un numéro.

— Pardon?

— Nous leur donnons un numéro. À vrai dire, chacun découvre son numéro le moment venu.

— Mais pourquoi quiconque voudrait un numéro?

— Parce que c'est par là que commence la nouvelle façon d'organiser le monde.

— Ouais, enfin, c'est aussi par là que commence l'asservissement du monde.

— C'est pour ça qu'on ne veut pas rater notre lancement. Mais une fois que tout le monde aura vu l'ampleur de l'exploration de données à laquelle se livre le Comité, et la portée fasciste de leur opération, ils comprendront tout de suite que nous sommes les gentils.

— C'est d'une logique implacable, ne put s'empêcher d'ironiser Leila. Moi, si je suis assise à mon bureau et que je reçois votre annonce fracassante, je vais chercher à vérifier ce que vous prétendez par mes propres moyens.

— Et comment vous comptez vous y prendre?

— En commençant par chercher *comité, cabale, coup d'État électronique*, je suppose.

La serveuse revint avec le thé à la menthe et une machine à carte bleue.

— Merci, dit Dune.

Elle inséra sa carte dans la machine et composa son code. Un petit reçu surgit de la fente, mais lorsqu'elle le déchira, le papier voleta à terre.

— Pardon, dit-elle à la serveuse qui s'était accroupie pour le ramasser. Mais je vous ai dit qu'ils contrôlaient tous les moteurs de recherche. On cherche à réunir de la documentation sur tout ça. Mais on ne trouve pas d'écrits sur le Comité, il n'a pour ainsi dire pas de papiers. C'est peut-être pour sauver les arbres.

Leila eut besoin de quelques secondes pour décider s'il s'agissait d'une blague.

— Une fois que vous aurez votre dossier et que vous verrez tout ce qu'ils savent sur vous, vous serez tellement remontée que vous aurez envie d'agir, je vous assure.

— Que Walgreens sache que j'achète du Pantene ? Je m'en fiche.

— D'accord, mais si vous découvriez qu'un gouvernement parallèle compile tout ce qui existe à votre sujet : la séquence de votre ADN, vos données démographiques, des photos de vous, vos habitudes, vos compétences, votre accès à la richesse, vos déplacements, vos faiblesses, vos espoirs et vos rêves, vos peurs et vos désirs ? S'ils faisaient ça parce que d'ici vingt ans ils prévoient de contrôler toutes les informations du monde ? S'ils misaient sur une panne géante de toute l'infrastructure numérique pour mieux être en mesure de faire payer le monde entier pour qu'il récupère ses données ? Sauf qu'ils ne misent pas, puisque ce sont eux qui seront à l'origine de cette panne ; il ne leur reste plus qu'à fournir le service d'urgence.

Un frisson remonta le long de la colonne de Leila. La tendance naturelle à ne pas souscrire aux théories du complot dérive de deux croyances : 1/l'incompétence de l'homme rend la mise en pratique de ces complots très compliquée, voire impossible ; 2/les gens ne permettent pas qu'on leur fasse subir de telles injustices.

Mais Leila venait de passer six mois dans un État totalitaire où elle avait pu constater au quotidien que ce second postulat n'était pas axiomatique. *Si ça arrive aux autres, ça peut m'arriver aussi,* se rappela-t-elle. Bref, il y avait là quelque chose de plausible : un groupe organisé crée une situation d'urgence, puis vend une solution de secours. Après tout, c'est ce que faisaient toutes les bonnes mafias, non ? C'était même sûrement une stratégie commerciale des plus orthodoxes.

— Mais comment pourraient-ils mettre la main sur mes données génétiques ? demanda-t-elle à Dune. Je n'ai jamais fait de prélèvement de salive.

— Analyse des eaux usées, prélèvements biologiques sur timbres-poste. Le Node. Bon, moi, je ne suis pas dans la partie technique. Je suis agent de voyages. Je suis simplement venue vous remettre vos billets et vos papiers.

— Ah oui ? Et on peut savoir où je vais ?

— Dublin. Pour assister à une réunion.

— Non. Pour que ce soit bien clair : là, je rentre en Californie.

— Écoutez, nous sommes peut-être en mesure de remédier à ce qui se passe là-bas. Et il est très rare qu'on détourne des gens comme ça, mais vous êtes apparemment un atout potentiel – Dune leva légèrement les yeux au ciel, peut-être même avec vacherie – alors ils ne veulent pas rater leur chance. Vous devriez en profiter.

Cette dernière phrase fut encore plus étrange aux oreilles de Leila que celle à propos des timbres-poste.

— En profiter ?

— Mais oui. Vos billets vous donnent par exemple accès au lounge le plus chic de tout l'aéroport. On y trouve des douches fantastiques.

Ses billets ? Et est-ce que c'était encore un coup vache, cette histoire de douche ? En toute honnêteté, elle en avait bien besoin.

— Et voici un téléphone, ajouta Dune en glissant un téléphone sur la table. Il ne fonctionne que lorsqu'il bénéficie d'un canal sécurisé, et il peut arriver qu'il ne vous autorise qu'à envoyer des textos.

— Je n'en veux pas de votre téléphone. Si vous voulez mon aide, il va falloir plaider votre cause un peu mieux que ça.

— C'est ce qu'ils vont faire à Dublin.

Dune Seultrett avait fini sa part du boulot. Elle sirota son thé.

— Je vous le répète : je suis agent de voyages, pas dans les communications. Bon, j'ai un autre client à aller voir.

Elle remit un peu d'ordre sur la table.

— Amusez-vous bien à Dublin.

Leila décida de ne même pas relever. Cette femme racontait vraiment n'importe quoi. Elle se contenta d'un hochement de tête poli lorsque Dune se leva.

— OK. Hm, je vais laisser ce téléphone ici, vous savez.

Elle ne l'avait même pas touché. C'était un Nokia bas de gamme.

Impassible, Dune épaula sa grosse valise.

— Bon. Merci du temps que vous m'avez consacré, dit Leila, hésitante.

Dune défroissa sa tenue, acquiesça à l'intention de Leila et partit d'un pas décidé en direction de la Sécurité.

—... espèce de tarée, ajouta Leila entre ses dents.

Ce n'est que deux minutes plus tard que Leila songea à son sac. Une pensée soudaine, et elle sut avant même de vérifier qu'elle allait avoir une sale surprise. Elle le savait parce que son cœur et ses poumons s'étaient décrochés d'un coup pour tomber dans son ventre.

Elle avait vu juste : son portefeuille, son agenda, son téléphone et son ordinateur portable s'étaient volatilisés. Elle se redressa d'un coup et regarda autour d'elle, l'air accusateur, comme si elle venait de se prendre un avion en papier dans la tête. Mais quand vous êtes seul dans une foule en mouvement, il suffit de deux minutes pour que le monde et vos repères vous échappent. Il n'y avait pas de serveuses à cet endroit.

L'ordinateur portable avait été remplacé par une boîte à gâteaux de taille et de poids à peu près similaires. Sous le choc, mais sans céder à la panique, Leila ouvrit la boîte, qui contenait, en plus des gâteaux, un portefeuille bien garni. Elle l'ouvrit prudemment, comme s'il s'agissait d'un journal intime dérobé. À l'intérieur, elle découvrit les papiers d'une personne qui s'appelait Lola Montes et qui avait apparemment beaucoup de points communs avec Leila. Lola était américaine, une fille de la côte, elle avait des cartes de crédit, un abonnement à une salle de sport et des cartes de restaurant. Mais aussi un passeport américain, un permis de conduire de l'État de Californie, et une carte de la Public Library de New York. Lola ressemblait énormément à Leila. Et elle avait beaucoup de liquide : trois cents euros, cent livres, et deux cent cinquante dollars. En continuant son exploration du portefeuille, elle trouva une serviette en papier où étaient inscrits deux numéros, le coin d'une carte postale de Cancun, un petit sachet de – de quoi au juste? – de cendres? fermé par un élastique, en provenance d'Inde, *a priori*. Et dans la dernière pochette, une photo de son frère, Dylan, où figurait aussi Scratch, leur défunt chat.

C'est à ce moment-là qu'elle examina de nouveau les photos des pièces d'identité. En fait, Lola ne ressemblait pas à Leila. Lola était Leila. Ou Leila était Lola.

Bon. Elle était dans un aéroport, en possession de faux papiers réalisés par des pros de la contrefaçon, et s'était fait voler les siens par une équipe féminine de pickpockets.

Ça allait être très difficile à expliquer.

Parce qu'elles lui avaient quand même laissé environ mille dollars. Son portefeuille à elle ne contenait que dans les deux cents dollars. Donc ce n'était pas un vol. C'était peut-être des billets explosifs. Ou alors, mais oui, c'était peut-être une contre-opération mondiale qui la recrutait et qui l'envoyait à Dublin rencontrer ses dirigeants.

Le calme l'envahit, ainsi qu'une prise de conscience. Elle aurait pu mener des expéditions extrêmes en montagne, ou être capitaine au grand large, parce que quand les choses se barraient en cacahuète, elle gardait en général la tête froide. Quand Dylan s'était tailladé le bras en tombant à travers la table basse en verre, c'était Leila, alors âgée de quinze ans, qui avait enveloppé la blessure dans une serviette bien serrée et maintenu le bras de son frère en l'air. Elle avait dit à son père, blanc comme un linge et planté là, d'aller démarrer la voiture, et à sa mère, qui beuglait, de si possible se calmer.

Elle comprit donc immédiatement que la meilleure décision à prendre était de jouer le jeu de Dune Seultrett jusqu'à ce que quelque chose de mieux se présente. Il se pouvait qu'elle se soit déjà fait avoir. S'ils pouvaient lui vider et lui remplir les poches après l'enregistrement mais avant l'embarquement, il y avait de fortes chances pour qu'ils puissent la retenir au sol, ou pire, si c'était leur but.

Le pitoyable Nokia grésilla sur la table en plastique, comme une mouche prise dans une toile d'araignée. 1 nouveau message, indiqua l'écran. Elle appuya sur Voir.

Vous récupérerez vos papiers à Dublin, après notre rencontre. Après quoi vous serez libre de partir, si vous le souhaitez. DD.

Il y avait un problème avec le billet de Mark pour Rotterdam, où il était censé embarquer à bord du *Sine Wave*. Le problème avec le billet, c'était que le représentant de SineCo à Heathrow ne l'avait pas. Le travail de cet homme consistait à rencontrer les cadres, les prestataires haut de gamme et les invités de SineCo qui transitaient par Heathrow pour répondre à leurs besoins en matière de confort, de navettes, d'organisation de la suite de leur voyage.

— Monsieur Deveraux, vous permettez que je vous emmène à l'espace attente? Je reviens vous chercher, le temps d'éclaircir cette affaire.

Mark demanda s'il pouvait accéder au salon privé de SineCo, qui était trois portes plus loin et comblait en général les voyageurs les plus arrogants. Mais cette pièce était actuellement occupée. Le représentant commanda une voiturette et s'y assit avec Mark à l'arrière, dans le sens contraire à la marche. Tandis que le petit véhicule traversait les halls aux surfaces miroitantes, Mark voyait les choses s'éloigner sans les avoir vues s'approcher, et il songea à des récits d'expériences de mort imminente qu'il avait lus. Une boutique de bagages surgie de derrière sa tête fut avalée par son passé, qui défilait à l'envers sous ses yeux. Une enseigne qui vendait du yaourt jaillit de la même façon et s'évanouit. La voiturette émettait des *bip*, comme un satellite. Ils arrivèrent à un salon d'attente de première classe. Le représentant y fit entrer Mark et lui promit de revenir lorsque cette histoire de billet pour Rotterdam serait tirée au clair. Il était dix heures du matin.

Il prit trois journaux, *Le Mensuel des super-yachts*, deux bouteilles d'eau et quatre croissants, et s'installa sur un canapé en cuir. Il jeta un coup d'œil autour de lui pour voir si on l'avait reconnu. Il commanda un café et essaya de ne pas manger ses croissants trop vite.

Il appela Nils, le principal garde-barrière de Straw. Pas de réponse, alors il envoya un texto : Rdv compromis à Rotterdam ? Suis à Heathrow. Attends infos. Il n'allait pas boire aujourd'hui.

Il jeta un œil aux mots croisés, mais c'était la version ardue du vendredi, et puis sa vision était un peu trouble – manque de nicotine et trop de caféine. Il commanda un verre de jus de tomate, puis ajouta, comme si c'était la première fois qu'une idée pareille lui venait :

— À bien y réfléchir, je vais prendre un bloody mary.

Il passa des mots croisés au méli-mélo, en s'assurant que personne ne voyait ce qu'il faisait. Le méli-mélo, c'était pour les enfants précoces et les retraités.

"Ferait la fortune de l'aphoriste", disait la légende sous le petit dessin d'un homme assis à un bureau, à moitié caché par d'immenses piles de livres. Le dessinateur avait réussi à transmettre l'idée qu'il s'agissait d'un écrivain en panne d'inspiration, avec un air désespéré dans le regard. La réponse tenait en six lettres.

Dans un méli-mélo, il faut remettre les lettres dans le bon ordre pour former un mot, et les lettres entourées constituent la réponse à l'énigme posée au-dessus de l'illustration. Le truc, c'était de flouter sa vision quand on regardait les mots mélangés. Il fallait prendre les lettres par surprise, se rappeler à quoi ressemblaient les mots avant que vous sachiez lire.

ECLUQA.

Claque. Paf, du premier coup. Il nota ses lettres soigneusement dans les cases avant d'extraire le E, qui s'était retrouvé dans un cercle.

Ça ressemblait à l'Étape 3 : Redécouvrez ce qui vous entoure. Quoique, à bien y réfléchir, ça ressemblait aussi à l'Étape 5 :

Restez ouvert à toute possibilité. Mouais, ces étapes se heurtaient un peu les unes aux autres, comme les pieds d'un mauvais danseur.

TAGUSE. Celui-ci résista à l'astuce du floutage. *Ugates?* Non, ça n'existait pas. *Stague?*

Une très belle fille entra dans le salon. Elle se dirigea vers le petit guichet, ne se sentant pas trop à sa place, et tendit son billet à l'hôtesse d'accueil, qui le prit avec un air hautain. La fille tirait une valise à roulettes et ses vêtements semblaient indiquer qu'elle venait d'un pays chaud. Elle devait faire dans les un mètre soixante. L'équipement et le mobilier *king size* du salon lui donnaient l'air d'une petite fille perdue. Elle fila droit vers le bar, parqua sa valise et se jucha sur un tabouret.

Gautes? Ça commençait à devenir ridicule. C'était quand même un intellectuel reconnu, merde! Il passa au suivant. OSRIRA. *Arrios!* Non. *Rasiro?* Non. *Rasoir.* Mais oui, bien sûr. *Rasoir.* Mark nota les lettres entourées, le I et le S. On lui apporta son bloody mary. Il le but d'abord à petites gorgées, puis finit par le vider cul sec. L'air de rien, il essaya de reposer le verre en dehors de son petit espace de privilégié bordélique.

Après son deuxième verre, il décida d'aller commander lui-même ses bloody mary au bar. Le steward était un peu trop pressant à son goût. Et puis, la fille ne s'était pas retournée. Mark se commanda donc un autre verre. Il se posta près de la fille, mais pas trop.

— Pas la peine de mettre la branche de céleri, dit-il au barman, qui était indien, pakistanais, sri-lankais ou autre. C'est un peu too much la branche de céleri, vous ne trouvez pas? ajouta-t-il à l'intention de la fille, qui avait à peine remarqué sa présence.

— Hmm?

Leurs regards se croisèrent brièvement. Quelles étaient ses origines? D'après son *hmm*, elle parlait bien anglais, mais il y avait autre chose.

— Oui, un peu, dit-elle.

Elle retourna au carnet qu'elle lisait et dans lequel elle écrivait.

Bon, très bien. En retournant à sa place, il remarqua une femme plus âgée qui se dirigeait vers le fond du salon avec un paquet de cigarettes.

Qu'est-ce que ça signifiait ? Se pouvait-il que... ? Mais oui, il y avait un espace fumeurs attenant à ce salon. Le monde industrialisé le surprenait encore. On pouvait fumer à l'intérieur d'un aéroport. Il posa son verre à côté du canapé et se dirigea d'un pas déterminé vers ce qui était en fait une sorte de serre à pression négative qui portait le petit nom romantique de *Fumoir**. Décidément, on allait de merveille en merveille. Le problème, c'était qu'il n'avait pas de tabac. Il n'y avait qu'une autre personne dans le fumoir, la femme qu'il avait suivie. Il lui demanda une cigarette, en taxa deux de plus à l'arrière du paquet. Elle était israélienne. Mark se tapa tout un laïus sur sa petite-fille, qui habitait New York, en tirant comme un malade sur la cigarette toute fine. Le bruit sourd de l'extracteur couvrait à moitié la voix de la dame. Et son accent corsait un peu les choses. Enfin, on était dans une salle fumeurs, et malgré son appellation très chic, à l'odeur, on ne s'y trompait pas ; même un parfum très cher n'aurait pu la masquer.

Aucun son ne leur parvenait de l'extérieur. Derrière le verre dépoli, le soleil baignait tout d'une lumière chatoyante. Sur le tarmac, des petits trains débordant de bagages suivaient leur couloir délimité à la peinture. Les pneus des avions : est-ce qu'ils étaient petits ou gros ? Ils avaient l'air de roues miniatures sous les avions, mais ressemblaient à des mastodontes à côté des mécanos qui assuraient l'entretien. Tiens, la sixième ou septième étape pourrait être : Mettez-vous en perspective. Ou mieux : Choisissez votre perspective.

Il retourna s'asseoir. Merde, il avait laissé le méli-mélo en vue sur ses journaux. En fait, il avait laissé toutes ses affaires sans surveillance. Est-ce que ça faisait partie des choses possibles quand on était en première classe ? Il espérait bien. Mais, non, il devait bien toujours y avoir une sorte de voleur qui évoluait

* En français dans le texte.

parmi les nantis, prêt à délester ses hôtes et compagnons de voyage : l'étui à cigarettes sur un coin de table, la Rolex dans le casier du vestiaire, la Vicodin dans l'armoire à pharmacie. Il était trop insouciant. Étape Neuf : Surveille tes arrières, ducon. Il reprit son méli-mélo. VREDES. Il plissa les yeux. Rien.

Au bar, la fille continuait à griffonner dans son carnet. C'était bizarre qu'elle lui ait opposé autant de froideur. Non parce qu'il était connu et tout. Mais quand même, un peu de conversation anodine, ça ne se refuse pas, si ? Bref. *Verdes ?* Non. *Dreves ?* Non plus. *Dévers ?* Est-ce que ça existait, *dévers ?* Ouais, un truc de géomètre. Ha ha – trois mots démêlés de main de maître. *Dévers* lui fournit un D et un V qu'il inscrivit à côté des lettres qu'il avait déjà récoltées. De quoi pouvait avoir besoin un aphoriste paresseux ? Et ce putain de TAGUSE, là, c'était quoi ? *Tusage ?*

Un gazouillis de son téléphone. Un message de Nils : le lieu de rdv a changé. Attendez nos instructions.

La meilleure, celle-là. Attendre, attendre… mais combien de temps ? Il ferma les yeux, juste histoire de se reposer, pas pour dormir. Telle une mise en garde contre la sieste en public, un obèse ronflait de temps à autre dans un coin, un filet de bave arachnéen reliant sa lèvre inférieure au gros nœud de sa cravate violette irisée.

Peut-être que *sauget* était une sorte de plante, ou alors une unité de mesure. Il était presque sûr qu'il avait déjà entendu ça quelque part… douze saugets pour faire un boisseau, non ? Il mit ses journaux en ordre, se leva, enfila sa veste, boucla sa valise et la posa sur le canapé. Il goba une pastille rafraîchissante. Il se dirigea vers le bar.

— Je vais en prendre un autre si vous le voulez bien, dit-il au barman, puis se tourna vers la fille. Est-ce que vous connaissez le mot *sauget* ?

— Pardon ?

— *Sauget.* S-a-u-g-e-t. Ça existe ? Comme unité de mesure ou quelque chose d'approchant ?

— Je crois que vous confondez avec *setier,* dit-elle.

Elle avait l'air un peu plus jeune que lui, mais elle avait le contour des yeux un peu marqué – peut-être un simple manque de sommeil. Elle était ébouriffée, mais comme dans ces pubs pour gel coiffant où les filles, même ébouriffées, sont très jolies.

— Ah. Oui. *Setier*.

Mark se mordit la lèvre. La fille se pencha sur son carnet puis sembla changer d'avis.

— Pourquoi cette question ?

Que ce fût par politesse condescendante ou véritable intérêt, impossible à dire. Les deux lui allaient, à vrai dire.

— C'est un texte que je corrige. Il doit y avoir une coquille.

— Ça ressemble à *aguets*, avec les lettres mélangées.

Merde alors : *aguets*.

— Mais oui, *aguets*, dit-il. Merci.

— De rien.

Le barman avait planté une branche de céleri dans le verre de Mark.

— Oh, ça ira comme ça, dit Mark, mais trop tard, le barman avait jeté la branche dans l'évier sous le bar et donc on avait l'impression que ce que Mark disait en fait, c'est qu'il était inutile de refaire tout le cocktail, comme si, magnanime, il excusait la contagion du céleri.

Il se rendit compte que ça le faisait passer pour un connard, et donc il s'empara de son verre pour se donner une contenance et émit des *mmm* débiles en le goûtant. Bon, là, il avait vraiment l'air d'un crétin. Il posa un billet de dix livres sur le comptoir et s'éclipsa.

Bien. Voyons. *Aguets* lui fournissait un autre E, donc il avait E, I, S, D, V, E. Ça ne pouvait pas être bien compliqué. *Vidées !* Mais quel rapport ? *Évidés ?* Pas mieux…

Qu'est-ce qu'il se détestait, parfois. Dans ses séminaires, il mettait toujours le public en garde contre l'apitoiement sur soi, cet horrible défaut qui pouvait se décliner dans des nuances de déprime, pleurnicheries et grogne. Mais qu'en était-il de la haine de soi, la vraie ? N'avait-on pas raison d'être affligé par sa propre personne parfois ? Et il ne parlait pas du quiproquo avec la branche de céleri, ni du fait de se pinter à midi, ni du temps qu'il perdait à résoudre une énigme pour gamins alors qu'il était tenu par contrat de remettre un livre dans quelques semaines. C'est sa malhonnêteté générale qu'il visait, cette tendance qu'il avait à calculer ses angles d'approche en toute situation. Ça devait sans doute arriver à tout le monde de temps en temps. On ne peut pas naviguer dans le flou ou se laisser porter tout le temps. Il fallait savoir anticiper. Mais il en était arrivé au point où il ne faisait plus que manigancer. Comme la vie de ceux qui ne fonctionnaient pas ainsi devait être agréable. C'était là, *a priori*, que résidait l'apitoiement sur soi, il avait l'impression de souffrir d'un handicap invisible, et si les bus pouvaient s'accroupir pour les fauteuils roulants, il fallait que le monde s'adapte à lui d'une façon ou d'une autre.

Cette fille ressemblait à son ex, en plus exotique. Il hésitait à retourner lui parler. Comme son ex, elle avait l'air facilement irritable, mais c'était le genre de carapace qu'il aimait percer.

Son ex. Penser à elle le dégoûtait de lui-même. Il avait vraiment foiré avec elle. Et si on n'avait rien qu'une chance de réussir en amour ? Si on faisait trop de choix débiles, et qu'ensuite on avait une vie de merde, quoi qu'on fasse, hein, monsieur Développement Personnel ? Cinq minutes à ruminer des pensées de ce genre eurent un effet inquiétant sur son cœur – comme si ses muscles se rétractaient, empêchant le sang d'affluer. Mais il devait se tromper. En cas de crise d'angoisse, la règle n° 1 un était N'en parlez à personne. Ou si vous le faites, décrivez ce que vous ressentez de façon à ce qu'on pense que votre état résulte de votre sensibilité et de votre intelligence. Ce qu'il ne fallait pas faire, c'était se plaindre de sorte que la solution – Arrêtez de fumer, Arrêtez de boire – soit trop évidente.

La règle n° 2 – ou plutôt la vraie première – c'était N'oubliez pas de respirer, qui pouvait même valoir pour toutes les étapes, de 1 à 10.

Mais qu'est-ce qui se passait dans sa poitrine ? S'il faisait une attaque cardiaque, est-ce que le steward zélé se jetterait sur lui avec un défibrillateur ? Un peu de respiration contrôlée en regardant le ballet des avions par la vitre, et il pensa un peu moins à son cœur au bord de l'implosion. Il y avait un 747 garé là – garé ? *La tête de cet avion a la grâce d'un cygne*, songea-t-il. Mark s'enfonça dans le cuir du canapé, s'excusa auprès de son corps, lui fit des promesses.

Il n'avait pas besoin d'un autre verre. En fait, un verre d'eau fraîche semblait tout indiqué.

Cette fois, elle lui adressa la parole.

— Comment se passe votre relecture?

Elle avait un beau sourire.

Étape n° 7 : Mettez-vous en avant.

— En fait, je ne corrigeais rien du tout. Je faisais un méli-mélo. Vous savez ce que c'est?

— Non.

Il lui montra la page, toute froissée par ses efforts acharnés.

— Ça? Je pensais que c'était juste un dessin humoristique.

— C'en est un, en quelque sorte. Mais il y a une énigme à résoudre.

Le barman s'était approché d'eux, et Mark commanda un verre d'eau.

— Je n'ai pas osé vous le dire tout à l'heure parce que c'est un jeu un peu simplet. Vous devez me trouver bête, hein, de mentir à une inconnue à propos d'un truc pareil.

— Mentir, ce n'est pas forcément bête. Avaler vos couleuvres, par contre...

Mark sourit et acquiesça pour lui concéder un point.

— Bon, et si vous m'aidiez à le finir, ce méli-mélo?

Elle sourit à son tour et accepta. Il prit place à côté d'elle et trouva aussitôt cette proximité très agréable. Il crut au début qu'elle sentait la cacahuète, mais se rendit compte que l'odeur venait en fait du petit bol posé sur le comptoir. Elle résolut l'énigme en un rien de temps : Devise.

Mouais. Il trouvait ça moyen.

— Une devise pour un aphoriste. Qu'est-ce qu'il y a d'original?

— Devise est à prendre aussi dans le sens de monnaie. D'où la légende : "Ferait la *fortune* de l'aphoriste."

— Hmm... je trouve que le dessin nous oriente dans une mauvaise direction. C'est assez injuste.

Elle s'esclaffa.

— Oh, je crois que sur la liste des injustices, celle-ci se retrouve tout en bas.

Tiens, prends ça. Merde alors, elle lui plaisait. Mais non, il n'était pas un crétin vaniteux, voyez comme il se fichait qu'on se moque de lui.

— Je m'appelle Mark, dit-il.

— Leila, euh je veux dire Lola, répondit-elle, ce qui était vraiment bizarre.

Elle était chorégraphe. Et pour où partait-elle?

— Oh, je préfère ne pas trop en parler. Et vous? Vous faites quoi?

— Je suis consultant. J'ai rendez-vous avec un client important aujourd'hui, mais j'ignore s'il va être maintenu. Je suis là depuis des heures. Je suis censé attendre jusqu'à ce qu'on me dise si c'est annulé ou reprogrammé. Quel est le record d'attente dans un salon d'aéroport à votre avis?

— Et vous ne pouvez pas rentrer chez vous? Ils pourraient vous appeler quand ils sauront où vous faire venir?

— Rentrer chez moi? Non, impossible. C'est un client trop important.

Ils se turent un instant. Deux inconnus dans un bar.

— Vous avez des cartes? lui demanda-t-elle.

— De visite? dit-il en tâtant ses poches exagérément, comme le font les gens qui justement n'ont pas de portefeuille.

— Non, des cartes à jouer. Ils en ont peut-être ici.

Est-ce qu'il avait des cartes à jouer? Oui, en général, deux jeux. Parfois un Svengali, ou un jeu biseauté. Il alla fouiller dans sa valise. Il mit dans sa poche un jeu truqué et revint au bar en brandissant un jeu normal.

Il lui laissa le choix du jeu. Elle opta pour un rami avec une donne de neuf cartes, auquel il n'avait pas joué depuis des années. Elle précisa qu'elle y jouait avec son père quand elle était petite.

Il fit exprès de perdre les deux premières manches, tâchant de deviner sa manière de jouer, se défaussa de certaines cartes en guise d'appât pour voir si elle préférait frapper tout de suite ou attendre son heure. Elle jouait assez bien, manipulait ses cartes en faisant un peu de manières et ne manifestait aucun intérêt visible lorsqu'il jetait une carte qu'elle espérait.

— J'espère que vous n'êtes pas consultant en jeux de cartes, lui dit-elle, la prunelle scintillante.

Il commanda une bière et remporta les trois manches suivantes. L'homme qui dormait dans un coin était en passe de tomber sur le côté et ronflait en faisant un boucan d'enfer.

Après sa troisième victoire, Mark remarqua que le scintillement avait disparu des yeux de Lola ou Leila pour laisser la place à l'agacement.

— Vous voulez jouer à autre chose ?

— Non. À vous de distribuer. Je vais aux toilettes.

Elle prit son sac avec elle. Ce qui pouvait signifier qu'il était potentiellement encore dans la catégorie des psychopathes. Mais sa petite valise à roulettes était toujours sous son tabouret.

Mark prit une carte de son jeu truqué, exclusivement composé de valets de pique ; il écrivit son nom et son numéro de téléphone en travers de la tête du valet et glissa la carte dans le petit encart plastifié sur le dessus de la valise. Une fois qu'elle la reprendrait, elle verrait le valet à coup sûr.

Lorsqu'elle revint des toilettes, il lui apprit à jouer au conquian, le jeu mexicain qui avait probablement inspiré les jeux de rami.

— Bon. D'accord. Vous en connaissez un rayon sur les jeux de cartes. Vous vouliez m'escroquer ?

Il avait toujours aimé le mot *escroc*, le mélange de ruse et de fourberie qu'il sous-entendait.

— Pour ça, il aurait fallu qu'on mise de l'argent.

L'art de répondre sans répondre.

— Vous connaissez des tours ?

— Oh, je n'aime pas trop ce terme, dit-il avec malice.

Elle sourit.

— Allez, montrez-moi un peu ce que vous savez faire.

Quoi lui montrer ? La carte choisie ? La change à vue ? Quelque chose de plus tape-à-l'œil, une cascade ? Le vrai tour de passe-passe, il l'avait déjà accompli. C'est toujours comme ça.

Il se lança dans son petit baratin.

— Ce qui est génial avec les cartes, c'est toutes ces histoires incroyables qui se cachent derrière. Les chiffres, les personnages. Tenez, le sept de trèfle par exemple. Personne n'a envie de se retrouver seul avec un sept de trèfle.

Elle le regarda l'air de dire, *N'importe quoi*, et il ouvrit de grands yeux pour insister.

— Je ne plaisante pas, Lola. Gare à vous si vous emmerdez un sept de trèfle. Pardonnez ma vulgarité.

— Vous êtes tout excusé.

Il battait, mélangeait, en rajoutait. Il se servait toujours du jeu normal, alors il la laissa inspecter les cartes. Elle confirma qu'il s'agissait bien des cartes avec lesquelles elle venait de jouer.

— Les neuf et les sept ont quelque chose de spécial, une sorte d'énergie, dit-il. Si j'étais mathématicien, je pourrais peut-être dire pourquoi. Mais ce n'est pas le cas, alors tant pis. N'empêche que c'est vrai.

Il étala les cartes puis retourna un sept de carreau et un neuf de pique en un clin d'œil ; pas de magie ici, rien qu'une grande dextérité.

— Bizarrement, quand ils appartiennent à la même famille, on dirait qu'ils ne s'aiment pas.

Il tira du jeu un neuf de carreau et l'approcha du sept posé sur le bar, puis, en appuyant sur les bords de la carte, la propulsa en l'air. Alors qu'elle s'apprêtait à atterrir de l'autre côté du bar, il la rattrapa de l'autre main. La bouche de la fille s'entrouvrit, et il remarqua le léger désalignement de ses dents de devant.

— Et vous ? lui demanda-t-il. Vous avez une histoire avec une carte en particulier ?

— Vous êtes sérieux ?

— Hmm.

— Non. Je ne donne pas dans la numérologie. Je trouve ce genre de choses assez dangereux, en fait.

— Vous voulez dire que les superstitions sont nuisibles et que c'est une tentation à laquelle il faut résister ?

— Oui. C'est exactement ce que je veux dire.

— D'accord. *Quid* de la forme, alors, ou de la couleur ? Vous avez sûrement une préférence ?

Elle réfléchit.

— Pique, dit-elle. S'il faut vraiment que je choisisse.

La plupart des gens choisissaient les piques.

— Vous ne jouiez qu'au rami quand vous étiez petite? Pas d'autres jeux?

— Si, des jeux bêtes. La bataille. Le speed. La pêche. Mon père a essayé de nous apprendre un jeu perse un jour, mais les cartes étaient bizarres, et ça nous a ennuyés.

Bien sûr : elle était perse. Il était presque sûr que ça voulait dire iranienne.

— La pêche n'est pas un jeu si bête, dit-il. Où jouiez-vous?

— Comment ça?

— Je ne sais pas, sur une table basse?

— Oui, c'est ça.

Elle plissa les yeux.

— Est-ce que c'est encore un de vos tours de passe-passe mystiques du genre, *Tout le monde a une histoire avec une table basse*?

Ce fut à son tour de la regarder en plissant les yeux. Il réfléchit.

— Mais c'est pourtant vrai. On se souvient tous d'une table basse. Ou d'un tapis. Et ça n'a rien d'un tour de passe-passe mystique, ajouta-t-il, légèrement vexé. Je ne faisais que discuter.

Dire à votre interlocuteur *Je ne faisais que discuter* le fait aussitôt passer pour quelqu'un d'agressif.

— Oui, la nôtre était une espèce de roue de chariot avec une plaque en verre par-dessus.

Il échangea le jeu normal contre le truqué, dans un geste fluide, sous couvert de ses mains larges. Ça aurait pu paraître bizarre mais ça faisait bien dix minutes qu'il se livrait à des manipulations plus furtives encore.

— Bien. Vous allez choisir une carte. Vous la regardez et surtout vous ne me la montrez pas. Mais vous devez y penser très fort une fois que vous l'avez regardée. Enfin, vous pouvez toujours me compliquer la tâche en pensant à une autre carte, mais je risque de rater mon tour. Du coup, ce serait moins amusant.

— Mais on se ferait moins d'illusions.

Il étala le jeu sur le comptoir.

— Tournez-vous, dit-elle.

Si elle regardait plus d'une carte, il était cuit : elle avait cinquante et un valets de pique étalés sous son nez. Mais il lui tourna le dos sans l'ombre d'une hésitation. Au moins ça lui permettait de se préparer à échanger de nouveau les jeux.

— C'est bon, dit-elle, j'ai choisi.

— Vous y avez pensé fort ? Vous l'avez remise dans le jeu ? demanda-t-il sans se retourner.

— Ouaip.

Il pivota, rassembla l'éventail de cartes sous sa main gauche et sembla le passer dans la droite. Mais en fait, le jeu truqué resta coincé sous sa paume gauche puis tomba sans un bruit sur ses genoux. Il se concentra sur le jeu normal, revenu sur le devant de la scène. Elle aussi. Il le tenait comme s'il s'agissait d'un oisillon tombé du nid.

— Vous allez les battre ? demanda-t-elle.

— Vous voulez ?

Elle réfléchit.

— Hmm… Oui.

Il prit un air inquiet puis battit les cartes comme jamais. Ses mouvements, rapides comme ceux d'une machine, avaient aussi la délicatesse de vaguelettes léchant le rivage. Il sépara le jeu en deux moitiés dont il entrechoqua les bords avant de les rassembler à nouveau comme une fermeture éclair ; un *frrrllllll* s'échappa de leur dos cambré. Il cessa.

— Ici, je crois, dit-il en tenant le jeu délicatement. La carte que vous avez choisie est celle du dessus. Allez-y, regardez.

Elle tendit une main vers le jeu.

— Attendez !

Il parla si fort que le barman sursauta et qu'un homme avec des boutons de manchette en forme de tête de cheval abaissa son *Financial Times*. Elle retira sa main, tout d'abord l'air penaud, puis agacé.

— Pardon, dit-il. Je crois que je me suis planté.

Il mélangea les cartes trente secondes de plus puis les lui présenta à nouveau.

— Vous êtes sûr ? lui demanda-t-elle sur le ton de la réprimande.

— Certain.

Elle prit la première carte du paquet et la regarda.

C'est la partie la plus difficile : subir la déception qu'on lit dans les yeux du pigeon quand il tire la mauvaise carte. Il vit dans son regard sombre l'espoir se changer en frustration. Avec deux doigts, elle retourna la carte pour la lui montrer : un sept de carreau.

— Ce n'était pas celle-là ? demanda-t-il, sans conviction.

Elle secoua la tête. Il prit un air gêné. Une fois, le pigeon avait par un hasard total tiré la même carte qu'il avait tirée du jeu truqué, et Mark avait dû feindre la satisfaction alors qu'il se demandait comment il allait pouvoir retirer cette carte truquée du ruban du chapeau de la dame. Bien sûr, on pouvait au préalable retirer la carte du jeu normal qui correspondait à la carte truquée, mais c'était une manipulation supplémentaire qui pouvait être repérée. On ne pouvait pas se permettre plus de deux ou trois techniques en magie de table. L'illusion était ailleurs.

— Enfoirés de sept, dit-il entre ses dents.

— Essayez encore, l'enjoignit-elle aussitôt, comme s'il venait de tomber de vélo.

— Ça ne marche pas vraiment comme ça, bougonna-t-il, avant de se ressaisir un peu. Peut-être que c'est celle d'après ? – De bonne grâce, elle tira la carte suivante. – Non, toujours pas. – L'air même sembla se faner autour d'eux. – Bon, il va falloir que j'attire la carte sur le dessus du paquet. C'est une manœuvre qui demande pas mal d'expérience. – Il battit les cartes devant lui, à hauteur d'œil. – Là. Allez-y, prenez la carte du dessus. C'est la vôtre.

Elle lui lança un regard dubitatif, mais tira la carte. Cette fois, elle n'osa même pas croiser son regard. Elle retourna sa carte sur le comptoir.

— J'imagine que le roi de carreau n'était pas votre carte ? Elle secoua la tête.

— Est-ce que c'était un roi, au moins ?

Elle fit non à nouveau.

— Vous voulez que je vous dise ce que c'était ?

Quand on vous pose cette question, vous pouvez arrêter.

— Non, dit-il, mimant le découragement avec talent.

— Un autre verre, peut-être?

— Allez, au point où j'en suis.

Elle leur commanda un verre de vin chacun. Elle leva le sien pour trinquer, mais il était déjà en train de boire, ce qui les gêna tous les deux. Elle retourna à son carnet.

— Vous avez un nom de scène? lui demanda-t-elle au bout d'une minute. C'est peut-être ce qui vous manque.

— Un nom de scène? Vous pensez que le problème vient de là? Que diriez-vous de Deveraux l'étourdi?

— C'est excellent. Deveraux, c'est votre vrai nom? C'est quel genre de nom?

— Je préfère ne pas en parler.

— Oh, excusez-moi.

— Je plaisante. Oui, c'est mon vrai nom. C'est acadien.

— Acadien? C'est un peu comme cajun?

— Ça me donne plutôt l'impression d'être un poulet aux épices, mais si on veut.

Le représentant de SineCo les approcha.

— Monsieur Deveraux? Désolé de vous avoir fait attendre. Le lieu de votre rendez-vous a changé. Nous devons vous acheminer à Hong Kong. Est-ce que cela vous convient?

Hong Kong. Il n'y était jamais allé. C'était bizarre, Mark aurait juré avoir entendu Straw dire que le *Sine Wave* était dans les fjords la semaine précédente.

— C'est parfait. Merci de vous en être occupé.

Mais oui, ça lui convenait à merveille. Il essaya de savoir si Lola avait capté la scène : rendez-vous changé, Hong Kong, son imperturbabilité.

On offre rarement une telle sortie à un illusionniste. La révélation se ferait dans un troisième acte. Le représentant attendait derrière lui.

— Bon, eh bien Lola, bonne continuation.

— Oh, merci. Mark, c'est bien ça?

— Oui, Mark.

Il descendit de son tabouret pour poser les pieds en *terra opulenta*, sans le moindre tournis. Il était moins ivre qu'il ne l'avait craint, et pouvait parfaitement passer pour un homme d'affaires fatigué par ses déplacements. Le fait que le représentant ait parlé d'acheminement au lieu de simples billets lui donnait des raisons d'espérer qu'il gagnerait Hong Kong à bord d'un appareil privé de Sine, et l'enthousiasme suscité par cette idée le sortit de sa torpeur – il buvait quand même depuis six heures.

— Bien. Je vous recroiserai peut-être dans un de ces endroits ?

— Je ne crois pas, non. Bonne chance pour votre rendez-vous. Et... ajouta-t-elle avec espièglerie, n'oubliez pas de bosser un peu votre magie.

— OK, je n'y manquerai pas.

DUBLIN

En passant les portes coulissantes de l'aéroport de Dublin avec son sac et son nom de guerre, Leila vit un homme qui tenait une feuille où l'on avait écrit au feutre baveur *L. Montes*. Il la tenait pour ainsi dire par-dessus la jambe, un peu comme les chauffeurs de taxi qui veulent faire comprendre qu'ils ne sont pas des chauffeurs de limousine. Mais il se radoucit en voyant que L. Montes était une fille. Il se présenta sous le nom de Dermot, son visage avait quelque chose de franc, son œil pétillait, il était plein d'allant ; ils passèrent devant la file des taxis et bifurquèrent vers un parking. Il ouvrit la portière arrière d'une voiture noire banale mais propre.

Lorsqu'elle lui demanda "Où va-t-on ?", il répondit simplement : "Stoneybatter". Quand elle voulut savoir où ça se trouvait, il dit : "Entre Cabra et les quais." Était-ce un vrai chauffeur de taxi ou un agent qui travaillait pour Dear Diary ? Il y avait un compteur, mais il ne tournait pas. Il alluma la radio – des gens qui se plaignaient d'un impôt sur les trottoirs ou quelque chose comme ça. Puis il y eut un flash infos, mais pas en anglais. Ça lui fit l'effet d'une langue primitive parlée par une tribu agitant des lances.

— Est-ce que c'est du gaélique ? demanda-t-elle à Dermot.

Il baissa le son.

— Irlandais.

— Non, je sais, dit Leila. Mais la langue. C'est du gaélique ?

Il chercha son regard dans le rétroviseur.

— Le mot qui désigne la langue irlandaise est : l'irlandais.

Il le dit sans méchanceté, mais on sentait qu'il l'avait répété pas mal de fois.

Elle était gênée. Elle le savait en plus, ou l'avait su en tout cas. En Afrique de l'Ouest, elle avait travaillé avec un Irlandais qui chantait magnifiquement et parlait dans sa langue natale lorsqu'il avait sa femme au téléphone. "On a l'impression d'être les messagers du vent navajo, avait-il dit à Leila, jusqu'à ce qu'un beau jour, il y ait un autre Irlandais dans ton wagon."

Dermot la déposa devant la porte d'une petite maison de brique dans une rue de petites maisons de brique sur une colline sillonnée de rues de petites maisons de brique. L'homme qui vint lui ouvrir la fit entrer en vitesse, l'escorta dans une cuisine, dit qu'il s'appelait Feargal, et est-ce qu'elle voulait une tasse de thé? Elle acquiesça et il lui demanda si elle avait fait bon voyage.

— Très bon. À part le moment où vous m'avez enlevée.

— Ouais... désolé. On va un peu moins vite en général. On va tout vous expliquer dès que possible. Il y a une réunion ce soir.

Leila se contenta de hocher la tête.

— En attendant, est-ce que vous voulez bien passer notre test oculaire pour connaître votre numéro?

Est-ce qu'il plaisantait? Est-ce que c'était une blague irlandaise?

— Non merci, pas de test oculaire, ça ira. Rendez-moi mes affaires et ramenez-moi en Californie, c'est tout, dit-elle sèchement.

Mais alors une fille qui s'appelait Sarah entra, elle était très gentille, elle emmena Leila dans une chambre au deuxième étage de l'étroite maison de brique, une chambre avec une grande fenêtre en alcôve, un matelas blanc sur un lit en fer, un bureau, un lavabo et une serviette posée sur le dossier d'une chaise en bois. On aurait dit la chambre dont Leila rêvait depuis des années.

— Vous devriez dormir quelques heures. Vous en aurez besoin pour la suite.

— Écoutez, Sarah, franchement, je suis venue dans l'unique but de récupérer mes affaires. Le fait d'avoir été embarquée de force ne m'impressionne pas, et vous entendre plaider votre cause ne m'intéresse pas non plus.

— Embarquée de force, non. Vous avez eu droit à une Caracas.

— Pardon ?

— Ils ont procédé à l'échange de vos affaires dans le terminal trois, c'est ça ? Mais ils vous ont filé une couverture, et de l'argent ? Voilà, c'est une Caracas. Bref. Je sais que vous voulez vos appareils, vos papiers et tout, et je m'assurerai personnellement qu'ils vous soient remis après la réunion.

— Et le reste de mes sacs ?

— On a tout fait venir. Les quatre valises qui partaient pour Los Angeles arriveront ici demain matin. Le cinquième élément, le sac North Face, vous parviendra à l'endroit où vous passerez la nuit.

En fait, Leila avait reçu une formation intensive sur la conduite à tenir en cas d'enlèvement. Mais rien de ce qu'on lui avait appris n'avait de rapport avec ce qu'elle était en train de vivre. Il avait été question de s'accroupir derrière le bloc moteur, et surtout, de retenir ses larmes. Ils n'avaient pas abordé les kidnappeurs délicats qui vous fournissaient une jolie chambre pour la sieste et faisaient réacheminer vos bagages pour que vous ne manquiez de rien au moment d'aller au lit.

— Lola. Dormez quelques heures. Il y a des toilettes et une baignoire au fond. Je m'assure que personne ne vous dérange. Je viens vous chercher tout à l'heure, je vous expliquerai où on va.

Il devait être midi lorsque Sarah, Feargal et Leila quittèrent la petite maison de brique. Ils montèrent à bord d'une camionnette sur laquelle étaient peints les mots *Les Fleurs de Pat*. Sarah prit place à l'arrière avec Leila. Feargal s'assit au volant mais ne démarra pas. Il attendait quelque chose.

— Je suis censée vous bander les yeux, dit Sarah.

— Oubliez direct, dit Leila.

— Je m'en doutais.

— C'est que ça devient un peu risqué dans le coin, dit Feargal.

— Si vous me rendez mes affaires maintenant, je promets de ne pas regarder par la fenêtre, dit Leila. Qu'est-ce que vous en dites ?

— Allez Ferg, démarre, on y va.

Il haussa les épaules en signe de désaccord mais s'exécuta.

Ils descendirent la colline, passèrent devant une prison qui ressemblait à une église, et une église qui ressemblait à une prison. Puis un pub, un autre, un cordonnier, un book-maker, encore un pub, et un autre, une église. Et soudain, des immeubles modernes – "modernes" dans le sens, *Tiens, prends ça, de l'acier et du verre partout.* Feargal se fendait d'un petit laïus sur la ville ("Ça c'est le plus vieux club de boxe de Dublin… ça c'est le restau où le Général a été abattu.") lorsque Sarah, qui regardait par une vitre teintée à l'arrière du van, l'interrompit :

— Ferg, qu'est-ce que tu penses de cette petite Ford blanche, là ?

Il regarda dans son rétroviseur latéral.

— Hmm, rien de bon. Accrochez-vous.

Il vira brutalement à droite dans une ruelle. Même Leila remarqua la frustration des hommes de la Ford blanche lorsqu'elle passa à leur hauteur.

— On va à la poissonnerie, décréta Sarah.

Elle devait être la supérieure de Feargal, ou alors ils se connaissaient très bien.

Feargal hocha la tête et accéléra. Mais leur progression fut bientôt bloquée par une poignée de morts vivants en haillons qui buvaient là, mais qui s'écartèrent de leur chemin lorsque Feargal les regarda de travers. Une minute plus tard, le van du fleuriste s'arrêtait devant un rideau de fer, et Sarah était au téléphone, comptant les sonneries, sa semelle battant le plancher caoutchouté de la camionnette – seul signe de ner-vosité. Son visage changea soudain d'expression. "Il nous faut un refuge", dit-elle simplement tandis que Feargal appro-chait son visage du pare-brise – Leila comprit qu'il se mon-trait à une caméra qu'elle ne pouvait pas voir. Le rideau se leva – plus promptement que ces choses ne le faisaient d'or-dinaire – et Feargal s'engouffra à l'intérieur, faisant crisser les pneus sur le sol sec. Le rideau se rabattit derrière eux dans un bruit métallique.

Ils étaient dans la réserve d'une poissonnerie. Feargal et Sarah sortirent pour parler avec un homme, sûrement celui qui avait répondu au téléphone et ouvert le rideau. Il portait un tablier blanc taché de sang, des gants argentés et un long couteau attaché à sa ceinture. Sarah et lui parlaient près l'un de l'autre. L'odeur saumâtre du poisson s'engouffrait dans le van, un peu freinée par la fraîcheur réfrigérée de la pièce. Sarah revint. Elle s'adossa à la camionnette.

— Bon, vous continuez toute seule. Quelqu'un va passer vous prendre sur les quais.

— Non. Je veux que vous veniez avec moi.

S'il y a une personne qui vous inspire confiance, restez avec elle. C'est ce qu'on lui avait dit en formation.

— Impossible. Ils sont à mes trousses, ou à celles de Feargal. Désolée. J'étais persuadée que vous étiez en sécurité. Ça ne fait qu'une semaine qu'on est dans cette maison. Mais on se retrouvera à la réunion. Il vous suffit d'atteindre les quais.

Feargal, qui était au téléphone, se retourna et les héla :

— Même pas. Il faut juste qu'elle arrive au marché aux chevaux. Elle se fera ravaler sur place.

— Comment ça, ravaler ? dit Leila.

Puis elle songea, *Berk, un marché aux chevaux ?* Elle ne pouvait détacher son regard du long couteau pendu à la ceinture du poissonnier.

Mais on n'avait pas le temps de discuter. Sarah la prit par la main, lui fit traverser la boutique et la fit sortir par la porte d'entrée, dans une rue déserte.

— Par là, lui dit-elle en lui indiquant le chemin. Quelqu'un vous retrouvera au marché.

Il n'y avait plus de gentillesse dans sa voix, que de l'urgence.

Leila partit, sans vraiment courir, mais elle marchait vite. Elle avait peur. Elle aurait préféré ne pas être seule dans une rue déserte au cœur de cette ville étrange.

Mais en tournant au carrefour suivant, elle déboucha sur une longue place pavée, et elle n'était plus seule. L'endroit grouillait d'hommes et de bêtes – il y avait bien dans les cinq cents personnes. Et les chevaux, si c'était bien de ça qu'il s'agissait, la stupéfièrent. Il y en avait quelques-uns de taille normale, puissants, mais la plupart étaient rabougris, certains avaient même la taille de chiens. On les faisait défiler, courir, on les aiguillonnait, brossait, pomponnait… Et les gens qui s'occupaient d'eux… Leila n'en avait jamais vu de semblables, on aurait dit des Aborigènes blancs en tenue décontractée de couleur criarde. En petits groupes, des hommes buvaient au goulot de bouteilles en verre marron, certains titubaient ; des garçons et des filles erraient en meutes, entre drague et invectives.

Plantée là en plein anachronisme, elle fut frôlée par deux garçons aux yeux clairs juchés sur des poneys lancés au galop, dont les sabots résonnaient contre le pavé ; des cavaliers qui n'avaient pas froid aux yeux. Déstabilisée, Leila trébucha à reculons contre la porte sombre d'un pub.

— Continuez à avancer, Lola, lui dit l'homme qui la rattrapa.

Il portait un bonnet, une cravate et une chemise sale.

— Avancez vers le centre, dit-il en désignant la place du marché.

Après quoi, d'un mouvement furtif de la tête, il lui montra un homme à quelques mètres de là, en manteau trop lourd, lui aussi surpris par les poneys au galop. Elle le vit qui la cherchait du regard – c'était un des passagers de la Ford blanche.

Elle s'enfonça dans le marché, suivie de Bonnet-Cravate, puis, non loin, de Gros Manteau. Ce dernier parlait dans son téléphone et se dirigeait vraiment droit vers elle. Mais un mouvement de foule soudain l'engloutit. Elle se retourna pour voir ce qui s'était passé : un petit groupe d'hommes l'avait entouré et pris à partie à cause d'elle ne savait quelle transgression, et dans une langue qu'elle ne comprit pas davantage que des galets s'entrechoquant dans un roulis d'eau de mer et de sable. Certains de ces hommes portaient des battes, et il était difficile de voir comment tout ça pourrait bien finir. Bonnet-Cravate la bouscula.

— Magnez-vous, on n'est plus très loin.

Elle comprit que le type avait été encerclé exprès pour elle. Sans qu'elle comprenne comment ou pourquoi, tous ces gens étaient de son côté. Elle poursuivit son chemin sur la longue place, vit de vieilles femmes avec des couches et des couches de jupons, des jeunes hommes en jogging immaculé, une petite fille qui agitait une bouteille cassée sous le nez de plus grands enfants, pliés de rire, pour les mettre en déroute. Leila était comme invisible, personne ne faisait attention à elle. Mais si elle s'arrêtait, quelqu'un – dans un groupe d'hommes occupés à boire ou autre – croisait son regard et lui adressait un demi-clin d'œil, ou un hochement de tête, et faisait à nouveau comme si elle n'était pas là. À l'autre bout de la place, l'atmosphère était plus détendue – des touristes prenaient des photos, des marchands ambulants vendaient du réconfort à base de gras et de sucre, un tram très chic passa avec fracas. Elle était de retour dans le vrai monde.

Et là, dans la file de taxis le long des rails se trouvait Dermot, son chauffeur du matin même, qui semblait remonter à une semaine. Elle fila droit vers lui, il la vit arriver et ouvrit sa portière arrière, elle se glissa sur la banquette en vinyle noir comme si elle avait retrouvé sa maison.

— C'était quoi, ce bordel?

Il démarra en s'esclaffant.

— C'était le marché aux chevaux.

— Et ils parlaient en… C'était même pas de l'irlandais, si?

— Non. Ils parlaient le cant.

— Le? Pardon?

— Le cant. Le gammon. Le shelta, énuméra-t-il, mais il vit qu'elle n'était pas plus avancée. La langue des Travellers, dit-il enfin.

Leila se souvenait vaguement d'un film que Rich avait adoré, dans lequel Brad Pitt pratiquait la boxe à mains nues et parlait une langue incompréhensible. Leila avait entendu parler des Travellers, mais s'était dit qu'une telle bizarrerie – un peuple blanc, nomade, non assimilé par son pays de résidence, en Europe – ne pouvait pas exister en vrai. Parce qu'elle avait passé quinze ans de sa vie à venir en aide aux opprimés, elle oubliait parfois qu'elle ne savait pas tout de l'oppression.

Le taxi descendit une colline, traversa un fleuve dont le cours se déversait dans une sorte de cuvette très laide, avec deux voies de circulation de chaque côté. Ils gravirent une autre colline, passèrent devant une dizaine d'églises puis pénétrèrent un entrelacs de petites rues émaillées de boucheries, de marchands de journaux, de boutiques de téléphonie, de friperies, de boulangeries.

— Et là, on est où ? demanda-t-elle à Dermot en se penchant vers lui.

— Dans les Liberties.

Ils s'arrêtèrent devant un immeuble où l'on pouvait lire : *Maison des veuves de la paroisse de St. Nicholas Without et St. Luc.* Un homme leur ouvrit la porte de l'intérieur. La cinquantaine, il portait un blouson en cuir.

— Vous êtes Lola Montes, dit-il à Leila en guise de bonjour.

— Non, répondit-elle. Et vous êtes ?

— Nico Rette, dit-il, avec fierté et malice.

Leila soupira, sans amertume.

Cet endroit n'était pas non plus, semblait-il, leur destination finale ; ce n'était qu'un refuge. Mais ce soi-disant Nico Rette lui proposa des journaux, une chaise à sa table et du thé, qu'il servit dans une théière, dont il tint délicatement le couvercle en versant le liquide brûlant. Le père de Leila faisait comme ça aussi.

— Vous vous êtes montrée très coopérative, Lola, dit Nico, nous vous en sommes reconnaissants.

— Vous ne m'avez pas vraiment laissé le choix. Cette façon que vous avez tous de sous-entendre que vous allez pouvoir m'aider... dur de résister. Mais je vous avoue que je n'ai vraiment plus beaucoup de temps à consacrer à votre prétendue cause.

— Entendu. Du lait ?

— Pardon ?

— Dans votre thé.

— Oui, merci.

— Combien ?

— De lait ?

— De temps.

Il utilisait la technique du décalage à laquelle elle-même avait parfois recours avec les gens à qui elle voulait faire comprendre qu'elle menait la danse.

— Trois, quatre heures, dit-elle.

Un coup de bluff, ils le savaient tous les deux. Si Leila tentait de partir maintenant, elle aurait des comptes à leur rendre. Mais elle voulait que ce type comprenne qu'elle n'était pas quelqu'un qu'on pouvait malmener comme ça, et que Dear Diary ferait mieux de servir son petit baratin sans tarder.

Il prit une gorgée de thé.

— Depuis ces dix dernières années, Lola, pour quoi travaillez-vous ?

— Vous voulez mon CV détaillé sur dix ans ?

Il la toisa gentiment, comme pour dire, *Voyons, ne soyez pas butée.*

— Je veux dire, dans quel but ?

Elle aussi avala un peu de thé. Délicieux, ce subtil goût de noisette. Au centre de la table, un paquet posé sur une assiette débordait de petits gâteaux.

— Je n'aime pas le fait qu'une petite fille naisse dans un endroit où ça craint d'être une fille. Ou de naître dans telle tribu, telle secte, ou si pauvre que jamais elle ne s'en sortira. Je trouve ça injuste, alors, oui, dans mon travail, j'essaie de remédier à ça.

Elle prit un gâteau dans l'assiette, le cassa en deux.

— Et non, je n'ai pas beaucoup progressé, si c'est là que vous voulez en venir.

— Personne n'a dit ça. Les problèmes sont plutôt d'ordre systémique, non ?

— Écoutez, monsieur Rette, je n'ai pas envie de parler géopolitique avec vous. Ce que j'aimerais en revanche, c'est savoir qui était cet homme qui me suivait au marché aux chevaux, comment vous pensez pouvoir m'aider, et à quelle heure va commencer la réunion pour laquelle on m'a traînée jusqu'ici.

— L'homme que nous avons empêché de vous traquer était un membre du Comité. Ils commencent à utiliser des méthodes auxquelles on ne s'attendait pas, et tout le monde ici a très peur. Ils ont décapité nos cellules de Londres, New York et Berlin la semaine dernière. Nous n'arrivons même plus à joindre certains de nos responsables. C'est pour ça que nous vous avons extraite de Londres dès que possible. Et je ne dirais pas que nous vous avons traînée jusqu'ici. Bon. Pour ce qui est de vous aider, nous sommes peut-être en mesure de réhabiliter votre père. Il y a un homme spécialement affecté aux coups montés au Comité. Nous connaissons un homme qui connaît cet homme.

— Vous les appelez vraiment le Comité ?

— Quand ils se sont lancés – à l'époque où ils se faisaient encore appeler par un nom – ils étaient le Comité pour l'acquisition du *cloud*.

— Mais pourquoi m'emmerder moi ? Qu'est-ce que j'ai vu dans la jungle ?

— Un de leurs ordinateurs.

— Comment ça, un de leurs ordinateurs ?

— Leurs ordinateurs sont énormes – assez en tout cas pour qu'ils en fassent le tour en voiturette de golf. Et votre mail n'a rien arrangé. Un documentaliste de la CIA a essayé de clarifier une zone satellite, et comme il n'y arrivait pas, il a posé des questions à l'équipe géospatiale, des questions que d'autres personnes ont entendues, bien sûr.

— Ah, ça doit être Joel. Il est du genre tenace, dit Leila, avec une pointe de fierté ; ils avaient eu une aventure très brève, des années auparavant. Joel était un Juif du Maine, il aimait les vinyles, la bière et les palindromes.

— J'ai bien peur qu'il faille dire était du genre tenace. Il est mort il y a deux jours.

Le gâteau absorba toute la salive de sa bouche.

— Joel est mort ?

Nico Rette acquiesça, puis observa un silence censé vouloir dire quelque chose.

— Anévrisme cérébral, dit-il.

Elle avait le moral dans les chaussettes.

— Vous êtes en train de me dire que le Comité a tué Joel. C'est bien ça ?

— C'est ça.

Elle ne fondit pas en larmes uniquement parce qu'elle assassinait Nico Rette du regard. D'un coup, l'enjeu n'était plus le même. Si elle devait découvrir plus tard qu'il lui racontait des conneries, elle voulait se souvenir de ce moment avec précision.

— Est-ce que d'autres personnes sont mortes à cause de moi ?

— Non. Tous les autres ont vu leur surveillance accrue, mais seul Joel a répercuté votre question, alors ils ne sont intervenus que dans son cas. À part vous, bien sûr, et votre père.

— Mais pourquoi ils ne m'ont pas, euh, "décapitée" ? Ni mon père ? Un coup monté ne coûte pas plus cher qu'une exécution ?

Nico Rette fronça exagérément les sourcils pour lui concéder un point.

— Si, bien sûr. Je ne sais pas pourquoi ils ne vous ont pas tuée, à vrai dire, dit-il avec un peu trop de désinvolture à son goût. Même s'il faut dire qu'ils évitent en général les interventions aussi directes : meurtres, coups montés, tout ça. Enfin, avant c'était comme ça du moins. La plupart de leurs opérations passent inaperçues. Ils vous rendent malade, ils vous font virer, ils vous oppriment. Mais, depuis que Parker Pope fait partie de l'aventure, ils ont durci leurs méthodes.

— Parker Pope, le PDG de Bluebird ?

— Lui-même.

— Et donc ils peuvent faire arrêter un principal de collège par le FBI, comme ça ?

Pour simple réponse, Nico claqua des doigts avec grand art, comme s'il sectionnait l'air.

— Alors donnez-moi les preuves qu'ils ont laissées de leur passage pour que j'aille chez les flics et que mon père retrouve sa tranquillité.

— Ce n'est pas aussi facile que ça, Lola, dit Nico.

— Oh et arrêtez avec vos noms de code. Je m'appelle Leila.

Un jeune homme à la peau très noire entra dans la cuisine. *Il doit être dans l'autre pièce sans faire un bruit depuis tout à l'heure*, songea Leila.

— En général on ne se sert pas de nos vrais noms dans cette organisation, dit-il.

Leila ne manifesta aucune surprise.

— Donc, Lola Montes est mon nom de code ? Pas terrible.

— Chacun choisit le sien. Il vous en fallait un temporaire, le temps de la Caracas. Mais si vous voulez un nom de code, vous devrez nous rejoindre, et si vous voulez nous rejoindre, il faudra que vous passiez le test oculaire.

— Non merci. Vous, c'est?

— Kwame X. Nkrumah.

— Super.

— Merci. Je l'aime bien.

— Vous allez à cette réunion, vous aussi?

— Oui.

— De quoi ça va parler?

Kwame fit un signe de tête à Nico, qui prit la parole.

— Il y a quelques nouvelles recrues, comme vous. Donc nous procéderons aux tests oculaires là-bas. Et il faudra déterminer si nous pouvons avancer le lancement.

Leila ne comprenait pas grand-chose – *avancer le lancement?* Que se passait-il? Où était Sarah? Nico s'aperçut qu'elle était paumée.

— Pardon. Vous ne savez pas de quoi on parle. C'est qu'on n'a pas l'habitude d'incorporer des membres aussi vite. Et il faudrait que vous soyez opérationnelle dès que possible.

— Mais pourquoi? Qu'est-ce que vous attendez de moi?

Elle entendit dans sa voix ce voile, cette teinte de désespoir. Peut-être que tout ce jargon était destiné à l'amadouer? Mais dans quel but? Et puis, non – ils l'avaient laissée dormir.

— Savez-vous d'où je viens, Lola? demanda Kwame.

— Du Ghana, dit-elle. Elle avait quelques Africains parmi ses connaissances et elle était bonne en accents.

Il ne cacha pas son étonnement.

— C'est ça. De Bukom, un quartier d'Accra. Nous partons du principe que le fait d'aller et venir librement sur cette planète est un droit naturel. Inaliénable. Et donc, entre autres actions, nous aidons les gens à évoluer en dehors des systèmes légaux dans lesquels ils sont nés.

Ce qui fait de vous de simples trafiquants, songea-t-elle, mais elle la boucla.

— Après votre mail, nous vous avons analysée, et nous nous sommes aperçus que vous aviez un réseau très étendu. Un peu partout, il y a des gens qui vous aiment et vous respectent.

Pas la peine de me brosser dans le sens du poil, ça c'est juste du baratin de gentil flic, se dit-elle. Ce qu'il y avait surtout, c'était des gens à qui elle avait fait du mal en ne les aimant pas assez, en voulant toujours voir ailleurs si l'herbe était plus verte.

— Vous m'avez analysée ?

— Inutile de vous sentir spéciale pour autant, dit Nico. Ça ne prend qu'une minute. Quoi qu'il en soit, nous allons avoir besoin de votre aide pour acheminer des machines dans des zones peu accessibles.

— Mais en quoi je suis celle qu'il vous faut ?

— Il vaudrait mieux limiter la quantité d'informations que vous devez enregistrer pour l'instant. Du moins jusqu'à ce que vous ayez passé le test.

— Il s'agit de matériel informatique, dit Kwame. Les logiciels, ensuite, ça peut se gérer à distance.

— Mais qu'est-ce que vous essayez de faire ? La fille que j'ai vue à Heathrow a dit que vous alliez redonner aux gens les informations volées à leur sujet et leur attribuer un numéro.

— J'aimerais bien que Dune arrête de faire ça, dit Nico à Kwame. C'est vraiment pas sa partie.

— Nous sommes bien une organisation horizontale, non ? rétorqua Kwame.

— On t'attribue le rôle d'agent de voyages, tu es agent de voyages, point, râla Nico.

Kwame se tourna vers Leila.

— Nous ne savons pas encore exactement ce que nous allons faire de ce que nous avons construit. Certains parmi nous préféreraient qu'on attende avant de s'annoncer. Mais d'autres pensent qu'on doit se faire connaître pour que tout le monde puisse décider si notre voie est la meilleure ou non. C'est vrai que la violence du Comité nous a poussés à avancer nos pions plus vite que prévu. Et il y a des chances pour qu'ils nous détruisent avant qu'on puisse dire aux gens ce qui se trame.

— Et rappelez-moi, au fait, ce qui se trame ?

Nico reprit la main.

— Une oligarchie secrète a biaisé le système jusqu'au point de non-retour : on ne peut plus le corriger par des moyens politiques légaux. Le monde pourrait pencher en leur faveur. Mais nous disposons probablement d'une technologie propre à les arrêter. Ils ignorent l'ampleur de ce que nous savons, de nos moyens.

— Quels moyens?

— Le test oculaire, plus autre chose que je ne peux pas détailler ici. Nous avons aussi mis leurs lignes sur écoute. Bien qu'on soit en train de perdre ça aussi. Il y a un an encore, nous avions des milliers de points d'écoute, mais il ne nous en reste plus que... Kwame, tu connais le chiffre actuel?

— Non, mais Sarah oui. Elle a parlé avec les ingénieurs ce matin.

— Est-ce qu'elle est sortie de cette poissonnerie sans encombre? demanda Leila.

Dans la pièce d'à côté retentirent un bruit de verrous, puis la voix de Sarah.

— On avait huit cent vingt portails d'accès hier matin, dit-elle en entrant dans la pièce avec un gros sac-poubelle sur l'épaule. Mais on les perd à toute allure.

Leila n'apprécia pas trop cette entrée désinvolte. Elle s'était fait du souci.

— Alors c'est pour ça que vous kidnappez les gens avant même de pouvoir expliquer votre politique? leur demanda-t-elle. Parce que vous craignez de perdre à tout moment votre avantage stratégique?

— On peut tout à fait expliquer notre politique, dit Kwame, sûr de lui.

— Alors pourquoi ai-je du mal à voir en quoi les choses seront différentes une fois que vous serez au pouvoir?

Personne ne lui répondit. Puis Sarah :

— Il va falloir que vous passiez le test oculaire.

Leur départ se fit dans la précipitation, Dermot les attendait devant dans la voiture noire, moteur au ralenti. Ils se serrèrent les uns contre les autres dans le véhicule. Leila était tout contre Sarah. Elle s'était autodiagnostiqué un minibéguin pour cette fille, ce qui était ridicule, déplacé et probablement lié à un syndrome de Stockholm.

Dermot roula dans la ville d'une conduite fluide, tel Pac-Man en avance sur les fantômes. Ils descendirent une colline et traversèrent le fleuve à nouveau. C'était une chaude soirée d'été dans une ville de pierre, les gens étaient dehors – des marchands ambulants vendaient des oranges, des filles en talons sortaient des taxis, les pubs saturés de laiton recrachaient des clients par leur porte. Devant un bar, un groupe de personnes à perruque talquée buvaient bruyamment.

— Euh, Sarah? dit Leila, sans chuchoter mais doucement quand même. Vous promettez toujours de me rendre mes affaires et de me laisser rentrer chez moi après la réunion?

— Oui.

— Comment vous arrivez à faire tout ça? Ça voulait dire quoi quand Nico a dit que vous analysiez les gens? Et comment vous avez réussi à échanger mes papiers comme ça, les billets d'avion? Tout ça dans une aire de restauration.

— Nous avons mis sur écoute les lignes d'écoute du Comité. Nous avons donc accès à autant de données qu'eux. Mais nous ne nous en servons pas pour les mêmes requêtes. Et c'est un accès en lecture seule. Quant au passeport et aux billets, ils se résument presque à de simples codes-barres et bandes magnétiques de nos jours. Il ne s'agit que de un et de zéros. Nous avons des gens très qualifiés en un et en zéros, et une excellente équipe à la direction artistique.

La réunion, c'était une soixantaine de personnes dans une bibliothèque en bois toute en longueur. Pendant une heure environ, les gens circulèrent, chuchotèrent; il y avait des bouteilles d'eau sur une table, des canettes réfrigérées. Les gens parlaient à voix basse, mais avaient l'air pleins d'entrain, comme s'ils assistaient à une veillée mortuaire surprise. Quelqu'un apporta de longs plateaux d'empanadas et de gâteaux. Leila mangea les deux, sans couverts, dans une assiette en plastique. Elle se rendit compte qu'elle mourait de faim. Au signal de quelqu'un, Sarah la fit entrer dans une sorte d'antichambre, où elle rencontra un jeune homme à la peau métissée, en costume gris bien coupé, gris comme le poitrail d'un pigeon des villes. L'homme avait une quarantaine d'années et une beauté délicate.

— Vous devez être Lola Montes. Je m'appelle Roman Igance.

Super. Encore des courtoisies et des pseudonymes. Quand est-ce qu'ils allaient jouer cartes sur table?

— C'est vous le responsable?

— Nous ne fonctionnons pas comme ça.

— Et est-ce que vous voulez quand même m'expliquer ce qui se passe, bordel?

— Lola, nous avons besoin de votre aide, dit Roman. Nous ferons tout notre possible pour aider votre père. Vous avez ma parole.

— Et qu'est-ce que vous voulez que je fasse?

— Vous voulez bien regarder cet écran?

Leila hésita quelques dernières secondes, puis approuva d'un imperceptible hochement de tête. Roman posa devant elle un ordinateur portable noir de taille classique, le genre qui avait fleuri partout autour d'elle pendant son adolescence aux États-Unis. À l'heure qu'il était, il devait y en avoir des tas – des montagnes – au rebut, qui mouraient de par le monde. Leila avait vu des palettes d'ordinateurs comme celui-ci, emballées de film plastique, se faire embarquer dans des soutes d'avion. En fait, techniquement, et à contrecœur, elle avait été responsable de certaines de ces palettes – du matériel informatique dépassé donné par des multinationales des pays industrialisés à l'Afrique, pour éviter les coûts du recyclage tout en bénéficiant du crédit d'impôt lié à la donation.

Mais lorsque Roman ouvrit celui-ci, il n'y eut ni démarrage ni rien. Rien qu'un rectangle bleu lumineux avec des colonnes et des rangs de chiffres, ainsi que quelques symboles intercalés entre eux que Leila ne connaissait pas. Les rangées et les colonnes n'étaient pas immobiles – elles scintillaient – et défilaient vers le haut; pas à toute vitesse comme dans *Matrix*, mais lentement, comme si un singe tournait une manivelle en bois derrière l'écran.

— D'accord, qu'est-ce que je dois faire avec ça? demanda Leila au petit groupe autour d'elle.

— Rien, vous l'avez déjà fait, dit Sarah, qui recueillait une bande de papier crachotée par une imprimante qui tenait dans la main.

Roman et Feargal se penchèrent au-dessus de son épaule pour regarder les résultats.

— Vous voulez connaître votre numéro? demanda-t-elle à Leila.

— Je connais mon numéro. Huit cinq un quatre six un zéro trois deux six deux deux cinq.

Elle le récita encore plus facilement que les comptines apprises dans l'enfance.

— Ouais. Mais c'est génial, non? dit Sarah en déchirant pour la tendre à Leila la petite bande de papier qui portait exactement ce numéro. C'est plutôt un bon numéro.

Lorsqu'elle regagna la pièce principale, elle essaya de mettre le doigt sur ce qui avait changé dans le monde, ou sur la place qu'elle y occupait. Ce n'était pas grand-chose. En tout cas l'effet n'était pas envahissant d'un point de vue cognitif. Mais il y avait indéniablement quelque chose. Une sorte d'afflux, comme quand on redescend un escalier après une expérience sexuelle excitante, avec un secret dans tout le corps. À la différence que là, ça n'avait rien de diffus et de sensuel. C'était plutôt très net, et cérébral... et partagé. Tout le monde dans la bibliothèque était au courant. Un secret connu d'eux tous. C'étaient les mêmes étrangers qu'elle avait côtoyés avant de regarder cet écran, mais à présent, elle les connaissait. Pas de façon intime. Quel est le contraire d'intime? Pas le contraire dans le sens inconnu, mais plutôt dans le sens d'abstrait, de vaste. C'était comme ça qu'elle les connaissait, et qu'eux la connaissaient. On peut transmettre tellement d'informations par le regard et la posture, tant de choses peuvent passer entre nous. Elle faisait confiance à tout le monde ici.

Certaines de ses facultés lui semblèrent aiguisées. Sa vision était indubitablement meilleure. Elle promena son regard de façon circulaire, comme un faucon, et engloba beaucoup de choses; elle pouvait lire les titres sur les tranches des livres à trois mètres. Son odorat demeurait inchangé, mais il était déjà excellent. Quant à ses papilles, elles s'étaient peut-être affûtées, ou alors les empanadas étaient simplement vraiment bonnes et elle avait une faim de loup.

Au retour de Sarah, Leila, installée dans une alcôve du rayon géographie, voyageait, une empanada à la main.

— Ça va ? lui demanda-t-elle.

— Me suis jamais sentie aussi bien.

— Tu es sûrement en train de t'habituer aux effets.

— Aux effets ?

— Ne t'en fais pas – l'impression d'être perchée ne va pas durer. Après ne reste qu'une nouvelle façon d'être.

— Oh je ne m'en fais pas.

— Tant mieux. Il y a des gens qui n'aiment pas trop cette impression de connectivité. Tu verras à la longue que tu peux t'en servir autant ou aussi peu que tu le souhaites. Tu auras la sensation de maîtriser une nouvelle langue, sauf qu'elle ne se parle pas ; elle se transmet et se reçoit. Elle est en sommeil en chacun de nous, bien qu'elle puisse ressortir de façon plus marquée chez certains. On l'appelle la Langue Commune, mais personne ne sait encore comment l'utiliser, ou quoi en faire. Je te conseille de manger des hamburgers tant que c'est encore possible, cela dit, parce que les défenseurs de Parlez Aux Animaux sont au taquet sur la Langue Commune.

— Mais... est-ce que je peux redevenir comme avant ?

— Non – Leila savait que ce serait sa réponse – on ne peut jamais revenir en arrière. Mais crois-moi Lola, je te le dis la main sur le cœur, jamais je n'ai eu envie de redevenir comme avant. À aucun moment. Le monde comme je l'ai connu, plus étriqué, ne m'a jamais manqué. Je n'ai rien perdu de moi quand j'ai rejoint les autres. C'est bizarre, mais d'une certaine façon, je m'aperçois que c'est ce que j'ai toujours désiré, que j'ai toujours su que c'était possible. Bref. Il est temps d'y aller, ma bonne dame. En route pour l'aéroport.

Tandis que la voiture de Dermot traversait Phibsborough, Leila demanda à Sarah :

— Mais, vous n'aviez pas besoin de moi pour acheminer du matériel dans des zones reculées ou je ne sais quoi ?

— Ne t'en fais pas pour ça, répondit Sarah, dont les cheveux s'étaient sérieusement ébouriffés au fil de la journée. Nous mettons au point une nouvelle mission pour toi.

— Mais on a toujours un accord, pas vrai ? Vous réhabiliterez mon père si je vous viens en aide ?

— On fera de notre mieux. Mais est-ce que tu as toujours l'impression qu'on est sur la base du donnant-donnant ? Parce que tu ne devrais pas.

En effet, cette impression l'avait quittée. On lui offrait la possibilité de faire partie d'un truc qui la dépassait. Ces gens étaient un peu sa famille à présent. Elle allait mettre la main à la pâte.

— Tu aurais dû me le dire dès le début, cela dit, fit Leila. Pour le test oculaire. Qu'on ne peut pas revenir en arrière.

— Mais on ne revient jamais en arrière pour quoi que ce soit, Lola. Une fois qu'on apprend une vérité, elle reste avec nous.

Ils étaient à un feu rouge, la voiture noire de Dermot toussotait. Leila remarqua dans les détails comment les feux de signalisation étaient fixés au-dessus des carrefours dublinois. L'information lui appartenait pour toujours, comme si elle la stockait sur son disque dur. Était-ce une suite de ce que Sarah appelait les effets ?

— Là, c'est le pub de Bertie Ahern, dit Dermot en désignant un bar sur leur gauche.

Il conduisait comme un jockey, la main pratiquement toujours sur le levier de vitesses. Le père de Leila aussi conduisait comme ça. Ce que Cyrus Majnoun préférait par-dessus tout en Amérique ? Les restaurants avec un drive-in. C'était tout juste s'il se pissait pas dessus à l'idée d'y aller. Si leur père avait été en charge de la planification des repas du foyer Majnoun, Roxana, Dylan et Leila auraient fini obèses. "Regardez : nous sommes des rois et des reines", disait-il à ses enfants tandis qu'assis dans la Tercel familiale sous dix mille lumens, ils observaient les plateaux-pont levis leur livrer leurs hamburgers par les vitres ouvertes.

— Mais quand est-ce que je saurai ce que je suis censée faire ? demanda-t-elle à Sarah.

— Roman est en train de voir les détails. Je vais l'appeler.

Elle mit son téléphone contre son oreille, du côté de Leila.

Quelques minutes plus tard, la voiture descendait une allée abrupte et s'engouffrait, par une porte de garage mécanique, dans un entrepôt à l'éclairage éblouissant sillonné d'étagères métalliques hautes de six mètres. On se serait cru dans la scène finale des *Aventuriers de l'Arche perdue*. Dermot roula jusqu'à ce qui ressemblait à un décor de salon : une télé en carton face à une table basse et un canapé en cuir.

Leila sortit de la voiture.

— On est chez Ikea ?

— C'est un nouvel accord, dit Sarah. La nuit, les magasins Ikea servent de dortoirs à Dear Diary.

— N'importe quoi, dit Leila.

— Mais ils sont parfaits. Juste à côté des aéroports, on peut y dormir à quatre-vingts facile et en cas de petite faim, il y a toujours des boulettes. Non, je déconne. Ne mange pas ces boulettes. Elles arrivent par palettes.

— C'est une bonne idée. C'est juste que... la nouvelle n'est pas très répandue.

Sarah emmena Leila à l'étage, à travers la zone d'exposition ; elles prirent un raccourci entre les Rangements et les Enfants, marchèrent en direction des Chambres. Leila fit un signe de tête à un trio de mecs de type asiatique en train de se brosser les dents, qui lui rendirent son signe de tête.

Sarah la conduisit à un de ces appartements témoins censés montrer comment un jeune urbain sans attaches peut vivre dans quarante-cinq mètres carrés : tout ce qu'il fallait en fait, c'étaient des magazines carrés, trois chemises et une passoire. Leila savait bien que c'était du marketing mensonger ; elle était plus ou moins sans attaches, et elle avait bien plus d'affaires que cet appart ne pouvait en contenir. En plus, avec Rich, ils avaient rompu dans un Ikea – celui d'Elizabeth, dans le New Jersey – alors d'un point de vue émotionnel, l'environnement était loin d'être neutre pour elle.

Mais cet appart-là avait quelque chose de bizarre. Elle y regarda de plus près. Tout était vrai ! L'évier avait l'eau courante – elle tourna le robinet et s'éclaboussa – et il y avait des draps dans le lit. En tirant sur la cordelette du store, elle découvrit une vraie fenêtre derrière, qui donnait sur une annexe un peu crade de l'aéroport. Elle se retourna et remarqua son sac North Face vert au pied du lit Malm garni d'une parure Kvist. Sarah se tenait sur le seuil du vrai faux appartement.

— Je t'héberge? lui demanda Leila.

— Non. Il faut que j'efface toute trace de notre passage à la maison paroissiale avec Feargal.

Leila ouvrit son sac de voyage, posa ses mains sur ses affaires. Personne n'y avait touché – un petit dispositif qu'elle mettait sur un tube de crème hydratante le lui indiquait. (Une fois, en Sierra Leone, elle s'était retrouvée face à un agent des douanes qui portait ses lunettes de soleil à elle tandis qu'il examinait son passeport.)

— Ça m'a l'air dangereux. Et si les autres reviennent? S'ils font la même chose qu'à Londres et à Berlin?

— Ne t'en fais pas. C'est différent, ici.

— Ici, en Irlande? Qu'est-ce que l'Irlande a de si spécial?

— Des routes sinueuses et la tyrannie en horreur.

— Alors vous allez vous fondre dans la campagne?

— Oui, plus ou moins. Feargal et moi devons nous assurer que rien ne subsiste derrière nous.

— Comme ces machines du test oculaire?

Sarah acquiesça.

— Mais c'était quoi au juste, ce truc?

Sarah s'assit à la petite table du petit coin cuisine.

— Je sais, ça fait beaucoup en peu de temps. Viens par là, je vais te dire ce que je sais sur ce test.

Leila cessa de fouiller dans ses affaires et s'assit à côté d'elle.

— Bien. D'abord, tu vois cette acuité sensorielle que tu ressens peut-être encore un peu? Ça, c'est plus un effet secondaire, ce n'est pas le but premier du test oculaire. Le test a été conçu avec pour objectif de donner un identifiant unique à chaque sujet humain qui regarde cet écran.

— Un numéro, quoi.

— Peut-être, mais il est censé représenter une qualité intrinsèque qui n'appartient qu'à toi. De toute façon, tout le monde a droit à une séquence de quinze chiffres, et aucun membre n'a eu un numéro déjà donné à un autre. Enfin pas encore, du moins.

Leila compta dans sa tête, les yeux vers le haut.

— Le mien n'a pas quinze chiffres.

— Pardon, j'aurais dû dire quinze cellules. Il y a deux zéros qui précèdent ta séquence. On les prend pas en compte. Moi j'en ai quatre. Ne t'en fais pas pour ça.

— Qui a conçu ce test ? Est-ce que Dear Diary existait avant le test ?

— Oui oui. Je crois que ça fait une vingtaine d'années que Dear Diary existe, bien que sous des noms différents. Le test oculaire est assez récent. C'est un de nos membres qui l'a inventé, le Dr Hugo Cranium. Un gamin de seize ans qui réalisait des travaux de biométrie pour la DARPA, l'agence fédérale américaine chargée des nouvelles technologies à usage militaire. Il a mis au point un logiciel de détection de mensonge à distance. Et pour faire bref, il est parti en emportant toute leur technologie de pointe dans ses bagages. C'est pour ça que la machine s'appelle un recenseur de Cranium.

— Qu'est-ce qu'il est devenu ?

— Le Comité a mis une bombe sous son Segway.

Leila s'esclaffa.

— Je sais, ça a l'air délirant. Mais je ne plaisante pas.

— Oh.

— Les premiers recenseurs étaient de grosses machines encombrantes qui ressemblaient un peu à des projecteurs de planétarium. On devait utiliser une pièce obscure et mettre de la musique de l'espace, et encore, ça ne marchait que sur les dix pour cent les plus à même de vraiment se détendre. Bref, le principe s'est amélioré au fil du temps, et à partir du moment où ceux qui s'occupent de la génomique chez nous ont réussi à franchir le pas vers les ordinateurs non plus électroniques mais du genre qu'on fait pousser –

Leila lui renvoya une grimace qui voulait dire *J'airiencompris*.

— Personne ne t'a expliqué qu'on faisait pousser nos ordinateurs ?

— Ben non.

— Merde. Bon, moi, j'y pige pas grand-chose. Je suis dans les Manœuvres de terrain. Mais voilà : nos ordinateurs, on n'a pas besoin de les brancher, mais par contre, il faut les arroser et les exposer à la lumière du soleil. Et ils peuvent communiquer entre eux sans, euh, sans Internet quoi. Il y a un an environ, le département informatique a réussi à miniaturiser le dispositif de Cranium de façon à l'inclure dans nos ordinateurs, sans qu'on se doute de rien. Ce qui nous a permis de les distribuer à une échelle bien plus vaste qu'avant. On est en train de voir s'il serait possible de diffuser le test oculaire sur l'Internet ordinaire, mais le Comité risquerait de mettre la main dessus et de l'analyser dans le but de le reproduire ou de le modifier. Ça faisait à peine quelques mois qu'on avait les nouveaux recenseurs dans des ordinateurs portables que des petits génies ont remarqué que les séquences générées pour chaque sujet pouvaient s'envisager mathématiquement.

Une nouvelle grimace de Leila.

— Disons que neuf, c'est pas que neuf, c'est aussi trois au carré. Ta séquence est intimement liée à ce que tu es. C'est pour ça que la première chose qui vient à l'esprit juste après le test oculaire, c'est cette séquence de chiffres. Et dès que tu rencontres un autre membre de Dear Diary, tu connais immédiatement huit à treize de ses chiffres. Parfois, tu es face à un sphinx, et tu n'en perçois que six ou sept. Mais en général, c'est plus. En tout cas, c'est une nouvelle science, ou un nouvel art, ou quelle que soit la catégorie dans laquelle on veuille faire rentrer ces chiffres. Il y a des membres que ça fait un peu flipper, et ils préfèrent ne pas examiner leur séquence de trop près. Je les comprends. Mais n'empêche que ces chiffres ont un sens. Et c'est vrai, pour l'instant, on n'a pas encore bien compris comment fonctionnait notre esprit, toutes ces histoires de chimie électrico-limbique et tout. On en est à peine aux balbutiements. Pourquoi on devrait laisser ce mystère entier ? Si ça se trouve, on est sur le point de faire une découverte semblable aux lois de la gravité. C'est une nouvelle ère qui s'annonce, et on assiste à sa naissance. J'ai du mal à expliquer comment ça se fait, mais quand j'ai vu ton numéro, j'ai su que la logistique, ce serait pas fait pour toi. Roman était d'accord. On a demandé à des spécialistes de comparer ton numéro avec ce qui a besoin d'être accompli pour qu'ils t'attribuent une tâche qui te corresponde. Et je leur ai précisé que tu devais être de retour chez toi dans quarante-huit heures.

— Merci.

— Bien. Alors voilà ce qu'on voudrait que tu fasses. Tu te souviens de ce mec qui t'a draguée à Heathrow ? Tu ne l'as pas reconnu, mais il est un peu célèbre. Il s'appelle Mark Deveraux. Une espèce de gourou du changement de vie, il a écrit un livre que des tas de gens ont adoré.

— Le type avec ses tours de carte ?

Leila avait vu le valet de pique quand elle avait rangé son sac dans le compartiment bagages. Efficace, comme tour de magie.

— Mais comment vous êtes au courant ? demanda-t-elle.

— Le barman du salon VIP est avec nous. Dublinois de surcroît. Écoute, Lola, le Comité fonctionne principalement en circuit fermé. C'est un Sud-Coréen qui ne quitte jamais son gratte-ciel blindé, un Biélorusse qui a des goûteurs et absolument aucune photo de lui en circulation, des jumeaux allemands de soixante-dix ans qui sont responsables de soixante-dix pour cent de la production mondiale de médicaments à l'exception de l'Asie, et j'en passe. SineCo, si on veut, c'est le Comité en Amérique du Nord ; c'est la société qui sert de couverture à toutes ses opérations. Et le PDG de SineCo, qui s'appelle Straw, n'est pas du tout un mec reclus comme ceux dont je viens de parler. Il a besoin d'une certaine attention. Il a une équipe de basket, il fait des tas de donations à des écoles de commerce, ce genre de conneries. Et toutes ces histoires font de SineCo le flanc le plus exposé du Comité. En ce moment par exemple, Straw s'est entiché de Deveraux. Deveraux a de l'influence. Donc il nous faut ce Deveraux.

— Oui, mais c'est pas parce qu'il m'a fait un tour de cartes que...

Sarah secoua la tête.

— Tu ne vas pas voir Deveraux. Tu vas à Portland, en Oregon, retrouver un certain Leo Crane. Il était à la fac avec Mark Deveraux, et il y a quelques semaines, il a imprimé une espèce de pamphlet qui décrit plus ou moins la situation actuelle, et dans ce qu'il a écrit, il prétend détenir des "images compromettantes" de Deveraux.

Elle tendit à Leila une feuille de papier froissée pliée en quatre.

— Lis ça avant de le rencontrer. On a besoin que tu découvres de quoi il parle.

— Mais pourquoi vous ne lui demandez pas directement ? Apparemment, il serait bien content de savoir que vous existez.

— C'est ce qu'on fait, à travers toi. Lola, tu es des nôtres à présent. Mais on ne veut pas faire de Leo Crane une recrue à part entière. C'est peut-être un déséquilibré. Il est fragile en tout cas. Il a ajouté des détails un peu scabreux à sa description du complot du Comité. Des scientologues, ce genre de choses. Nous refusons de faire passer le test oculaire aux personnes qui ne sont peut-être pas en phase avec la réalité. Lola, au moment où je te parle, il y a des centaines de nos membres qui cherchent un moyen d'entrer en contact avec des employés de SineCo. C'est très difficile. Le Comité verrouille ses entrées. La piste Deveraux est pleine de promesses. On n'a commencé à se pencher sur le cas de Leo Crane que lorsqu'on a eu son pamphlet entre les mains. Mais la situation est peut-être devenue urgente. Le Comité a resserré sa surveillance sur lui ; à l'heure actuelle, il est même en observation dans une institution affiliée au Comité, ce qui rend son extraction très compliquée. Donc voilà, ce que tu dois faire, c'est simplement lui parler, pour qu'on découvre s'il a quelque chose de valable sur Deveraux, ou si c'est simplement un fumeur de joints revanchard doté d'une grande imagination. Et puis, c'est sur le chemin pour rentrer chez toi. Tu veux bien essayer ?

Quarante-huit heures plus tard, elle serait chez elle. Est-ce qu'elle acceptait de s'arrêter en chemin pour discuter avec ce type ? Elle acquiesça.

— Super. Bien. Écoute. Tu feras escale à JFK. Tu auras déjà tous tes billets, donc pas de rendez-vous ou d'échanges bizarres ni rien de ce genre, c'est promis. Tu voyageras sous l'identité de Lola Montes. Quand tu atterriras à Portland, ton téléphone te dira comment retrouver ce Leo Crane. On essaiera de rediriger tes appels personnels sur ton portable de service. Tes propres appareils sont dans ton sac de voyage. Mais ils ne fonctionneront qu'une fois que tu seras de retour à Los Angeles.

— Si c'est le Comité qui se livre à l'espionnage et à la collecte illégale de données, comment se fait-il que nous en sachions autant ? demanda Leila, chiffonnée.

— Tu viens de dire *nous*, dit Sarah en souriant. Mais oui. On est dans une sorte de compromis. Le Comité espionne tout le monde. Et nous on se branche sur leurs lignes. Donc oui, on fait aussi de l'espionnage. Mais on espionne leur espionnage. Et quand on se fera connaître du grand public, on arrêtera tout. Mais avant de se faire connaître, on a besoin de s'organiser – et pour s'organiser, on a besoin des données qu'ils recueillent. Du moins jusqu'à ce que notre réseau de transmission soit opérationnel. Mais on perd de plus en plus accès à leurs données. Ils déplacent toute leur opération – sûrement parce que des gens comme toi n'arrêtent pas de tomber sur leurs sites. On pense qu'ils vont se la jouer bunker, entreposer tout ça quelque part sous terre. À moins qu'ils mettent tout en orbite. En tout cas, il y a de moins en moins de lignes sur lesquelles se brancher. C'est pour ça qu'on a besoin d'un contact dans ce nouveau projet que SineCo a baptisé Nouvelle Alexandrie : pour savoir où ils stockent leurs données.

Le téléphone de Sarah vibra.

— Merde. Bon, il faut que j'y aille. Écoute-moi, quand tu auras récupéré ton ordi portable, ou quel que soit l'ordinateur ou le smartphone que tu utilises à l'avenir, colle un morceau de scotch électrique sur ta webcam.

La grimace de Leila semblait cette fois vouloir dire, *C'est une blague ?*

Le téléphone de Sarah vibra à nouveau, et cette fois elle se leva.

— Bon, tu sais quoi d'ailleurs ? Ne regarde jamais directement dans un objectif non humain, d'accord ? Le Comité ne possède rien qui ressemble au test oculaire, et on ne sait pas trop s'ils savent à quoi sert le recenseur. Mais on craint qu'ils avancent sur ce terrain-là. Donc, ne regarde jamais directement dans une caméra, quelle qu'elle soit. *Ar eagla na heagla.*

— Régula quoi ?

— C'est de l'irlandais. Mot à mot, *Par peur de la peur.* Ça veut juste dire *Au cas où.*

Elle sortit de l'appartement témoin.

— Tiens-moi au courant quand ton père sera tiré d'affaire, tu veux?

— Entendu. Mais comment?

— Tu as mon numéro, dit Sarah en agitant son téléphone.

— Ah bon?

— Tu ne l'as pas?

Leila regarda Sarah. Oui, elle connaissait bien le numéro de Sarah. Et dans le même temps, elle apprit d'autres choses. L'espèce de petit béguin n'était pas un hasard. Sarah était quelqu'un de bien, une fille gentille, juste et marrante. Un peu impatiente aussi, et mal à l'aise avec les enfants. Elle le savait, comme si elle connaissait Sarah depuis des années.

— Si le téléphone refuse de passer l'appel, retrouve-moi *via* la page d'accueil de Dear Diary, dit Sarah en partant, pressée.

— Quelle page d'accueil? lança Leila.

Mais Sarah lui avait déjà tourné le dos et parlait avec urgence dans son téléphone, zigzagant dans un océan de meubles.

EN TRANSIT

— Combien de temps dure le vol jusqu'à Hong Kong ? demanda Mark au représentant de SineCo.

— Douze heures. Patel vous retrouvera à l'aéroport et s'occupera de votre prise en charge.

Ooh, il allait être pris en charge. Le *Sine Wave* croisait peut-être en mer de Chine. Il allait abaisser son siège et dormir tout le long du trajet. Comment s'appelait la fille, déjà ? Lola Montes, comme la danseuse. Quel nom fantastique.

L'appareil à côté duquel ils s'arrêtèrent ne ressemblait pas à un avion qu'un particulier pouvait posséder. D'un blanc immaculé, sans inscription à part l'indicatif sur sa dérive. Il remarqua, en montant les marches qui se déployèrent de l'appareil comme une rondelle de citron, qu'il s'agissait d'un Airbus. Il s'arrêta à mi-hauteur, se retournant pour contempler l'aéroport, bouillonnant d'activité avec ses petits camions.

Quand Mark était enfant, après le départ de son père et la division en deux de son monde, sa mère lui avait acheté une voiture télécommandée. Pas un de ces trucs à piles merdiques, mais un véhicule qui marchait à l'essence, acheté dans un magasin de modélisme, avec pneus en caoutchouc gonflables et cage de sécurité. Pendant un mois, elle l'emmena tous les dimanches sur le parking du centre commercial délaissé au profit d'un nouveau centre, et il fit faire à sa voiture des kilomètres et des kilomètres de course. Sa mère s'occupait du mélange, et elle en renversait plein, ce qui la faisait jurer, ce qui arrivait rarement. Qu'est-ce qu'ils s'étaient amusés à l'époque. Comment avait-elle pu deviner la joie que lui procurerait cet engin ? Elle apportait des œufs durs et des fruits secs pour lui, du lithium pour elle. Elle installait des obstacles avec des vieux sweats et des chariots déglingués. Mais lorsqu'un jour il rentra de l'école en larmes en lui disant qu'un petit gang de garçons plus âgés lui avait piqué sa super voiture de course, elle répondit simplement : *Le monde est injuste.*

Ni plus ni moins, elle qui l'avait toujours défendu. Il n'en revenait pas. *Eh ben débrouille-toi pour qu'il soit juste !* avait-il crié, furax. Puis elle : *Non, Mark. Je ne peux pas. Il est injuste, c'est tout.* C'est comme ça qu'elle l'avait élevé : en mère aimante et farouche protectrice, mais sans jamais lui promettre ce qu'elle ne pourrait jamais lui obtenir. Elle évitait les vides vers lesquels d'autres mères se ruaient pour les combler.

Le monde était peut-être injuste, songea Mark, mais on pouvait y prendre sa revanche. Ces voyous de cour de récré qui lui avaient fauché sa voiture de course pouvaient s'estimer heureux s'ils avaient de quoi se payer des vols en classe éco. Ils étaient sûrement penchés au-dessus d'un bureau ou d'une cuve à frire, dans des endroits où la population accusait un fort taux de cancer. Mark savait que sa mère savourait son succès, bien qu'elle ait fait peu de commentaires au sujet de *Manifestez-vous.* Elle aimantait ses cartes postales sur sa porte d'entrée et se vantait d'être sa mère quand elle faisait la queue à la caisse ; elle laissait des magazines ouverts à la page où il apparaissait dans la salle de pause des mécanos du garage où elle travaillait. Et quand il rentrait la voir, elle lui disait toujours la même chose au moment des au revoir : *Rends-moi fière.*

Il aurait bien aimé la faire monter à bord de cet avion avec lui. Ne serait-elle pas fière ? Ne serait-elle pas impressionnée ?

Il tendit sa veste à l'hôtesse qui l'attendait en haut des marches et entra dans la cabine. On pouvait s'y tenir bien droit, il y avait une table de réunion en ronce de noyer et des verres à digestif bien en sécurité dans du mobilier toujours en ronce de noyer. Tous les sièges étaient en cuir brun fumé. Et ça, qu'est-ce que c'était ? Oh, mais il n'aurait même pas besoin d'incliner son siège, vit-il en ayant fait une dizaine de pas vers l'arrière ; il y avait une *chambre* dans cet avion. Pour un peu, il aurait brandi un poing victorieux, mais une hôtesse était déjà à côté de lui, un verre d'eau fraîche à la main.

— Le commandant de bord me demande de vous dire que nous attendons un dernier passager.

— Très bien. Merci.

Et merde, il n'aurait pas l'appareil pour lui tout seul. Il se pourrait que la manœuvre soit délicate pour obtenir la chambre de l'arrière. Si le passager en question était un garde rapproché de Straw, Mark pourrait dire adieu au luxe suprême.

Il s'installa sur un siège pivotant, un mastodonte en cuir ; il eut l'impression de s'asseoir sur les genoux d'un gorille. Il tripota sa sacoche, tâtonna ses poches, essayant de cacher de son mieux que sa présence à bord de cet avion le faisait totalement triper. Il avait envie de faire le tour du propriétaire – à quoi ressemblaient les toilettes ? Et le garde-manger ? Et il n'avait eu qu'un aperçu de cette cabine privée... est-ce qu'on pouvait s'y allonger et regarder par le hublot ?

Un type plus jeune que Mark entra. Tenue vestimentaire simple, mais le simple qui coûte bonbon. Il hocha la tête en lâchant un grognement à son intention et se dirigea droit vers la chambre à l'arrière de l'appareil. *Merde*, se dit Mark, mais le type s'arrêta net et s'installa finalement dans un fauteuil du même type que celui de Mark. Mark pivota sur le sien, de façon à ne pas entièrement tourner le dos au nouveau venu. Le type enchaîna rapidement une série de gestes : enlever ses chaussures, enfiler de grosses chaussettes, boucler sa ceinture, se fourrer des bouchons en mousse dans les oreilles, glisser un masque sur ses yeux et un casque antibruit sur ses oreilles. En quelques secondes, ses épaules se détendirent et sa mâchoire inférieure s'affaissa légèrement. Une des hôtesses vint ramasser ses chaussures tandis que l'autre rétractait l'escalier en rondelle de citron.

Mark s'adonna à un moment de relaxation consciente ; il ralentit le rythme de sa respiration, alourdit ses membres. Il essaya de sentir ses muscles, ses os, tous les mécanismes qui le faisaient avancer. Le jet s'engagea sur la piste d'Heathrow. Il se demanda si au sol, un avion se conduisait comme une voiture. Ça n'avait sûrement rien à voir. Lorsque le moteur rugit et que l'appareil se cabra comme pour échapper à sa propre carlingue, Mark était sur le point de s'endormir. Il laissa la force G le plaquer contre son fauteuil et le propulser dans un rêve.

Il se réveilla parce qu'on lui avait fourré une chaussette en laine dans la bouche. Non. Pas une chaussette. Il avait une soif épouvantable. La bouche sèche. Il fit claquer sa langue contre son palais et tendit la main vers la bouche du plafonnier qui l'aspergeait d'air sec et froid. Mais quelqu'un l'empêchait de bouger, le tenait cloué sur son siège. *Non, ça s'appelle une ceinture. Et le siège est incliné.* Une hôtesse apparut promptement. Sans un mot, elle dirigea sa main vers les commandes cachées dans son accoudoir, sous le revêtement en cuir. Elle ferma le jet d'air froid et releva graduellement son siège.

— Merci, dit-il. Puis-je vous demander un verre d'eau ?

Il avait la voix râpeuse et nasillarde.

Elle le lui apporta. Une fois désaltéré, il regarda à nouveau autour de lui. Le type de derrière était réveillé. Attablé à la table de réunion devant un service en porcelaine, il travaillait sur une tablette.

Il leva la tête.

— Agneau ? demanda-t-il en brandissant un bout de viande au bout de sa fourchette.

Mark se hissa hors de son fauteuil, prit son eau et se dirigea vers lui en faisant tinter ses glaçons dans son verre. Il opta pour une expression pénétrée.

— Vous êtes de chez BlueBird ? lui demanda le type.

— Je travaille pour Straw.

— D'accord. Je vois. Moi aussi, si on veut. Je m'appelle Seamus Cole.

Il posa sa fourchette et lui tendit la main. Mark la serra et ce faisant remarqua les bouchons d'oreille de Cole posés dans une assiette à côté d'un petit pain entamé, tels deux minipénis spongieux croûtés de cérumen. Ce type ne devait pas savoir qu'il était face à Mark Deveraux. Existe-t-il une manière polie de signaler à quelqu'un qu'il devrait vous reconnaître ? Bill

Clinton et Sean Connery n'avaient jamais dû vivre ce genre de situation.

— Je suis l'ingénieur en chef et l'architecte des systèmes d'information de Nouvelle Alexandrie, dit Cole. C'est demain qu'a lieu le lancement de mes serveurs baleines, je ne voulais pas rater ça.

Il but un grand trait de liquide brun et visqueux.

— Mark Deveraux, dit Mark.

— Sans déconner? C'est vous le gourou, alors. Je pensais que vous étiez de chez BlueBird.

BlueBird? se dit Mark. *Les mecs de la sécurité? Tu te fous de ma gueule?*

— Je ne suis qu'un des conseillers de Straw, dit Mark avec modestie.

— Bien sûr. Tout comme Kissinger était un simple conseiller.

Impossible pour Mark de dire ce que Cole entendait par là. La comparaison avec Kissinger était peut-être un compliment. De plus, il ne voyait pas comment demander ce qu'était un serveur baleine sans trahir sa totale ignorance, alors il resta sur sa lancée.

— Bon, il faut vraiment que je jette un œil à mes écrits en cours, dit-il.

— Oui, bien sûr.

Mark demanda à l'hôtesse – avec une extrême politesse, pour se démarquer de Cole – s'il pouvait faire usage de la cabine privée pour un peu de repos. Bien sûr que c'était possible, mais ne désirait-il pas manger quelque chose? Il lui demanda comment elle s'appelait, puis enchaîna :

— Non merci, Monica, mais pourrais-je jeter un œil au garde-manger?

Elle l'y emmena. Ce n'étaient que petits plateaux métalliques et ustensiles qui s'inséraient dans les parois de façon sécurisée, une version bien plus cool de la kitchenette du minivan Volkswagen que sa mère avait emprunté à des copains hippies un été où ils étaient descendus dans le Texas pour y retrouver un homme. L'homme en question s'était avéré décevant, mais le voyage les avait éclatés.

La cabine privée était une vraie chambre, éclairée d'une multitude de petits spots encastrés dans un parement en ronce de noyer. Monica lui indiqua où étaient les boutons et à quoi ils servaient. Puis Mark se mit en sous-vêtements et se glissa entre de vrais draps. L'oreiller, comme bourré de ressorts, laissait un peu à désirer. Il regarda par le hublot le paysage céleste qui ressemblait à un tableau de Maxfield Parrish et ne tarda pas à s'endormir.

Après l'atterrissage à Hong Kong, Mark et Seamus retrouvèrent Patel sur le tarmac, très affairé. Il les installa dans une berline blanche et prit place à l'avant, à côté du chauffeur muet. Leurs valises furent transférées de la soute au coffre.

— Il ne vous reste plus que trois quarts d'heure de voyage, leur annonça Patel. Le temps nous est compté. La météo va se gâter, et l'hélicoptère n'est utilisable que dans une certaine mesure. Monsieur Deveraux, M. Straw vous attend pour le dîner.

Le dîner, se dit Mark, *un mot que le décalage horaire a dénué de son sens.* Ça pouvait vouloir dire n'importe quoi.

Ils roulèrent un quart d'heure, à bonne allure, passèrent deux barrières de sécurité, s'arrêtèrent à une troisième. Patel sortit du véhicule pour parlementer dans le bureau adjacent à la barrière. Cole n'avait pas l'air dans son assiette. Le visage bouffi, il observait ses mains comme si on venait de les lui donner. Il avait le regard vitreux. Mais soudain il sembla sortir de son hébétude et prendre conscience de son environnement. Ses yeux firent le point sur Mark.

— Bien dormi ? lui demanda-t-il, avec peut-être une pointe d'amertume dans la voix.

Ce fut sa première fois. Mark n'était jamais monté à bord d'un hélicoptère. L'intérieur ressemblait à un très beau van. Deux banquettes trois places qui se faisaient face, avec un revêtement digne d'un trône. Une sorte de table basse entre les deux. Encore de la ronce de noyer. Les noyers devaient vivre dans la hantise de l'aviation privée. Cole s'était collé des patchs de Dramamine derrière les oreilles et fixait un point à l'horizon. Patel dégaina un carnet et un stylo hors de prix sitôt assis.

Mark essaya de canaliser sa joie débordante. Ses quelques heures de sommeil à bord du jet lui avaient fait un bien fou, mais il était trop fébrile, et de toute évidence, personne n'allait lui proposer un verre. Il allait se concentrer sur le vol, la mer qu'il voyait par la fenêtre, son corps assis sur la banquette. Toutes les inquiétudes qu'il pouvait nourrir quant à son boulot/ l'argent/ses dettes ou la question de sa toxicomanie ou bien de l'absence totale de progression dans l'écriture du deuxième livre ou encore du guêpier éventuel dans lequel il allait se fourrer à bord de ce yacht – eh bien justement il ne les nourrirait pas. Il demanderait à son cerveau, poliment mais fermement, de s'abstenir de toute pensée éprouvante, de ne s'occuper que des nuages et du fait qu'il volait en hélico en direction d'un méga-yacht.

La méthode fonctionna à peu près. En fait, d'un point de vue ergono-aéronautique, c'était bien plus excitant de voler en hélicoptère qu'en avion. Au décollage, il sentit son corps décrire une longue ligne droite dans les airs. Il pensa à Terry, le pilote d'hélico de la série *Magnum*, qu'il avait regardée sans rater un épisode. C'était quoi, le mardi soir ? La télé avait tellement compté pour lui, avec les rêves idiots dont elle lui bourrait le crâne. Il fit semblant de croire que Terry était leur pilote.

Mais il avait du mal à garder les pensées agressives à distance : il avait un problème cardiaque, il était sur une mauvaise pente, sa mère n'était pas fière de lui, la chance allait lui tourner le dos, il mourrait seul et mal-aimé.

Il ne cessait de revenir au paysage. La vue était plus vaste à bord d'un hélicoptère que d'un avion. Pas de hublots grands comme des assiettes, mais de larges baies rectangulaires. Ils volaient sous les nuages, au-dessus d'une mer qui défilait sans indication d'échelle, à part les motifs blancs moutonnant contre le vert-bleu, qui auraient pu être la crête d'écume des vagues comme des récifs d'un kilomètre de long.

Il jeta un œil aux autres passagers. Cole était mal en point. Il respirait à toutes petites goulées. Les gens ont vraiment le teint verdâtre quand ils ont le mal des transports. Patel prenait des notes sur un document à la marge immense – ou faisait semblant, du moins, une astuce que Mark connaissait bien. La pluie commença à tomber, et l'hélico vola à une altitude plus basse. Mark voyait les rouleaux blancs friser sur la mer grise.

Ils descendirent encore, au point de se rapprocher dangereusement des vagues. Puis ils cessèrent d'avancer. Ils étaient en vol stationnaire au-dessus d'un navire qui ressemblait à un pétrolier. Mark scruta l'horizon en quête d'un signe du *Sine Wave*, en vain. Est-ce qu'ils s'arrêtaient pour faire le plein?

Faire atterrir un hélico sur un bateau ne semblait pas évident. L'appareil plana au-dessus du pont sûrement un peu trop longtemps et descendit d'un coup pour atterrir très brutalement. Les yeux de Cole papillotèrent sous le choc, puis s'emplirent d'un soulagement visible – ouf, il n'avait pas gerbé. Dehors, quelqu'un s'affairait du côté des patins, et quelqu'un d'autre leur ouvrit la porte de la cabine.

C'est ça le Sine Wave? se demanda Mark en suivant Patel. Il posa le pied sur le vaste pont avant métallique de ce qui ressemblait à un cargo. À une distance d'environ deux ou trois pâtés de maisons – s'ils avaient été sur la terre ferme – Mark distingua la façade plate de la superstructure, dont les fenêtres étincelaient dans le couchant. Cole emboîta le pas à Mark, et ils se dirigèrent vers le poste de pilotage, de la taille d'un immeuble de bureaux. Ça faisait quand même une petite trotte; pas de voiturette blanche pour les y emmener.

Où étaient les ponts luisants et les bains de soleil? Les chromes astiqués et les drapeaux qui claquaient au vent? Le teck, la ronce de noyer? Ça, c'était un navire de guerre, avec des rivets, des grues, du câblage, des portes en acier et des verrous maous, et puis partout, sur toutes les surfaces, des interdictions de fumer. Mark vit quelqu'un sortir du poste de pilotage par une écoutille. Un membre d'équipage, mais rien à voir avec un apollon de blanc vêtu. Un mec typé sud-asiatique, en jogging bleu, avec un pistolet à la hanche. Il leur tint la porte en baissant la tête.

— Monsieur Patel, dit Mark avant de franchir le seuil, nous ne sommes pas à bord du *Sine Wave*, si?

Patel sourit pour la première fois.

— Non, monsieur Deveraux, en effet. Nous sommes en fait à bord du *Sine Wave II*.

Un chef de cabine, non armé, vint à leur rencontre.

— Je suis monsieur Singh, dit-il à Mark. Veuillez me suivre.

Un autre steward vint chercher Cole pour l'emmener dans une autre direction. Patel suivit Mark.

Si, depuis le pont, le poste de pilotage avait eu un abord austère, Mark remarqua qu'une fois à l'intérieur, il avait tout d'un yacht (rebonjour les boiseries en noyer et l'éclairage tamisé ; il y avait aussi un piano, une orchidée dans un vase, un tableau au mur qui était peut-être bien un Rothko), et il y avait une sorte d'énergie dans l'air, de celles que l'on ressent lorsque des domestiques arpentent les couloirs diligemment.

Ils s'arrêtèrent devant la porte d'une cabine. Celle de Mark, apparemment.

— M. Straw vous attend pour le dîner dans quarante-cinq minutes, lui dit Singh. Je reviendrai vous chercher. Vous ne devez pas quitter votre cabine d'ici là.

— Et où pourrais-je bien aller ? Sur le pont avec piscine de plein air ?

Ni Singh ni Patel n'eurent l'air de trouver ça drôle.

— Merci messieurs, dit-il, se reprenant, avant d'acquiescer solennellement à l'intention de Singh. Monsieur Patel, merci de m'avoir accompagné jusqu'ici.

— C'était le vœu de M. Straw.

Patel, qui devait être au service de Straw depuis des décennies, avait appris à snober son entourage de façon à ce qu'on s'en rende compte avec un léger décalage.

Bien. D'accord. Ce type ne m'éteindrait pas si j'étais en feu. Le charme de Mark reposait sur la flatterie, et ne marchait donc qu'avec ses supérieurs. Il était rare que les petites gens l'apprécient. Mais après tout, il s'en moquait. Il n'avait pas besoin de la bénédiction ni de l'amitié de Patel.

Une fois seul, il inspecta sa cabine. Simple, pour ne pas dire spartiate. Mais la simplicité qui avait un certain prix : bois vernis de douze couches, tiroirs sur roulements à bille inaudibles, seuls quelques objets susceptibles de tomber. Il y avait une couchette sur laquelle il devrait se hisser, un hublot, un petit bureau avec douze blocs-notes et une poignée de crayons taillés dans le pot à crayons. Il y avait une salle d'eau aussi minuscule qu'ingénieuse, avec un savon sur lequel était gravé SWII, dans le porte-savon. Mark observa la mer déserte par le hublot et tenta de se prendre pour Jack London.

Au dîner on servit du carré d'agneau rôti – Straw aimait la bouffe tape-à-l'œil – et beaucoup de bordeaux, versé par un serveur ganté qui tenait une serviette pliée au niveau du goulot pour éponger les gouttes éventuelles. La troisième personne présente au dîner était un homme que Straw appelait toujours son "bon compagnon Parker". Il s'agissait en fait de Parker Pope, le PDG de BlueBird, la société de surveillance qui avait récemment changé de nom et s'appelait Blu Solutions/ Logistique. Il avait vingt ans de moins que Straw, mais semblait taillé dans le même roc. Ils passèrent le plus clair de leur temps à chicaner : quel animal était le gibier le plus difficile, le buffle du Cap ou le rhinocéros blanc ?

— Le rhinocéros, dit Straw. Il appartient à la mégafaune.

— Oh, rien qu'un ongulé avec une cervelle de moineau, dit Pope. Alors qu'avec le mbogo, on ne sait jamais sur quel pied danser. Ils détestent les hommes.

Mark tenta de concilier les deux points de vue ("Je ne suis pas à proprement parler un chasseur") mais finit par choisir le rhinocéros, à cause de son cuir blindé. Aussitôt, Pope sembla se dresser contre lui.

— Vous êtes arrivé avec le nouvel ingénieur en chef, si je ne m'abuse, dit Straw à Mark. Seamus Cole ?

Mark répondit que c'était le cas.

— Cole dit qu'il peut améliorer le nouveau filet dérivant, dit Pope à Straw mais sans quitter Mark du regard.

— Cole répare des filets ? s'étonna Mark. – Puis il s'adressa à Straw sur le ton plus intime de leurs séances privées. – C'est pour ça qu'on est sur un navire aussi énorme ? C'est ce qu'on est venu faire, James ? On est venu pêcher ?

— En quelque sorte, répondit Pope, vif comme une anguille. Cole peut être considéré comme un pêcheur. L'un des meilleurs, même. Sauf que ceux-là préfèrent se faire appeler hydrologues de données –

Straw l'interrompit.

— Mark n'a pas encore visité le pont inférieur, Parker. Et il me semblait que l'expression sur laquelle nous étions tombés d'accord était architecte des systèmes d'information.

Pope leva les mains en signe d'excuse, non sans ironie.

— Pardonnez-moi, mais comme vous êtes sur le point de proposer, euh, ce poste à Marcus, je pensais que vous lui aviez décrit le projet dans les grandes lignes.

— J'avais prévu de le faire demain. Mais autant se lancer tout de suite, vu les circonstances.

Straw avait l'air en colère, comme un gamin à qui on a gâché sa fête.

— Mark, que diriez-vous de devenir le narrateur en chef de SineCo?

Mark resta interdit devant son sorbet. Il détestait les sorbets. Est-ce qu'on lui proposait un job? Quelle était la rémunération? S'il voulait la jouer fine, il fallait commencer par empêcher Pope de malmener Straw, l'en éloigner.

— Je suis très curieux d'en entendre davantage, James, dit Mark. Mais je suis également épuisé. Reparlons-en demain, rien que vous et moi.

On toqua à la porte, et une femme canon, à la beauté masculine, entra dans la salle à manger.

— Désolée de vous interrompre. Monsieur Pope, il va falloir que vous preniez un appel. Le prince est furieux.

— Cette enflure de bouffeur de bites, entendit Mark dans la bouche de Pope, qui devait donc parler du prince furieux. Merci, Tessa. J'arrive tout de suite.

La femme recula mais ne sortit pas. À sa façon d'attendre Pope, Mark en déduisit qu'elle était son assistante. Pope recula sa chaise.

— James, à demain. Marcus, félicitations pour le nouveau boulot. – Puis il regarda Mark droit dans les yeux et ajouta : Le dernier de votre vie.

Cette nuit-là, Mark se réveilla d'un coup avec une furieuse envie de cigarette. Il avait prévu de s'en sortir avec des patchs de nicotine – il ne voulait pas que Straw sache qu'il fumait. Mais il avait l'impression que les patchs lui fluidifiaient le sang et, leur effet subsistant, que son sommeil l'emmenait dans des buissons de ronces. Il fit les cent pas dans sa cabine. Son hublot se moquait de lui. Tout ce qu'il voulait, c'était quelques inhalations de nicotine dans l'air nocturne.

Il décida de tenter le coup. Il retrouva les deux cigarettes qu'il avait chipées à la grand-mère israélienne dans le fumoir, et se glissa dans le couloir. Il fallait qu'il trouve un accès à un pont ou une passerelle. Mais ce bateau était un vrai labyrinthe, c'était comme l'intestin d'une bête géante. Au début, il n'eut d'autre choix que de *s'éloigner* du hublot de sa cabine, puis il tourna à droite deux fois et monta une volée de marches métalliques. Et là, il aurait juré être au même endroit que trente secondes plus tôt. Son cœur commença à s'emballer. Singh ne lui avait pas franchement ordonné de rester dans sa cabine lorsqu'il l'avait escorté après le dîner, mais il y avait incontestablement une ambiance digne d'Agatha Christie sur ce navire, qui incitait à rester dans sa cabine, un peu comme si le dîner était le dernier événement de la journée, et qu'après venait le couvre-feu.

Et donc, lorsque Mark entendit des pas très décidés dans le couloir qui menait à l'intersection de laquelle il s'approchait, il ouvrit la porte la plus proche et s'y engouffra. Un geste plein d'habileté et de grâce, s'il ne l'avait conduit tout droit dans la cabine de l'assistante de Pope, la femme qui avait interrompu le dîner. Elle était debout derrière un bureau, penchée au-dessus d'un ordinateur, dans ce qui s'appelait s'il ne s'abusait un caraco.

— Dites-moi que vous ne venez pas de vous introduire en douce dans ma chambre, dit-elle.

Il y a des fois dans la vie où l'on va droit au but.

— Non, en effet, je ne me suis pas introduit en douce dans votre chambre. Je voulais aller dehors, sur le pont, ou n'importe. Je veux fumer cette cigarette – il brandit la cigarette toute fine en guise de preuve – mais je me suis perdu. Ce bateau, c'est un truc de dingue. Je cherchais simplement à me cacher, parce que j'ai entendu des pas, et l'autre steward me fout les jetons, et je sais que c'est crétin de ma part mais...

Elle ne le croyait pas. Son visage lui disait clairement, *Épargne-moi tes détails.*

— Écoutez, ne m'en veuillez pas, je suis sincèrement désolé, dit Mark en ressortant dans le couloir.

Mais elle ne vint pas fermer la porte. Il regarda à droite, puis à gauche. Il se tourna à nouveau vers elle.

— Vous accepteriez de m'aider, à tout hasard ?

La chambre de Tessa ressemblait davantage à une cabine de luxe. Elle était deux fois plus grande que celle de Mark. D'un autre côté, elle semblait y passer beaucoup de temps. Il y avait quatre ordinateurs portables, ainsi qu'une douzaine d'appareils électroniques divers qui clignotaient dans tous les coins, des classeurs de paperasse empilés sur deux bureaux, des tasses et des verres vides abandonnés sur des rebords, et trois énormes sacs de voyage entassés dans une penderie ouverte.

Mais la caractéristique essentielle de la cabine de Tessa était son balcon, ou quel que soit le nom que ça portait sur un bateau. C'est donc là qu'ils s'installèrent pour fumer, au son du clapotis de l'eau dix ponts plus bas. Tessa fumait une Lucky Strike. Mark se forçait avec sa clope de lutin.

— C'est sûrement bête de ma part d'avoir agi comme un rôdeur, dit Mark, les idées claires grâce à la nicotine. Après tout, nous sommes des invités, pas vrai ?

— Oui et non, dit-elle.

Un peu de lumière leur parvenait de la cabine, mais le noir de l'océan et du ciel sans lune la repoussait sans mal ; il ne voyait pas suffisamment son visage pour y détecter la moindre information supplémentaire.

— Pourriez-vous m'éclairer sur ce "non" ?

Elle sembla amusée.

— Vous n'avez donc pas la moindre idée de ce qui se trame ici.

— Je crains que non. Mais il se peut que je sache des choses que vous ignorez.

— Ce que j'ignore, c'est comment vous avez pu arriver aussi loin.

Mais elle dut trouver ça trop abrupt, alors elle se pencha vers lui.

— Enfin, vous devez avoir du talent, Straw est dingue de vous. Tenez, vous voulez une cigarette moins ridicule ?

Elle lui tendit une Lucky, qu'il accepta.

— C'est un lecteur attentif. Il m'a dit que mon livre lui avait inspiré son grand projet, ce truc qu'il appelle Nouvelle Alexandrie.

— Mais vous ne savez pas ce que ce nom recouvre ?

— James et moi n'abordons pas trop les détails techniques, seulement les objectifs. De façon plus ou moins abstraite.

— Ah, si seulement j'avais un thérapeute comme vous…

Elle n'avait pas tort. Lors d'une séance récente, lorsque Straw avait sous-entendu que le projet Nouvelle Alexandrie impliquait une collecte de données d'une ampleur sans précédent, Mark s'était contenté de dire que recueillir des connaissances était toujours une bonne idée. Et quand Straw avait dévié de son cours pour fulminer, disant qu'après la modification, ils ne seraient plus aussi nombreux à beugler à propos des droits d'accès à leurs données, Mark n'avait pas dit, *Attendez. Mais de quelle modification parlez-vous ?* Il avait simplement réorienté Straw vers le sujet du jour, à savoir le bénéfice que nous retirons à rendre nos interactions plus transparentes.

— Bon, je présume que vous en saurez plus demain sur les détails techniques, comme vous dites. Bien que… en tant que NEC, il ne faudra peut-être pas trop entrer dans les détails…

— N. E. quoi ?

— Narrateur en chef.

— Ah. Vous savez, je n'ai pas encore accepté la proposition. James et moi allons en discuter demain.

— Votre relation semble très complexe.

La nana était perspicace. Complexe, c'était le moins que l'on puisse dire, en tout cas pour lui : il devait agir comme le fils soumis mais qui conseille quand même le père ; gérer l'égocentrisme de Straw ; en dire assez pour afficher sa souplesse d'esprit mais pas trop non plus, de crainte de révéler les immenses lacunes de ses connaissances.

— Vous avez toujours eu un faible pour les vieux ?

— Pardon ?

— C'est la différence d'âge qui me fait dire ça. J'ai déjà vécu ce genre de relation. Je trouve que c'est stimulant.

— Je suis le conseiller de Jack Straw, articula Mark. Je le conseille. Rien de plus.

Elle se pencha, s'exposant davantage à la lumière. Et elle avait l'air sincèrement déconcertée.

— Vraiment?

Mark acquiesça.

— Oh… Alors… vous n'êtes pas, euh, son partenaire?

Merde. Qui d'autre pensait ça?

— Je suis hétéro. Vous vous en doutiez bien, non?

Elle roula les yeux, façon de dire qu'il n'y avait pas mort d'homme.

— Disons que maintenant, je le sais. Et vous, vous saviez que j'étais homo?

— J'hésitais… Mais qu'est-ce qui a bien pu vous faire croire que j'étais gay?

— Pope a dit que Straw allait intégrer son chouchou dans le projet. Et comme vous n'êtes pas son fils, j'ai pris "chouchou" dans ce sens-là.

C'était catastrophique. Les gens le prenaient pour l'amant de Straw. Il se représenta brièvement à quoi pourrait ressembler l'acte de copulation avec Straw, serré contre ses flancs maigres et flasques, tenir sa main marbrée.

— Ce que je trouve bizarre, enchaîna Tessa, c'est que j'ai lu votre bouquin, et j'ai dû rater le chapitre où vous prônez la construction d'un réseau secret de mégaserveurs en mer.

Un réseau secret de mégaserveurs? En mer?

— Eh bien, j'aborde en tout cas l'importance de bien se préparer, en toutes circonstances, dit Mark. Le réseau sous-marin que vous évoquez est tout à fait en rapport avec le sujet.

Aucun doute, elle le trouvait marrant. Il essaya de lui soutirer davantage de renseignements sur la nature et l'ampleur de ce qui se tramait sur ce bateau, mais elle refusa d'en dire plus. Désemparé, il tenta une approche plus directe – "Mais il n'y a rien d'illégal dans le projet Nouvelle Alexandrie, au moins?" – et la façon dont elle se ferma lui dit tout ce qu'il avait besoin de savoir.

— Écoutez, j'ai encore une tonne de travail à faire ce soir, dit-elle. Alors je vous dis à demain. En espérant que ce soit après votre visite des lieux.

Il semblait raisonnable de penser que quand cette femme prétextait du travail, elle en avait bel et bien. Divers appareils avaient bipé pour annoncer des messages, et les classeurs entassés sur son bureau étaient trop gros pour être de la pure esbroufe. Elle le raccompagna à la porte de sa cabine grand luxe et ses longs doigts décrivirent dans l'air le chemin à suivre pour qu'il retrouve la sienne.

Une sirène lui déchirait les tympans. Il sauta à bas de sa couchette, oubliant qu'elle était surélevée, et sa cheville se déroba sous lui. Il jappa de douleur et ouvrit grand la porte de sa cabine, affolé, en sous-vêtements. Singh était posté là, aussi immobile qu'un garde royal.

— Bonjour, monsieur Deveraux, dit-il d'une voix sonore, car l'alarme était aussi assourdissante dans le couloir que dans la cabine.

— C'est quoi l'urgence? cria Mark, mais le bruit cessa avant la fin de sa question, et il se retrouva à gueuler dans le silence.

— Il n'y a pas d'urgence, monsieur Deveraux. C'était la sonnerie du matin. Il est six heures et demie. Petit-déjeuner dans une demi-heure.

En guise de petit-déjeuner, smoothies et sardines sur pain grillé, le tout servi dans une sorte de mess d'officiers et non la salle à manger lambrissée de la veille au soir. Straw était présent, plein d'entrain. Pope était là également, recouvrant ses tartines de sardines. Une jeune et charmante assistante de vingt ans sa cadette patientait derrière lui, mais ce n'était pas Tessa, qui tout en étant assistante avait sûrement mieux à faire.

— Nous vous retrouverons dès que vous aurez fini votre visite, dit Straw à Mark. Je me disais que nous pourrions prendre notre après-midi, tous les deux, pour un peu de détente.

Pendant la première demi-heure de visite, Mark fut guidé par un Grec barbu au torse puissant qui de toute évidence ne voulait parler que canots de sauvetage, propulseurs d'étrave et milles marins. La taille du navire le sidérait tellement qu'il ne chercha même pas à fureter dans son coin. Perché sur la corniche du poste de pilotage, qui offrait une conscience aiguë de la longueur et de la largeur du bateau, ainsi qu'une vue sur le mince fil de l'horizon tendu au-dessus de la proue du navire, Mark eut l'impression que le *Sine Wave II* était au centre de l'univers, qu'il pouvait le tordre pour le contenir.

— Et alors, qu'est-ce qu'on transporte ? demanda Mark, non sans exaspération, en désignant l'extension de cinq cents mètres qui faisait à la superstructure du navire comme une trique titanesque.

Le Grec haussa les épaules.

— Vous ne savez pas ce qu'il y a à bord de ce bateau ? demanda Mark au Grec qui lui tournait le dos, et avait accéléré la cadence.

— C'est pas ma partie, répondit-il avec une telle indifférence que Mark comprit que la discussion était terminée.

Par chance, le type avec qui le Grec le laissa était d'humeur bien plus badine.

— Mark Deveraux. C'est un honneur. Je suis fan de ce que vous faites. Un très grand fan, dit Tony en levant ses deux pouces.

Ils entrèrent dans une pièce que Mark aurait pu confondre avec le pont – elle faisait la largeur du navire et avait des baies vitrées sur trois côtés ; partout, des gens affairés qui tripotaient écrans et autres appareils, des câbles de transmission de données serpentaient le long des allées entre les postes de travail. Mais Mark avait *commencé* sa visite par le pont du vaisseau, au moins quatre étages au-dessus, où il avait croisé une dizaine d'officiers en uniforme amidonné aux insignes rutilants, occupés à scruter des écrans radars, des jauges et l'océan lui-même, jumelles pendues au mur dans leur étui en cuir si besoin.

Les gens dans cette pièce ne faisaient pas partie de l'équipage, même si l'atmosphère était teintée de tension, de contrôle. Silence quasi total à part le cliquetis sourd des claviers. Immobilité quasi totale, à part un type (il n'y avait que des hommes) qui pivotait sur son fauteuil ici ou là, indifférent à la mer.

Il semblait y avoir dans la pièce autant de gravité et de données que dans une salle de contrôle de la NASA, sauf qu'ici, les experts n'étaient pas des quinquas avec toute une rangée de stylos à leur pochette de chemise. Il s'agissait d'Asiatiques, de Blancs et de quelques Noirs, tous âgés de moins de trente-cinq ans, en jean Gap et chemise classique. Leurs postes de travail présentaient les signes hésitants d'une décoration typique des départements informatiques exclusivement masculins : photos prises lors de week-ends mémorables, figurines de dessins animés, pin-up de magazines de surf.

Mark et Tony se tenaient au centre de la salle, près d'un plateau bien garni posé sur une table pliante : percolateur rutilant, viennoiseries, sachets d'édulcorant. Mark ne savait plus sur quel pied danser. Est-ce que c'était ça, Nouvelle Alexandrie ? Un bourdonnement aigu sifflait à ses oreilles. Pour cacher son désarroi, il se servit un café. Tony parlait.

— Le flux provient de l'ordinateur – il fit un geste vague vers l'avant – et dans cette salle, nous faisons quatre choses.

Il désigna les quatre coins de la pièce sans cesser de parler.

— Il y a les collecteurs, les regroupeurs, les fusionneurs et les glaneurs. Une fois que les glaneurs ont fait leur boulot, on transmet les données, par tranches, au service de traitement et d'encodage. Puis elles sont transcrites sur les baleines, et mises à l'eau.

— Les… baleines ? dit Mark.

Si vous répétez ce que vient de dire votre interlocuteur avec une intonation montante, c'est une façon de dire poliment, *Pardon mais : qu'est-ce que vous venez de dire ?*, et en général la personne se sent obligée de vous éclairer. Mark secoua un sachet de sucre entre ses doigts. Il buvait son café noir mais agiter ces petites choses, ça vous donnait une contenance.

— Les baleines, oui, reprit gaiement Tony. Techniquement, ce sont des serveurs sous-marins, je dirais. Mais quand on assiste à leur lancement, ça évoque forcément une baleine. Cette façon de filer, de plonger, et ce bruit qui résonne… Ah, voilà M. Cole.

Le réparateur de filets qui avait le mal de l'air arrivait dans leur direction. Tony se lança dans les présentations, mais comme Cole était plus haut placé que Tony, il lui cloua le bec. La culture SineCo avait tendance à exalter le penchant masculin pour la hiérarchie ; la moindre interaction avait un haut et un bas, et pour toute chose, l'air y compris, il y avait un gagnant et un perdant. Si on aimait marcher en tête, il fallait aussi aimer avoir des gens derrière soi.

— Mais oui, mais oui, l'écrivain, dit Cole, comme s'il parlait d'un métier ancien un peu bizarre, comme fauconnier. On s'est rencontrés en chemin.

— Bien sûr, dit Mark, comme s'il s'agissait d'un événement historique et non d'une anecdote de la veille.

— Venez avec moi, dit Cole. Pope veut vous montrer ce que font les glaneurs.

Cole escorta Mark le long d'une rangée de postes de travail. On aurait dit un professeur qui cherchait son élève préféré. Lorsqu'il s'arrêta derrière le bureau d'un obèse en maillot de foot de Liverpool, le type se redressa contre son dossier en maille tendue. Il avait une dizaine d'écrans face à lui, une batterie de claviers à portée de sa main droite, et la gauche caressait un appareil dont la souris était l'ancêtre et que Mark voyait pour la première fois. Sur deux des écrans défilait du code, mais à un rythme tel qu'on ne distinguait presque rien – l'effet était le même que ces fontaines lumineuses électriques vendues dans les magasins de déco au rabais. Le type portait une visière interactive sur les yeux, avec laquelle il aurait sûrement pu opérer quelqu'un à distance. Il semblait sélectionner des éléments de son écran pour les déplacer – glisser-déposer – mais à une vitesse que Mark n'aurait jamais crue possible. Il avait l'impression d'observer un derviche.

— Vous savez ce qu'il est en train de faire ? lui demanda Cole.

Pas vraiment. Analyse de données ?

— Oui. Mais puisque c'est vous l'architecte des systèmes d'information, pourquoi ne pas éclairer ma lanterne ?

Cole acquiesça, l'air de songer que c'était de bonne guerre.

— Le contenu sur lequel travaillent ces types est déjà enrichi. Et je ne vous parle pas de cartes de crédit ou de photos

266

d'identité. Il s'agit de la crème de la crème des dix exa-octets traités par jour.

Il n'insista pas particulièrement sur *exa-octets*, comme si Mark était censé comprendre ce que ça voulait dire. Mark acquiesça. Cole poursuivit.

— Historiques financiers qui remontent jusqu'à la naissance, dossiers médicaux complets avec feuilles de soins et prélèvements biologiques, généalogie, cercle amical, possessions, orientation politique. Puis on passe aux espoirs et rêves, peurs et désirs, photos et vidéos, appels vocaux et textos…

Il énumérait sa liste en décrivant un moulinet sans fin de la main.

— Appels vocaux et textos ? répéta Mark, choisissant un extrait au hasard.

— Tout ce que le sujet a dit ou écrit sur une ligne numérique.

— Comment ça, tout ?

Cole haussa les épaules.

— Ben tout, tout. La saisie de ce genre de choses est facile. Enfin, pas facile, mais… faisable. Ça a toujours été une simple question de juridiction, d'interprétation, d'organisation et de stockage. Après, c'est du gâteau. Tenez, mettez ça.

Il tendit à Mark la même visière à écran rabattable que portait le glaneur. Mark s'exécuta.

Un écran apparut devant ses yeux, entouré de dix autres plus petits, comme un kaléidoscope. Mais il voyait encore la salle dans laquelle ils étaient, il voyait ses mains devant son visage.

— Dites un nom, lui demanda Cole. N'importe lequel.

Un nom s'imposa aussitôt. La Petite Amie Perdue. Il l'avait vue pour la dernière fois cinq ans auparavant. Il le prononça.

— Je crois qu'elle vit à New York. Elle travaille pour –

Mais Cole ne l'écoutait plus. Le glaneur assis à côté d'eux se mit à effleurer ses appareils. En quelques secondes, elle apparut sur le grand écran de Mark, devant son œil droit. Il ne s'agissait pas d'une photo de permis de conduire, ni d'un cliché de vidéosurveillance.

L'un des écrans miniatures s'anima. Appel Skype avec la mère, T-16 jours, pouvait-on lire au bas de l'écran. Sur un autre petit écran apparut la mère.

Margaret, toujours belle, à une table de cuisine avec une petite fille. Qui lui ressemblait. Elle avait donc eu le bébé qu'elle voulait tant. Puis Margaret se leva et, rayonnante, montra son ventre tout rond à sa mère, à Mark, à Cole et au type obèse en maillot de Liverpool.

— On a décidé de garder les prénoms pour nous pour l'instant, mais à toi je vais le dire. Si c'est un garçon, il s'appellera Hershel.

C'était le nom de son père. Il était mort d'une crise cardiaque en faisant un jogging avec elle quand elle était adolescente. Ça l'avait retournée pendant des années.

— Avancez dans le temps, extraction de peurs et pertinence, dit Cole au glaneur.

L'oreillette de Mark grésilla, comme une vieille cassette. L'indication Babyphone, fille, mari, T-3 jours apparut sur un des petits écrans.

Un homme chantait une berceuse :

Il était un petit navire, qui n'avait ja-ja-

— Elle est où, maman ? demanda une voix de petite fille.

— Maman est triste en ce moment, poussin.

— Pourquoi elle est triste ?

— Elle est triste parce que ton petit frère ne va pas venir, dit la voix masculine. Mais ne t'en fais pas poussin, on va essayer de te faire un autre petit frère, ou une petite sœur.

— Mais moi je veux lui comme petit frère ! pleurnicha la fillette.

— Moi aussi je voulais, tu sais, dit l'homme, qui se mit à pleurer à son tour, tentant de réprimer ses sanglots.

Mark arracha sa visière. Seamus Cole l'observait avec impassibilité, l'air de lui demander, *Alors le gourou, t'en penses quoi ?*

— Mais pourquoi vous collectez ce genre d'infos, bordel ? s'écria Mark en regardant Cole droit dans les yeux.

— C'est public. C'est sur notre réseau. On est les prem's à le faire.

Les prem's ? Sérieux ?

— Mais c'est illégal d'espionner les gens comme ça.

— L'information est gratuite. La capacité de stockage, illimitée, récita Cole, indifférent. Nous révisons régulièrement nos mesures concernant le respect de la vie privée, et notre droit de collecte est clairement énoncé dans le décret d'accord tacite de 2001. On ne fait que sécuriser ces renseignements. Les autres géants de l'informatique ont des failles terribles, tout pourrait être effacé avec une facilité déconcertante, dit-il avec un petit sourire en coin.

Mais c'est que ça avait l'air de lui faire plaisir.

— Mais ce n'est pas vraiment ma partie, conclut-il.

— Alors dites-moi un peu, quelle est votre partie?

Il guida Mark jusqu'à un petit ascenseur. Ils descendirent de quatre étages puis traversèrent deux pièces où la pression de l'air était négative, et le sol poisseux. Des hommes qui arrivaient à leur rencontre enlevaient leur blouse de papier, comme font les beaux chirurgiens dans les séries télé. Les couloirs étaient à présent tubulaires, zébrés de câbles et gangrénés de petites boîtes qui clignotaient. Ils débouchèrent sur une sorte de plateforme panoramique, une pièce avec une paroi vitrée. Mark dut approcher son nez de la vitre avant de comprendre ce qu'il voyait.

C'était une machine. Mais de quel type? Rayon de la mort? Ils se tenaient à l'une des extrémités, et l'autre semblait se situer tout au bout du bateau. De l'autre côté de la vitre, des hommes en blouse de papier marchaient le long de la machine sur de petits échafaudages. Elle émettait une sorte de son vibratoire primordial, auquel le corps de Mark répondait.

— Qu'est-ce que c'est? demanda-t-il.

— Une bête, répondit Cole. Un animal qui n'est que cerveau. On le nourrit d'informations – toutes les informations transmises électroniquement, à tout moment, sur les lignes de notre choix – puis il construit des modèles : intuitifs, algorithmiques. Dix, vingt, sauf que dans ce jeu d'échecs, les pions sont des vrais gens. Puis il extrait tout ce qui a de l'importance et fait une copie des deux types de fichiers – le tout-venant et tout ce qui a de la valeur – pour les transcrire sur des disques durs SSD qu'il stocke enfin dans les fonds marins.

Impossible pour Mark de faire semblant de trouver tout ça normal plus longtemps.

— Ben merde alors, lâcha-t-il à voix basse.

— Comme vous dites. Je pense que ce que Straw attend de vous, du moins jusqu'au dévoilement du projet, c'est une sorte de scénario-camouflage.

Le moment de détente que Straw avait évoqué s'avéra, comme Mark le craignait depuis le début, tout sauf relaxant. Il eut lieu au bord d'une piscine, dans une sorte de cloître carrelé de terrazzo creusé au milieu du pont supérieur du *Sine Wave II*. Par le biais d'une télécommande qui semblait l'émerveiller autant qu'elle le déconcertait, Straw se battait avec un large toit de verre à claire-voie qui s'ouvrait et se fermait au-dessus du cloître. Mark était régulièrement aveuglé par des rayons de lumière équatoriale qui inondaient l'espace dès que Straw faisait une fausse manip.

— Ah merde, dit Straw. On demande à ce que les choses soient bien faites…

Énervé, il écrasa trois fois le bouton d'un petit buzzer posé à côté de son thé glacé ; un membre d'équipage se matérialisa aussitôt, vêtu d'une sorte de veste de serveur et d'un short.

— Fermez-moi ce fichu plafond, aboya Straw.

Les shorts étaient très en vogue par ici. Sur ce pont, l'aspect militaro-maritime disparaissait au profit d'une atmosphère très villa méditerranéenne, et tous les hommes de l'équipage étaient en short très ajusté. Mark avait tenté un *Désolé mais j'ai oublié mon maillot de bain* pour s'épargner cet instant piscine avec Straw, mais à son grand dam, Straw avait dit, *Pas grave, j'ai ce qu'il faut*, et en avait dégainé un particulièrement minimaliste.

Mark se força donc à s'allonger sur une chaise longue à côté de celle de Straw pour tenter de lui soutirer des détails sur son futur boulot – du moins pour Straw il ne faisait aucun doute qu'il accepterait.

N'ayant jamais cherché à comprendre les activités de SineCo, Mark avait du mal à déterminer la nature et l'ampleur de ce qui se passait. Surtout que Straw évoquait de vagues notions et aboutissait à des conclusions incompréhensibles, *via* un système de pensée nébuleux qui ne servait que son propre intérêt.

— Mais vous m'avez dit que Nouvelle Alexandrie serait une sorte de bibliothèque, dit Mark, qu'elle serait utile aux gens.

— Et ce sera le cas. Et une bibliothèque peut aussi avoir un règlement ; elle peut vous demander de remplir un formulaire pour avoir votre carte, de payer des indemnités de retard, et, oui, si c'est la meilleure bibliothèque que le monde ait jamais connu, de vous acquitter d'une somme symbolique pour l'adhésion.

— Mais si les livres que cette bibliothèque, euh, collecte appartiennent déjà aux gens à qui elle entend les prêter... si vous prenez une chose et que vous la "prêtez" à son propriétaire d'origine contre de l'argent...

Mark laissa sa phrase en suspens, mais comme Straw semblait totalement indifférent à ce qu'il sous-entendait, il changea d'approche.

— James, vous devez sûrement voir en quoi tout ça – il fit un geste censé englober le bateau et sa mission – serait une histoire très difficile à raconter.

— Mark, permettez-moi une question. Pouvez-vous me dire où se situe le trou noir le plus proche ?

— Quoi ?

— Un trou noir. Le plus proche de nous.

— Je n'en sais rien. À des milliards de kilomètres ?

— Non. Juste là, sur votre visage.

Straw tendit une main et effleura le visage de Mark.

— Vos yeux. Ce sont des trous noirs. Ils absorbent la lumière, des informations.

Ses doigts s'attardèrent sur la joue de Mark pour lui laisser le temps d'apprécier la profondeur de sa remarque.

— La machine que vous avez vue aujourd'hui est du même ordre. Ce n'est pas un simple ordinateur dans lequel on balance des données, mais un organe qui a besoin de comprendre le monde. Et ce n'est pas un projet qu'on aurait envie de contrecarrer, n'est-ce pas ?

Il n'attendit pas la réponse de Mark.

— Donc. Ce que vous faites, c'est que vous racontez ce qu'il est possible de dire, jusqu'à ce que nous dévoilions notre produit. Pas toute l'histoire, pas tout de suite. Et je sais que ça va être dur. C'est d'ailleurs pour ça que je veux que ça soit vous. Vous êtes le meilleur.

— Justement, le produit. De quoi s'agit-il ? demanda Mark, légèrement désespéré.

— C'est à la fois un produit et un service, répondit Straw avec fierté. C'est l'ordre au sens strict. C'est la sauvegarde des données et des biens personnels de tous nos clients. Mais il se peut que nos clients mettent un peu de temps à se rendre compte qu'ils sont nos clients. Alors vous aurez du temps pour travailler cette partie-là. Nous avons eu des fuites, semble-rait-il, Mark. Nous sommes passés près de la catastrophe. Je n'en sais pas beaucoup plus. C'est Parker qui s'occupe de ça. Il dit que son département est sur le coup, que ça va se régler. Mais si jamais une divulgation devait survenir avant le moment que nous avons choisi pour la présentation officielle, il faudra que vous produisiez des explications provisoires sur ce que nous faisons. Si rien ne se sait, et que ça dure, il faut simple-ment que vous continuiez à raconter l'histoire du Node. On a d'excellents résultats sur le Node, mais je veux une satura-tion de marché cent fois supérieure à celle que nous avons actuellement. D'ici cinq ans, je veux que tout *Homo sapiens* non démuni possède un Node. Ah, et il y a aussi SineLife, le réseau social que nous allons lancer. Vous savez que les jeunes d'aujourd'hui ne font plus un pas sans consulter leurs cercles d'amis en ligne ? – Il n'attendit pas de confirmation. – Eh bien il faut que vous fassiez en sorte que tout le monde agisse comme eux.

Il se redressa sur sa chaise longue, petit, trop bronzé, des petites touffes de poils blancs sur les épaules.

— Nous voulons que vous fassiez ce que vous faites le mieux : non pas les inciter à l'utiliser, mais les convaincre que c'est indispensable. Quelque chose comme "SineLife vous libère – et vous vous concentrerez sur ce qui compte vraiment". Mais vous le dites à votre façon.

Des clients qui ne savent pas encore qu'ils sont des clients ? Mark percevait toute la beauté perverse de cette stratégie : pas de victimes, seulement des clients malgré eux.

C'est à ce moment-là que Straw évoqua le montant du salaire de départ. Le genre de pactole que Mark avait cessé d'espérer, et qui évacue les dilemmes d'ordre moral en moins de deux. Il pourrait emménager à Tribeca, éplucher les petites annonces d'estancias argentines à vendre dans les dernières pages du *Mensuel des super-yachts*.

Mais quand même. C'était horrible, cet espionnage.

— Est-ce que c'est légal ? Qu'entendait Cole par décret d'accord tacite de 2001 ?

— Non seulement c'est parfaitement légal en vertu du DAT 2001, dit Straw, mais c'est aussi juste du point de vue de la loi naturelle, qui m'autorise, si je ne m'abuse, à ramasser et à utiliser ce qu'un autre homme a jeté. Tant que nous agissons depuis l'enceinte d'une de nos plateformes parallèles indépendantes – Straw désigna le bateau d'un ample geste – nous ne devons obéir qu'aux lois que nous reconnaissons. C'est vous qui m'avez appris ça.

— Moi je vous ai appris ça ? s'écria Mark en partant dans les aigus.

— "C'est à vous de construire le monde duquel vous voulez faire partie." C'est de vous. Page 77.

Quelle merde. Ce projet monstrueux se servait de ses banalités affligeantes pour se couvrir ? À l'époque, il s'était même opposé à la formule "le monde duquel vous voulez faire partie", la trouvant trop directement empruntée à Gandhi, ou du moins au Gandhi d'Internet. Mais jamais il n'avait envisagé qu'une phrase aussi anodine puisse encourager la constitution d'un consortium fasciste libre d'agir en dehors de tout cadre légal, et la création d'un réservoir de données sur un cargo gigantesque.

Sur le pont supérieur, près de la piscine, on ne l'entendait presque pas, mais il régnait tout de même dans l'air une espèce de plainte aiguë. Pas un bruit de moustique. Plutôt d'alarme lointaine.

— Est-ce que ce sifflement vous gêne ? demanda Straw soudain.

— Comment ? Oui. Vous l'entendez aussi ?

— Non, plus maintenant. Tenez, essayez ces lentilles de contact. Elles chassent le bruit.

Il lui tendit un petit flacon transparent, de la taille d'une pellicule photo, qui contenait deux lentilles sur une petite tige.

La seule excuse qui lui vint fut celle du mal de mer.

— Je crois que j'ai besoin de m'allonger un moment avant l'heure du dîner, dit-il.

Un jeune garçon de piscine l'escorta dans les étages inférieurs, puis Singh l'accompagna jusqu'à sa porte.

Sur sa couchette, à l'horizontale, il entendait le sifflement avec encore plus d'acuité. Il était plus proche de la bête. Le bruit sifflait en boucle, avec une modulation qui revenait à intervalles réguliers. Il replia son oreiller en deux autour de sa tête, mais il entendait le bourdonnement en lui.

Il n'avait aucun problème à s'autoriser un peu de mégalomanie. C'était évident. Comme il était écrivain, les égocentriques avaient tendance à le considérer comme leur ethnographe personnel, comme une sorte de Margaret Mead. Mais là, c'était différent ; il s'agissait d'une surveillance intime de tous les citoyens du monde, et d'un ordinateur avec un échafaudage, une machine semblable à un pénis engorgé qui éjaculait d'autres petits ordinateurs dans l'océan, pleins de données dérobées.

Il ne savait pas quoi faire. Il s'efforça de se laisser aller à un sommeil profond ; il entretenait l'espoir paresseux que quelque chose dans la tâche qui lui incombait serait plus facile le lendemain, ou la semaine d'après, ou quand il se réveillerait. Il arrive que cet espoir soit récompensé.

Ils dînèrent de homard. Mark trouvait le homard écœurant. Toute cette chair, ces bruits de carapace brisée. Pope, assis à côté de lui, n'avait pas lésiné sur le beurre fondu et éclaboussa Mark jusque sur sa joue. Il s'avéra qu'il aimait aussi enchaîner les blagues racistes pas drôles avec un accent indien qu'il devait trouver des plus comiques.

— Où puis-je trouver Tessa, votre assistante ? demanda Mark lorsque enfin le dîner fut terminé.

— Ce n'est pas mon assistante. Elle est avocate. Et lesbienne, donc vous pouvez laisser tomber.

— En fait, il y a des aspects juridiques du projet que j'aimerais aborder avec elle. Si je prends le poste de NEC, il vaut mieux que je sois au point.

(De la part d'un homme qui avait passé six ans à rédiger des articles pour une entreprise de biogénétique sans savoir ce qui différencie un gène d'une allèle, mais bon.)

— Si? répéta Pope, brandissant une fourchette dans sa grosse main. James, je pensais que votre chouchou faisait partie de l'équipe.

— Mais oui, bien sûr qu'il en fait partie, affirma Straw. Il se livre simplement à une petite enquête préalable.

Straw tendit à Mark une carte magnétique semblable à celles qui servent de clé dans les hôtels – sans texte, rien qu'un code-barres coloré, avec une pince pour l'attacher à sa poche.

— Votre sésame pour aller où il vous plaira sur ce bateau. Parlez à qui vous voudrez.

Mark savait que son intelligence ne lui serait pas d'une grande utilité, aussi lorsque Tessa vint ouvrir la porte de sa cabine, il fut direct.

— J'ai quelques questions bêtes à vous poser.

— Je m'en doutais.

Il la suivit dans le dédale de couloirs jusqu'à une sorte de cantine du personnel; il y avait une dizaine de personnes attablées devant des plateaux en plastique blanc, trois autres jouaient aux cartes. Tessa fit un signe de tête à certains.

— Vous voulez manger quelque chose?

Il déclina mais changea d'avis en apercevant les portions de riz au lait dans un frigo. Tessa prit un sandwich crudités et une part de tarte, et ils s'installèrent autour d'une table en formica.

— Comment est-ce que ça peut marcher? lui demanda-t-il.

— C'est déjà en train de marcher.

— Mais… vous allez vous faire choper, non?

Elle n'avait pas l'air effrayé.

— Par qui? dit-elle en vidant un sachet de moutarde jaune vif dans son sandwich. Nous n'avons rien à nous reprocher, pourquoi se faire choper ? Ça dure depuis des années, de toute façon.

— Le capitaine Konstantin m'a dit que ce bateau avait un an.

— Qui ça ?

— Konstantin ? Konstantinos ? Constantinople ? Le capitaine, quoi.

— Ah oui. Un an, oui, ça doit être ça. Avant ça, on avait une base terrestre. Je crois qu'on a encore des sites en Birmanie et en Corée du Nord.

— Je n'arrive pas à voir où seront les bénéfices, cela dit. Rien ne pourra justifier de telles dépenses.

Elle posa son sandwich et le regarda droit dans les yeux.

— Vous ne comprenez pas parce que vous vivez encore à une époque où vous avez accès à un savoir analogique. Mais ça ne va pas durer. Bientôt, vous ne pourrez plus faire grand-chose si ce n'est pas en ligne. Je vois bien que vous êtes sceptique, mais c'est parce que pour vous, en ligne, ça veut dire être assis devant un écran, avec un clavier. Parce que votre imagination a ses limites, et que la plupart des ordinateurs ressemblent encore à des machines à écrire. Mais nous sommes à l'aube d'une technologie qui va changer tout ça et –

Alors comme ça son imagination avait ses limites ? Il l'interrompit.

— Tout le monde se balade avec un air supérieur sur ce putain de bateau, et menaçant avec ça. Mais c'est quoi votre technologie qui va tout changer, hein ? Parce que j'en ai entendu des caisses sur la réalité virtuelle, à l'époque on nous disait qu'on n'aurait plus besoin d'aller sur une vraie plage, jamais.

Tessa fit un signe en direction des trois mecs qui jouaient aux cartes. L'un d'eux, bel homme, s'approcha d'un pas nonchalant.

— Mark, je vous présente Chris, dit Tessa.

— Ryan, rectifia le type.

— Pardon. Ryan, reprit Tessa. Tu travaillais au traitement des données en Californie, c'est bien ça ?

— Ouais, pendant six ans. Analyse biologique, principalement.

— Tu pourrais parler à Mark du projet le plus dément auquel tu aies participé ?

Ryan arqua les sourcils en direction de Mark, l'air suspicieux.

— C'est bon, dit Tessa en lui montrant le badge de Mark.

— Hm, les médicaments-émetteurs, je dirais. C'était hyper-cool. Mais le département des nanotechnologies a repris la main.

Il réfléchit.

— Les lentilles connectées. Je fais partie de l'équipe, et on est en train de faire des trucs pas croyables, dit-il avec une fierté évidente.

D'un geste très subtil, Tessa lui fit comprendre qu'il pouvait partir. Il se racla la gorge, hocha la tête et retourna à sa partie de cartes.

— Des lentilles connectées? s'écria Mark. Quoi, le mec a inventé une appli Weightwatchers?

— Des lentilles de contact, Mark. Une technologie de collecte de données *via* un canal visuel. Ça fait cinq ans qu'on bosse dessus.

— Mais qui aurait envie de porter un truc pareil?

— J'en porte en ce moment même, dit-elle avec un regard direct.

Il ne vit aucune lentille, rien que son iris marron, et les reflets noisette dans l'œil gauche.

— Ça ne ressemble à rien de ce que vous avez vécu jusqu'alors.

Il était au bord du naufrage. Ces mecs faisaient des sandwichs crudités et construisaient en même temps un monde secret autour de lui, de tout le monde.

— Nous sommes des pionniers, Mark, des acteurs. Nous voulons être partie prenante du monde à venir. Pas vous? Vous préférez être de ceux qui ont dit, *La Révolution industrielle, non merci, je vais garder mon métier à tisser et ma lampe à gaz*? Vous voulez rester sur le bas-côté?

Elle mangeait sa tarte.

— Ces bateaux, ce n'est qu'une partie de ce qui se prépare. Et je vous l'accorde, cette partie se heurte à ce qu'on appelle "le respect de la vie privée" – elle mima des guillemets – bien que ce soit une notion qui n'ait pas eu grande signification ces trente dernières années, et perde de son sens chaque jour. Autant défendre le droit à posséder un bateau à vapeur. Quelqu'un va contrôler l'accès à toutes les données, au savoir dans sa globalité. À absolument tout ce dont les gouvernements, les entreprises et les premiers imbéciles venus ont besoin pour vivre, tout simplement. Vous voulez être de quel côté ? Une fois que tout le monde sera sur notre réseau, l'ancien monde, le monde déconnecté, ne vaudra plus rien.

— Et c'est comme ça que vous comptez gagner beaucoup d'argent, dit Mark dans une tentative d'esprit de synthèse.

— D'argent ? C'est loin de suffire pour décrire tout ce qu'on va gagner.

Lorsque enfin le sommeil le cueillit ce soir-là, Mark se retrouva au cœur d'un mélodrame dans lequel sa mère l'implorait de ne pas accepter ce boulot. *Refuse*, disait-elle en quittant le *Sine Wave II* à bord de sa Dodge Dart bleu lavande, qui était aussi un hélicoptère. Lui rentrait à l'intérieur du bateau, qui n'était plus un bateau mais la maison de son enfance, et allait se peloter avec Tessa sous sa couette Luke Skywalker, avec un plaisir mitigé par l'inquiétude que Jack Straw puisse les surprendre à tout moment.

AUX PINS TREMBLANTS

— Leo, dit James. Leo.

Leo se réveilla. L'odeur de jasmin flottait toujours. Il s'était endormi avec ses chaussures, ce qui à ses yeux lui conférait une aura dangereuse.

— Ta sœur est ici.

— Quoi ? Non.

— Si. Zone fumeurs.

Il abrita son regard de la lumière. Il était sûr de s'être assoupi moins d'une heure. À moins qu'il ait dormi vingt-quatre heures.

— C'est impossible. Enfin, c'est hautement improbable.

— Ah. D'accord. Alors il y a quelqu'un qui se fait passer pour ta sœur, dit James.

Leo se leva d'un coup et sortit de la chambre, encore engourdi. James le suivait, ils marchaient vite. La présence d'une femme dans la zone fumeurs constituait une infraction de niveau 1 à la politique de séparation des sexes aux Pins Tremblants, et allait probablement provoquer une réaction du régime. Ils couraient contre la montre.

— Je l'ai laissée là-bas, mais je n'ai pas pu empêcher Clive d'aller lui parler, dit James. Il croit qu'il a gagné au loto. Dépêche-toi avant qu'elle ne meure d'ennui.

La poignée d'hommes réunis dans le foyer étaient aussi au courant de la présence de la soi-disant sœur de Leo. Mais il régnait soudain un esprit de cour de prison, et personne ne voulait passer pour une balance. Leo se rendit compte qu'ils l'appréciaient, qu'ils ne voulaient pas qu'il se fasse virer. Il traversa le foyer et sortit dans le patio ; un homme se posta au bout du couloir pour guetter l'arrivée d'un éventuel conseiller, et un petit groupe s'installa devant les portes coulissantes, chacun occupé à gribouiller dans son carnet, afin de cacher l'infraction qui avait cours dehors.

Leo aperçut une fille, et les rayons du soleil l'éblouirent. Clive était en train de lui parler. Elle était brune, comme lui. Non, plus. Très jolie. Mais trop petite pour être une Crane. Les Crane prenaient légèrement appui sur l'air derrière elles, cette fille était plus vers l'avant. Il s'arrêta à la limite du patio. James s'arrêta derrière lui.

— En effet, c'est pas ma sœur, dit Leo.

— Vraiment? T'es sûr? C'est très important.

— Je t'assure. C'est pas ma sœur. Regarde bien.

La femme se tourna vers eux à ce moment-là et regarda Leo.

— Merde alors. On dirait que t'as raison, dit James. En tout cas, elle s'est présentée comme ta sœur. Je ferais mieux de venir avec toi.

Ils marchèrent jusqu'à la zone fumeurs.

— Clive, dit James, viens avec moi. Y a truc dont je veux te parler.

— Deux minutes, dit Clive.

— Non, Clive. Ça ne peut pas attendre.

Clive laissa tomber. Il dégaina une carte de visite de la poche de poitrine de sa veste en polaire et la tendit à la femme. James donna à Leo deux cigarettes mentholées et raccompagna Clive à l'intérieur.

Leo tendit une clope à la fille.

— Tenez, dit-il. Faites semblant de fumer ça.

Il tira lui-même une bouffée imaginaire.

— Alors comme ça, vous êtes ma sœur.

— Oui. Enfin non, dit Leila.

— Vous n'êtes pas ma sœur?

— Non.

— Oui, je sais. Je sais que vous n'êtes pas ma sœur. Mais pourquoi avoir dit le contraire à James?

— C'est la dame de l'accueil qui m'a fourni l'excuse. Apparemment, ils attendaient votre sœur. Il fallait que je vous voie.

— Est-ce qu'on se connaît ?

— Non.

Il était soulagé.

— Qu'est-ce que je peux faire pour vous ?

— Je suis ici à cause de votre pamphlet. Je fais partie d'un groupe qui résiste à ce que vous avez décrit, et nous avons besoin de savoir ce que vous avez sur Deveraux.

Elle tenait sa cigarette comme elle avait vu faire au cinéma, prit une fausse latte passable, mais exhala de façon très convaincante.

— Vous avez lu mon pamphlet ?

— Oui.

Leo remarqua que l'œil du briquet-colonne rougeoyait. Derrière la fille se dressait l'aile médicale ; une mince antenne télescopique avait germé sur son toit.

— Vous êtes venue en voiture ?

— Oui.

— Vous êtes garée sur le parking ?

— Oui. Une petite Toyota noire. Deux portes. Sous le panier de basket.

— Je vous y retrouve dans quatre minutes ?

— Bien reçu.

Leo fit demi-tour et traversa le patio. L'été vibrait dans ses oreilles. Il était sur un nuage. Plus que ça. Du nouveau. Des infos. James vint à sa rencontre lorsqu'il entra dans le foyer. Le conseiller en forme d'oignon arrivait au bout du couloir et sentait manifestement qu'il se tramait quelque chose. Leo prit la direction des chambres, James lui emboîta le pas.

— Alors, qu'est-ce qui se passe ? demanda James une fois la porte fermée.

— Difficile à dire.

— Mais t'as fait tes valises ?

— Non. Ce sont eux qui les ont faites.

Il jeta la trousse de toilette dans le grand sac en toile qu'il épaula, comme un marin. Il monta sur le rebord de la fenêtre.

— James, je vais sauter par cette fenêtre.

Il sauta et se retrouva soixante centimètres plus bas, dans les douves glaiseuses saupoudrées de paillis d'écorce des Pins Tremblants. Il s'érafla les jambes contre une branche de lilas de Californie.

— Bon, on se croisera dehors, dit-il à James, de l'autre côté de la fenêtre.

— Bonne route, dit James Dean.

Leo traversa le jardin paysager qui entourait l'aile résidentielle. Il dut naviguer entre les buissons et se baisser par endroits avant d'atteindre le parking. Il repéra la fille, dans une Toyota, comme annoncé. Il fila droit vers elle et essaya de monter du côté passager. Mais la poignée se soulevait sans effet. Il toqua contre la vitre. Elle le regarda. Elle était vraiment belle, le regard très déterminé.

Un bruit retentit dans la portière, mais Leo, impatient, tenta sa chance avant le déverrouillage complet. Il vit l'Oignon sortir par l'entrée principale et regarder dans sa direction. Instinctivement, il s'accroupit. La fille ouvrit la portière de l'intérieur, qui heurta la tête de Leo.

— Aïe!

— Quoi? Mais vous êtes où?

Leo contourna la portière et se faufila sur le siège en prenant soin de rester sous le niveau de la vitre, tel un ado ne voulant pas être vu en voiture avec sa mère.

— Qu'est-ce que vous faites? lui demanda-t-elle.

— Est-ce qu'un homme se dirige vers nous depuis le bâtiment principal?

— Quel homme?

— Un mec qui ressemble à un oignon.

— Hm, oui, on dirait bien.

— D'accord. Alors il faut qu'on y aille.

— Mais qui est-ce?

— Il faut qu'on se casse. Tout de suite.

— Vous avez le droit de partir?

— Ce n'est pas une institution fermée. Allez allez allez!

Elle démarra, fit marche arrière, et s'aperçut que le type qui descendait l'allée pressait le pas. Elle cala, redémarra et accéléra, mais elle était au point mort et le moteur ronfla dans le vide. Le bulbe se mit à courir. "Merde", dit-elle. Elle passa la première, et après un soubresaut, la voiture fila sur l'allée pleine de feuilles. Après un minidécollage au-dessus d'un ralentisseur, Leo se redressa et tenta de voir ce qui se passait derrière eux grâce aux rétroviseurs.

— Euh, c'est quoi ce truc ? demanda la fille sur un ton soudain urgent.

Leo se pencha. Le ralentisseur suivant était en train de se transformer. Il s'élevait du sol, comme une gueule mécanique. La fille écrasa la pédale de freins et s'arrêta à un mètre de la mâchoire de métal.

— Je croyais que ce n'était pas un établissement fermé.

— C'est ce que je croyais aussi, dit Leo.

Dans le rétroviseur, il aperçut l'Oignon atteindre le sommet d'une butte sur un Segway lancé à pleine vitesse.

La fille fit demi-tour, en quête d'une brèche dans les fossés profonds qui longeaient la route. D'un coup, ils quittèrent le bitume. Elle voulait contourner les crocs métalliques du ralentisseur, mais Leo se rendit vite compte que les cactus en pot étaient disposés de façon à empêcher toute ligne droite dans la zone qui longeait l'allée. Il fallait slalomer, à vitesse réduite. Lorsqu'ils passèrent tout près d'un cactus, Leo vit ces gros pots de fleurs pour ce qu'ils étaient vraiment : des barrages antivéhicules en béton armé. Le Segway gagnait du terrain.

La fille réussit son slalom et engagea la Toyota sur la route à nouveau. Elle accéléra, et traversa le petit chemin de fer qui marquait la limite des Pins Tremblants.

Ils entrèrent dans la ville par l'I-5, côté sud. Ils traversèrent Marquam Bridge en empruntant la voie supérieure sans que cela n'ait rien de vertigineux. Mont Hood se dressait à l'horizon, avec ses arêtes multiples, pareil aux montagnes des étiquettes de bière. La voiture de la fille sentait le neuf, le revêtement synthétique. Il baissa sa vitre. Une bourrasque d'air estival s'engouffra dans l'habitacle et sécha la sueur qui avait commencé à perler sur son front.

Un souvenir d'enfance lui revint, très vivace : il roulait sur la voie rapide Henry Hudson, sur la banquette arrière d'une Volvo, un soir d'été. Son père conduisait. Ils longeaient les parois de schiste de Manhattan, sous l'arc du George Washington Bridge et ses pieds massifs. L'air brûlant de la ville flottait au-dessus de la fraîcheur du fleuve et des rives verdoyantes de Riverside Park, charriant des odeurs de barbecue dominicain mêlés aux relents écœurants de verdure.

Il revint au présent et tenta d'y voir plus clair. Il fallait éliminer la possibilité que cette fille soit le fruit de son imagination. Si c'était le cas, il avait rempli la condition préalable à son propre suicide selon le marché qu'il avait passé avec lui-même.

Et pourtant – c'était dingue. Voilà que le monde qu'il avait imaginé déboulait dans la vraie vie. Des événements néfastes se préparaient et on lui demandait de s'y opposer. Pourquoi l'avait-on choisi pour cette contre-intervention ? Les Pins Tremblants allaient-ils se lancer à sa poursuite ?

Ils dévalèrent les canaux de béton de la voie express comme s'ils chevauchaient des rondins sur le courant et débouchèrent sur une rue de concessionnaires automobiles. Bonshommes-enseignes gonflables et fanions pailletés hypnotisaient les conducteurs. Ils passèrent devant l'hôpital et l'usine Wonder Bread désaffectée, bientôt détruite, déjà menacée par les broyeurs et les pelleteuses postés de l'autre côté de la clôture défoncée.

— Je n'ai pas eu le temps de me présenter, dit la fille à un feu rouge, le premier depuis qu'ils roulaient. Je m'appelle Lola Montes.

Bizarre. Elle n'avait rien d'une Latino-Américaine, et elle avait hésité entre son prénom et son nom.

— Leo Crane. Vous voulez bien prendre la voie de gauche ?

Que ferait une personne saine d'esprit dans une telle situation ?

— Ramenez-moi chez moi. Je vais nous faire un café et on va discuter.

Mais à l'approche de sa maison, il aperçut quelqu'un sur sa galerie, alors il ne dit rien. Au bout d'un pâté de maisons, il demanda à Lola de se garer. Puis il ajusta son rétroviseur latéral pour avoir une vue de son entrée.

— Quelque chose ne va pas? demanda Lola.

— C'était ma maison, là. Mais le facteur s'attarde un peu trop à mon goût.

Lola ajusta elle aussi son rétroviseur.

— Ce n'est pas celui de d'habitude?

— J'en ai plusieurs. Je dois être sur un itinéraire chiant. Parfois c'est une dame très sportive, et trop bronzée. D'autres, un Sikh, qui porte carrément toute la panoplie, la cape, et même un turban que je soupçonne d'être fourni par les services postaux. Il y a aussi un gros flemmard, en tee-shirt de Slayer. Mais lui, je ne l'ai jamais vu.

Ils l'observèrent descendre les marches et se diriger vers un minivan UPS. Il ouvrit le coffre. Leo supposa qu'il passait en revue des enveloppes et scannait les codes-barres, comme il avait déjà vu faire. Puis le type se mit au volant, mais sans démarrer. Il déballa un sandwich et commença à manger.

Mouais, ça peut être l'heure de sa pause, songea Leo.

— Vous m'en diriez un peu plus sur votre groupe? demanda-t-il à Lola. Ceux qui… résistent?

Elle rassembla ses pensées.

— On s'appelle Dear Diary. Bien que ce soit censé être ironique. Je suis une recrue toute fraîche. Bref, le nom, c'est un peu comme un produit de substitution, vous voyez? On est dans une phase évolutive.

— Et vous êtes nombreux?

— Des dizaines de milliers. Voire des centaines.

— Et les autres? Ceux contre qui vous vous êtes organisés?

— Ils s'appellent le Comité, et ils sont en train de mettre en place un système extralégal de données payantes, un système tellement rémunérateur qu'ils auraient vocation à se substituer à l'État.

— Un système?

— Oui, du genre, *Hé vous, les 0,0005 % des gens les plus riches au monde, signez notre contrat de protection de données. Comme ça, quand on paralysera l'infrastructure électronique mondiale, vos données seront sauves et le reste de la planète sera peuplé de péquenauds complètement fauchés.*

— Alors c'est bien ce que j'avais décrit?

— Vous avez enjolivé un peu. Il n'y a pas de scientologues dans le coup. Et ça n'a rien à voir avec vos glorieux ancêtres.

Oui. Il s'était vanté d'avoir d'illustres ancêtres, il avait plus précisément écrit qu'il était le descendant de l'élite intellectuelle américaine. Comme c'était embarrassant.

— Mais vous aviez vu juste sur SineCo, dit-elle sur un ton encourageant, comme si elle avait senti sa gêne. Straw utilise son empire de recherche et de stockage à des fins très perverses.

L'empire de recherche et de stockage. Ouaip, c'est bien ce qui avait éveillé les doutes de Leo. "Faire attention à vous avant tout", c'était le slogan du nouveau réseau social de SineCo. Et Lola était en train de lui dire que SineCo n'était qu'une partie visible de tout ça.

— C'est une sorte de réseau, ou de club. Certaines entreprises appartiennent entièrement au Comité. Pas seulement SineCo. Il y a aussi BlueBird – les milices privées, plus ou moins – et General Systems, cette société qui donne dans les thermostats, les céréales pour enfants et les avions. Et à côté de ça, ils sont à la tête de tout un tas d'autres actifs. Ils appellent ça des concessions. Barrages, mines, aéroports, laboratoires pharmaceutiques, chaînes de télévision, groupes hospitaliers et une ou deux des ONG les plus importantes.

— C'est une cabale, dit Leo.

— Oui, on peut dire ça.

— Un gouvernement parallèle.

— Disons que s'ils n'en sont pas encore à ce stade, c'est ce qu'ils ont l'intention de devenir.

Il était sur des montagnes russes. À quand le calme plat? Ce qu'il aurait voulu avoir un cerveau paisible, fidèle, comme un poney. Il en avait pour des jours, à se remettre de tout ce que lui avait pondu cette Lola Montes. Intégrer les informations, démêler le vrai de ce qu'il avait imaginé. Mais elle avait l'air pressée. Comme si sa bipolarité ne suffisait pas…

Leo essayait de réagir comme James Dean, qui l'avait bien aidé l'autre soir lorsqu'il lui avait exposé sa théorie du complot. Il fallait qu'il se détourne de ses émotions pour se concentrer sur sa capacité de raisonnement. *Suis l'intrigue, ne l'influence pas.*

— Mais y a un paquet de représentants de la loi qui surveillent tout ça, dans des immeubles de bureaux en Virginie, rivés à leurs écrans, non? C'est pas leur boulot d'empêcher la Corée du Nord, ou Al-Qaeda, ou n'importe qui de paralyser quoi que ce soit? Enfin au moins y a des journalistes d'investigation, et des fonctionnaires honnêtes. Quelqu'un s'en serait rendu compte et aurait tiré la sonnette d'alarme.

— Pour ce qui est de la dénonciation par des journalistes en croisade, désolée, mais c'est trop tard, ça n'arrivera pas. Et la plupart des types assis devant leur écran en Virginie font partie du Comité.

Le facteur finit son sandwich, démarra le minivan et partit.

— Et vous aviez raison au sujet de votre vieux copain. Deveraux. C'est un moyen d'atteindre Straw, et SineCo. C'est pour ça que nous avons besoin des preuves compromettantes que vous avez sur lui. Leo?

— Comment? Pardon. Je réfléchissais à autre chose.

— Je peux savoir à quoi?

— Je me demandais si vous étiez bien réelle.

Elle pivota sur son siège, lui prit la main, la guida jusqu'à sa poitrine et la pressa fort contre son sternum. Le geste n'avait rien de sexuel, mais les transporta un peu plus loin sur la frise de leur histoire. Il sentit son cœur battre et une odeur douceâtre émaner d'elle.

— Je suis réelle, dit-elle.

OK, il n'y avait plus de doute. Son imagination ne pouvait pas faire ça. Elle lâcha sa main.

— Mais je suis aussi pressée.

Sans blague. Pas le temps de souffler avec cette nana.

— Et moi, je veux bien vous aider. Mais le problème…

Elle attendit quelques secondes.

— Quel est le problème, Leo?

— Les éléments compromettants au sujet de Deveraux..

— Vous ne les avez pas? Vous les avez inventés?

Certes, il pouvait lui dire qu'il les avait inventés, qu'il n'avait rien. Mais ça ne ferait qu'embrouiller une situation déjà suffisamment complexe. Quand le monde t'envoie une Lola Montes à un moment charnière de ta vie, tu ne fais pas ta poule mouillée, tu dis la vérité. Enfin, tu la révèles pas à pas.

— Si, si, je les ai.

Mais comment le lui annoncer ? De façon directe, comme elle faisait avec lui.

— Mais c'est un extrait vidéo, Lola. Sans le son. En superhuit. Ça date de la fac. Il se branle en faisant semblant d'être un handicapé mental. C'est pas vraiment un film, c'est une séquence. Ça dure trois minutes. Mais trois looongues minutes.

Il la voyait en train de digérer l'info.

— Vous faites vraiment ce genre de trucs ? Le chantage et tout ? demanda-t-il. C'est pas plutôt l'autre camp qui est censé faire ça ?

Merde, se dit Leila, ce n'était pas du tout le genre d'éléments compromettants qu'elle avait espéré. Leo avait bien raison de la regarder avec dépit : ça changeait carrément la donne. À chaque fois que le mot *chantage* lui était venu à l'esprit tandis qu'elle traversait un océan ou un continent, elle l'avait balayé. Ça restait une bataille ciblée, malgré les enjeux. Et puis, dans son pamphlet, il avait laissé entendre que ce qu'il avait sur Deveraux était incriminant dans le sens où ça impliquerait le Comité, d'une manière ou d'une autre, une preuve de crime peut-être. Mais là, c'était différent. On parlait d'un type filmé en train de se branler vingt ans auparavant.

— Rentrons, dit Leo. Le facteur est parti.

Elle avait envie de faire pipi, et il fallait qu'elle réfléchisse à l'étape suivante. Elle était venue jusqu'ici, et elle avait embarqué cet homme étrange plus ou moins de force, alors qu'il était en centre de désintox, ou pire. La vidéo était sûrement exploitable. Mais qu'est-ce qu'elle était censée faire ? Partir ? Attendre les instructions de Dear Diary ? Se procurer la vidéo, la rapporter à Dear Diary et les laisser prendre la décision ? Son petit Nokia ne lui avait donné aucune consigne depuis qu'il l'avait guidée jusqu'aux Pins Tremblants le matin même. Et Leo Crane, dans tout ça ? Est-ce que leur fuite le mettait en danger ? S'il refusait de lui donner la vidéo, est-ce qu'elle devait tout simplement partir ? Lui annoncer un tel secret et prendre un autre avion ?

Il lui demanda de s'engager dans la petite rue verdoyante qui longeait sa maison. Elle gara la Toyota sous des ronces de mûrier et tous deux durent sortir du côté conducteur. Ils enjambèrent la clôture en cèdre affaissée et se retrouvèrent dans le jardin de derrière, envahi d'herbes hautes. Leo prit une clé dans la bouche d'une grenouille en métal et invita Leila à le suivre dans sa cuisine.

Elle alla aux toilettes. En traversant la maison, elle se dit que Leo devait être riche, ou du moins qu'il avait une vie confortable. C'était un célibataire avec beaucoup de meubles. Des œuvres d'art bien encadrées aux murs. Des produits chers dans la salle de bains – lotions tonifiantes allemandes, savons biologiques, brosse à dents en bois. S'il était riche, Leo ne serait peut-être pas favorable à la politique de Dear Diary. Mais bon, Dear Diary n'avait pas l'intention de faire main basse sur ses lotions allemandes. D'ailleurs, Leila était elle-même une bonne grosse consommatrice occidentale, et si c'était ce genre de révolution qui se préparait, elle aurait des ennuis peu de temps après Leo.

Assise sur la cuvette des toilettes, elle sortit son petit Nokia de sa poche et envoya un texto à Sarah. Obligée d'extraire Crane de l'institution où vous m'avez envoyée. Les éléments sur Deveraux sont plus gênants que vraiment compromettants. Attends instructions. Lola

À son retour dans la cuisine, Leo était en train de disposer des gâteaux sur une assiette, et une cafetière italienne frémissait sur la cuisinière.

— Vous aimez les pommes ?

Oui, elle aimait ça.

Il épépina et coupa en quartiers une pomme puis sortit un pot de beurre d'amandes du frigo. Il posa les quartiers de fruit dans l'assiette de gâteaux, ajouta une cuillère de beurre d'amandes à côté et un petit couteau pour l'étaler. Il était à l'aise derrière son plan de travail. Dans sa famille à elle, les hommes étaient perdus dans une cuisine. Non seulement son père, qui pouvait se prévaloir d'une sorte d'excuse générationnelle, mais aussi son frère, Dylan, qui le pouvait moins.

Leo prit la cafetière, fit tomber des glaçons dans un pichet en Pyrex et versa le café dessus, provoquant un fracas de fêlures.

— Écoutez, dit-il. À propos de cette vidéo... je voulais m'expliquer. Vous dire pourquoi je l'ai toujours.

— Ça ne me regarde pas.

— Peut-être, mais je veux juste que vous sachiez que ce n'est pas pour des raisons d'homosexualité refoulée.

Super, se dit-elle. *Voilà le genre de trucs qui l'inquiète.*

— Je me fiche de vos raisons, dit-elle, mais c'était sorti trop brusquement.

Lui qui avait préparé cette gentille collation... et puis, au fond, c'était assez bizarre d'avoir une telle vidéo d'un ancien ami et de la garder aussi longtemps.

— Alors, pourquoi vous l'avez encore? finit-elle par demander en cassant un gâteau en deux.

Il leur servit le café.

— Du lait? proposa-t-il.

— Pas quand il est glacé, merci.

— Oh, comme moi! s'exclama-t-il, apparemment réjoui de ce petit point commun.

Il s'assit en face d'elle à la table de la cuisine et se lança.

— Quand on était à la fac, Mark s'est inscrit dans une agence de donneurs de sperme – ça s'appelait Cryogénie, un truc comme ça – qui écumait les universités prestigieuses en quête de spermatozoïdes surdiplômés. J'ai toujours trouvé l'idée étrange. Ça me semble injuste, et déraisonnable, de semer ses graines aux quatre vents. Mais les hommes sont censés vouloir ça... s'enorgueillir de leurs gènes... Comme si on disait, "Hé, le monde, quelle chance, je te donne plein de petits moi." Mais moi je n'étais pas comme ça. Je ne lui suis toujours pas. Il m'est même arrivé de penser le contraire : peut-être qu'il vaut mieux que ma lignée s'éteigne avec moi. Je me disais que Mark pensait peut-être comme moi, et un jour je lui ai posé la question. Il y avait peu de sujets sur lesquels on n'était pas d'accord à l'époque. Je lui ai demandé si l'idée d'être le père d'un enfant qu'il ne verrait jamais ne l'embêtait pas un peu. Il a répondu, *Non, au contraire, je trouve que c'est une affaire.* Mais je savais qu'il avait déconné en remplissant les formulaires de Cryogénie – il s'était grandi de huit centimètres, inventé une future carrière de biologiste marin. Ce genre de choses. Alors j'ai dit que quand même, il devrait être honnête avec les acheteurs de sa semence, et leur dire qu'il était en fait un buveur compulsif à tendance dépressive dont le taré de père, magicien de profession, avait abandonné sa famille et s'était probablement suicidé. Mark a dû changer depuis cette époque, avant il n'était ni prétentieux ni hypocrite ; il était toujours prêt à voir les choses sous un autre angle. Donc il a dit qu'il était intelligent, blanc, et mince, et qu'il correspondait dans l'ensemble à ce que ces gens recherchaient. Mais il s'est ravisé. Il a fait, *T'as raison, je devrais leur donner une image plus juste de moi-même,* et il s'est lancé dans cette pantomime complètement toquée, comme un acteur de film muet. Il s'est noué une écharpe aux couleurs d'Harvard autour du visage, comme quand on a mal aux dents dans les dessins animés, il s'est scotché un sourire débile et a fait semblant de se masturber. J'ai commencé à filmer, parce que c'était l'année où je filmais tout, et parce que c'était hilarant. Et puis, on était sûrement défoncés, comme souvent. D'un coup, il s'est emparé d'un exemplaire du *Wall Street Journal* et l'a dévoré des yeux comme s'il s'agissait du plus scandaleux magazine érotique. C'était encore plus marrant. Et donc, quand il a sorti sa bite de son pantalon en velours et qu'il s'est paluché pour de bon, qu'est-ce que j'étais censé faire ? Jouer les prudes et crier "Coupez !" ?

Elle comprenait. Cette histoire de vidéo n'avait rien d'un piège. Leo tenait à ce qu'elle sache qu'il n'était pas un sale type qui avait filmé la bite de son pote en cachette. Très bien, c'était chose faite.

— Mais je sais de quoi ça a l'air, poursuivit Leo. Ça ressemble à une vidéo de crétins qui tournent en dérision leurs propres privilèges, célèbrent leur oisiveté et font comme s'ils se foutaient de tout. Et ça ressemble aussi à un film tourné par le meilleur pote pédé refoulé. Et j'ai pas envie d'être associé à un truc comme ça. Mais passons. Parce que c'est même pas la raison pour laquelle on ne peut pas utiliser cette vidéo contre Mark.

— Je sais, dit Leila, voyant où il venait en venir. C'est pas parce que c'est gênant que c'est mal.

— Ouais. Exactement. On serait des maîtres chanteurs, doublés de juges lubriques et puants.

— Ouais, et vous, vous seriez le copain qui plante un couteau dans le dos de son vieux pote, en plus d'avoir gardé cette vidéo malsaine.

— Si je l'ai encore, c'est uniquement parce que j'ai toutes les pellicules de cette année-là et presque toutes les cassettes des années suivantes, quand j'ai abandonné la pellicule. Jeter toute une pelloche parce qu'une bite à moitié molle en gâche à peine trois minutes, c'est ça qui serait con, non ? Genre, "Oh, le monsieur s'effarouche de simples pénis, ce me semble."

— Mais alors pourquoi l'avoir menacé ? C'est vous qui avez dit que c'était compromettant. C'est pour ça que je suis ici.

Il perdit de son entrain.

— Je lui en voulais tellement, Lola.

Elle s'habituait peu à peu à ce nom.

— Il m'a laissé tomber. En tant qu'ami je veux dire. Et dans l'une des prétendues paraboles de son livre débile, il a inventé un personnage à partir de moi. "L'enfant gâté d'un magnat du jouet", c'est moi, de toute évidence. Apparemment, le fait que j'aie grandi à l'abri des rigueurs du marché a provoqué chez moi une sorte de rachitisme intellectuel. "Comme un poisson né dans une alevinière". Il a vraiment écrit ça, l'enfoiré. Et il me doit encore huit cents dollars ! Bref, il y a de ça quelques mois, j'ai eu, disons, une mauvaise passe. Enfin, au début, tout allait bien, et puis ça a été de pire en pire. Et j'ai fini par prendre de très mauvaises décisions... ou du moins j'ai oublié de me rappeler sans cesse que je ne suis pas le centre du monde.

— Je ne comprends pas, dit Leila.

Rich avait eu ce genre de discours parfois. Elle avait appris à l'orienter vers une conclusion.

— Vous voulez dire que vous êtes devenu fou ? Psychotique ?

Sa méthode fonctionnait encore.

— Non, pas psychotique non.

Il étala du beurre d'amandes sur un quartier de pomme. Elle attendit.

— Mon esprit a sauté du train avant cette étape. À moins que ce soit moi qui aie pris la décision. Que je me sois dit, *Allez, vas-y, continue dans cette voie, et on sait où ça va te mener, ou alors arrête.* Enfin bref, mon esprit et moi on a décidé de sauter du train, ce qui était une bonne décision, je pense. Mais on a atterri dans un endroit atroce. J'ai écrit ce pamphlet juste avant de sauter.

Mais c'est bizarre, se dit Leila. *Il n'a vraiment pas l'air fou.* Bien au contraire, avec ses quartiers de pomme et ses beaux cadres. Son regard avait quelque chose de doux, de profond, rien de tourmenté. Des yeux perdus, agités, elle en avait vu. Chez les réfugiés. Ils avaient toutes les raisons d'être tourmentés.

— Mais vous étiez dans une simple clinique de désintox, non ?

Il acquiesça, comme s'il savait où elle voulait en venir.

— Oui, oui, c'est bien ça. Je sais, je ne suis peut-être pas fou. Enfin, j'imagine que je suis dans la moyenne, de ceux qui ne devraient pas se plaindre. C'est peut-être l'alcool et le cannabis qui m'ont fait basculer. C'était bête de ma part. Alors je vais retirer ces substances de l'équation et on verra bien si je suis toujours complètement fêlé, si la vie continue à être dure.

Ça aussi, Leila l'avait déjà entendu dans la bouche de Rich. Trop souvent. Un homme aux résolutions éphémères. Le genre de personnes qui vous font perdre votre temps.

— C'est génial. Sincèrement. Si vous venez bien de dire que vous envisagez la sobriété, dit-elle, étouffant le petit feu que son cœur avait construit pour lui. Mais bon, je ne suis pas votre référent ni rien. Je suis simplement venue pour voir si vous accepteriez de nous donner ce que vous avez contre Deveraux.

C'était une sorte de guerre ; le Comité avait fait subir bien pire à son père qu'un simple chantage.

— Alors, vous me la donnez, cette vidéo ?

Leo alla se poster près de la porte, restée ouverte. Une brise légère, au parfum de chèvrefeuille, agitait les torchons pendus à la poignée du four.

— Non. Lola, j'ai retourné la question dans tous les sens, et je ne vois pas comment contourner l'interdiction morale que pose ce chantage.

— Mais ce contre quoi nous nous battons est bien pire, Leo, dit-elle, gagnée par l'exaspération. On se fout de la bite de Deveraux, et de vos scrupules sur la question, non?

Il grimaça.

— Ils veulent faire de nous des esclaves. Nous devons les en empêcher.

Elle n'avait pas envie de raconter ce que sa famille traversait.

— Je vous crois. Dites-moi qu'il y a autre chose que je puisse faire, je vous en prie. Il doit bien y avoir un autre moyen de vous aider. Et si ça se trouve, cette requête est une sorte de test, un test de Dear Diary.

Ça ne l'avait pas effleurée.

— Non, il ne s'agit pas d'un test. C'est une vraie demande.

— Ou alors ce sont mes juges qui vous envoient.

— Vos juges. C'est-à-dire?

— Oh, vous savez, Dieu, une puissance supérieure, des anges, le père Noël, Elvis. N'importe.

— Et... dans votre cas?

— Mes défunts parents.

— Vos parents sont morts? Je suis désolée.

Son cœur souffla à présent sur les braises du petit feu.

— Ce n'est pas votre faute, dit-il.

— Mais vous pensez que ce sont eux qui m'envoient?

Elle insista sur le ton interrogatif pour exprimer son incrédulité.

— Que vous soyez envoyée par mes parents morts ou par une organisation mondiale secrète qui essaie de déjouer le complot que j'ai inventé avec plus ou moins d'exactitude lors d'une phase délirante, ma décision reste la même : vous me demandez de faire une chose que je ne devrais pas faire, et vous et moi savons très bien pourquoi.

Voilà donc pourquoi il lui tournait la tête. Il lui laissait entrevoir sa perplexité, mais il refusait de dévier de ce que sa conscience lui dictait. En général, c'était le contraire : les gens faisaient semblant d'être très sûrs d'eux, alors qu'ils essayaient de deviner par quoi ils étaient vraiment convaincus, et il était du coup facile de les influencer. Et puis il sentait le café, et une sorte d'humidité tiède, comme dans une grange. Et puis il avait de belles mains.

Il lui proposa de prendre une douche, de se reposer un peu, tout ce qu'elle voulait. Les deux lui faisaient envie. Elle n'avait pas fait de vraie nuit de sommeil ni de bon footing depuis soixante-douze heures, et elle devait encore rouler jusqu'à Los Angeles. Quinze heures au volant. Ça semblait énorme. Les accidents de la route demeurent le danger numéro un dans les zones de conflits, avait-elle appris en formation. Les gens prennent de mauvaises décisions quand ils sont à bout, sous pression. Et elle n'avait pas encore eu de nouvelles de Sarah ou de Dear Diary. Elle regarda sa montre. Trois heures, peut-être. Oui, après trois heures de sommeil, elle serait peut-être en mesure de faire le point sur la situation.

Il la conduisit dans une chambre à l'étage. Elle était très propre. Un matelas au sol, des piles de livres rangés selon un système précis contre les murs. Il y avait des stores aux fenêtres qui découpaient la lumière en tranches.

— Bon, le type qu'on a vu était sûrement un vrai facteur. Mais mieux vaut laisser les stores comme ça et euh, ne pas trop s'approcher des fenêtres, d'accord? Jusqu'à ce qu'on sache ce qui se passe et qu'on ait un plan, quoi. Il fait chaud là-dedans, mais ce petit ventilo en plastique assure.

Ça avait l'air parfait.

— Toquez à la porte à six heures, OK? Si je ne suis pas encore réveillée.

— Bien noté, dit Leo, et il ferma la porte.

Elle s'assit sur le matelas. Les draps étaient grand luxe. *Sûrement pas le genre qu'on achète sous blister*, se dit-elle. Des draps comme ça, ça s'achète dans des boutiques de linge de maison. Son chemisier puait. Elle l'ôta et se coucha en soutien-gorge. Elle régla l'alarme de son Nokia sur 6 : 03 et le posa par terre à côté du matelas. Une grosse mouche heurta la fenêtre et fit vibrer les lattes du store. Elle sombra dans une citerne de sommeil.

La porte s'entrouvrit en grinçant.

— Lola. Lola Montes, dit-il.

Il se tenait sur le seuil de la chambre, en contre-jour. Elle frotta ses pieds l'un contre l'autre tandis que ses yeux s'habituaient à l'obscurité. Derrière le store, il faisait encore jour. Trois heures étaient loin de suffire, le sommeil l'enserrait dans ses longues branches de lierre.

— Quelle heure est-il?

— Six heures.

Son réveil se mit à sonner, elle se redressa pour l'éteindre, et le couvre-lit couleur fauve qui couvrait son épaule tomba sur ses genoux. Sa quasi-nudité illumina la chambre. Elle remonta le drap illico. Leo recula. En bonne fille de principal de collège, elle aurait dû être gênée, mais elle était trop crevée pour ça.

— J'ai sorti votre sac de voyage de la voiture, il est là près de la porte, dit Leo depuis le couloir. Bon, je descends préparer le dîner, venez quand vous voulez.

Elle prit une longue douche nord-américaine. Après avoir jeté un œil à leur composition, elle utilisa certains produits cosmétiques de Leo ainsi que son gel douche de hippie.

En s'habillant, elle vérifia ses messages. Elle en avait un nouveau.

Quelle différence entre incriminant/gênant? Si Crane inutile, partez. Nous gardons un œil sur lui. Poursuivez vers L.A.

Lorsqu'elle descendit, elle trouva deux poissons sur le plan de travail de la cuisine, sans tête et surgelés. De l'eau chauffait dans un faitout. Leo s'était lancé dans une composition champêtre autour du poisson – il y avait des citrons, de l'ail, et des grains de poivre qui avaient roulé hors de leur jolie petite boîte en fer. On aurait dit Ernest Hemingway essayant de faire à dîner.

— Je vous sers un verre? lui demanda-t-il. Mais il semblerait qu'on m'ait délesté de toute forme d'alcool.

— De l'eau, merci.

— Sûr? J'ai peut-être une bouteille de Grey Goose dans le réservoir de la chasse d'eau.

Elle ne rit pas.

— Je plaisante.

— Ah, d'accord.

Il lui tendit un verre d'eau.

— Bien. J'ai réfléchi, dit-il.

— Vraiment? Un passe-temps dangereux.

— En effet, Lola.

Elle faillit lui dire qu'elle s'appelait Leila et non Lola. Maintenant qu'ils en étaient à blaguer, le faux nom lui semblait injuste, et inutile. Mais elle se retint. Il fallait qu'elle parte ce soir.

— Et donc, je me suis aperçu que je ne savais pas comment vous avez atterri chez Dear Diary. Vous avez dit être nouvelle. Est-ce que le but est vraiment d'empêcher la population de devenir esclave des grands patrons du numérique? Ou est-ce que vous avez d'autres raisons?

Gagne du temps.

— Pourquoi cette question?

— J'en sais rien. Sûrement à cause de l'urgence. Il y a quelque chose dans votre regard. On dirait que votre vie est menacée au moment même où on parle.

Son téléphone sonna et vibra dans sa poche. ROXANA, annonçait l'écran.

— Il faut que je réponde, dit-elle en s'isolant sur le canapé à l'autre bout du vaste salon.

Avant que Leila ait fini de dire *Salut grande sœur*, Roxana gueulait dans le téléphone.

— Ça fait deux jours que ce numéro va direct sur ta messagerie!

— Désolée. Je bouge beaucoup. Mais ça y est, tu m'as en ligne.

Parfois, il valait mieux éluder l'indignation des grandes sœurs.

— Et on peut savoir où tu es?

Pouvait-elle le dire sans risque? Oui, le téléphone de Dear Diary était sécurisé.

— À Portland.

— Dans l'Oregon? Mais qu'est-ce que tu fous là-bas?

— Je t'expliquerai quand je serai à la maison.

— Plus précisément?

— Demain.

— OK, bon, t'as vraiment intérêt à être là demain sinon ça va chier.

— Hé, mollo, tu veux, je fais tout ce que je peux pour nous aider.

— Ah oui ? En retardant ton retour et en faisant des mystères ?

— C'est compliqué.

— Comme toujours, avec toi.

Ne relève pas.

— Comment va papa ?

— Il est en plein syndrome de Dressler, ça peut arriver après un infarctus du myocarde : douleur thoracique à l'inspiration, tachycardie, fièvre, fatigue, malaise, angoisse. Tu es sûre que tu seras là demain ?

— Mais oui.

— Bon. Il faut que je te parle avant que tu voies papa. Et toi, il faut que tu parles avec Dylan à propos des avocats. Ils disent que contrairement à ce que tu leur as vendu, c'est pas du tout dans la poche, et d'un coup, ils veulent être payés en avance. Appelle-moi au boulot quand tu atterris. Tu as le numéro ?

— Non, pas le nouveau numéro. Mais je t'appelle sur ton portable.

— Mon portable ne capte pas dans ce bâtiment. Le numéro est le –

Elle énuméra les dix chiffres.

— C'est bon, dit Leila.

— Répète-le.

La grande sœur qui menait son monde à la baguette. Roxana pouvait mémoriser de longues séries de chiffres, de mots, ou de code aléatoire. Elle pouvait se rappeler des conversations entières, et les réciter mot pour mot. Une des aptitudes curieuses qui s'étaient développées de bonne heure chez elle, et qui avaient fait dire à ses parents qu'elle était une sorte de phénomène, en plus d'être lourdement handicapée. Un numéro de téléphone, c'était du gâteau pour toutes les deux, cela dit.

Leila répéta le numéro de téléphone.

— Bon, je file. Papa est rentré à la maison hier, mais je veux qu'on l'installe au rez-de-chaussée. On a fait livrer un lit d'hôpital. Les mecs sont dehors. À demain.

Ce n'est qu'après avoir raccroché que Leila se laissa gagner par tout ce qui se passait. Sa gorge se serra et elle se mit à pleurer.

— Ma grande sœur était hyper-remontée contre moi aussi, dit Leo.

— Pardon?

— Ma grande sœur. Enfin, l'une d'elles. Celle pour qui ils vous ont prise aux Pins Tremblants. Elle prend l'avion pour venir me parler. Ou plutôt me botter les fesses.

— Désolée de vous avoir mis dans le pétrin, dit Leila en reniflant.

— Vous rigolez? Vous m'avez sorti du pétrin, plutôt. Bref, il me reste à convaincre Daisy que je ne suis pas fou et que je vais rester sobre. Mais bon, elle, elle croit en moi. J'ai des idées sur la façon de m'y prendre. Déjà, je crois que je vais occulter tout ce qui est réseau résistant secret.

— Je le fais pour ma famille, Leo, dit-elle. Vous m'avez demandé mes raisons. Ma famille, c'est la seule raison.

En répétant le mot *famille*, elle fondit à nouveau en larmes. Il s'approcha et s'assit à côté d'elle sur le canapé. Il lui tendit son torchon. Ça sentait un peu mauvais, mais elle trouva un coin propre où s'essuyer le nez et les yeux.

Et puis elle lui raconta presque toute l'histoire. Elle avait vu quelque chose en Birmanie, envoyé un mail, des types avaient commencé à la suivre, puis d'autres encore, son père avait été arrêté pour une chose qu'il n'aurait jamais pu commettre, et avait fait une attaque cardiaque. Elle ajouta quelques mots sur Ned, de l'université, qui lui avait dit que c'était pire que ce qu'elle pensait, et l'avait orientée vers Ding-Dong. com, et sur Heathrow, Dublin, la Ford blanche, le marché aux chevaux et Ikea. Elle laissa de côté le test oculaire, ainsi que son vrai nom.

Il l'écouta attentivement jusqu'au bout.

— Les enculés, dit-il quand elle eut fini.

— Vous trouvez aussi?

— Je ne sais pas encore comment, mais je vais vous aider. Vous voulez dîner? Le poisson a pas l'air bon. Il a dû rester trop longtemps au congélo. Mais le riz est excellent.

— Non. Il faut que je prenne le volant.

— Jusqu'à L.A. ?

— Oui.

— Mais Lola, c'est au moins quinze heures de route.

— Je sais.

— Vous ne pouvez pas conduire dans cet état. Vous êtes épuisée. Restez ici. Vous partirez demain matin, conclut-il sans détour.

Il avait raison. Ils mangèrent donc du riz, et elle lui en dit plus sur la Birmanie, et il lui parla de la librairie qu'il avait tenue. À le voir, il aurait pu parler toute la nuit, et même si elle l'aimait bien, elle avait du mal à ne pas songer au cauchemar qui l'attendait chez elle : son père accusé de pédophilie, le syndrome de Dressler, un lit dans le salon, bordel, comme s'il était mourant. Comment est-ce qu'elle allait battre ces enculés? Comment est-ce qu'elle allait sauver son père?

Avant même qu'il fasse complètement nuit, elle annonça qu'elle devait aller se coucher.

— Réfléchissons-y, Lola, lui dit-il alors qu'elle montait l'escalier. Je peux peut-être vous aider d'une autre façon. C'est même obligé. Je ferais tout pour vous aider à sauver votre famille.

Elle se réveilla à l'aube, refit ses bagages sans bruit et descendit. Dans la cuisine, il n'y avait que le bourdonnement du réfrigérateur et les premiers rayons du jour qui filtraient par les fenêtres. Elle trouva un bloc-notes près du téléphone.

Leo, écrivit-elle, *vous êtes quelqu'un de drôle, d'intelligent et de gentil, mais vous avez vos propres problèmes à régler. Ce que je veux dire, c'est que j'ai mes problèmes, vous avez les vôtres, et je ne vois pas comment on peut s'aider l'un l'autre. Même si nous avons essayé, et c'est déjà ça. Bonne chance lorsque vous essaierez de convaincre votre sœur que vous êtes tiré d'affaire. Moi, je me porterais garante de votre honnêteté, mais ça jouerait peut-être en votre défaveur, non?*

Elle voulait en dire plus, mais pour réussir son évasion, mieux valait couper les ponts. Alors elle signa, *Merci, L. PS : par mesure de sécurité, pour vous comme pour moi, n'essayez pas de me contacter.* Elle se glissa dehors par la porte de derrière, traversa le jardin baigné de lumière bleue et se retrouva dans la ruelle.

Il avait arrangé les branches du mûrier pour qu'elles recouvrent presque toute la voiture ; elle dut écarter des ronces pour ouvrir la portière côté conducteur, mais n'eut aucun mal à déloger la voiture de sa cachette. Elle s'engagea sur la route et trouva facilement la bretelle de l'I-5, à quelques dizaines de mètres.

BROOKLYN

Mark faisait de ces rêves depuis qu'il avait quitté le *Sine Wave II* à bord d'un hélicoptère...

C'était comme si toutes les nuits, il descendait d'un pas lourd jusqu'à un théâtre souterrain pour assister à un cycle d'allégories sombres en un acte, dont il était à la fois l'acteur et le spectateur. Une fois, il rêva qu'il était à bord d'une voiture à l'agonie engagée dans une impasse et qu'il s'arrêtait face à un mur de brique sur lequel était tagué – en lettres étincelantes de toute beauté, comme sur un métro de New York avant Giuliani – *Tu te fous de qui ?* Dans un autre rêve, il était mi-humain mi-écureuil, et se rendait compte, trop tard, qu'il aurait dû engranger des noisettes. Toutes les nuits ou presque, on lui confiait une tâche simple qu'il s'avérait totalement incapable d'accomplir.

La nuit précédente, il avait plongé dans un cauchemar très réaliste, dans lequel des agents en lunettes noires arrivaient à la porte de chez lui, qui était en papier mâché.

Mark était rentré de Londres pour s'apercevoir que son maître d'œuvre – un Québécois charmant très demandé du nom de Maurice – n'avait pas avancé d'un pouce dans les travaux du loft. Maurice avait dû sentir la diminution progressive des fonds disponibles de Mark et s'en aller vers de plus vertes prairies. Mark se retrouva donc à camper dans un appartement éventré avec son faux plancher en contreplaqué et ses fils électriques qui dépassaient des boîtiers de raccordement.

Quand il avait donné son feu vert pour casser l'intérieur, pas une seconde il n'avait pensé que les fonds viendraient à manquer pour la reconstruction. Soixante-quinze mille dollars et neuf mois lui avaient paru des chiffres tout à fait raisonnables.

Mais le budget, comme le délai, avait été explosé. Quel con. Il avait dépensé deux fois plus que prévu. Il avait payé Maurice pour du matériel qui ne s'était jamais matérialisé, pour des sous-traitants qui n'avaient jamais vu la couleur de cet argent. Il devait toujours dix mille dollars au Croate pour les travaux de maçonnerie de la salle de bains. Un chic type, ce Croate. Mais la dernière fois qu'il était venu réclamer son dû, il s'était pointé avec son fils, un gaillard de deux mètres cinq qui était resté posté à côté de la porte.

Le pire, c'est que l'appartement était en parfait état avant que Mark ne décide de tout démolir. Mais à l'époque, il rêvait de cabine de douche hammam, de cave à vins, de portes coulissantes. Il avait fini par se contenter d'un sol, de plomberie basique et de matos Ikea divers d'une valeur totale de cinq mille dollars.

Allongé sur les couvertures, le corps moite, il décida de passer en revue les options qui s'offraient à lui. Une nouvelle fois.

Option nº 1 : accepter l'offre de Straw et devenir le narrateur en chef de SineCo. Conseiller cet homme, tandis qu'avec un consortium sans visage il s'occupait de mettre en sécurité toutes les données du monde. Encourager le crime et le maquiller. Continuer à faire l'apologie du Node mais être également le "pionnier" du nouveau réseau social, SineLife.

Un simple oui, et adieu les soucis d'argent. Pouf, partis, comme ça. Et Straw lui avait fait comprendre que s'il devenait le NEC de SineCo, le bouquin promis à Blinc – ou du moins sa date de remise imminente – disparaîtrait aussi. Lorsque Straw avait insisté pour avoir une réponse, Mark avait tenté de gagner quelques semaines en invoquant *ce truc à finir pour Marjorie*. Mots qu'il avait dû gueuler, ils étaient sur l'héliport. *Ne vous en faites pas pour ça, Mark, je lui parlerai*, avait crié Straw en retour, avant d'ajouter : *Vous savez, Mark, j'ai garanti à tous mes adjoints que vous accepteriez ce poste. C'est pour cela que nous vous avons autorisé à nous rejoindre avant votre engagement.*

Peut-être qu'il devait accepter ce boulot, d'un point de vue moral. Pour essayer de l'influencer en bien. Ça paraissait impossible, mais bon.

Option n° 2 : ne pas accepter le poste. Décevoir et foutre en boule son Crésus de patron. Finir – enfin, commencer et finir – le livre qu'il devait remettre à Blinc dans deux semaines, après avoir obtenu deux délais supplémentaires. Un bouquin qui serait à coup sûr une bouse. Tout le monde verrait clair dans son jeu. Il serait vite à court d'argent, en devrait encore plus ; il faudrait qu'il retrouve un vrai boulot. Ce qui n'allait pas être évident, étant donné qu'il avait peu de compétences, qu'il avait dit à son ancien employeur d'aller se faire foutre, et que les gens qui lui feraient passer un entretien ne résisteraient sûrement pas à l'envie de lui dire, *Hé mais c'est pas vous qui avez écrit ce livre qui explique aux gens qu'ils n'auront plus jamais besoin de travailler ?*

De qui il se foutait ? Plutôt s'allonger sur un rocher, ou sur un lit de plumes ? À moins qu'on lui demande de noyer des chatons ou quelque chose dans ce goût-là, il était très probable qu'il accepte ce boulot.

Mais juste au cas où une info surviendrait à temps pour l'empêcher de prendre ce poste, au cas où il lui faudrait véritablement finir ce putain de bouquin, Mark bossait dessus comme jamais.

— Je suis écrivain, dit-il tout haut, puis il se leva, passa près de sa cuisinière française six feux en fonte – plantée au milieu du salon, encore emballée – et entra dans la salle de bains au sol rugueux à cause des éclaboussures de mortier.

Par moments – quand il avait bu et qu'il était défoncé, soyons honnête – il entrevoyait une troisième option. Il était tellement en retard sur l'écriture de ce livre qu'ils accepteraient peut-être de publier le premier truc qu'il leur soumettrait. Une grande œuvre pouvait se cacher derrière ce titre débile. Il était concevable qu'il puisse écrire quelque chose de très, très bon en quinze jours, lui disait son esprit ambitieux. Ne suffisait-il pas à Jack Kerouac ou peu importe qui de mettre un rouleau de papier dans sa machine à écrire ?

Il faudrait que le bouquin soit suffisamment bon pour compenser la daube qui portait déjà son nom. Mais si c'était bon, il pourrait peut-être écrire davantage. Pas pour Blinc, non, évidemment, mais pour un vrai éditeur. Il savait qu'il n'avait pas besoin d'autant de fric que ce que lui proposait Straw. Et il y avait un certain soulagement dans cette considération, dans le fait d'imposer une limite à son avidité.

Il remplit la cafetière au robinet de la salle de bains, puis appela le traiteur au coin de la rue pour commander un sandwich œufs brouillés bacon. Il fit ses séries de pompes et d'abdos, fièrement, sur le sol cradingue.

Maintenant qu'il était de retour à Brooklyn, il avait accès à la beuh qu'il aimait. Pure, hydroponique, issue du commerce équitable. Une fois bien perché, il se mit au travail.

Au bout d'une heure, il éprouva à nouveau le besoin de se défoncer et de faire un tour dans sa ville extraordinaire. Il essayait de battre son record, d'ouvrir son cœur, de voir au-delà du présent. À moins qu'il n'ait tout simplement visé à esquiver le boulot, se voiler la face et trouver dans les recoins de son stupide cerveau en ébullition une échappatoire à sa condition actuelle.

Il se retrouva dans Prospect Park, face à une statue en bronze d'Abraham Lincoln qu'il détestait. Le sculpteur l'avait habillé de vêtements trop somptueux – une cape, un comble, pour un homme né dans une cabane en bois! – et lui faisait pointer un index prétentieux sur la Proclamation d'émancipation qu'il tenait dans son autre main.

Mark avait un faible pour Abraham Lincoln. Depuis le jour où son père l'avait emmené au Lincoln Memorial. Sûrement la même année que celle où il était parti. *Regarde bien. Tu vois comme il a envie de se lever de ce fauteuil?* avait dit le père de Mark, tout près de son fils. *Comme il est concentré sur ce qu'il doit faire? Cet homme avait une mission très noble, et très difficile à accomplir.* Et malgré ses douze ans, dans ce blouson qu'il adorait et ces chaussettes de sport remontées jusqu'au genou, gomme géante de la boutique cadeaux de la Maison Blanche à la main, Mark comprit que son père, dont l'arbre généalogique maternel remontait aux premiers jours de la Louisiane, lui disait quelque chose d'important. Il l'avait écouté attentivement, et était reparti avec l'espoir que lui aussi, un jour, aurait une mission noble à accomplir.

La noble et difficile mission du père de Mark avait quant à elle consisté à abandonner femme et fils pour vivre son homosexualité quelque part. Alors pourquoi Mark devrait-il s'embêter à honorer ce qu'avait pu dire cet homme ?

À leur retour de Washington, Mark ne parla que de la visite de la Maison Blanche, du grand bassin qui faisait comme un miroir, et surtout, du Lincoln Memorial. Ce qui agaça sa mère. Sûrement parce qu'ils n'avaient pas assez d'argent pour partir en vacances, même en bus. Un soir, avant d'éteindre la lumière, elle lui dit, *Tu sais Mark, on accomplit parfois de grandes choses même quand personne ne regarde. Il y a un moment où on doit se montrer utile. Il y a des tas de gens formidables – des femmes aussi, pas que des hommes – qui n'ont pas de statue, qui mènent une vie anonyme, puis reposent dans des tombes que personne ne visite.*

Cette petite histoire du soir s'était ancrée dans son cerveau de petit garçon, et une fois à la fac, en arrivant à la dernière page de *Middlemarch*, il crut l'espace d'un instant que George Eliot avait tout pompé sur sa mère, mais il comprit qu'elle avait tout simplement préparé le terrain pour l'œuvre d'Eliot, comme elle savait si bien le faire. Mark avait le charme de son père, mais s'il était intelligent, c'était grâce à sa mère. Et elle n'apprécierait pas qu'il trempe dans les manigances de SineCo, songeait-il en déambulant dans le parc, défoncé, un mardi midi.

Il devait bien y avoir un autre moyen. Straw voulait qu'il piège les gens. Être un écrivain médiocre passe encore ; être un propagandiste criminel, c'était une autre paire de manches. Pour sa mère. Pour sa mère, il devait refuser ce boulot.

Mais l'argent. L'argent dont sa mère pourrait avoir besoin.

Peut-être alors que pour sa mère, il devait dire oui.

Deux ans plus tôt, quand il avait mis un pied dans un succès qu'il estimait plus que rentable, quand il avait eu la certitude que l'univers lui murmurait, *Voilà Mark, tu peux prendre soin de ta mère, comme elle a si bien pris soin de toi*, il lui avait fait des promesses : une maison moins toxique, avec un petit jardin ; une voiture qui ne tombait pas en panne ; un vrai médecin quand elle en aurait besoin.

Mais à moins qu'il soit programmé pour des conférences très lucratives ou qu'une nouvelle source de revenus surgisse dans son paysage, le mois suivant, il devrait dire à sa mère de rendre la voiture, car c'était de l'agent qu'il valait mieux investir dans son assurance maladie (*Investir!* Ça coûtait déjà deux mille dollars par mois de poireauter au téléphone avec eux.) La compagnie s'appelait Atout Santé, ce qu'on aurait mieux vu sur une boîte de céréales, mais aurait dû opter pour Expressions Abstraites – il ne pigeait pas un mot des documents qu'ils lui envoyaient, bien qu'il ait dit lui-même à sa mère il y avait de ça un an, *T'en fais pas maman, demande-leur de me faire suivre tout ça.*

À partir de maintenant, l'assurance maladie venait avant la voiture, obligé. Il se pouvait que son cerveau soit en train de s'atrophier, selon certains tests qu'on pratique sur vous si vous ne vous souvenez plus du chemin qui mène à la concession automobile où vous avez travaillé quinze ans, si vos appareils ménagers se mettent à vous menacer, si votre partenaire de bridge vous laisse tomber (et si vous avez souscrit à la Formule Protection Maximale de chez Atout Santé). Et qui sait de combien il aurait besoin si elle dévalait les pentes de la Lucidité droit vers le Fleuve Démence?

Bon, d'accord, peut-être qu'aujourd'hui sa promenade ne s'était pas terminée par une séance d'écriture digne de ce nom, mais plutôt par une longue lamentation intérieure sur ses perspectives globalement moroses, quelques minutes horribles derrière la machine à écrire, et quelques autres, sublimes (celles qui suivaient le coup de sifflet de dix-sept heures et l'ouverture de la bouteille de gin) passées à contempler le port de New York et le sud de Manhattan, à imaginer que son bouquin débile de développement personnel serait en fait une œuvre puissante et vraie, sur le pardon et la renaissance. Ses vieux potes le rappelleraient, ils lui diraient, *J'ai toujours su que tu avais ça en toi, Mark.* Sa maison deviendrait un salon où viendraient discuter des gens du monde, entichés d'idées, de conflits lointains, de bonne bouffe et de sa personne.

Remonté à bloc par ce fantasme ridicule, il se rendit compte qu'une soirée splendide s'offrait à lui dehors. Il ressortit et se dirigea vers l'est, accompagné de son ombre longiligne. Son quartier grouillait de free-lance prospères et de sans-abri inoffensifs, et il entra dans un restaurant pour s'y remplir la panse et noyer à nouveau – dans de la bière thaïlandaise cette fois – l'inquiétude et la peur qui lui avaient encore volé une journée.

Le lendemain, le bureau de Blinc l'appela. Pas pour lui annoncer un sursis (*Je suis au regret de vous apprendre que Marjorie Blinc a été déchiquetée par ses braques hongrois*, avait-il secrètement espéré entendre en décrochant), mais une conférence qu'il devait donner, le lendemain. À Chicago, aux frais de Nautile Media, pour... ce n'était pas très clair. Mais bon, ce serait toujours une pause dans l'écriture du bouquin, et il allait sûrement en retirer dix mille dollars. C'est ce qu'il avait obtenu le mois précédent pour une apparition du même genre. Ça garderait les loups à distance un moment. De quoi éponger en partie la dette du Croate et du fiston menaçant, prolonger le leasing de la voiture de sa mère quelques mois, trouver un électricien pour mettre son appartement aux normes, et le reste comblerait le découvert le plus accablant de ses comptes.

Mark n'avait pas parlé à Marjorie depuis ce regrettable dîner à Londres. Elle lui faisait savoir son mécontentement et son impatience en ne communiquant avec lui que *via* ses subalternes. Son adjointe lui apprit la conférence à Chicago, et c'est une simple assistante qui attendit le lendemain matin pour lui faire parvenir les détails et son itinéraire.

Ç'aurait difficilement pu être pire. Il devait faire partie d'une table ronde avec modérateur dans une librairie. Il n'était même pas sûr d'être la tête d'affiche. Et enfin, le couperet : l'événement était considéré comme de la promotion, à laquelle son contrat l'obligeait. Il ne toucherait rien. Hôtel, vol, et sûrement des putains de bagels. Ce serait tout.

La librairie en question n'était même pas dans Chicago, mais dans une banlieue dont il ne reconnut pas le nom. Le trajet jusqu'à l'hôtel s'effectua en navette. L'hôtel appartenait à une sous-marque d'une chaîne plus prestigieuse, situé à quelques mètres à peine du genre d'endroits où on hébergeait les passagers débarqués. Beaucoup de verre dépoli, des plantes

poussiéreuses, ascenseur et chambres (humides et froides) enva-
his de publicités ringardes pour les attractions locales – saut
en parachute, musée du fromage, restaurant-grill El Primo.

Le lendemain matin fut pire encore. Il partagea le van de
l'hôtel avec un des intervenants, un présentateur météo, bel
homme, dont le premier livre était en tête des ventes depuis
un mois. Monsieur météo lui donna tout de suite un exemplaire de son bouquin. *Savoir rayonner : les idées brillantes des
vrais leaders pour sortir de la pénombre.* Les marges étaient généreuses. Le van traversait la grande banlieue.

— J'ai adoré *Manifestez-vous*, dit monsieur météo. Vous travaillez sur autre chose ?

Mark acquiesça et expira de façon à lui faire comprendre
qu'il bossait tellement ces temps-ci qu'il avait à peine le temps
de répondre à la question.

Lorsqu'ils arrivèrent à destination et se garèrent sur le parking qui desservait le centre commercial où se trouvait la librairie, un adolescent vint les retrouver et les guida jusqu'à une
salle de repos miteuse. Sur un plateau en plastique près de la
porte, des croissants coupés en deux, des carrés de fromage à
tartiner, bouteilles d'eau sans marque à température ambiante.
Deux autres intervenants attendaient déjà : un qui conseillait
de démissionner pour monter sa propre affaire, l'autre de s'en-
richir grâce aux propriétés sinistrées. Le présentateur météo
semblait être le seul à ne pas remarquer que ça allait être tout
pourri. Un technicien aux cheveux gras attachés en queue de
cheval les équipa de micros cravate. Vingt minutes s'écoulèrent
avant le retour de l'adolescent, qui les mena cette fois dans la
librairie – aussi grande qu'un hangar – où, près de l'espace
cafétéria, on avait installé une estrade.

Il y avait deux cents personnes facile assises sur des chaises
pliantes, plus une cinquantaine debout, et encore quelques-
unes attablées au café.

Mais qui peut bien conduire jusqu'ici par un si beau samedi
pour entendre des types comme lui ou monsieur météo débattre
mollement sur les façons de s'améliorer ? se demanda Mark.

Mais lorsqu'il vit la personne qui était en train de les rejoindre,
il s'expliqua mieux l'affluence. C'était Diane MachinTruc, la

mère célibataire qui avait calmement soulevé une petite voiture sous laquelle la jambe de son fils était coincée (sans savoir, apparemment, qu'une voisine à la main extraordinairement stable filmait toute la scène). Après que la vidéo de trente secondes avait été vue environ dix milliards de fois en ligne, Diane Le Cric Humain avait écrit ce qui était, Mark l'admettait volontiers, un très bon petit livre sur son expérience.

Je n'y suis pas arrivée seule : pourquoi un monde connecté est un monde meilleur comptait cent cinquante pages parfaitement claires : "J'ai découvert que j'avais bien plus de force que ce que je pensais. Et alors même que je sentais Jimmy se dégager de l'emprise du pare-chocs de la voiture, j'ai compris que jamais je ne devais oublier une chose : c'est le fait de croire qu'on a des limites qui nous freine, bien plus que nos limites elles-mêmes." Et puis, la nana était canon, ce qui ne gâchait rien.

La rencontre était animée par le fondateur et PDG de la librairie MegaBooks! Son propre bouquin – *Bâtir quelque chose à partir de rien* – était paru cinq ans auparavant, écrit sans aide professionnelle et autopublié. Un livre tellement mauvais et tellement moqué par tous ceux qui le lisaient (un critique avait même proposé comme titre de rechange *Putain de merde, regarde tout le blé que je me suis fait!*) que le PDG avait essayé de racheter et de pilonner tous les exemplaires subsistants, y parvenant presque. Ce qui avait eu pour effet d'en faire un livre très rare, et donc culte, pour un cercle restreint de collectionneurs.

Ils restèrent sur cette estrade pendant une heure, et Mark trouva le temps très long. La foule était venue pour écouter Diane l'Haltérophile et Monsieur MegaBooks! était nul dans son rôle de modérateur. L'expert en propriétés sinistrées, à qui on n'avait toujours pas donné la parole au bout de trois quarts d'heure, se leva pour aller aux toilettes.

Mark se contentait d'être là, le regard pénétré. Lorsque les regards se tournèrent vers lui, il dégaina de son chapeau une réflexion à tout faire. Une parabole d'inspiration bouddhique qu'il appelait Les Erreurs qu'il vaut mieux éviter.

C'était sa capacité à parler en ayant l'air de sonder son âme qui le rendait si remarquable ; c'était sûrement ce qui avait plu à Blinc, à l'époque. Pour lui, c'était facile. Mais là, il avait l'impression d'être le mec qui a simplement pondu un bon slogan.

— Vous dire que vous êtes plus intelligent que le premier venu, dit-il à la foule, c'est l'erreur qu'il vaut mieux éviter.

Il ajouta qu'il la commettait lui-même tout le temps, jusqu'à ce qu'il fasse la connaissance d'un sans-abri du nom de Cecil.

— C'était il y a des années. Tous les jours, en allant au boulot, je croisais Cecil. Parfois il faisait l'aumône, parfois il était trop tourmenté par ses propres démons pour s'en donner la peine. Je dépensais énormément d'énergie à essayer de faire abstraction de lui, à cause de la culpabilité que je ressentais rien que face à sa présence. Il faisait peine à voir. Il avait perdu un pied à cause du diabète et l'autre avait l'air bizarre. Une odeur de laine mouillée et de sommeil agité flottait autour de lui. Bref. Ça faisait des mois que je le croisais en essayant de ne pas le voir, et j'ai voulu... enfin, je ne sais pas ce que je voulais au juste, mais je me souviens que le froid était mordant ce jour-là, et je lui ai acheté un café. Puis très vite, on a partagé un café tous les matins. Je payais un dollar le café, plus vingt-cinq cents pour le gobelet supplémentaire, et on buvait ensemble, devant la station de métro.

Mark ressemblait en tous points à celui qui se projette dans le souvenir d'un ami perdu.

— Cecil m'a appris tant de choses, dit-il, pesant ses mots. Il m'a enseigné le contact visuel. À m'en servir aussi bien pour me protéger que pour m'affirmer. Lui, il devait veiller à ça en permanence. Il survivait dans la rue selon ce que lui dictait son intelligence.

Silence.

— Et j'imagine qu'il est mort de la même façon.

Lors de la séance de dédicace qui eut lieu après la conférence, Mark reprit du terrain. Il était excellent en dédicace. Cette histoire de protection/affirmation était du vent, mais le contact visuel, ça, ça comptait, et il savait y faire. Il pouvait hocher la tête avec une chaleur toute fraternelle, ou toucher tendrement le coude de la personne à qui il serrait la main. À trois reprises au cours de l'année passée, il avait été sensible à la fréquence sur laquelle émettaient des lectrices, et après avoir

311

inscrit sa dédicace – et établi un contact visuel – avait ajouté son numéro de téléphone sur le rabat de couverture. La méthode avait porté ses fruits deux fois sur trois.

Raison pour laquelle une certaine joie s'empara de lui lorsqu'il vit que Diane l'Haltérophile avait inscrit son numéro à elle sur l'exemplaire qu'elle lui avait signé. Il repartirait peut-être de cet événement promotionnel déprimant avec un lot de consolation.

Il la retrouva le soir même dans un restaurant italien passable et presque désert qui jouxtait son hôtel, plus luxueux que celui où il logeait. Il pensait avoir un rencard, mais au bout de quelques minutes, il comprit qu'il ne s'agissait pas de ça.

Une fois à table, Diane l'Haltérophile but sa vodka tonic cul sec, ce qui prit Mark un peu de court. Lui allait essayer de s'en tenir à deux verres. Si la soirée virait malgré tout au rendez-vous intime, il voulait être à la hauteur. Il ne s'était pas aventuré dans ces eaux-là – enfin, avec une autre personne – depuis plusieurs mois, et il était un peu inquiet.

— Il va falloir arrêter avec Cecil et changer de disque, dit-elle quand ils eurent commandé.

— C'est un conseil professionnel? Je suis preneur, vous savez. J'ai du mal à me renouveler en ce moment, j'avoue. J'ai adoré *Je n'y suis pas arrivée seule*.

Pauvre crétin, sembla lui dire le regard de Diane.

— Oui, un conseil professionnel, si vous voulez. Le café ne coûte plus un dollar depuis 1989, et les gens qui s'appellent Cecil ne finissent pas sans-abri. Vous auriez dû l'appeler Joe, ou quelque chose comme ça.

Merde. Joe. Il y avait pensé, en plus.

— Mais inutile de vous renouveler, Deveraux. Ils fournissent le contenu, et nous, nous sommes le vecteur. Vos histoires de clochard, ça les gonfle. À moins que vous y glissiez un peu de Synapsiquell.

— Mais qui ça, "ils"? demanda Mark en commandant un autre verre d'un geste de la main.

— Dans votre cas, ils, c'est Straw, ou le Groupe Nautile. Vos futurs supérieurs, j'imagine.

— Vous… vous êtes au courant…

De quoi, finalement? Des délais qu'il ne tiendrait pas? Des serveurs-baleines?

— Je suis au courant de l'essentiel, Mark, en ce qui concerne votre situation. Vous essayez de gagner du temps. Vous avez eu quatre jours pour vous prononcer clairement, pour décrocher votre téléphone et dire, *Oui, merci, j'accepte.*

À l'écouter, quatre jours, c'était une éternité.

— Laissez-moi vous dire une chose. Je vous garantis que sans Straw derrière vous, on ne vous aurait laissé qu'une minute pour réfléchir. Là, les gens vont se dire que vous vous estimez trop bien pour eux, et ça, c'est pas bon.

Un tout jeune serveur apporta les plats. Une fois qu'il fut reparti, Mark dit à Diane :

— D'accord. C'est Pope qui vous envoie?

— Pope? Si Pope voulait vous signifier quelque chose, il s'y prendrait plus directement.

Puis elle s'adoucit un peu.

— Non, c'est Tessa.

Il la dévisagea. Combien de masques portait-elle?

— Elle a dit que vous devriez arrêter les menthol?

OK. C'était bien Tessa qui l'envoyait. Et Tessa était de son côté, il en était convaincu.

— Elle m'a demandé de vous dire que vous êtes sur la corde raide. Il se pourrait que votre attitude vexe Straw.

Elle se pencha et chuchota avec force :

— Prenez ce putain de job, Deveraux. Qu'est-ce qui vous retient?

Qu'est-ce qui me retient? Ce fut à son tour de gueuler à voix basse.

— Sans blague, vous me demandez ce qui me retient? Voyons voir. Peut-être les coffres sous-marins qui recèlent des données volées? Cette bête qui se nourrit de la moindre miette de nos vies, de sorte qu'un de ces quatre, ce sera la *machine* qui dira à la *personne* quel genre de journée elle a passé? On est censé fermer les yeux sur tout ça?

Diane se rencogna dans sa chaise.

— Vous êtes juste censé changer de point de vue. Ce n'est pas un de vos fameux outils?

Plus précisément, il s'agissait de Se Raconter une histoire plus convaincante, mais il la comprit.

— C'est de la théorie, tout ça. Et puis vous voulez me faire croire que vous suivez mes conseils merdiques à la lettre ?

Il était bien content que ce soit lui qui mette le doigt sur ce qui clochait dans son système.

Diane sentit peut-être qu'il cherchait à la prendre de haut, parce qu'elle revint à la charge avec son ton hargneux.

— À l'heure qu'il est, vous avez sûrement compris qu'il y avait des carottes et des bâtons dans ce jeu, non ? Ces ordinateurs, oui, ils se sont bâfrés de la moindre minute de *votre* vie. Et vous ne voulez pas mettre ça en lieu sûr ?

Un chouïa de sarcasme sur "lieu sûr". Il ne savait pas quoi répondre.

— Ils ont avancé votre prochaine intervention, enchaîna-t-elle. La conférence pour Nike, prévue le mois prochain ? Vous la faites le week-end prochain, en fait.

Il avait fait un truc pour Nike l'année précédente, il les avait conquis. La fameuse appli Réveille le tueur qui sommeille en toi.

— Je ne suis pas prêt pour cette conf, dit-il.

— Je vous l'ai dit, le contenu, ils le fournissent. Mais, Mark ?

— Oui ?

— Vous feriez mieux d'être excellent. Ils vont vous avoir à l'œil.

— Les cadres de Nike ?

— Mais non, espèce de débile. Nos dirigeants à nous. Il va falloir vous investir à cent pour cent. Il suffit de convertir quelques pontes de Nike à SineLife, et vous avez votre première paye. Si vous faites semblant, comme c'est le cas depuis quelque temps, il se pourrait que vous soyez bientôt à court de corde, raide ou pas.

Et comme si elle était dans l'équipe de Diane, une serveuse surgit derrière Mark et lui dit :

— Je vous l'emballe et vous repartez avec ?

Mark n'avait pas touché à son assiette.

— Mais oui, Mark, dit Diane, pour votre pauvre ami sans abri.

La serveuse prit les assiettes et s'éclipsa. Diane écrivit un numéro de téléphone sur un bout de set en papier.

— C'est la ligne directe de Tessa. On doit être neuf à l'avoir. Elle vous dit de ne pas hésiter à l'appeler si vous avez besoin d'aide avant de prendre votre décision.

Elle lui tendit le bout de papier.

— Mais, Mark ?

— Oui ?

— Vous n'avez pas besoin d'aide supplémentaire pour prendre votre décision.

Sur quoi elle prit ses affaires et se leva.

C'était tout ? Il était censé rentrer à pied jusqu'à son hôtel merdique maintenant ? Il ne lui restait plus qu'une occasion de se soulager. Sans réfléchir davantage, il lui lança :

— Invitez-moi à monter.

Il la regardait droit dans les yeux, mais la bouche un peu ouverte, les yeux qui disaient, *S'il vous plaît*, mais aussi, *Vous savez comme moi que vous en avez envie.*

— Vous m'en direz davantage sur cette corde raide.

Mais elle fouillait dans son sac à main.

— Ça alors, souffla-t-elle, les gens comme vous, j'en avais seulement entendu parler.

Elle posa trois billets de vingt sur la nappe et tourna les talons.

Planté au Fontana di Trevi, au beau milieu de Creekville, Rockville ou Rocky Creek, en Illinois. Il regarda autour de lui pour voir s'il y avait des témoins. Rien qu'un commis, qui lui apportait sa pizza Alfredo dans une boîte de la taille d'un bouclier.

Sa chambre d'hôtel bénéficiait d'un minibar, dont il profita au max. Il y avait un marathon *New York, police judiciaire* à la télé. S'il restait au milieu de son lit, à biberonner ses mini-bouteilles et à zapper pendant les pubs, il pouvait s'éviter de penser à son sort.

Au début d'un énième épisode, découvrant un marchand de fruits et légumes mort dans son magasin, la face contre sa marchandise renversée, l'inspecteur Briscoe livra cette remarque pleine d'esprit, *Si ça c'est la carotte, j'ai pas envie de voir le bâton.*

À l'heure qu'il est, vous avez sûrement compris qu'il y avait des carottes et des bâtons dans ce jeu, non? avait dit Diane. Pris de panique, il se mit à zapper et tomba sur *L'Homme des vallées perdues.* Son père adorait ce film. Il passa de l'alcool ambré au transparent et ouvrit une boîte de Junior Mints à sept dollars.

Un peu plus tard, dans des eaux plus calmes et la vue brouillée par l'alcool, il eut une idée. Elle lui vint dans la lumière éblouissante de la salle de bains en plastique. *Tu sais à qui ça plairait cette histoire de dingue?* se dit-il en essayant de faire le point sur un carreau distant. *Leo Crane, eh ouais.* Leo était toujours le premier à voir le schéma qui se dessinait sous la surface. Il parlait sans cesse de filtrage de données. Ce fameux été qu'ils avaient pour ainsi dire passé ensemble sur Massachusetts Avenue. Ils avaient partagé une moto. Il y avait une très jolie fille qui travaillait chez le traiteur. Leo y allait tous les jours en sortant de son boulot à l'université Widener, où il y avait encore une petite porte qui menait à la bibliothèque, semblable à une entrée de terrier de conte pour enfants. Leo rentrait le soir en s'écriant *Ensembles de données, Deveraux! Excellents ensembles, aujourd'hui.*

Ouais, elle lui plairait cette histoire à Leo. Leo était à Portland. Le siège de Nike aussi. Mais oui, bien sûr!

C'était une si bonne idée que Mark dut la mettre à exécution sur-le-champ. Il se leva, mais oublia 1) qu'il avait son caleçon sur les chevilles, et 2) qu'il tenait une boîte de Junior Mints. En tombant, il envoya les pastilles à la menthe partout dans la salle de bains. Son humérus heurta violemment le coin de la baignoire en plastique. La douleur fut si vive qu'elle lui arracha un *Gah!* sonore.

Un peu sonné sur le carrelage froid, il se rappela qu'il avait insulté Leo Crane dans son livre débile, avant de le laisser tomber et de piller son blog bizarre duquel il avait extrait des passages pour les reprendre à son compte. Le blog s'était enfoncé dans l'étrange, au point que Leo, de l'avis de Mark la dernière fois qu'il y avait jeté un œil, avait dû être rattrapé par la malédiction des Crane. Dans la grande cuisine qui donnait sur le jardin de leur maison de Riverside Drive, la mère de Leo évoquait parfois les frères "excentriques" de son mari – dans sa bouche, ils avaient l'air complètement tarés.

Mais on n'est jamais sûr de rien. Qui peut se targuer d'avoir un génotype sans chausse-trape? Et Leo lui autoriserait peut-être quelques emprunts, en souvenir du bon vieux temps.

Il se releva et sortit de la salle de bains, écrasant des pastilles brunes au passage. Il trouva son ordinateur. Il se couvrit un œil d'une main et appuya sur les touches du bout de l'index pour naviguer dans sa messagerie SineMail et écrire le message suivant :

Leo, vieille branche. Ça fait un bail, et c'est ma faute. Je suis de passage dans ta ville ce week-end. Dînons vendredi ou samedi, ou on se fait un brunch. Si un brunch te semble trop gay, buvons simplement un coup.

CALIFORNIE

— Alors on peut savoir pourquoi t'arrives deux jours en retard ? lui demanda Dylan en sortant le sac de voyage de sa sœur de la voiture.

Il était minuit. Il l'attendait dans la rue, en train de fumer près du garage, quand elle s'était garée.

Il l'avait prise dans ses bras avant de dire quoi que ce soit. Une écœurante odeur de tabac se dégageait de lui, mais elle était tellement contente de le voir qu'elle la trouva délicieuse.

— Elle est à qui, cette voiture ? demanda-t-il en examinant le véhicule.

— Une location, plus ou moins.

Tu te fous de moi ? lui dit le regard de son frère.

— Ah ouais ? Louée où ça, au planning familial ?

Leila comprit : c'était à cause des vieux autocollants délavés en faveur du droit à l'avortement.

— Oui, bon, disons que je l'ai empruntée à des amis, si tu veux.

— Ça m'intrigue, ton histoire.

— Oh mais moi aussi, figure-toi. Sauf que ça va nous mener nulle part, là. Alors n'en parlons plus, au moins jusqu'à demain.

Elle remarqua que Dylan avait l'air un peu plus vieux, comme si le niveau de ses épaules était un peu moins droit que l'année précédente. Et d'un coup, ça la frappa : il ressemblait à leur père.

— Papa est encore debout ?

— Je ne pense pas. Il est sous haute surveillance, la nuit, en fait. Je ne vois pas trop pourquoi il lui faut tous ces trucs, mais Roxana dit que c'est normal.

— Elle se prend pour un médecin ?

Dylan sourit.

— Non, les vrais médecins ont vite mis un terme à tout ça. Mais c'est elle qui fait la liaison de ce côté-là.

— Et toi tu gères les avocats ?

— C'est l'idée, dit-il, acquiesçant à peine.

— Et moi, il me reste quoi ?

— Laisse ta magie opérer.

— Ma magie. Bien sûr.

— Tu peux me filer un coup de main, du côté juridique. Me remplacer, même. Ça va pas super. Le FBI démarche toutes les personnes qui ont mis un pied au collège pour trouver des saloperies sur papa. Et tout le monde a des ennemis, même lui. Quelqu'un va sûrement inventer quelque chose. Hier, un des avocats a dit qu'on devait peut-être se pencher sur le marché qu'ils nous proposaient. J'ai même pas osé en parler à papa. Si ça l'atteint…

Dylan cherchait ses mots.

— On ne peut pas laisser une chose pareille arriver.

Il laissa tomber son sac de voyage près de la porte et la serra à nouveau contre lui. Mais ce fut une étreinte différente : il abandonna toute force et se reposa contre elle.

— Et maman dans tout ça ? demanda Leila, en partie pour mettre fin à leur étreinte.

— Ah, voilà ce que tu peux faire, en fait.

— Est-ce que tout le monde en prend pour son grade ?

— Hm. Non. Enfin si. Elle gueule. Mais pas à propos de ce qu'elle devrait. Elle s'en est prise à un caissier de Safeway l'autre jour parce qu'il avait doublé ses sacs, ou oublié, enfin bref. Globalement, elle ignore ce qui se passe. Elle a à peine remarqué que je suis rentré de l'aéroport sans toi l'autre jour. Je lui ai dit que tu étais retenue à Londres, et Roxana lui a dit que tu avais dû faire escale à New York. Elle n'a jamais cherché à démêler le faux du vrai.

Merde, songea Leila.

— Elle est couchée, là?

— Elle n'est pas à la maison. Elle est sortie avec Peggy.

— Peggy Boit-sans-soif? Cette vieille citerne a pas encore trébuché sur un tee de golf?

— Tu sais que Peggy a arrêté de boire il y a dix ans, quand même?

— Ouais, je sais.

Peggy Pilkerson était l'une des rares amies d'origine non iranienne qui évoluait dans le cercle amical de la mère de Leila depuis leur arrivée aux États-Unis. Mais Leila oubliait que Peggy Pilkerson était aussi la mère de Bobby Pilkerson, qui avait été le meilleur copain de Dylan quand ils étaient gosses, et qui était mort, *a priori* accidentellement, d'asphyxie autoérotique, à l'âge de dix-sept ans, ce qui ajoutait quelques couches de douleur à la tragédie et avait fait jaser le voisinage pendant six mois, conduisant au divorce de Peggy et à sa spectaculaire déchéance.

— Peut-être que Peggy est la personne tout indiquée pour s'occuper de maman, vu les circonstances, dit Leila.

— Mouais, peut-être, répondit Dylan, sur un ton qui voulait dire, *Je ne crois pas non.* Elles doivent être en train de jouer au black-jack.

— C'est quoi, ça?

— Un jeu de cartes. Elles sont sûrement dans un casino. C'est souvent là qu'elles finissent quand elles sortent. La semaine dernière, elles ont roulé jusqu'à Vegas.

— Mais maman ne sait pas jouer aux cartes.

C'était un fait avéré. Elle confondait les valets et les jokers et se couchait toujours quand elle avait une main du tonnerre.

— Eh bien, on n'a qu'à dire qu'elle est en train de perdre, dit Dylan.

— À moins qu'elle nous ait fait marcher toutes ces années.

— Ce serait un peu long, comme coup fourré, non?

Leila dormit dans la petite chambre à côté de la cuisine, sous l'escalier. Ç'avait été celle de Dylan à une époque. Mais leur mère s'en servait à présent comme pièce de stockage où elle rangeait des packs de soda light President's Choice et toutes les choses de la vraie vie que les femmes au foyer américaines doivent cacher pour que leur maison soit nickel. Mais il y avait encore un lit étroit là-dedans. En se déshabillant dans le réduit, Leila songea à Cendrillon, ou Anne Frank. Mais elle se rappela que l'une était un personnage de conte de fées et l'autre une fille assassinée par les nazis.

Le lendemain matin, assise sur la cuvette des toilettes, elle regarda entre ses genoux et fut rassurée de retrouver ce carreau hexagonal qui s'était fêlé pour ressembler à une vieille femme parlant à un papillon. Un jour, Dylan lui avait dit, *Non pas une vieille qui parle à un papillon. C'est un poisson qui va gober un flocon de bouffe pour poisson.*

Elle leva la tête et promena son regard autour d'elle. La salle de bains n'était pas aussi propre qu'elle aurait dû l'être. Bizarre. Mariam Majnoun se considérait l'ennemi personnel de tout grain de poussière, mouton, de toute pellicule, once de crasse ou tache tentant de s'immiscer chez elle.

Après une longue douche, elle s'habilla, puis frappa doucement à la porte du salon. Puis un peu plus fort.

— Entre, dit son père.

Leila s'était préparée – pensait-elle – à voir un convalescent récemment victime d'une crise cardiaque. Sauf que non. Un an encore auparavant, c'était un homme proche de la retraite – légèrement voûté, qui commençait à plisser les yeux pour lire les étiquettes, mais on pouvait rester comme ça vingt bonnes années. Alors que le Cyrus Majnoun allongé dans le lit d'hôpital au milieu du salon avait l'air au bord du gouffre. La peau autour de ses yeux. Leila dut avoir du mal à cacher son état de choc, car son père grimaça avant de sourire. Mais c'était un sourire franc. Il prononça le nom de Leila avec force, et tandis qu'elle se précipitait vers lui, il rehaussa promptement le haut de son lit ajustable.

Elle le serra contre elle, autant qu'on peut serrer quelqu'un qui est assis dans un lit.

— Alors, c'était à Londres ou à New York que tu étais retenue?

— New York, décida-t-elle tout en parlant. Un débrief avec Main Tendue.

— Ah oui, ce fameux employeur qui porte un nom stupide. Est-ce qu'ils vont régler tes problèmes absurdes avec les Birmans?

— Difficile de savoir.

— Peu importe. Te voir suffit à me remplir de joie.

Un silence s'étira sur une dizaine de secondes, et Leila crut bien qu'elle allait pleurer, aussi dit-elle à la place :

— Ce lit, c'est pile la taille qu'il fallait pour le salon.

— En effet, opina son père en regardant autour de lui, comme si sa fille était rentrée de Birmanie spécialement pour étudier la possibilité de caser un lit d'hôpital dans le salon.

Dix secondes supplémentaires, ou deux semaines, s'écoulèrent, et son père finit par dire :

— Leila, je ne te l'ai pas encore dit, mais ces choses qu'ils disent... ces accusations. Je veux que tu saches que –

— Papa, je sais. Je le sais parfaitement. Et pas seulement parce que c'est toi, mais aussi...

Elle s'interrompit. En quoi parler de Dear Diary à son père serait bénéfique? Est-ce que ça changerait quoi que ce soit de dire qu'elle *savait* qu'il s'agissait d'un coup monté? Et pas monté par un prof de math viré deux ans auparavant (comme Dylan le suspectait) mais par une super-mafia déguisée et tentaculaire? Et que c'était à cause de sa tendance à fourrer son nez partout, à sa soif de vérité à elle? Et qu'elle était au courant de tout ça parce que le réseau ennemi de ce comité invisible, après l'avoir plus ou moins enlevée, lui avait lavé le cerveau?

— Enfin je le sais, c'est tout. N'en doute jamais, d'accord?

— Jamais, répéta-t-il, et à présent c'était lui qui semblait au bord des larmes, mais il vit par les grandes fenêtres du salon que sa femme était de retour.

Mariam Majnoun sortait de la Corvette brun métallisé de Peggy Pilkerson (enfin plutôt celle de son ex-mari Pete Pilkerson), qui datait d'une époque où les Corvette avait des capots d'une longueur ridicule. Porté par la brise, le joli rire de sa mère parvint aux oreilles de Leila en tintant comme un carillon, tandis que dans le véhicule au capot pénien résonnait le rire gras de Peggy. Mariam claqua sa portière – presque déséquilibrée par la force qu'elle dut mettre dans son geste – et traversa la petite pelouse jusqu'à la porte d'entrée avec la démarche concentrée de ceux qui sont encore un peu éméchés.

Ce n'est qu'une fois sa mère montée directement à l'étage dans un cliquètement de talons et la Corvette repartie dans un vrombissement sonore que Leila s'aperçut que sa voiture de "location" avait disparu.

— Et donc, tu es partie avec l'impression que les types de Dear Diary pourraient aider papa à s'en sortir ? demanda Dylan.

Il roulait en skateboard à côté d'elle tandis qu'elle courait. C'était le deuxième matin depuis son retour. Elle avait eu l'intention de faire huit kilomètres, mais elle en bavait déjà au bout de trois et envisageait un circuit plus restreint ; si elle coupait derrière l'ancien restau chinois qui était à présent une boutique de téléphonie, elle pouvait prendre Valley Drive et rentrer. Ce serait peut-être aussi un moyen de perdre Dylan, dont les questions minutieuses lui faisaient prendre conscience qu'elle n'en savait pas assez sur les objectifs et les méthodes de Dear Diary.

— C'est ce qu'ils ont dit, oui.

Leila n'aimait pas parler en courant, elle ne s'étendit pas sur le sujet.

— Mais le mec en désintox… tu n'as pas obtenu de lui ce qu'ils voulaient, c'est bien ça ?

— C'est bien ça.

Ils étaient sur une pente légère, et Dylan décrivait de belles courbes sans effort. Leila aimait cet aspect du skateboard, mais le bruit des roues lui tapait sur le système.

— C'est pas pour dire, mais ces types qui prétendent pouvoir sauver papa au mépris de l'État et des frontières – une courbe gracieuse – en fait, ça les rend eux-mêmes ni plus ni moins coupables de piratage et de traite d'êtres humains, et je n'ai pas encore vu de diminution de la pression qui pèse sur papa. Tu dis qu'ils t'ont cueillie, trimballée dans Dublin et laissé entendre que tu étais une espionne de valeur pour eux – une autre courbe gracieuse – mais si ça se trouve, ce n'était qu'une mise en scène. Parce que bon, tout ce que tu as pour l'instant, c'est un Nokia tout pourri.

Il décrivit une autre courbe devant elle. Elle était en train de refaire ses lacets et changeait son téléphone de place, qui faisait une bosse sous la ceinture humide de sueur de son short.

Le portable faisait le mort depuis Portland, depuis qu'il lui avait indiqué de laisser tomber Leo. Elle avait tenté d'envoyer des messages à Sarah, demandant des nouvelles, des instructions. Mais son petit écran affichait Aucune ligne sécurisée en permanence.

— Quoique... Les faux papiers d'identité excluent la mise en scène, concéda Dylan.

Il exécuta ce fameux freinage-bascule bien connu des skateurs expérimentés qui s'arrêtent l'air de rien et attrapent leur planche au vol.

Ça, et le test oculaire... songea Leila. Mais elle n'en avait pas parlé à son frère.

— Tu devrais faire plus attention à ta planche, dit-elle.

— Je ne vois pas pourquoi. C'est une planche à roulettes. Vous allez vraiment pas bien dans les ONG.

C'était le moment de lui poser la question qui lui trottait dans la tête. Elle aurait le reste du parcours pour étudier sa réponse.

— Hé, au fait, tu es allé avec Kramer et les experts quand ils ont analysé le contenu de l'ordi de papa?

Kramer était l'un des avocats. Selon Dylan, c'était celui qui les soutenait le plus.

— Ouais, m'en parle pas. On a dû se présenter à un bureau flippant à Long Beach, une sorte de bunker. La Coalition régionale interagences des services techniques. Mais les mecs sont tellement shootés au pouvoir qu'ils mettent un point d'honneur à s'appeler le CRIST. Et moi, je croyais que notre expert allait pouvoir se pencher sur l'ordi de papa. Mais il ne l'a même pas touché, ni vu. Pareil pour le disque dur. Ils lui ont donné accès à ce qu'ils appellent la *copie conforme* du disque dur. Dingue, non? En Amérique. Comme si l'État disait à l'accusé, *Non, vous ne pouvez pas voir les preuves qu'on a contre vous, mais attendez, on va vous faire un beau dessin.*

— T'as raison, c'est n'importe quoi.

— En tout cas, ça se passe comme ça maintenant. Et donc on a regardé toutes ces images pornos bien crades qui étaient prétendument sur la copie conforme du disque dur de papa.

— Vraiment crades?

— Tu veux savoir?

Leila acquiesça. Dylan haussa les épaules.

— J'ai vu pire. C'étaient surtout des photos. Rien de violent. Mais les filles étaient vraiment petites. Jeunes, je veux dire.

Dylan baissa les yeux.

— Et puis il y avait aussi des présentations PowerPoint. Un truc minable, pas dit que les corps appartenaient à des mineurs, mais les têtes étaient des photos découpées d'élèves du collège. Scandaleux, surtout parce que quiconque a fait ce truc n'a pas mis les têtes à la bonne échelle.

Leila soupira.

— Des élèves du collège?

— Ouais. C'est pour ça que ça craint autant. S'ils réussissent à présenter ça à des jurés, ils sélectionneront pile poil le genre de personnes qui, au premier coup d'œil, verront papa comme un principal qui a découpé des photos de leurs petites filles pour faire des collages pornos.

Merde. Il avait raison.

— Mais ils auraient pas pu vous montrer l'ordi? Je veux dire merde quoi, la copie conforme du disque dur?

— Je suis bien d'accord avec toi, sœurette, mais relis ton Patriot Act. Je t'avais bien dit que tu aurais dû voter pour Nader.

— Ah. Le trouble-fête.

— Quoi qu'il en soit, on est censés accepter cette histoire de copie conforme parce que toutes les métadonnées concernant les images correspondent bien au fait qu'elles ont été téléchargées sur cet ordinateur, *via* ce fournisseur d'accès, à des dates qui remontent entre un an et demi et un mois. Tu sais ce que c'est, des métadonnées?

— Oui je crois. Les trucs qui permettent d'horodater les documents, tout ça.

— Ouais. Et il y a aussi tout ce protocole de traçabilité des preuves – un énorme dossier truffé de déclarations sous serment et d'empreintes digitales qui attestent que *Tels experts ont manipulé les échantillons, qui ont été prélevés au collège puis transmis au CRIST à telle et telle date...* Il y a même une petite photo de l'ordinateur, posé sur une étagère dans une pièce du même bâtiment où tu te trouves. Sauf que t'as pas le droit d'aller dans cette pièce.

— Quelle bande d'enfoirés.

— Comme tu dis.

— Je vais couper par là, dit-elle en indiquant une longue volée de marches ébréchées.

Un raccourci qui ne plairait pas à son frère. S'il se foutait de son skate, il tenait en revanche beaucoup à ses baskets – un objet de moqueries dans la famille. Elle entama sa montée à un rythme soutenu, les poings serrés, comme Rocky.

— J'espère que t'as rien donné à Dear Diary, lui lança Dylan. Et si c'était une secte? Ou un réseau arménien d'usurpateurs d'identité?

Ça l'agaçait qu'il s'octroie le rôle du mec qui avait la tête sur les épaules, lui qui se présentait à une époque comme joueur de didgeridoo.

Mais pourquoi son téléphone faisait le mort? Et la Toyota qui avait disparu du jour au lendemain? Comme si les preuves s'effaçaient l'une après l'autre. Elle avait toujours ses papiers, ceux où elle s'appelait Lola Montes. Était-elle censée les détruire? Elle les retira de sous son matelas, de peur d'être dévorée par les flammes, et les glissa, dans leur étui plastique, sous le grand pot du citronnier qui poussait tant bien que mal dans la petite cour de derrière.

Cet après-midi-là, à Costco, Leila se disputa avec sa mère au sujet des tee-shirts à acheter pour Cyrus. Mariam avait choisi pour son mari un énième paquet de cinq cols en V blancs, qu'elle achetait pour lui depuis trente ans.

— Pourquoi pas ceux-là, maman? dit Leila, en brandissant un autre lot au-dessus du caddie grand comme un canot : col rond, un marron, l'autre bleu clair.

Mariam accueillit la suggestion de sa fille avec une grimace et balaya l'idée du revers de la main. Leila sentit une boule au fond de sa gorge – la dispute qui se préparait.

— Tu crois que si tu rentrais avec d'autres fringues que ces tee-shirts de pauvre petit vieux, ça ne lui conviendrait pas, hein? s'écria Leila, un peu fort. Et après, tu vas aller dire qu'il a du mal avec le changement. Mais c'est toi, maman. Laisse-le porter du bleu, pour une fois.

Leila crut déceler de la surprise dans le visage de sa mère; elle crut qu'elle allait céder. Les choses étaient un peu tendues entre elles depuis trois jours qu'elle était rentrée. Sa famille était semblable au Midwest américain – les orages couvaient pendant des jours avant d'éclater. Mais un rayon de supermarché n'était pas le lieu pour ça, aux yeux de Mariam.

— Leila. Un peu de respect, dit-elle en baissant rapidement les yeux, comme pour en faire une démonstration à sa fille.

— Maman, dit Leila, exaspérée, je te respecte. Mais je suis adulte maintenant. Essayons le respect mutuel, tu veux bien?

Mariam roula les yeux, mais discrètement.

— Leila, je ne sais pas ce que tu attends de moi. Ton père aime ces tee-shirts. Il faudrait que j'ignore ce que je sais être vrai? Tu dis que je le fais ressembler à un petit vieux. Pourquoi une fille parlerait comme ça à sa mère? Ce n'est pas respectueux. Ce dont ton père a besoin, c'est de routine. Si tu lui apportais ces tee-shirts…

Elle s'interrompit et réfléchit au risque médical que comportaient les tee-shirts que Leila avait choisis.

— … il en mourrait, je sais, maman. C'est pour ça que je veux les lui rapporter, conclut-elle, au bord de la crise de nerfs.

Mariam leva haut le menton pour retenir ses larmes, après quoi elle se mit à pleurer et à pousser le chariot loin de sa fille. Un départ digne, aussi rapide que théâtral. Leila était plantée là, comme l'enflure qui avait fait pleurer sa mère. Elle était allée trop loin en évoquant la mort de son père. *Mais qu'est-ce qu'ils ont à foutre des lumières aussi fortes dans ces hangars?* se demanda-t-elle. *On a l'impression de vivre sous un autre soleil.*

Un obèse en maillot et casquette des Lakers s'arrêta pour la dévisager, burrito de dégustation à la main.

— Tu veux ma photo, le clown? lâcha Leila.

Leila acheta les deux tee-shirts et retrouva sa mère à la voiture. Elles chargèrent les courses dans le coffre de la Camry en silence.

Ce n'est qu'une fois toutes deux assises à l'intérieur que Leila s'excusa.

— Pardon, maman. Je ne voulais pas te vexer.

Mariam était du côté passager, les yeux humides et le maquillage brouillé.

— Oh que si tu voulais, répondit-elle d'une voix pourtant douce. C'est ce que tu fais de mieux. Mais tu devrais t'en empêcher, au moins en public. Il y avait des gens qui nous regardaient.

— Comment ça, des gens ? bondit Leila.

— Les gens, Leila, dit Mariam du tac au tac. Des gens qui connaissent ton père, qui nous observent, guettent des signes. De quels gens crois-tu que je parlais ?

Leila ignora la question.

— Maman, tu es dans le conflit avec moi depuis que je suis rentrée. J'ai tous les torts du monde, avec toi.

— Tu passes ton temps à te moquer de moi. Les autres ne rient pas de moi ou de ce que je fais. Et dès que tu arrives, je suis l'objet de toutes les blagues.

Il y avait une part de vérité dans ce que disait sa mère – Leila était la plaignante en chef de la famille.

— Ouais, d'accord, peut-être un petit peu. Excuse-moi. Mais tu sais quoi, maman ? Tu n'es pas la mieux placée pour me reprocher d'écorner l'image de notre famille au supermarché alors que tu sors jouer les traînées tous les soirs avec Peggy Pilkerson.

Mariam mima l'effarement.

— Oh, ça va, tu sais très bien ce que je veux dire. T'encanailler, si tu préfères.

— Ça fait des années que tu me dis de me lâcher un peu, de vivre pour moi. Et il faudrait que j'arrête de m'amuser parce qu'on traverse une période difficile. Faudrait savoir.

— Et si tu mettais le casino et le gin entre parenthèses le temps que papa se remette ?

— Ah parce qu'on négocie, maintenant ? Combien de temps tu comptes rester à la maison, cette fois ?

— Ce n'est pas le sujet.

— Bien sûr. C'est un sujet tabou.

Une profonde inspiration.

— Maman, ce n'est pas un sujet tabou, ce n'est tout simplement pas le sujet, là, maintenant.

— Alors quel est le sujet ?

Ç'aurait pu être une manœuvre rhétorique – rejeter la responsabilité sur l'autre – mais la question lui apparut davantage comme une proposition d'armistice, un aveu que l'on a dérivé si loin dans la houle de la dispute qu'on est perdu. Leila essaya d'envisager sa mère sous toutes les coutures : pas seulement en tant que mère, mais aussi en tant que femme qui avait abandonné sa carrière, en tant qu'exilée qui avait toujours regretté son pays.

— Les raisons qui font qu'on est à cran depuis mon retour, je suppose. Je crois que nos chamailleries rendent les choses encore plus difficiles pour les autres.

Leila démarra et sortit du parking.

— Bien, dit Mariam. Je vais te dire pourquoi je suis énervée. C'est parce que tu es toujours plus gentille avec ton père qu'avec moi.

Elle n'en dit pas plus, et ne manifestait même pas de rancœur.

Leila était rongée de remords. Évidemment, avec son père dans ce lit, abandonné au salon, elle débordait de tendresse. Mais sa mère avait raison : Leila avait toujours été plus sympa avec son père. C'était comme ça qu'elle fonctionnait avec lui : plus de distance, mais aussi plus de tendresse.

— Je suis désolée, dit-elle, attendant de tourner à droite.

— Allez, vas-y, dit Mariam.

— Comment ?

— À toi de me dire ce qui t'agace.

— Je suis à bout parce que je fais ce que tu me dis de faire. C'est toi qui m'as dit que je devais être indépendante. Qui m'as offert tous ces livres de coloriage de femme-médecin quand j'étais petite, qui me disais, *Les études les études les études*. Et je suis très bonne dans mon boulot.

Elle ne voulait pas aborder ses problèmes avec Main Tendue, ni le fait qu'elle n'avait peut-être pas été si bonne que ça sur cette mission. L'important, c'est qu'elle se sentait accomplie et qu'on avait une haute opinion d'elle dans le milieu.

— Ça, tu n'en parles jamais. Et maintenant, tu veux que j'aie des bébés.

Elle s'inséra dans une file encombrée.

— Leila, crois-moi, des enfants, tu en voudras. Je t'en prie, n'attends pas trop. Je t'ai bassinée avec les études les études pour que tu aies un large choix d'hommes à ta disposition. Je voulais que tu puisses choisir le plus intelligent, le plus gentil, le plus beau.

Évidemment. Mariam, elle, en voulait aux ONG qui avaient fait de sa fille nubile une citoyenne du monde, prête à vivre huit mois dans une mégalopole en voie de développement pour y construire des sanitaires, ou autre, et donc peu disposée à abattre le travail nécessaire pour construire une famille. Leila avait attendu trop longtemps, repoussé les avances de tout un tas d'hommes très comme il faut ; elle finirait vieille fille en sabots, trésor intact, branche stérile de l'arbre Majnoun.

Mais pour Leila, la promotion du mariage et des enfants que faisait sa mère était venue trop tard. Mariam avait très bien élevé ses enfants, mais elle avait traîné un air contrarié toute leur enfance. Un jour, le petit Dylan lui avait demandé, *Maman, est-ce que tes chaussures te font mal aux pieds ?* et dans la famille, on ne s'en souvenait pas comme d'une anecdote amusante.

— Enfin, aussi pour que toi tu sois intelligente, Mariam s'empressa-t-elle d'ajouter. Pour que tu ne te laisses pas berner. Mais ce n'était sûrement pas pour que tu restes seule, à gâcher ta jeunesse avec ces... bureaucrates.

Comme Leila avait envie de la contredire. Mais ces derniers temps, c'est vrai, elle avait l'impression que sa belle carrière ne laissait aucune trace derrière elle. Allie, sa meilleure amie d'enfance, avait deux enfants et une boulangerie florissante, avec armada de camionnettes de livraison et four de six mètres de large. Leila avait plein d'histoires à raconter, très appréciées dans les dîners. Mais celles qu'on lui réclamait n'étaient pas celles qu'elle voulait raconter. Elle avait encore un prêt étudiant à rembourser et des cartons dans le petit grenier de ses parents.

Elles firent le reste du trajet en silence, moins glacial que celui du petit-déjeuner, et moins tendu que celui qui s'était brisé au

Costco. Il était plus tendre – une détente, au sens politique. Elles passèrent devant la maison de Peggy Pilkerson et ses énormes lions en plâtre devant l'allée de deux petits mètres. Leila voulut soulever à nouveau le sujet des sorties de sa mère jusqu'à des heures indues. *Pourquoi tu choisis pile ce moment pour arrêter d'être la Bonne Épouse ? Tu ne sais pas qu'il est innocent ?*

— Je crois que sortir te ferait le plus grand bien, Leila, dit sa mère à l'approche de la maison. Te renfermer dans cette petite pièce à regarder Tubeface, ça ne te rend pas service, ni à toi, ni à ton père.

Elle était injuste. Leila avait lu les journaux à son père, aidé aux tâches ménagères lorsque sa mère lui en avait laissé l'occasion. Elle ne passait qu'une heure ou deux en ligne, et sûrement pas sur Facebook. Elle travaillait dans son réduit sous l'escalier parce qu'elle faisait un boulot d'enquête ; elle avait besoin de concentration, et elle ne voulait pas s'expliquer sur ses recherches, ni sur le scotch électrique noir qui masquait sa webcam.

Dear Diary n'apparaissait nulle part. Ne rien trouver du tout sur Internet à propos d'un sujet, c'est toujours un peu louche. Comme une maison sans aucun bruit. Il y avait un site de scrapbooking qui s'appelait Dear Diary, et un blog de chasseur non dénué d'humour intitulé Deer Diary*. Mais rien sur la résistance secrète, le réseau de contrebande humaine aux objectifs post-nationalistes détenteur d'un test oculaire neuro-transformateur ni sur sa bataille rangée contre un consortium fasciste de prospecteurs de données. Existait-il un autre Internet que celui qu'elle connaissait ? Des domaines secrets ? Elle écuma ses fichiers en quête de la petite icône en forme de chouette qui lui avait permis d'entrer en contact avec Dear Diary la première fois, mais elle avait disparu. Elle se repassa mille fois l'entrevue à Heathrow et sa journée à Dublin, mais ne trouva aucun moyen d'accès.

— J'aide Dylan sur le plan juridique, maman.

— Ah bon ? C'est Dylan qui prend tous les rendez-vous, c'est lui qui te tient au courant. Et qu'est-ce que c'est que ce

---

* *"Deer"* signifie "cerf", "chevreuil".

deuxième téléphone que tu te trimballes partout mais dont tu ne te sers jamais?

C'était comme ça avec sa mère – elle ne voyait rien, rien, toujours rien, et paf! d'un coup, elle remarquait quelque chose.

Son portable sonna, elle l'extirpa de son sac à main.

— Oui, Dylan, dit-elle en décrochant.

Sa voix s'égayait toujours pour lui. *En parlant de gentillesse et de traitement de faveur,* se dit Leila, *y a intérêt que lui aussi se tape la vente forcée de la famille et des petits-enfants.*

Soudain, Mariam se redressa sur son siège.

— Comment?

Sa voix s'était teintée d'incrédulité. Leila appuya sur l'accélérateur.

— Mais je ne comprends pas.

Leila ralentit un peu. S'il s'agissait de mauvaises nouvelles de son père, sa mère n'aurait pas dit ça.

— Qu'est-ce qu'y a? demanda Leila. Mets le haut-parleur!

Mariam lui fit signe de se taire, agacée.

— Mais comment tu peux en être sûr? demanda Mariam.

Elle acquiesça. Plissa les yeux. "Han-han." Elle raccrocha. Sans toutefois livrer la moindre information. Elle savourait l'avantage qu'elle avait sur Leila. Et lorsque enfin elle parla, au lieu d'exploser de joie, elle semblait très perplexe.

— C'était Dylan. Ils vont abandonner les poursuites contre ton père.

— Il ne t'a pas donné son nom? Il n'avait pas un nom bizarre? Est-ce qu'il a parlé de moi? ou de Dear Diary? demanda Leila à Dylan.

Ils étaient dehors. Leila était à bout de souffle. Elle avait sprinté sur les cinq cents derniers mètres. Avant de sortir courir, elle avait laissé un mot sur son frère, endormi sur le canapé : *Retrouve-moi dehors à 8 h 30.* Lorsqu'elle arriva à huit heures trente-cinq, il fumait une cigarette devant la maison, gobelet de Winchell's Donuts à la main. Il avait vraiment pris un coup de vieux, mais ça devait être à cause de son emploi du temps. Il bossait à temps complet à Whole Foods, prenait des cours du soir à la fac de droit, un endroit bien moins huppé que celui qu'il avait laissé tomber.

— Je te dis que non. Je mangeais un hot-dog, sur un banc, comme un pauvre type –

— C'était hier ?

— Oui.

Il la punit de l'avoir interrompu en tirant longuement sur sa clope. Il allait avoir beaucoup de mal à arrêter de fumer ; il s'y adonnait en expert, les yeux brillants derrière les volutes nocives.

— Et ce mec vient direct me voir. Hyper-vite, tu vois ? Tellement que j'ai cru que j'allais me prendre un coup de couteau. Mais il me tend simplement une enveloppe pliée, comme si j'étais censé savoir de quoi il s'agissait. Et j'ai dit, *Pardon, mais c'est quoi ce bordel ?*

— T'as vraiment dit ça ?

Il réfléchit.

— Ouais.

— Et qu'est-ce qu'il a dit ?

— Si t'arrêtais de m'interrompre tout le temps…

— Pardon.

— Il a dit, *Montrez ça à votre avocat.*

Leila écarquilla les yeux pour dire, *Et c'est tout ?*

Dylan les écarquilla encore plus pour dire, *Oui, c'est tout.*

— Dylan. Y avait quoi dans cette enveloppe ?

— Une clé USB. Je m'apprêtais à la brancher sur mon ordi, là, dans le parc, mais d'un coup, j'ai flippé, et je me suis dit qu'il valait mieux la remettre directement à Kramer. Ce qui était plutôt bien senti, parce qu'on ne pouvait faire qu'une copie avant que tout s'efface. Et au bureau de Kramer, ils l'ont direct transférée à leur expert en électronique – qui facture quatre cent cinquante dollars de l'heure, en passant, et qui s'isole dans un truc appelé DIS – un dispositif informations sensibles. Il a extrait le seul fichier qu'il y avait sur la clé et l'a copié genre cent fois sur leurs serveurs hors ligne. Quand j'ai vu le truc sur l'écran, j'ai rien compris du tout. C'était du code, plein de lignes de code. Ç'aurait pu être n'importe quoi.

— Et l'expert, il savait ce que c'était ?

— Au début, il a fait, *Mouais, rien que des déchets inutiles.* Comme si quelqu'un de chez IBM avait vidé les corbeilles et collé le tout pour que ça ressemble à un document. Mais au bout d'une vingtaine de minutes, il s'est levé et s'est mis à sautiller. J'avais jamais vu un informaticien aussi excité. Il disait, *C'est écrit sur l'envers, c'est écrit sur l'envers.*

Dylan prit une nouvelle bouffée, et expira en plissant les yeux.

— En fait, si tu retournes le code, il y a des fichiers lisibles sur l'envers. Notre homme mystère nous a donné à la fois le fichier codé et le fichier décodé. L'expert a dit que ce qu'il avait pris pour du code bon pour la poubelle était en fait la première utilisation non théorique de codage quantique qu'il voyait. Que c'était comme si quelqu'un venait de nous envoyer la pierre de Rosette par la poste.

Leila s'étirait les mollets contre le muret en béton qui entourait le petit jardin. Dans un pot en terre cuite, son père avait planté un énième olivier qui ne poussait pas. Elle sentit sa colonne s'étirer.

— C'est une commande. Ou une sorte de facture. Un document interne, en tout cas. D'une société qui s'appelle TMI Data Solutions, basée à Roanoke, en Virginie. Ça contient en détail le boulot qu'ils ont effectué sur le disque dur de papa. Le fichier s'appelle Porno Mineur C. Majnoun. Y a toutes les étapes : Transmission d'images, Falsification du protocole de traçabilité des preuves – à douze reprises –, Fabrication du collage. Il y a aussi des fenêtres de discussion, des commentaires en marge de documents. Et en dessous de Fabrication du collage, un faussaire a écrit à un autre, *Extrais les images de la blonde avec une frange du dossier Volleyball Benjamines 2006. C'est celle que je voudrais baiser si j'étais ce type.*

Son jogging lui avait éclairci les idées. Elle enregistra les informations. Ce que Dear Diary avait laissé entendre sur la portée du Comité était bien vrai.

— Et c'est tout ? Ça suffit pour faire retirer la plainte ?

— Hier soir, notre expert a parlé avec le leur. Et quand on s'est pointés au CRIST, on a vu que le procureur était vraiment pas dans son assiette. Kramer pense que ce mec était loin de se douter qu'un truc pareil puisse arriver. Ils ont construit ce bâtiment il y a un an. Ça a coûté un milliard de dollars, c'est censé être l'endroit le plus sûr de la planète, et on vient de lui donner la preuve que les éléments d'un dossier de premier plan étaient inventés de toutes pièces par une société écran de Virginie qui avait accès à ses données. Le mec était blême.

— Et il a dit qu'il abandonnait les poursuites?

Dylan fit une petite grimace.

— Toutes sauf une. Il veut nous inculper pour possession de documents non autorisés. Il n'y aurait pas de condamnation criminelle. La seule peine, ce serait que papa signe un document légal stipulant qu'il ne parlera jamais de ces événements.

— Papa ne fera jamais une chose pareille. Et si le procureur admet que ces preuves ont été fabriquées, je ne vois pas ce qu'il vient nous enquiquiner avec des documents non autorisés?

— Quand le FBI l'a interrogé, papa a avoué avoir installé la Creative Suite d'Adobe sur son ordinateur portable perso. Et c'est un logiciel sous licence dont l'usage était réservé à l'école.

— Non mais tu plaisantes, j'espère? Ils peuvent l'entuber comme ils l'ont fait puis se retourner et exiger son silence?

Dylan, qui mesurait toujours ses paroles, ne voyait aucune raison d'ajouter aux problèmes qu'ils rencontraient déjà.

— Ne nous préoccupons pas *d'eux*, Leila. Pas pour l'instant, du moins. Préoccupons-nous de papa, et de ce qui se passe là, maintenant. Tu ne crois pas qu'on devrait accepter leur offre? Accepter cette connerie d'inculpation, et comme ça papa est tiré d'affaire?

Une voiture passa. C'était Jim Brenton et son fils atteint d'une forme sévère d'autisme, qui vivaient à trois maisons de là. Leila lui fit un signe de la main et Jim klaxonna, comme on fait en soutien à des manifestants. Dylan avait dit à sa sœur que certains voisins gardaient déjà leurs distances avec eux et qu'un inconnu avait crié des insultes devant leur maison peu de temps après l'arrestation de leur père. Du coup, le petit coup de klaxon l'émut presque aux larmes. Derrière la voiture de Jim Brenton roulait une de ces mignonnes petites Jeep du service des postes, avec le volant à droite. Le conducteur était plus beau que le facteur moyen. Leila attendit que les deux véhicules soient hors de vue.

— Toi tu crois que oui, je sais. Mais Dylan, il ne peut pas retourner au collège sans avoir été expressément lavé de tout soupçon. L'ordonnance de non-publication, ça le tuerait.

— Peut-être.

Ils se tenaient tout près l'un de l'autre, comme des conspirateurs, comme frère et sœur.

— Mais le risque de la solution alternative, c'est de nous battre, et de perdre. Ou alors ça pourrait prendre des mois, voire des années, et au final, il faudra quand même accepter cette offre, ou une autre, pire encore. Alors, d'accord, papa ne pourra peut-être pas remettre les pieds au collège. Mais moi je veux juste qu'il se relève.

Leila voulut le contredire.

— Je sais. Je sais, dit Dylan. C'est une parodie de simulacre de justice. Mais imagine un peu. Si on allait devant les tribunaux, il faudrait dire, *Non, il ne s'agit pas d'un principal de collège pédophile qui faisait des collages pornos à partir des photos de l'équipe filles de volley. Il s'agit d'un gouvernement parallèle qui se sert de son atelier de faussaire très sophistiqué pour persécuter d'innocents Américains.* Avoue que c'est quand même difficile à défendre. La clé USB de notre homme mystère nous permet de nous en sortir. Moi je dis qu'on devrait remercier notre bonne étoile et rentrer chez nous, parce que sinon il faut convaincre douze civils par ailleurs très contents de leur sort qu'ils vivent sous une tyrannie. Et on peut peut-être se garder ça pour un autre jour, non ? Qui sait, peut-être que le procureur agira en conscience et dénoncera lui-même l'affaire.

— Tu es en train de me dire qu'il faut qu'on bouffe leur merde ? Qu'on les laisse gagner ?

Cela dit, elle repensait à ce qu'il venait de dire, et voyait bien qu'il avait raison, rien que sur le plan de ce qu'encourait leur père. Dylan haussa les épaules et laissa échapper une mince volute de fumée.

— À moins que... fit-il en toquant contre l'air avec la main qui tenait sa cigarette.

— À moins que quoi ?

— À moins que tes potes de Dear Diary nous fournissent quelques grammes supplémentaires de leur bonne came.

PORTLAND, OREGON

Leo dormit profondément, jusque très tard, content d'avoir retrouvé son lit, certain, dans ses rêves, que le monde lui avait adressé un signe. Une fille dans une Toyota. Lorsqu'il s'éveilla – quoi, dix heures et quart! –, courut au rez-de-chaussée et trouva le mot de Lola, son monde se mit à nouveau à vaciller. Non mais quelle merde. Il avait pourtant le sommeil léger. *L'univers t'envoie une Lola Montes et tu la laisses s'échapper pendant que t'en écrases comme un crétin?*

Il s'assit dans sa cuisine, se demandant quoi faire. Pendant une bonne heure. Puis il fit du café et eut envie de se rouler un joint. Mais il écarta l'idée et songea de nouveau à Lola, aux raisons de leur rencontre, de son départ. Et lorsqu'une voiture qu'il ne connaissait pas se gara devant chez lui, il fut partagé entre l'envie de courir dehors ou dans la direction opposée. Mais les pas et le *toc-toc* qu'il entendit n'avaient rien de menaçant. C'était Daisy.

— Tu veux bien m'expliquer tout ce bordel?

Le lendemain matin. Daisy le réveilla aux aurores.

— Viens, on va dans ce café à côté de la voie express, dit-elle en déboulant dans sa chambre. On écrira ton contrat là-bas.

Elle le secoua sans ménagement. Ses sœurs avaient toujours eu de la poigne avec lui. Il s'en fichait. Les grands frères, ça vous tient la tête sous l'eau, ça vous fout des coups de pied dans le plexus, ça jette votre tortue par la fenêtre; les grandes sœurs, ça vous habille et ça vous donne des ordres, c'est tout.

Ils marchèrent jusqu'au Bellevue et s'assirent à une table en formica avec banquettes en vinyle. *La voie express. Tu parles d'une belle vue*, se dit Leo. Des années qu'il s'interrogeait sur ce qui valait son nom à cet endroit.

Daisy attendit qu'on leur serve un café, puis elle retourna le set en papier de Leo et lui tendit un stylo.

— Tiens. Je te fais la dictée.

Leo l'interrogea du regard – *T'es sérieuse ?* Mais face au visage de marbre de sa sœur, il prit le stylo.

— Je soussigné Leo Crane, dit-elle, ne boirai pas d'alcool et ne fumerai pas de cannabis, à partir de ce jour et pour toujours, ou du moins jusqu'à la mort de mes sœurs.

— Oh, Daisy, n'importe quoi… dit Leo en levant son stylo, mais elle lui fit signe de ne pas la couper.

— J'assisterai à une réunion des Alcooliques anonymes ou des Narcotiques anonymes une fois par jour. Je verrai Alice Waters deux fois par semaine –

— Le chef cuisinier ?

— Non, non, pas le chef cuisinier, imbécile. Elle est psychothérapeute, diplômée en psychologie clinique. C'est une femme bien, très intelligente. Continue à écrire. Et je verrai Larry Davis, psychiatre prescripteur, une fois par semaine. Ma sœur Daisy est une vieille amie d'Alice et de Larry, depuis la fac, et elle n'hésitera pas à me surveiller par leur biais, que ce soit éthique ou non. Je parlerai à au moins une de mes sœurs tous les jours, au téléphone ou par Skype, et je prendrai tous leurs appels.

— Et si je suis dans la douche, ou quoi ?

— À moins que je sois sous la douche ou quoi, auquel cas je m'empresserai de les rappeler. Je ne resterai pas seul chez moi à ne rien faire. Je peux tenir un journal mais pas un blog. Je me tiendrai à distance des théoriciens du complot. Celui-là est très important, Leo. Et le suivant aussi : Je trouverai un travail –

— Tu peux m'accorder quelques semaines pour ça ?

— … dans un délai de trois semaines, pourquoi pas avec mon pote sympa le charpentier qui m'a viré il y a six mois.

— Gabriel ? J'en doute. Il était très remonté.

— Je lui ai parlé. Il dit qu'il veut bien te reprendre.

Leo acquiesça.

— Bon, c'est un contrat, dit Leo. C'est censé être donnant-donnant, non?

— J'y viens. En échange, mes sœurs s'engagent à ne pas me renvoyer aux Pins Tremblants ni dans quelque clinique de désintox que ce soit –

— Ni dans un asile de fous.

— ... ni dans un asile de fous. Mais, bien sûr, si je redeviens taré ou que je n'arrive pas à m'empêcher de fumer ou de picoler, ma sœur Daisy ne pourra plus rien pour ma défense, et sans elle, je suis foutu. Parce que je te signale que Rosemary voulait t'envoyer chez les cinglés sur la côte Est.

— Attends. Ça fait partie du contrat, ça?

— Non, pas la peine d'écrire ça. Mais l'essentiel est que tu comprennes, Leo. C'est ta dernière chance. Ta dernière.

Il avait bien compris. Du point de vue de sa sœur, il devait être à la croisée des chemins; à lui d'opter pour "simple excentrique" ou "malade mental". Et elle essayait de l'attirer sur la route qu'elle avait choisie.

Il comprit aussi qu'il devait admettre que dans une certaine mesure, ce qu'il avait prétendu vrai était parfaitement délirant – comme le fait que Marilyn, Jour Nouveau et les gens qui mettaient les panneaux de signalisation près de la ligne de tram agissaient de concert et contre lui, à cause de sa supériorité. Il savait que c'était du délire, des conneries; la faute à un petit gène défaillant, aux oncles et tout ça.

Mais il eut aussi la présence d'esprit de ne pas se lancer dans le *Et pourtant*. Et pourtant, il avait raison sur presque toute la ligne. Il y avait bien un plan machiavélique qui consistait à récupérer toutes nos données pour les revendre; SineCo était bel et bien une menace, de mèche avec d'autres méchants, y compris avec son ancien ami Mark Deveraux; toutes les institutions n'étaient pas forcément ce à quoi elles ressemblaient – c'était même, pour beaucoup, le contraire.

Il voulait montrer à sa sœur qu'il s'estimait heureux d'être libéré de cette impression de supériorité et de voir des signes partout, d'exultation, de certitude. Il ne voulait pas revenir à cet état. Franchement. Ce bon vieux monde était suffisamment étrange, finalement. Ce qu'il voulait récupérer par contre, c'était cette fille. Mais lorsqu'il s'imagina essayer de convaincre Daisy du rôle de Lola dans tout ça, il se dit qu'elle finirait sûrement par lui murmurer, *Je suis sûre que tu y crois, Leo, mais...*

Non. La meilleure chose à faire, c'était de ne pas inquiéter sa sœur davantage sur son état mental. Elle avait assez de chats à fouetter. Comme tout le monde. Partout, des chats à fouetter.

Il savait que Lola existait pour de vrai. Il avait touché son sternum, se souvenait du tout petit espace qu'elle avait occupé sur le siège conducteur, ou sur son matelas. Et quand le drap était tombé : son menton, son cou, le creux de sa clavicule, la naissance de son sein, ses côtes. Et puis, il avait gardé son mot. Elle avait aussi oublié un élastique sur la corniche blanche du lavabo. Il le portait au poignet.

Il signa le contrat. Daisy réserva un vol qui partirait trois jours plus tard. Elle voulait traîner un peu dans le coin pour s'assurer que Leo avait toujours ce qu'elle appelait un kit de base du quotidien.

Elle le réveillait à sept heures le matin pour une promenade et un petit-déjeuner léger. Elle lui écrivait des listes de choses à faire qu'elle aimantait au frigo à côté de leur contrat. *Promenade. Petit-déj. Médocs. Réunion. Chercher du boulot. Ménage. Promenade. Dîner. Dormir.*

Daisy le surveillait de près, et le menait à la baguette. Mais elle n'exagérait pas trop. Leo appréciait sa présence, et il ne se gênait pas pour la vanner.

— Pour la promenade, je ne suis pas obligé de porter les mêmes ridicules petits haltères roses que tu te trimballes, si ?

Elle non plus, du reste.

— Non, faire le ménage dans ta grande baraque de Richie Rich devrait suffire à te muscler.

Touché. Ce n'était pas une maison cossue, cela dit. Elle voulait juste dire que l'endroit était trop grand pour une seule personne. Il avait acheté à l'époque où le quartier était encore mal famé.

Daisy le conduisit à sa première séance avec Alice Waters, une psy bouddhiste aux lunettes bleues qui n'avait finalement rien de sinistre. Le lendemain, elle l'accompagna à sa première séance avec Larry Davis, un vieux hippie à barbe en sweat, qui lui expliqua sans condescendance l'action d'un médicament appelé la lamotrigine et la théorie actuelle sur cette molécule. Il donna à Leo ses numéros de fixe et de portable en cas d'effets indésirables.

Daisy n'eut pas à le conduire à sa première réunion des Alcooliques anonymes car il y en avait une à quelques pâtés de maisons de chez lui, dans le bâtiment délabré d'une zone encore non affectée par l'embourgeoisement du quartier. Un bâtiment plein de Promesses – le mot était en tout cas peint en lettres vives sur sa façade grêlée. Leo avait toujours pris l'endroit pour une église évangélique, ou alors un bar pour Noirs, ou pour Blancs qui se sentaient capables d'entrer dans un bar pour Noirs. Il fut donc gêné de découvrir que Promesses était tout le contraire d'un bar – un club sans alcool – et que les dépendances et les souffrances qui amenaient les gens ici touchaient toutes les classes. On n'était pas aux Pins Tremblants. Il y avait des tables pliantes imitation bois dont le lino se décollait, des dosettes de lait en poudre aussi goûteux que de la corne râpée à verser dans le café, des gens de toute sorte. Tout était un peu de travers, mais c'était l'endroit le plus mixte qu'il avait jamais vu à Portland.

Après sa première réunion, il but un jus de chaussette avec Len, un électricien grisonnant qui s'était lui-même désigné comme parrain de Leo. D'après Len, Leo rongeait son frein, et il valait mieux qu'il se laisse aller, et laisse Dieu venir à lui.

Des conseils tellement dénués de sens. À peine du bruit. Leo voulait un autre parrain. Il pouvait peut-être faire échapper James des Pins Tremblants. Len encouragea Leo à participer pendant les réunions, ou à parler avec quelqu'un après, en tout cas à dire aux autres ce qu'il traversait.

— Il faut que tu te dises qu'il y a de l'expérience, ici, dit Len en tirant sur sa Pall Mall. De l'expérience dont tu pourrais tirer profit. T'es pas le premier à vivre toute cette merde.

Leo essaya de penser au conseil. Mais les histoires qu'il entendait avaient beau être belles et étranges, et la souffrance avait beau être réelle, les épreuves que traversaient ces gens n'avaient rien à voir avec les siennes. Dans le milieu, on dit que ce constat est une forme de déni appelé le syndrome de l'être unique. L'expression était censée signifier qu'on se trompait, bien sûr. Mais un réseau mondial secret lui avait envoyé une fille canon pour l'enrôler dans une contre-organisation. Après quoi elle lui avait demandé de faire chanter un vieil ami, mais il avait refusé, alors elle était partie dans la nuit et lui avait brisé le cœur. Allez dire ça en réunion d'Alcooliques anonymes.

Ça pouvait peut-être fonctionner : les réunions, les abdos, les tentatives de prière. Les listes de choses à faire, le muesli, la lamotrigine.

Mais qu'est-ce qu'il voulait la revoir. Ce qu'il avait ressenti à son contact, sa façon de parler, si directe, de monter les escaliers.

Il aurait mieux valu qu'il l'oublie, elle et ses révélations dingues à propos d'un monde secret, sa semi-nudité, son appel à l'aide. Comme si.

Leo aimait bien le régime que lui avait imposé sa sœur. Légumes verts à feuilles, au lit avant onze heures, debout à sept. Et il devait admettre que la promenade matinale était une bonne idée. Une sorte de diapason pour la journée. À moins que ce ne soit la lamotrigine. Un jour après le départ de sa sœur, il appela son ami Louis, dont la femme était avocate commise d'office, et lui demanda s'il voulait bien faire un tour en forêt.

Louis passa le prendre dans son pick-up Mazda miteux, sa vieille chienne Cola installée sur la banquette à côté de lui. Leo se colla contre la bête odorante et le trio roula en direction de Forest Park, traversant le fleuve au niveau de Fremont Bridge.

— Je te demande juste une chose, dit Leo lorsqu'ils arrivèrent au point de départ du sentier, où très peu de voitures étaient garées. Laisse ton téléphone dans la voiture, d'accord ?

— Encore tes histoires de complot à la Gene Hackman ? demanda Louis.

— Appelle ça comme tu voudras.

Louis était journaliste politique au meilleur hebdomadaire alternatif de Portland. Leo savait que son boulot nécessitait autant de ténacité que de discrétion, et selon lui, Louis était la personne tout indiquée à qui poser sa question : comment quelqu'un qui n'est pas schizophrène s'y prendrait pour confirmer l'existence d'un complot cybernétique secret et de la résistance souterraine qui s'y oppose ?

Louis lâcha la chienne qui d'un coup retrouva sa jeunesse ; elle disparut dans les buissons qui bordaient le sentier. Les deux hommes se mirent en marche.

Pendant que Leo parlait, Louis garda les mains dans ses poches et les yeux rivés au chemin de terre. Il ne posa que quelques questions mais maintenait une cadence élevée. Leo respirait bruyamment. Cola courait autour d'eux, animal domestique de retour dans son élément.

— Je croyais que tu avais décidé une fois pour toutes que tout ça, c'était du délire pathologique, dit Louis au bout d'un bon kilomètre.

Leo s'arrêta à un endroit où le chemin offrait une belle vue sur un paysage industriel. Tout en contrebas se trouvait une rive très mécanisée de la Willamette, assez lointaine pour ressembler à une page de livre pour enfants : des wagons, des containers colorés, leur empreinte carbone atténuée par la distance, la vue adoucie par les conifères du premier plan, comme dans un roman de Fenimore Cooper.

— Il y a une part de délire, et une part de vrai, dit Leo.

— C'est pratique.

— Non, Louis, justement, ce n'est pas pratique du tout.

Louis contempla la vue, puis se tourna vers son ami.

— Bon. Je peux me pencher sur ce que tu as dit à propos de SineCo. Je connais un mec qui fait ce genre de reportages.

Enfin quelqu'un qui pourrait l'aider.

— Vous avez perdu un chien ? leur lança un homme à une dizaine de mètres.

Louis se tourna aussitôt.

— Elle n'est pas perdue, dit-il. Je suis là.

Il siffla pour la faire venir. Cola bondit vers lui, mais l'homme, qui la tenait fermement par la peau du cou, la fit valser vers l'arrière. Cola jappa de douleur.

— Il n'a pas de collier, dit l'homme sans s'émouvoir. Ça pourrait être un chien errant.

Louis fit quelques pas vers sa chienne, mais l'homme appuya davantage sur son cou pour l'écraser à terre. Louis s'arrêta net. Il leva une main pour montrer la laisse et le collier.

— Hé, tout doux.

— Oh mais vous en faites pas, ils ont des micropuces maintenant, les chiens.

Il sortit ce qui ressemblait à un Node de la poche de son manteau trop lourd pour la saison et le tint comme un scanner entre les omoplates tremblantes de Cola.

— Eh ben voilà. Vous êtes bien Louis Hanson? Vous habitez sur la 25e Nord-Est? Vous avez deux petites filles en crèche, aux Tournesols, sur Killingsworth?

Louis ne dit rien. Leo non plus. L'homme tenait toujours la chienne.

Puis Louis finit par parler, prudemment.

— Oui, c'est bien moi.

L'homme lâcha Cola. Elle courut vers son maître, qui lui passa son collier et se mit aussitôt à redescendre la colline. Leo, lui, prenait racine au milieu du sentier, les yeux fixés sur cet homme.

— Allez, on y va, entendit-il Louis lui lancer, un mélange de peur et d'urgence dans la voix.

L'homme fit un signe de tête à Leo d'un air entendu.

— Ouais. Vous feriez mieux de bouger, Crane.

Sur la route qui les ramenait en ville, Louis, le teint blême, fut pris de tremblote. Cola léchait l'oreille de Leo. En sortant de la Mazda une fois devant chez lui, Leo dit à Louis :

— Oublie tout ce que je t'ai dit, d'accord?

— Oui, c'est exactement ce que je vais faire, Leo, répondit Louis en regardant son pare-brise. Tu comprends, hein? ajouta-t-il en se tournant vers lui. Mes petites filles.

— Je comprends parfaitement.

Après ça, Leo fut plus prudent. Il incarnait en tous points l'homme qui n'essaie pas d'aller au fond des choses. Promenade.

Petit-déjeuner. Médocs. Réunion. Chercher du boulot. Ménage dans la maison trop grande. Promenade. Dîner. Dormir.

Il se sentait surveillé à tous les coins de rue. À moins que ce ne soient des hommes en manteau qui passaient par là? Des pères qui rentraient du boulot, des mecs qui revenaient de la salle de sport, un vrai réparateur des télécom dans une nacelle élévatrice au carrefour en face de chez lui?

L'homme qui achetait du pain et une bouteille de lait derrière lui à la caisse du New Seasons était peut-être ce qu'il semblait être. Mais dans ce cas, pourquoi ne faisait-il pas la queue à la caisse rapide, puisqu'il y avait tant de monde? Parce que la caissière d'ici était canon? Une fois ses courses scannées, Leo s'écria : "Mince. J'ai oublié un truc. Je reviens." Il laissa le sac plein de marchandises au bout de la caisse pour certifier qu'il allait revenir. Il attrapa son autre sac et s'engouffra dans les rayons du magasin. Aux produits frais, il dérapa sur un grain de raisin écrasé, perdit l'équilibre et sentit les vingt citrons qu'il trimballait dans son sac sur le point de rouler par terre. Mais il se rattrapa et passa une sorte de rideau fait de larges bandes de plastique pour se retrouver dans les coulisses du magasin. Les employés, occupés, ne firent pas attention à lui. Il trouva une sortie près du quai de livraison.

Si l'acheteur de pain et de lait le suivait, ce n'était plus le cas, Leo en était persuadé. Il se rendit alors à la bibliothèque de son quartier et s'installa à un ordinateur, dans un box individuel. Il passa une heure en ligne.

Ce soir-là, il pressa vingt citrons et trempa des feuilles de papier brut dans leur jus.

Il avait déjà essayé cette technique une fois, à Jour Nouveau. Enfin, pas tout à fait la même. Il avait laissé les enfants peindre avec du jus de citron, au gros pinceau, sur un rouleau de papier kraft. Lorsque le jus sécha, toute trace disparut, et il roula le papier pour le dérouler à nouveau dehors, dans un coin ensoleillé de la zone de jeux. En quelques secondes apparurent les formes dessinées par les enfants : contours de mains, cœurs, dinosaures, prénoms mal orthographiés, le tout exécuté avec fierté et assurance. Les enfants poussèrent des cris de joie.

Là, l'opération était plus délicate. Mais au bout de quelques heures d'essais, avec des papiers, temps de trempage et de séchage différents, Leo avait obtenu le résultat espéré. Il ne lui restait plus qu'à trouver comment augmenter la force d'impression de la petite Smith Corona électrique qu'il avait achetée dans un vide-grenier. Il trouva la molette qui permettait de le faire. Il glissa alors une de ses feuilles citronnées entre deux feuilles blanches, inséra le tout dans la machine à écrire, et écrivit une lettre à Lola Montes.

LOS ANGELES

Leila se rendait dans le centre en voiture pour dîner avec sa sœur sur son lieu de travail. Ça bouchonnait sur la 405, elle était en retard. Un gros camion caisse blanc – *L'égoutscope de Stan : jetons un œil à votre tuyauterie* – était derrière elle depuis Balboa. Est-ce que c'était cette présence qui la rendait nerveuse ? Ou le fait qu'elle ait décidé de demander de l'aide à Roxana ?

Sa sœur lui en voulait toujours d'être rentrée au bercail plus tard que prévu sans s'expliquer. Les grandes sœurs aiment bien qu'on les tienne au courant. Mais Leila n'avait pas voulu entrer dans les détails avec elle : si Dylan avait été légèrement sceptique, Roxana aurait certainement la dent dure. Et puis, elles ne s'étaient pas encore vues seule à seule. Roxana habitait une maison de plain-pied à Echo Park, adaptée à son handicap. Elle se déplaçait principalement de chez elle à son bureau, aidée par son chauffeur et homme à tout faire, un Polonais désormais assez âgé du nom de Eddie qui était à son service depuis dix-sept ans.

Roxana était née phocomèle. C'est-à-dire atteinte d'une malformation congénitale. C'est-à-dire qu'elle n'avait pas de bras. Les premières années de sa vie, en Iran, elle ne fut qu'un simulacre d'enfant. Enlevez ses bras à un bébé, et ce qui reste ressemble tellement à un poisson que les amies de Mariam commencèrent à l'éviter – par tristesse, par dégoût. Le marché, c'est la cour de récré des femmes adultes, et Mariam se retrouva à acheter des dattes, du beurre, à siroter son thé, toujours seule.

Lorsque les Majnoun émigrèrent en Amérique, les choses changèrent. Il y avait des programmes pour Roxana, de l'aide.

Les réfugiés iraniens étaient à la mode dans le milieu universitaire, à l'époque. Cyrus obtint son master d'enseignant, et les Majnoun rencontrèrent des gens désireux de montrer leur soutien à cette famille en exil. Des bourses et des prêts payèrent les modifications domestiques nécessaires ; d'autres frais furent généreusement pris en charge ou mystérieusement subventionnés.

Lorsque les talents stupéfiants de Roxana en linguistique et en informatique commencèrent à émerger, les gens qui les avaient aidés se sentirent disculpés, et les aidèrent davantage. Le cercle des bienfaiteurs s'agrandit. Roxana était un prodige, plus un simulacre. Il y avait toutes sortes de bourses pour une fille sans bras qui, à onze ans, avait appris à parler l'ojibwé couramment en regardant un documentaire sur PBS. Des magazines d'actualité, presse ou télé, appelèrent, et Mariam et Cyrus disaient, *Oui, bien sûr, écrivez un article ou faites un reportage, mais désolés, pas de photos*, après quoi rares étaient ceux qui donnaient suite.

Leila ne remarqua le handicap de sa sœur que vers sept ans. Un jour à l'épicerie du coin, Roxana se tint en équilibre sur une jambe, comme un échassier, et compta sa monnaie avec ses orteils devant le présentoir à bonbons. *Regarde papa, dégueulasse !* s'écria un garçon. Son père le tira par la main, et en un éclair, Leila comprit que l'absence de bras de sa sœur était un *problème*. C'était grotesque. Leila avait quatre licornes en peluche, mais toutes ses poupées avaient des bras. Sa sœur était la seule. Les yeux de Leila lancèrent des poignards au garçon, et en rentrant à la maison, elle coupa les bras de ses poupées.

D'une détermination inflexible, Roxana ne faisait aucun cas des airs effarés et ignorait tout aussi superbement les limites qu'on lui prêtait. À dix-huit ans, en deuxième année à l'université de Californie, elle annonça son intention de devenir médecin. Personne n'eut le cran de lui dire, *Mais tu n'as pas de bras*, alors elle suivit ce chemin quelques années. Il s'avéra finalement que son absence de sens du relationnel posa davantage de problèmes que son absence de bras. Une fois une carrière en médecine écartée (*En même temps, c'est vrai, tu ne peux pas ausculter les gens*, avait dit Dylan lors d'un repas de Thanksgiving),

Roxana s'était orientée vers la recherche génétique, se spécialisant plus tard en oncologie. Dans ces laboratoires et ces facultés, elle avait en général dix ans de moins que ses collègues les plus jeunes. Après l'oncologie, Roxana s'était consacrée à une recherche hybride, entre linguistique et mathématique, dont Leila n'avait jamais bien saisi la teneur. La dernière fois que Leila avait rendu visite à sa sœur sur son lieu de travail, c'était dans un institut de recherche en open space, très décontracté, à Pasadena – elle se souvenait d'un golden retriever qui errait dans les couloirs et d'un sac en papier dans le frigo de la salle de pause sur lequel était écrit *Je suis le sandwich de Jim. Si vous n'êtes pas Jim, ne me mangez pas.*

Roxana avait désormais un nouveau travail. À en croire le nom de la société, Leila se dit qu'il s'agissait d'une sorte d'institut d'astronomie. C'était un énorme bâtiment sans fenêtres, mais elle ne le vit que quelques secondes avant de devoir prendre la sortie, quatre voies plus loin, qui y menait. N'ayant pas des réflexes de pilote de course, elle dut emprunter la bretelle suivante et faire une boucle fastidieuse avant d'y arriver. La manœuvre lui permit cela dit de se débarrasser de l'égoutscope de Stan, ce qui n'était pas un mal.

Elle se gara près d'une pile de pont autoroutier, sous son ombre vrombissante, et chercha dix bonnes minutes l'entrée de cet immeuble titanesque. Elle passa devant deux fois avant de le remarquer : un petit écriteau, sur une porte sans autre signe distinctif, sur lequel on pouvait lire *Les visiteurs de l'institut Longue Portée du comté de Los Angeles doivent être munis d'une pièce d'identité.*

Leila attendit à l'accueil que sa sœur vienne la chercher. Il n'y avait qu'un banc en bois dans le hall. Rien d'autre. Pas un magazine, pas une plante en pot, pas une poubelle. Leila s'assit sur le banc, sentant sur ses genoux le poids plein de promesses du sac pris chez le traiteur : sandwichs poulet crudités et pickles, le préféré de Roxana. Tout était calme dans cette entrée dépouillée, si calme qu'on entendait le petit chuintement de la chaise de bureau réglable de la réceptionniste.

Sa sœur se pointa avec ce qui ressemblait à une lampe de bureau se terminant par un énorme fouet de cuisine attelée à son corps au moyen de sangles. La version bêta d'une prothèse qu'elle testait pour un ami inventeur. Elle le faisait pour lui rendre service : aucun bras mécanisé ne lui offrirait la grâce et la dextérité qu'elle avait acquise avec ses jambes et ses pieds.

— On a déposé ça pour vous, docteur Majnoun, dit la réceptionniste en lui tendant une enveloppe kraft usée de communication interne, ainsi qu'une autre, du service express des postes.

Elle déposa le tout dans le bras articulé de Roxana sans gêne ni maladresse.

— On peut savoir pourquoi y a aucun panneau et pourquoi ils ont pris mon téléphone ? demanda Leila tandis qu'elles se dirigeaient vers les ascenseurs.

— On a un aimant de cinquante tesla au troisième étage, répondit Roxana. Pour le Groupe Plasma. Et je crois qu'ils reçoivent beaucoup d'argent du Pentagone. Alors tout le bâtiment doit être sécurisé.

— Waouh, un aimant de cinquante tesla ? siffla Leila, imaginant un aimant démesuré en forme de fer à cheval, dans un laboratoire voûté, qui émettait de petits éclairs et attirait les trombones à proximité.

Cela faisait vingt ans que Leila n'entravait rien au travail de sa sœur. Elle savait seulement que Roxana travaillait dans un domaine appelé contrôle et systèmes dynamiques, qu'elle avait passé ces cinq dernières années à "modéliser du langage" et que deux ans auparavant, elle avait remporté un prix avec une belle dotation dont les non-scientifiques n'ont jamais entendu parler et que trois mathématiciens tchèques d'une soixantaine d'années étaient censés gagner cette année-là. Depuis, Roxana évoluait parmi des gens très intelligents, un monde dans lequel son handicap physique n'était pas un obstacle à l'exercice de sa profession. Ses collègues étaient dans des capitales lointaines, à deux écrans de distance, mariés à des bureaux ou des séries de chiffres, comme elle. Son boulot ne nécessitait ni bras ni tact.

Et c'est ainsi que la fille dont les parents avaient entendu leurs voisins dire à sa naissance *Jetez-la* travaillait désormais dans les hautes sphères des meilleurs instituts de recherche au monde.

Elles mangèrent leur sandwich dans le petit bureau de Roxana, qui n'était qu'écrans, tablettes et équipement spécialisé. Et cactus. Plein de cactus. Pas de photos. Roxana ne mangeait jamais en présence de qui que ce soit, à part sa famille et quelques amis de longue date. Même les personnes les mieux intentionnées et les plus habituées ne pouvaient s'empêcher de la regarder fixement, et il était arrivé au restaurant que des gens demandent à être placés le plus loin d'elle possible.

Mais la grâce de Roxana était telle qu'en présence de sa sœur, Leila avait l'impression que ses bras étaient deux appendices superflus, que Roxana était un cygne et elle une araignée.

— Leila, je tiens à te remercier, dit Roxana après quelques bouchées.

Ho-ho. Ce n'était pas dans les habitudes de Roxana. Leila ne se rappelait même pas le dernier merci auquel elle avait eu droit de sa part.

— À quel sujet?

— Dylan m'a dit que tu connaissais les gens qui nous ont fourni la preuve que l'ordi de papa avait été trafiqué. Donc je te remercie. Si c'est à cause de ça que tu as dû retarder ton arrivée, excuse-moi de t'avoir soûlée avec ça.

— C'est justement de ça que je voulais te parler. Pas du fait que tu m'aies soûlée, ça, je suis habituée – un sourire, pour montrer qu'elle plaisantait – mais des gens qui nous ont aidés. Rox, j'ai besoin de ton aide pour les retrouver.

— Comment ça?

Le plan de Leila était de ne surtout pas aborder la dimension politique du sujet avec sa sœur. De ce point de vue là, Roxana était bien à la droite de Leila. Depuis toujours. Lorsque Leila, à dix ans, s'était installée derrière une boîte en carton pour solliciter des dons en faveur des baleines, Roxana l'avait vite refroidie : *Est-ce que tu sais seulement ce qu'ils font de l'argent que tu leur envoies?*

Leila raconta donc son histoire à Roxana, mais de façon tronquée. Elle parla de Ned, Ding-Dong.com, de l'apparition de l'icône en forme de chouette sur le bureau de son ordi, de sa disparition. Elle dit qu'elle avait été "détournée" vers Dublin, où elle avait rencontré des gens qui lui avaient affirmé posséder des preuves que son père était victime d'un complot. Ces mêmes gens lui avaient demandé de rencontrer une personne dans l'Oregon, dans le but de découvrir quelque chose pour eux, et en échange ils fourniraient les fameuses preuves.

En déballant son histoire, Leila vit bien qu'il y avait des trous considérables que Roxana voudrait probablement remplir avant d'aller plus loin. Mais elle continuait à parler, espérant que sa sœur n'y verrait que du feu.

— Et donc, s'il existait une sorte d'Internet secret, genre, caché dans le vrai Internet, tu saurais comment y accéder? Ou tu connaîtrais quelqu'un qui saurait s'y prendre? C'est pas ce que tu faisais à Pasadena, quand tu bossais au PARC? Parce que cette fille à Dublin a dit que je pourrais la retrouver *via* la page d'accueil de Dear Diary.

Roxana ne demanda pas comment Leila avait été détournée vers Dublin, ni de détails sur ces gens qu'elle y avait rencontrés, ni même sur la nature du service qu'elle devait leur rendre auprès de ce type à Portland. Non. Elle ne posa qu'une question.

— Alors tout ça c'est ta faute?

Leila encaissa le coup.

— C'est bien ce que Ned a dit, non? Que des gens malintentionnés avaient piégé papa parce qu'encore une fois, il a fallu que tu ailles fouiner dans des affaires qui ne te regardent pas?

— Encore une fois? Merde alors, tu rigoles ou quoi? Le moment est mal choisi pour me faire un procès. Mais pourquoi tu fais ça?

Mille fois elle avait eu envie de cogner sa sœur. Elle n'avait succombé qu'une seule fois, à la fête d'anniversaire de ses onze ans, lorsque Roxana avait, encore une fois, et à dessein, volé la vedette à sa sœur en s'attirant l'amour, la pitié et l'admiration de toute l'assemblée. Elle avait alors appris qu'amocher une personne qui n'a pas de bras était un comportement très vil.

— S'il devait arriver quelque chose à papa – dit Leila, la voix brisée.

— S'il devait? s'indigna Roxana.

— OK, s'il devait lui arriver autre chose, je ne me le pardonnerais jamais, d'accord? Je me détesterais. Tous les jours.

Je te le promets. S'il te plaît, Rox. Pour l'instant, aide-moi à retrouver ces gens.

Les traits de Roxana étaient durs, mais quelque chose céda dans son regard et elle pivota sur sa chaise. Il y avait une souris et une manette sous son bureau, qu'elle manipula adroitement avec ses pieds.

— Tu as dit Dear Diary, c'est ça?

Leila acquiesça.

Roxana tapa les mots dans une barre de recherche grâce à un dispositif de saisie visuel qui lui permettait de promener son regard sur un clavier représenté à l'écran.

— J'ai déjà interrogé tous les moteurs de recherche, dit Leila.

— Ouais. Mais ça, c'est pas vraiment des moteurs de recherche, rétorqua Roxana d'un air prétentieux.

Tout en cherchant, elle interrogea Leila sur Dear Diary. Leila essaya de répondre sans passer pour une tarée. Mais le silence que lui opposait Roxana la força à remplir les blancs, jusqu'à ce que Roxana dise soudain :

— Leila. Cette cabale de gens malintentionnés. Tu es sûre que… Il ne serait pas possible, à tout hasard que, hem, tu sois devenue plus indigène que les indigènes, en Birmanie?

Roxana faisait semblant d'ignorer que sa sœur ne supportait pas toutes ces conneries néocoloniales…

— Plus indigène que les indigènes? répéta Leila en inclinant la tête.

— Je veux juste m'assurer que ces gens ne se foutent pas de toi. Parfois, tu veux tellement faire le bien que tu oublies de faire attention.

Ah, et cette condescendance… L'omniscience de la grande sœur.

— De toute évidence, ils ne se sont pas foutus de moi, puisque je n'ai pas obtenu ce qu'ils voulaient à Portland, et ils nous ont quand même aidés.

— Et quelle aide. Dylan m'a raconté. Papa doit répondre d'un chef d'accusation à la con, et tout le monde continuera de le prendre pour un pédophile. Super. Tu as dit qu'ils utilisaient des identifiants de quinze caractères?

Leila opina. Elle avait décidé de dire *ils* au lieu de *nous*, et elle avait laissé le test oculaire de côté, comme avec Dylan.

— D'accord, est-ce qu'elle a dit *la* page d'accueil de Dear Diary ou *une* page d'accueil de Dear Diary ?

— *La.*

— Je veux simplement t'éviter de rejoindre le mauvais camp, dit Roxana.

Elle poussait vraiment le bouchon trop loin, profitant du fait que Leila lui avait demandé de l'aide et devait attendre, et subir.

— Le mauvais camp ? Tu plaisantes ? T'es sortie de ta bulle, récemment ? Tu sais qu'il pleut de la merde, dehors ?

— Oh, Leila, est-ce qu'un laveur de pare-brise t'a regardée de ses grands yeux éplorés aujourd'hui ? Je sais que tu es toujours prête à défendre les miséreux, mais rappelle-toi que c'est uniquement parce qu'on a pu venir dans ce pays que tu peux t'engager pour toutes ces causes. Uniquement parce qu'ils nous ont laissés entrer.

Elle ressortait toujours le même argument.

— Tu crois que je m'en serais sortie sous Ahmadinejad ?

— Le temps qu'il se rende compte que tu es capable de calculer des trajectoires de fusée, et je te parie que oui, tu t'en serais très bien sortie.

— Je serais morte avant, ou j'aurais fini derrière un mur, et tu le sais.

Leila leva les yeux, prise d'une furieuse envie de taper du pied.

— Bon. Oui. Tu as raison. Je ne pense pas que tu aurais eu une vie sympa, ni aucun de nous d'ailleurs, sous Ahmadinejad.

Roxana n'avait pas l'air apaisée.

— Rox. Je suis fière d'être américaine, OK ?

— Vraiment ? Tu serais pas plutôt une de ces Américaines qui passent leur temps à s'excuser ? Parce que c'est un peu ton métier, non ?

— Va te faire foutre, Roxana. Je ne fais pas ce boulot pour m'excuser. Et pour ton information, tous les ans, les richesses et le pouvoir se concentrent dans les mains d'une mafia de plus en plus restreinte. Cinq cents hommes, cinquante multinationales. La meilleure façon d'être vraiment plein aux as, c'est toujours – toujours, Rox, alors que le nouveau millé-naire est déjà bien entamé – d'exploiter les pauvres cons qui sont en dessous de toi. Au train où sont allées les choses, il faut des milliers de pauvres gens dans la balance pour contre-balancer un seul riche. Tu trouves que je m'excuse trop ? Peut-être que toi tu devrais t'excuser à une gamine forcée de chier dans un canal pendant que tu as à ta disposition des gens qui te fabriquent des prothèses.

— D'accord. D'accord.

La crise de Leila avait fonctionné.

— Je suis désolée d'avoir dit ça sur ton métier. En fait, j'ad-mire ce que tu fais, concéda Roxana en haussant ses épaules en forme de poires. Mais tu te trompes quand tu parles de l'état actuel des choses. Tous ces pauvres gens, il ne tient qu'à eux de nous rejoindre, ils sont les bienvenus. J'aime ce pays, Leila. Et tous ceux qui parlent de renversement, de révolu-tion, se trompent. Les radicaux sont des gens dangereux, parce qu'ils agissent sans réfléchir, comme des enfants. Et, comme les enfants, ils tombent. En provoquant des dégâts bien pires que ce qu'ils voulaient.

— Je ne veux pas *renverser* l'Amérique. Est-ce que tu as réfléchi au fait que ce sont les *autres* qui font ça, que ce sont eux qui sabotent, qui récupèrent, qui montent des coups ? Il faut réagir avant qu'il soit trop tard. En tout cas il faut se tenir prêt.

— Mais tu as dit qu'il s'agissait d'une organisation post-nationaliste, dit Roxana. Pour moi, ça ressemble à une bande d'anarchistes nantis. Col roulé et petit verre de vin rouge.

— C'est toi, la nantie, dit Leila. Je ne t'apprends quand même rien ? Tu es plus riche que moi, plus que papa et maman. Ce qui fait que quoi que tu dises, tu as des idées de riche.

— Tout ce que je veux dire, c'est que soit tes amis ont de l'influence, soit ils n'en ont pas. Soit ils peuvent nous aider, soit ils ne peuvent rien.

— Crois-moi, ils ont de l'influence, Roxana. Je sais ce que j'ai vu.

— Que de mystères…

— Les papiers d'identité qu'ils m'ont filés à Heathrow, par exemple. La protection dont j'ai bénéficié à Dublin. Ils ont un réseau très solide. Mais je n'arrive pas à y avoir accès depuis que je suis rentrée. Ils m'ont donné ce drôle de téléphone.

Leila plongea une main dans le sac du traiteur et sortit le petit Nokia d'entre les sachets de mayonnaise, les serviettes, les dosettes de sucre (pour le volume) et les coupelles de lait (pour le brouillage soi-disant causé par l'opercule en aluminium).

— Tu ne peux pas apporter un truc pareil ici, dit Roxana.

Ce qui réjouit Leila, parce que ça mettait en évidence le côté lèche-bottes de sa sœur – dont les journalistes n'avaient jamais parlé dans leurs portraits puisque leur approche était plutôt celle des obstacles surmontés.

— Ça marchera pas de toute façon. Tout le bâtiment est blindé.

— OK. Mais regarde quand même. Quand tu m'as appelée, et que j'étais à Portland, ton appel a atterri sur celui-ci. Je m'en suis aussi servie pour envoyer des messages à la fille de Dublin. Mais il n'a pas bipé une seule fois depuis que j'ai quitté Portland. Maintenant, quand tu m'appelles, ton appel atterrit sur mon BlackBerry, que j'ai laissé à l'accueil. Celui-ci, le Nokia, le téléphone de Dear Diary, sa petite lumière verte reste toujours allumée. L'horloge reconnaît les fuseaux horaires. Ce n'est pas un smartphone. Y a pas d'applications. Je peux écrire un texto, mais quand je veux l'envoyer, il me dit, Pas de ligne sécurisée.

— Quand j'ai dit que tu ne pouvais pas apporter un truc pareil ici, ça voulait dire que tu n'aurais pas dû être capable de franchir le portique de l'accueil avec un appareil électronique en état de marche, quel qu'il soit. Le centre est en acier trempé, étanche à tout réseau.

— Ben, ils ont pas regardé entre les sandwichs, qu'est-ce que tu veux que je te dise ? dit Leila en agitant son téléphone.

— Fais-moi voir.

Leila le lui tendit. Toute leur vie, cela avait impliqué que l'objet passait des mains de Leila aux pieds de Roxana. Mais puisqu'elle portait cette prothèse-test, Roxana tendit son fouet-pince monté sur un bras de lampe. Leila, qui n'avait jamais eu la moindre gêne avec le handicap de sa sœur, frissonna en déposant le téléphone dans la prothèse bionique.

356

— Ouais, je sais, ça fait bizarre, dit Roxana. Le produit fini sera recouvert de peau synthétique ou je ne sais quoi. Là, c'est juste la mécanique.

Leila s'en voulait d'avoir eu un frisson, d'autant plus qu'elle se rendit compte que l'extrémité tenait plus de la pagaie que du fouet, terminée par des tiges de Teflon qui formaient une sorte de patte incurvée. Roxana pouvait le tenir fermement, et peut-être même le manipuler avec plus de précision que ne le ferait une main humaine.

Mais au bout d'une minute d'examen minutieux, elle le laissa tomber et l'attrapa avec ses pieds. Elle le tâta, comme on tâterait un fruit avant de le manger.

— Je crois que je comprends comment ce téléphone a pu passer, dit-elle. Rien à voir avec l'électronique. Il n'y a pas de signature. T'es sûre que c'est pas, je sais pas moi, un distributeur de bonbons?

Malgré la blague, Leila voyait bien que sa sœur était intriguée par cet objet qu'elle posa sur son bureau pour retourner à ses écrans.

— Bon, tout ce que je vois, c'est une étrange baisse de la fréquence à laquelle les mots Dear Diary apparaissent dans Speechwave.

— C'est quoi, ça?

— Un nouveau logiciel très cool qu'on a eu grâce à une fondation. Il recueille des extraits de discours humain dans le monde entier, en temps réel.

En temps réel?

— Il recueille ça auprès de qui, Rox?

— Tout le monde. Toi et moi. Quiconque passe par un point de collecte.

La bouche de Leila dut rester ouverte un peu trop longtemps car Roxana s'empressa de poursuivre.

— Mais non, non, ce n'est pas ce que tu crois. Aucun risque d'atteinte à la vie privée. C'est un système aveugle, les données sont complètement dissociées de leur source.

Et c'est toi qui es censée être le génie de la famille? songea Leila.

— Alors qu'est-ce qu'elle a d'étrange, cette baisse de fréquence?

— Elle est bizarre, c'est tout. C'est très net dans les statistiques. Pourquoi ces mots précisément, et d'autres qui y sont liés, sont moins utilisés depuis cinq jours? Il y a aussi moins de pleurs et plus de rires. C'est lié à une forme d'espoir.

Attends un peu. Depuis quand les instituts d'astronomie sont barricadés dans de l'acier trempé étanche à tout réseau? se demanda Leila, en promenant son regard autour d'elle. La porte du bureau faisait dix centimètres d'épaisseur. Roxana se tourna vers un autre écran.

— Il faut que je te pose une question. Est-ce que les gens de Dear Diary t'ont fait quelque chose? Genre, passer un test, administrer une substance? Est-ce que tu t'es sentie désorientée?

— Sur quoi tu travailles, exactement, Roxana? demanda Leila, en partie pour esquiver la question, mais aussi parce que ça lui semblait pertinent, d'un coup. Je veux dire, ici, dans l'institut Longue Portée du comté de Los Angeles? Moi je pensais que tu étais dans l'analyse linguistique statique. Mais j'ai l'impression que tu pourrais aussi bien être astronome.

— Non. Je ne pense même pas qu'il reste le moindre télescope dans tout le bâtiment. La majeure partie est louée à New Solutions. C'est grâce à eux qu'on a ces super-ordis. J'ai le droit de m'en servir pour bosser sur mes trucs, en échange de quoi je suis censée travailler quelques heures par semaine sur un de leurs projets.

— Et c'est quoi, ce projet?

— Désolée. Je ne peux pas te dire.

Leila parut incrédule.

— Vraiment. J'ai signé des papiers.

— C'est quoi, New Solutions?

— Une grosse boîte informatique. Je crois qu'ils s'appelaient Blu Solutions/Logistique avant.

— C'est un marchand d'armes, Roxana, lui reprocha Leila.

Roxana s'était toujours gardée de franchir cette frontière. Il lui était arrivé de refuser beaucoup d'argent. Elle refusait aussi de travailler pour des pirates informatiques. Elle disait qu'elle voulait rester dans la recherche pure, ne pas verser dans le secret défense. Tout ce qu'elle écrivait devait pouvoir se retrouver en bibliothèque.

— D'accord, peut-être, dit-elle, soudain sur la défensive. Il y a beaucoup de trucs de ce genre dans le coin. Et tu as raison, ce n'est pas ma tasse de thé. Je n'aime pas qu'on m'empêche de parler de ce que je fais. Mais je dois dire aussi que je suis rarement comprise. Bien sûr, j'aimais mieux ce que je faisais au SNARC. J'y retournerai sûrement. J'étais au SNARC, au fait, pas au PARC. Le PARC c'est à Palo Alto, pas à Pasadena. Et mon truc, le truc sur lequel je bosse au moins quarante heures par semaine, c'est l'analyse linguistique *stochastique*. Toi non plus tu ne fais pas vraiment gaffe à ma carrière.

C'est juste, se dit Leila. Le SNARC était bien l'endroit où elle avait vu le sandwich de Jim avec le petit mot.

Roxana continuait à se justifier.

— C'est un partenariat financé sur un an. Et je peux te dire qu'ils ont du fric. J'ai accès à des données comme nulle part ailleurs. Enfin bref. Le projet auquel je contribue n'a rien de tendancieux.

— La chose dont tu ne peux pas parler ?

— C'est le logiciel qui est classé secret. Mais l'application…

Leila attendit. Elle savait que sa sœur allait vendre la mèche.

— C'est un dispositif de saisie visuelle, annonça Roxana avec fierté. Un écran sur lequel tu travailles avec tes yeux.

— Ça fait des années que tu te sers de ça pour taper.

— Ouais. Pour taper. La belle affaire. Ce truc-là aide tes pensées à sortir.

Leila la regarda sans comprendre.

— Leila, je ressemble peut-être pas à grand-chose – elle se redressa sur son siège pour faire ressortir son handicap – mais je m'estime heureuse quand je pense aux personnes atteintes du syndrome d'enfermement, de lésions médullaires, de la maladie de Parkinson, de dégénérescence de la gaine de myéline. Cette machine, c'est un nouvel espoir pour tous ces gens.

— Cette machine pourrait aussi servir à autre chose, Roxana. Vous avez beaucoup avancé sur ce projet ?

— On a quasiment terminé. On en a mis une au point. Mais ça nécessite une alimentation énergétique de dingue. Je crois que c'est pour ça qu'on a un aimant de cinquante tesla au troisième étage. Cela dit, les gens en charge de ce segment disent qu'ils ont peut-être trouvé une solution. Ils bossent à la rétroconception d'un dispositif depuis des mois, et ils voudraient que je les aide sur ça aussi, mais ils sont très à cheval sur la confidentialité. Il faudrait encore que je signe des papiers et tout. Je leur ai dit de trouver quelqu'un d'autre.

Soudain, elles sursautèrent : le téléphone de Dear Diary sonnait, avec une sonnerie de vieux téléphone à cadran, et vibrait, ce qui le faisait bouger sur le bureau de Roxana, qui le prit dans un pied.

— C'est qui ? demanda Leila.

Roxana approcha l'écran de son visage en plissant les yeux.

— Sarah Tonine ?

Leila lui prit le téléphone du pied et appuya sur Accepter.

— Sarah ?

— Oui. Lola ?

— Oui.

— Tu peux parler ?

Un poil agaçant de se voir poser cette question alors qu'elle cherchait à les joindre depuis des jours.

— Hm, oui. Attends, ne quitte pas.

Elle plaqua le téléphone contre sa poitrine.

— Roxana, ça ne te dérangerait pas de…

Roxana mit un moment à comprendre.

— Quoi ? Tu veux que je sorte de mon propre bureau ?

— Ça ne te dérange pas ? Rien que cinq minutes. S'il te plaît.

Roxana se leva et sortit en tirant la tronche.

— C'est quoi ce bordel, Sarah ? s'écria Leila une fois seule. Pourquoi tout le monde fait silence radio ? J'ai des questions, moi.

— Ce n'est pas dirigé contre toi, Lola. Quand le réseau ne peut pas transmettre en toute sécurité, il ne le fait pas, point barre. C'est le protocole. Tu es à Los Angeles. Le réseau est dense là-bas. Pas beaucoup d'espace. Il arrive qu'on n'ait qu'une petite fenêtre d'une heure d'émission sécurisée, en général tard dans la nuit. L'équipement que nous utilisons…

il fonctionne par cycles, tu te souviens? Comme les vents, comme les marées. Qu'est-ce qui s'est passé avec Crane à Portland?

— Son truc compromettant était un film de Deveraux en train de se branler à l'époque de la fac, tourné en super-huit.

— Berk, dit Sarah.

Leila éprouva le besoin de défendre Leo.

— Non, ce n'est pas ce que tu penses. C'était censé être une blague. Deveraux était donneur de sperme. Je crois que c'était une façon de se moquer de lui-même.

— En tout cas, tu peux laisser tomber Deveraux. Juste après votre entrevue à l'aéroport, il était à bord du *Sine Wave*. C'est le yacht de Straw. Il doit porter leurs fameuses lentilles à l'heure qu'il est, il est hors de portée. C'était une piste prometteuse, cela dit.

— Mais, Sarah?

— Quoi?

— J'avais raison, hein? On ne se prêterait pas à ce genre de chantage?

Un silence un peu long.

— Vu les circonstances, je pense que tu as pris la bonne décision. Ce n'est pas franchement le genre de preuves compromettantes qu'on recherchait. Après, si ç'avait été assez important… Enfin bref, oublions tout ça. J'appelle à propos de Tom Ahawk.

— Qui ça?

— Tom Ahawk. Le mec de chez nous qui vous a fourni les documents sur le disque dur de ton père.

— Ah oui, merci beaucoup au fait.

— Non. Ça a été mal géré. Il était censé remettre la clé au procureur. Le but était de faire croire que ça émanait d'un lanceur d'alerte, pas d'une personne impliquée du côté de ton père. Le fait que ce soit ton frère qui l'ait apportée complique les choses. Ça donne au Comité des raisons de croire que tu as été en contact avec nous. Ce qu'on a pu éviter de Heathrow à Dublin, puis à Portland et à LA. Mais quand Dylan s'est présenté au CRIST avec cette clé USB, il a tiré un trait te reliant directement à nous.

— Je les emmerde. Je me fous qu'ils soient au courant. Le coup de la clé a marché. Ils abandonnent les poursuites contre mon père. Enfin, la plupart.

— À ta place, je ne m'en foutrais pas. Ça craint d'être un membre reconnu de Dear Diary en ce moment. Surtout dans une grande ville américaine. Et ils n'abandonnent pas les poursuites contre ton père.

— Mais si! J'ai parlé à notre avocat ce matin. Il a dit que le procureur s'était rétracté.

— Eh ben devine quoi. Aujourd'hui, une cuisinière a explosé à la gueule du procureur. Donc, il y a un nouveau procureur. Et le dispositif informations sensibles du bureau de Kramer a été saisi. Et Tom Ahawk a disparu. Il doit être dans une charmante petite chambre de deux mètres sur deux à Fort Meade.

Leila n'en revenait pas.

— Écoute, Lola, ne t'en fais pas. Si les choses partent vraiment en cacahuète, on a un plan B pour tous les Majnoun. Pour l'heure, un peu de patience. Il se peut que le Comité n'ait pas encore fait le lien entre toi et nous. Avant que ça n'arrive, il n'y a aucune raison de croire qu'ils s'en prendront encore à vous.

Avant que ça n'arrive? Encore?

— Et combien de temps on doit patienter?

— Disons une semaine. D'ici là, les choses auront pris l'une ou l'autre tournure.

— Et c'est quoi le plan B?

— On peut vous tirer de là s'il le faut. Une exfiltration d'urgence.

— J'aime pas trop cette consigne, Sarah. Rester là à attendre? Tu n'as pas mieux?

— En fait, y a bien une chose que tu peux faire pour nous.

— Oui?

— Il faut qu'on parle à ta sœur.

Lorsque Leila dit à sa sœur de rentrer et lui tendit le téléphone, Roxana insista à son tour pour qu'elle sorte dans le couloir. Les minutes passèrent. Leila fit les cent pas dans le couloir, dont le dépouillement était propre à foutre les jetons : neuf autres portes identiques, les ascenseurs au bout, l'escalier de secours, une fontaine à eau.

Elle essayait de compartimenter les choses, de prendre chaque problème à part. L'explosion à la gueule du procureur. Un lien entre elle et Dear Diary. Pouvaient-ils vraiment réengager les poursuites contre son père ? Qu'était-il arrivé à la terre de liberté vers laquelle avaient fui les Majnoun ?

Elle s'assit contre le mur, en proie à la panique, à la colère, au désespoir. Elle se leva et fit les cent pas à nouveau ; au bout du couloir, elle tourna la poignée de la porte de l'escalier de secours, constata simplement qu'elle s'ouvrait.

Elle répéta ce petit manège une vingtaine de minutes : assise – panique, colère, désespoir – debout, les cent pas – remue-méninges pour trouver un nouvel angle d'approche.

Un bruit étrange lui parvint à travers les dix centimètres d'épaisseur de la porte. Elle se leva et entra dans le bureau. Sa grande sœur était en larmes. La troisième fois de toute sa vie qu'elle la voyait pleurer ; son handicap l'avait endurcie. Et quand quelqu'un qui n'a pas de bras pleure, c'est encore plus dur que quand c'est nous. Roxana s'essuyait le nez et les yeux avec une serviette en papier qu'elle tenait dans son pied gauche.

— Qu'est-ce qui se passe, Rox ? lui demanda Leila en se précipitant vers elle.

Un nouveau sanglot monta et s'échappa, et Leila la serra contre elle.

— Ça va aller, lui murmura-t-elle en farsi.

Et lorsque Roxana put parler à nouveau, elle chuchota à sa sœur :

— Ce sont eux qui ont fait ça.

— Je sais, Rox, dit Leila.

Roxana renifla.

— Non, ça, dit-elle en touchant Leila avec sa clavicule.

Leila ne comprenait pas. Alors Roxana pivota sur sa chaise et fit un signe de menton vers le plus grand des écrans de son bureau. On y voyait deux fenêtres : un mail interne, et ce qui ressemblait à la photo haute résolution d'un document papier.

Le destinataire et l'expéditeur du mail étaient des suites de vingt-cinq caractères alphanumériques. L'objet indiquait : Deux pour le prix d'un !

Dis donc, tout le foin qu'ont fait les Démolisseurs autour de ce principal de collège en Californie à cause de la petite nana canon de l'ONG valait doublement le coup. Mes informateurs l'ont jouée à l'ancienne, ils sont allés voir dans les archives. Je te mets en PJ un doc sur des essais de médoc, Prodigium. 1970 ! C'était censé fabriquer des génies. Ça a fait des tas de bébés morts à la place. Les rares génies avérés sont maintenant totalement dépendants (Les boules non ? Être un génie-légume). Mais vise un peu : une participante aux tests Prodigium encore en vie bosse à l'institut de LA ! Roxana Majnoun. Nom plein de promesses, mais la meuf a pas de bras (si elle portait un voile, ça ferait un fantôme anorexique, mdr). Elle n'est pas de chez nous. Mais elle bosse sur la saisie visuelle. Ils pensaient la convertir gentiment – la section politique l'a jugée corvéable. Mais elle joue pas le jeu. Elle refuse de passer à l'étape suivante. Donc : que le juridique lâche pas l'affaire avec le principal, parce qu'ils veulent faire pression sur la sœur sans bras aussi. Comme on a le père sous la main, autant se servir de lui.

T'as vu le boulot sur le procureur ? Pas mal, hein ? Première fois que je commande une explosion de cuisinière.

Leila se pencha pour étudier le document en pièce jointe. Merde, c'était du farsi. Sa compréhension de la langue s'était dégradée au fil du temps. Roxana, elle, écrivait de très beaux caractères en nastaliq avec ses pieds, et Leila avait d'autant plus de mal à admettre qu'elle perdait peu à peu leur langue maternelle.

Mais lorsqu'elle se mit à lire le document, elle se rendit compte que sa compréhension était revenue ; elle était en tout cas meilleure qu'elle ne l'avait été depuis des années. Il s'agissait d'un protocole d'accord entre le laboratoire pharmaceutique Baxter-Snider et le ministère iranien de la Santé. De toute évidence, il avait été rédigé en anglais puis traduit en farsi, et avec le mélange de jargon juridique occidental et de grandiloquence orientale, l'ensemble paraissait bancal.

Le ministère avait octroyé la permission à ce labo de mener des recherches de santé publique dans le domaine de –

— Ça veut dire quoi ce mot? demanda Leila en pointant un doigt vers l'écran.

Roxana renifla et pencha la tête.

— Neurosciences, dit-elle.

… des neurosciences, qui ferait jaillir la gloire sur toute la nation, et feraient à nouveau de l'Iran un haut lieu de la médecine et de l'apprentissage. Baxter-Snider avait toute latitude pour procéder à des essais chimiques de molécules prometteuses sur la population. Le ministère assurait Baxter-Snider de sa totale coopération, mais à titre anonyme. Le ministère accordait également au laboratoire un accès illimité à ses recherches épidémiologiques et à ses opérations de sensibilisation, tant actuelles que futures, et cédait temporairement la gestion et le contrôle des programmes médicaux et sociaux du pays concernant la prénatalité et la maternité.

Qu'est-ce que c'est que ce bordel? se dit Leila.

— Rox, qu'est-ce qu'ils veulent dire quand ils écrivent que tu refuses de passer à l'étape suivante?

Roxana s'était rassemblée.

— Tu as entendu parler des lentilles de contact de Sine, qui permettent une interaction informatique?

Leila voyait de quoi il s'agissait, mais l'idée l'avait fait flipper dès le début.

— Bien. Ces mecs travaillent à l'élaboration d'une plateforme similaire, mais avec la possibilité d'implanter en plus un dispositif de collecte de données. Ils savent faire une rétinographie à la surface de l'œil, pas de problème. Mais bon, ça revient ni plus ni moins à admirer le Grand Canyon depuis le point panoramique, tu vois?

Leila voyait très bien. Pas pour la rétinographie, mais elle se rappelait de vacances en voiture en, quoi, 1982? Un des séjours "Honorons l'Amérique" de Cyrus Majnoun.

— Maintenant, ils peuvent carrément fourrer tout le matos nécessaire à la rétinographie au fond de l'œil, grâce à ces lentilles.

— Quel matos?

— Minicaméra, minilumière, mini-émetteur.

— Bon sang, Roxana.

— Mais on peut utiliser cette technologie à des fins très nobles! Pour la recherche. Pour comprendre les mécanismes de transmission de l'information, Leila. C'est un domaine crucial. Même si bien sûr, il faudrait des années d'essais en laboratoire, puis de tests sur les animaux.

Leila secouait la tête, la déception visible dans son regard dur, sa bouche pincée.

— Je sais, dit Roxana. C'était stupide de ma part de les croire. Futile, peut-être. Mais après, ils ont voulu que j'écrive quelque chose qui puisse permettre *d'envoyer* des instructions au fond de l'œil. C'est sur ça que j'ai refusé de travailler. Je leur ai dit non trois fois, mais ils continuent à m'envoyer des données tous les jours.

— Et alors, qu'est-ce que tu comptes faire?

— Pour qui tu me prends, qu'est-ce que je compte faire? Tu crois que je vais me laisser manipuler? Que j'autoriserais une chose pareille?

Leila secoua la tête.

— Mais non. Je veux dire, dans la pratique. Comment on peut les arrêter?

Roxana se radoucit.

— Ben, je vais mettre les mains dans le cambouis.

Était-ce un jeu de mots de la part de Roxana? En rapport avec son handicap? Inédit.

— Ta copine, Sarah Tonine, a du boulot pour moi.

Silence.

— Ils veulent que je fasse un truc pour eux.

Silence.

Roxana, comme sa mère, était fan de ce jeu du goutte-à-goutte.

— Quoi donc, Rox?

— Un horrible bijou à épingler à la poitrine de leur beau réseau.

Depuis qu'elle avait commencé à écrire du code à l'âge de treize ans, Roxana appelait ses programmes des bijoux, ce qui avait eu le don d'agacer la cohorte exclusivement masculine qu'elle avait dû subir dans cette portion de sa trajectoire ascendante. Un horrible bijou, ça voulait dire un virus informatique.

C'était comme le bon vieux temps, l'époque où Leila aidait Roxana à mettre au point les stratégies de défense dont elle avait besoin pour survivre à une adolescence sans bras. Le bon vieux temps, sauf que les enjeux étaient cruciaux.

— Qu'est-ce qui va le rendre si horrible ?

— Un effondrement de cent pour cent du circuit, dit Roxana, comme si c'était la routine. Si tu veux faire un logiciel malveillant, y a qu'à copier ce que font les mecs qui mettent au point des virus biologiques, ils ont quelques années d'avance. Tends-moi cette enveloppe, tu veux ?

Roxana montrait l'enveloppe interne qu'elle avait récupérée à l'accueil.

— Et celle de la poste aussi.

Roxana en sortit une liasse de papiers qu'elle se mit à feuilleter. Il n'y avait pas que du texte. Il y avait aussi des photos, des radios, des courbes gravées sur du papier thermique et des pages et des pages de chiffres.

Mais Sarah avait dit à Leila que Dear Diary ne pouvait rien contre leur réseau, à cause d'une histoire de sécurité intégrée.

— Admettons que tu réussisses à créer ce virus. Comment on est censé infecter leur réseau ?

— J'en sais rien. Apparemment, un type que tu as rencontré dans un bar était leur meilleur espoir sur ce sujet. Sarah a dit qu'ils cherchaient un autre moyen.

Lorsque Roxana arriva au bout de sa liasse de documents, elle se tourna vers l'enveloppe.

— Han, Leila ? Tu connais une Lola Montes ?

Leila lui prit l'enveloppe des mains. Destinataire : Lola Montes, c/o Roxana Majnoun, ILPCLA, Los Angeles, Californie. Une écriture minuscule. Il y avait aussi un code postal avec 4 chiffres supplémentaires de localisation. Leila déchira l'enveloppe et en sortit une unique feuille de papier toute sèche, comme cassante, blanche. Elle la retourna plusieurs fois. Est-ce que c'était de Dear Diary ? Non, elle venait de les avoir au téléphone. Est-ce qu'il y avait un expéditeur ? Elle chercha l'enveloppe, mais Roxana le tenait déjà dans son pied gauche et l'étudiait de près.

— Alors, qui m'a envoyé ça ? demanda-t-elle, impatiente.

Roxana déchiffrait les pattes de mouche, à moins qu'elle ne ménage un effet dont elle raffolait.

— Chez Leo – Ampoules et Jus de citron ?

Leila attendit d'être rentrée dans son réduit sous l'escalier. Elle retira l'abat-jour un peu kitsch de la lampe de chevet Ikea. Elle tint le papier à la lumière, en le passant doucement devant l'ampoule de soixante watts, comme un plombier effleure la tuyauterie en cuivre avec son chalumeau. Elle commença par les coins, et à mesure qu'apparaissaient les mots tapés à la machine, elle put distinguer le haut du bas, la droite de la gauche ; elle chauffa à nouveau la feuille en commençant en haut à gauche. Les mots apparurent, brunissant sur le papier.

Chère Lola, ou quel que soit votre nom, j'ai la mémoire des chiffres. Ou plutôt ce qu'on appelle un moyen mnémotechnique : les chiffres m'évoquent des petites images, et c'est des images que je me souviens. Parfois, ça m'embrouille plus qu'autre chose, mais cette fois, ça pourra peut-être m'aider à vous contacter.

Dans le wagon-restaurant d'un train sous-marin, deux arboriculteurs jouent au pinochle. C'est l'image que j'ai vue quand je vous ai entendue répéter ce numéro quand vous étiez au téléphone avec votre sœur l'autre soir. Désolé d'avoir écouté aux portes. Enfin pas vraiment. Ce numéro de téléphone m'a dirigé vers l'institut Longue Portée du comté de Los Angeles. Est-ce que votre sœur est astronome ?

Je sais que vous cherchiez à garder pour vous les détails de vos problèmes, mais il y a ce truc qui s'appelle Internet, et une recherche "principal de collège" + "FBI" + "Los Angeles" m'a révélé la situation de votre père. J'ai vu ce qu'ils ont fait. Et j'ai vu aussi que votre nom de famille était Majnoun. Le LA Times évoquait votre sœur – j'ai cru comprendre qu'elle était une sorte de génie. Peut-être que votre vrai nom n'a pas d'importance. Lola, ça vous va très bien.

Vous connaissez la blague du mec qui va chez son psy? Il dit, Docteur, parfois je me prends pour un tipi, et d'autres fois je me prends pour un wigwam. Alors le docteur lui dit, En ce cas, une seule prescription : repos et des tentes.

Je sais qu'à la base, la blague repose sur l'homophonie avec détente. Ou alors c'est drôle parce que c'est vraiment nul, le genre de plaisanterie qui vous arrache un ha-ha forcé. Moi, ce que j'aime bien, c'est le pauvre type qui tourne en rond entre deux idées de lui-même. Il exprime de façon parfaitement claire un problème très répandu : votre esprit qui ne cesse d'aller et venir, binairement, entre deux notions opposées et qui sait, pendant ce même temps – parce que sinon quel besoin d'aller voir un psy? – que les deux extrémités de ces éternels allers-retours ne sont probablement pas des points de référence utiles de toute façon. Tipi? Wigwam? Ont-ils jamais été les mots justes pour désigner des styles distincts d'habitat amérindien? Le comble, c'est que le praticien de santé se moque de son patient et de son problème, avec beaucoup de mordant. Moi, je me sens comme le type : je suis un tipi, je suis un wigwam. Je suis un génie, je suis un raté. Je suis connecté, je suis seul. Oui, je l'admets : l'alcool et le cannabis ont accentué ça chez moi. Alors j'ai arrêté l'un et l'autre. Pour mes sœurs. Pour moi-même.

Mais je crains que sous ces mauvaises habitudes demeure le problème du tipi/wigwam. Il a toujours été là et le sera toujours; un peu comme une nappe phréatique. C'est un état avec lequel je devrai composer toute ma vie. Mais je ne suis pas le seul, j'imagine.

Je sais – vous avez craqué à "binairement". Dépêchez-vous, Lola. Combien de temps un toxicomane faible d'esprit restera un cœur à prendre, d'après vous? Parce que ce jour où vous êtes entrée dans ma vie? Ce jour où je vous ai vue? Je jure que mon cœur a ralenti et que j'ai respiré avec plus d'aisance. Moi qui jacasse sans cesse, j'ai arrêté du jour au lendemain. Pas comme par magie, mais par bon sens. Vous êtes aussi incroyable que toutes les bizarreries qui sortent de mon cerveau, et ce n'est pas moi qui vous ai inventée. Vous n'avez pas idée à quel point cette nouvelle me réjouit. D'autres l'ont dit avant moi et sûrement mieux, mais ce jour-là, ce soir-là, vous étiez l'axe sur lequel tournait mon monde, et j'ai su que j'y avais une place. Cette place, elle est auprès de vous.

En Argentine, ils ont une expression : ils disent, mi media naranja *– ma demi-orange.*

Mais bon. Même si vous n'êtes pas intéressée par tout ce qui précède, je tiens à vous dire que j'en veux terriblement aux gens qui ont fait souffrir votre famille. Permettez-moi de vous aider à les en empêcher. Je suis hautement qualifié dans la lutte contre les groupes nuisibles secrets, et j'ai une nouvelle idée. Un nouvel angle d'attaque.

Devinez qui m'a contacté hier ? Mark Deveraux. Il m'a écrit. Je crois qu'il veut s'excuser, quelque chose comme ça. Il vient à Portland ce week-end.

À aucun moment nous n'avons songé à lui demander de l'aide. Pourquoi pas ? Vos alliés doivent penser qu'il ne l'aurait jamais fait de son plein gré. Moi je crois le contraire. C'est peut-être un égoïste et un baratineur, mais pas un génie maléfique. Il m'a tiré de mauvaises passes. À la mort de mes parents, j'errais comme un fantôme, je voyais des flammes partout, et mes sœurs me forçaient à voir un psy spécialiste des psychotraumatismes qui ressemblait à un vautour. Un jour, Mark vient me chercher dans la Saab d'une fille et m'emmène dans le Maine, où les parents de cette fille ont une ancienne ferme sur une île privée. Il m'a installé dans une grange réhabilitée en gîte, et pendant un mois il m'a apporté des magazines, de la beuh et de la soupe. Une autre fois, quand j'ai acheté la librairie et que ça a viré au fiasco, et que j'ai été forcé de vendre, il est venu et m'a aidé à faire tous les cartons. Je lui dois une fière chandelle.

Tout ça pour dire qu'au fond, Mark est un mec bien. Peut-être qu'il s'est embarqué avec ces gens sans vraiment le vouloir, et qu'il faut simplement lui proposer une porte de sortie. J'ai déjà vécu ça moi-même. Comme quand vous êtes venue me chercher.

Mais je veux que vous soyez là quand je le verrai, Lola. J'ai besoin de vous. Vous vous en tirerez bien mieux que moi pour lui expliquer la situation. Venez. Je suis censé le voir vendredi.

À ce que je comprends, la situation est à la fois dangereuse et urgente. Je refuse de vous faire perdre votre temps, et je prends des précautions. J'enverrai ceci à votre sœur, à son lieu de travail. Et vous avez réussi à me lire. Je n'en ai jamais douté. Dites-moi si vous viendrez, et quand. Laissez un message sur mon fixe disant que vous allez chez le dentiste ou n'importe, et laissez un numéro de rappel qui sera en fait la date et l'heure de votre arrivée. Je serai chez moi.

Je suis persuadé que nous avons des choses à vivre ensemble, que d'autres choses doivent se passer entre nous. Pas vous? Est-ce que vous ne retenez pas votre souffle vous aussi? J'ai déjà raté plusieurs trains dans ma vie, et je ne veux pas rater celui-ci. Je me rends compte que dans cette métaphore ou analogie ou peu importe, vous êtes un train. Ce n'est pas tout à fait le sens que je voulais y mettre, parce que je suis aussi un train. Nous sommes tous les deux des trains, et des passagers. On ne devrait pas se rater.

Leo Crane

Il y avait des années de ça, un petit ami qui essayait de se faire pardonner un comportement minable lui avait écrit des centaines de petits mots qu'il avait disséminés dans leur appartement de Washington à son attention. Le mec était alcoolique, poète, et briseur d'assiettes notoire. Ces mots lui avaient octroyé six mois de plus avec Leila. Mais au bout du compte, cette relation lui avait inspiré une certaine méfiance des lettres d'amour.

Cela dit, pour celle-ci, c'était différent. Elle repensa à Leo, son physique, sa voix. Quelque chose se déverrouillait en elle. Elle se rendit compte que c'était injuste d'avoir fait irruption dans sa vie comme ça, exigé quelque chose pour ensuite disparaître. Elle ne lui avait même pas dit son nom.

AÉROPORT DE NEWARK

Mark avait réservé un vol le vendredi matin au départ de Newark. Le taxi le déposa deux heures avant son décollage, lui et son costume bien coupé, son ordi à cent pour cent de batterie, ses idées bien claires. Il appréhendait de voir Leo le soir même et d'aller chez Nike le lendemain.

La file d'attente au portique de sécurité était au point mort. L'homme devant Mark jura dans sa barbe, prit la caisse en plastique où il avait déposé chaussures et ceinture, et alla faire la queue au portique d'à côté. Mark vit où était le problème. L'agent de sécurité de la file de Mark commençait à s'échauffer contre un pauvre type qui n'avait apparemment pas de carte d'embarquement. "Monsieur, sans carte d'embarquement, je ne peux pas vous laisser passer, disait-il, imposant. Je vais devoir vous demander de quitter la fille d'attente. Monsieur, ne me forcez pas à vous le répéter."

Mais c'est dingue, se dit Mark, *ce type n'a pas mis les pieds dans un aéroport depuis dix ans ou quoi?* Mais il commença à y regarder de plus près. L'homme parlait espagnol, un espagnol d'Amérique centrale, assez peu articulé. Il essayait de se faire comprendre. Mark avait un piètre niveau d'espagnol, mais même lui comprenait ce qui se passait. L'épouse et la fille de l'homme étaient à cinq ou six mètres de lui, juste après les portiques. La petite s'agrippait à sa mère tandis qu'un autre agent était en train de scanner son fauteuil roulant avec une sorte de baguette toute fine. Ce n'était pas une chaise roulante de l'aéroport mais un vrai fauteuil médical. La fillette avait des jambes minces comme des allumettes et une colonne vertébrale gravement tordue ; son visage était un masque de douleur et d'inquiétude.

Un muscle se contracta dans les entrailles de Mark et sans réfléchir, il s'adressa à l'agent de sécurité.

— Cet homme veut simplement accompagner sa femme et sa fille jusqu'à leur porte.

L'agent ne releva pas. Mais l'homme d'Amérique centrale le regarda avec reconnaissance. Enhardi, Mark, qui avait encore ses chaussures aux pieds, s'approcha.

— Il veut simplement rester avec sa fille un peu plus long-temps, insista Mark auprès de l'agent. Regardez-la. Où est le problème ? Laissez-le passer.

— Je n'ai pas d'ordre à recevoir de vous, monsieur. Rentrez dans la file.

L'agent devait avoir le même âge que Mark, mais il était un peu bouffi, et avait de petits yeux. Il faisait un boulot de merde, mais ce boulot avait un avantage, celui de pouvoir dire à qui-conque – à tout civil – de rentrer dans la file.

Mark sentit sa patience lui échapper. Une repartie à pro-pos de la Gestapo lui vint. Mais il voulait vraiment arriver à Portland dans la matinée, et même si on pouvait faire une remarque pertinente – même si on le devait –, impossible de gagner contre la Sécurité du territoire au point de contrôle C-3, même en ayant encore ses chaussures. Alors Mark rentra dans la file, sans toutefois baisser les yeux.

Leur petite escarmouche avait attiré deux autres agents, dont l'un rôdait près de Mark tandis que l'autre essayait de faire sor-tir le papa latino-américain de la file d'attente. Derrière Mark, des gens changeaient de queue. Le responsable qui traitait avec le père voulait qu'il retourne au comptoir d'enregistrement chercher une carte d'accompagnateur. Le père disait qu'il avait tenté d'en obtenir une, mais qu'on lui avait dit de voir avec un agent de sécurité. Mais tous ces hommes en gants et à badges ne parlaient pas un mot d'espagnol.

— Bon, il vous dit qu'il a essayé, dit Mark à moitié caché par son agent attitré, un petit mec à l'air effacé qui ne rem-plissait pas son uniforme bleu roi. Ils lui ont dit que ce serait vous, à la sécurité, qui prendriez la décision. C'est bon, il a couru dans tous les sens. Laissez-le accompagner sa famille, bordel.

— Merci de rester en dehors de ça. Choisissez une autre file d'attente, lui dit le responsable, bel homme, noir, moustachu.

Quelques événements s'enchaînèrent alors très vite. Mark balaya l'air d'une main à hauteur de son visage et roula les yeux, la façon de dire *D'accord, n'importe quoi* en langage international – le même geste qu'utilise un gamin de six ans pour agacer un parent déjà furax.

Mais l'agent près de lui prit ça pour une tentative d'agression et lui saisit le poignet pour le tordre le long d'un axe impossible. Mark hurla. Dans son fauteuil, la fillette s'effondra à moitié et son père tenta de la rejoindre. Une poignée d'agents, qui ne faisaient rien d'autre qu'inspecter le contenu de trousses de toilette depuis des années, se jetèrent dans le feu de l'action et plaquèrent le père au sol. Mark, qui maîtrisait deux techniques de défense – le coup de boule et la fuite – eut machinalement recours à la première sur l'agent qui essayait de le faire tomber. La manœuvre libéra son poignet, car de fait l'agent porta une main à son arcade sourcilière brisée. C'est alors que le beau moustachu fondit sur Mark ; en un rien de temps, les bras dans le dos, il entendit le lien de serrage en plastique qu'on zipait autour de ses poignets.

Voilà donc ce qu'on ressent, songea-t-il tandis qu'on le remettait debout sans ménagement. Les autres voyageurs détournèrent le regard. *C'est ça, attendez que votre tour vienne.*

Deux heures plus tard, il était toujours dans un bureau des coulisses de l'aéroport, le lien de serrage remplacé par des menottes en métal qui l'enchaînaient à une chaise par un seul poignet. Son épaule tressautait et son nez avait enflé suite au choc de sa tête contre le sol. À part ça, tout allait bien. Mieux que ça même : il avait résisté à l'État avec raison, s'était fait emmener la tête haute. Il y avait du sang sur sa chemise blanche, mais pas sur son costume gris.

Son gardien était le responsable moustachu qui l'avait plaqué au sol ; il essayait à présent de remplir les formulaires en ligne qu'il fallait apparemment se coltiner quand on avait arrêté quelqu'un à Newark. Mark voyait bien, même du mauvais côté de l'écran, que le type s'en sortait comme un manche.

— C'est pénible, ces trucs à remplir, hein?

— Comment?

— Ces formulaires. On rate une case, et paf, il faut tout recommencer depuis le début.

— Ouais, c'est exactement ça.

— Vous avez pas autorisé le père à accompagner sa fille jusqu'au bout, je me trompe?

— Ne vous occupez pas de ça, monsieur – un coup d'œil à l'écran – Deveraux.

— Non mais... si vous pensez accroître la sécurité des gens avec ce genre d'attitude... vous vous fourrez le doigt dans l'œil.

Il arrêta de taper sur son clavier. Il avait l'air vexé.

— Vous pensez sincèrement qu'on ne mène pas la vie dure aux terroristes?

— Dure? Si, peut-être. Enfin, si tant est que les terroristes en tant que groupe existent vraiment. Mais ces files d'attente que vous surveillez si vaillamment... Vous savez qu'il y a un Cheese Louise et un Sunglass Barn juste après les portiques, non? Si vraiment je voulais introduire une bombe dans l'aéroport de Newark – enfin pardon, dans l'aéroport Liberty – je la ferais pas passer sous votre nez. Je la glisserais dans un carton de café soluble qui serait livré directement à la cafète. Ou encore mieux, je deviendrais agent de sécurité.

— Toutes les livraisons sont passées au peigne fin. Et qu'est-ce qui vous fait croire qu'on vous embaucherait?

Puis l'agent prononça une phrase qu'il avait dû employer des centaines de fois.

— Vous ne voyez que la partie émergée de l'iceberg.

Il retourna à son clavier, mais ils étaient seuls dans le bureau, et Mark commençait à lui taper sur le système. Il laissa les touches et l'écran à nouveau.

— Et vous savez quoi? Même s'il ne s'agit pas d'un même groupe, je vous assure que les terroristes existent. Et quand ils frapperont tout près de vous, vous serez bien content qu'on soit là.

— Ouais, et quand le niveau d'alerte terroriste retombera à son minimum, c'est vous qui serez bien contents qu'on soit là, dit Mark.

L'agent s'apprêtait à répondre, mais il le devança.

— Ouais, ouais, je sais... il ne retombera jamais à son minimum – il haussa les épaules, le calme incarné malgré les menottes –, vous en faites pas, on est tous au courant.

S'il se permettait autant de désinvolture, c'est parce qu'il savait une chose que son gardien ignorait : le coup de fil qu'il avait passé deux heures auparavant allait faire son effet, alors il pouvait continuer sur cette lancée sans craindre de réelle sanction.

Le responsable fulminait.

— Je vais vous dire une chose, face de pet. Vous avez commis une grave erreur en me disant comment vous vous y prendriez pour introduire une bombe ici.

Il sourit et se remit à taper, avec plus de cœur à l'ouvrage.

Hmm, là, il a peut-être pas tort.

— Écoutez, c'était une pure hypothèse. L'histoire de la bombe dans le café soluble, je veux dire.

— Je ne manquerai pas de le signaler.

Merde. Et s'il avait surestimé l'effet de son coup de fil, ou du moins son immédiateté? Et si le shérif moustachu ajoutait son nom à la liste des citoyens interdits de vol?

Tessa s'était contentée de dire, *Je m'en occupe*, et avait raccroché. Combien de temps fallait-il à l'assistante de Parker Pope pour extraire un associé d'une procédure d'arrestation déjà bien avancée dans une agence secondaire?

On frappa à la porte et deux hommes entrèrent sans attendre de réponse. Un vieux beau aux cheveux argent, en civil, un badge plastifié épinglé au revers de sa veste, le même genre de laissez-passer que celui dont Mark s'était servi à bord du *Sine Wave II*. Et un homme plus ordinaire, subalterne, en uniforme d'agent de sécurité, la valise de Mark à la main.

— Effacez-moi cette page, agent Aldridge, dit le renard argenté au shérif.

Le shérif, d'abord perplexe, se raidit en scrutant le badge de son interlocuteur.

— On ne peut pas annuler ces formulaires une fois qu'ils sont ouverts... monsieur.

Le renard argenté sortit un Node de sa poche et, du pouce, actionna plusieurs boutons. L'ordinateur dans lequel le shérif avait si fastidieusement entré ses données s'éteignit en un éclair – un clignotement de l'écran, puis plus rien, à part le léger ronron de la ventilation des disques durs.

— Prenez le reste de votre journée, Aldridge. Disons que vous n'êtes pas venu du tout aujourd'hui, hein, qu'est-ce que vous en dites?

L'agent qui accompagnait le renard libéra Mark, qui se frotta le poignet, comme il avait vu faire à la télé. L'homme de la sécurité lui tendit une chemise blanche, encore sous plastique. Mark la déballa, la déplia, et l'enfila fissa à la place de celle tachée de sang, qu'il envoya dans la corbeille d'un geste théâtral.

Puis il ne put s'empêcher. Tandis qu'il rentrait sa chemise dans son pantalon et boutonnait ses manches, il se tourna vers le shérif.

— Vous ne voyez que la partie émergée de l'iceberg, dit-il.

— Vous, faites pas le malin, dit le renard à Mark. Je ne sais pas de qui vous êtes le petit protégé, mais vous sauver les fesses, c'est pas mon boulot. Vous vous foutez encore dans la merde, je vous laisse pendre au bout d'une corde, peu importe qui m'appelle. C'est bien compris?

Mark acquiesça.

— Bien. Il y a un vol pour Portland dans cinq heures. D'ici là, vous vous carrez dans un fauteuil et vous faites des sudokus, ou ce que vous voulez.

L'agent de sécurité ouvrit la porte du bureau et escorta Mark jusqu'à un endroit qui lui évoqua le dédale secret qu'on trouvait derrière toute aire de restauration dans les centres commerciaux – et il en savait quelque chose, parce que l'année d'avant son entrée à Harvard, quand sa mère avait perdu son boulot et s'était maquée avec ce connard avec lequel ils s'étaient installés dans cette petite ville merdique, Mark avait dû bosser au Grill Ride du centre des Deux-Lacs, pour un manager accro au meth et un salaire de misère (Bonjour, bienvenue au Grill Ride. Comment puis-je vous rafraîchir?). C'était en bossant là-bas qu'il avait décidé de s'extraire de la catégorie la plus pauvre d'Amérique pour ne plus jamais regarder en arrière.

Mark n'avait aucun intérêt pour le sudoku – il était même gêné par les lacunes que ce jeu mettait en évidence chez lui, dans le domaine de l'arithmétique. En revanche, il avait deux coups de fil à passer, alors il se commanda un double whisky.

D'abord, Leo. Il devait le voir le soir même. Mais il atterrirait trop tard. Et il valait mieux qu'il réserve la soirée du lendemain pour faire du relationnel avec les cadres de Nike. Ce qui leur laissait dimanche matin, une sorte de créneau de consolation pour une visite sur un week-end. Décommander un rendez-vous le jour même, c'était le genre de comportement qui lui valait d'avoir si peu d'amis. Il se rendit compte que depuis vingt ans, il ne rappelait pas les gens, ou se disait qu'il avait tout le temps de faire meilleure impression (ou du moins qu'il y avait tout un tas d'inconnus avec qui il pouvait partir du bon pied). Dans le message qu'il laissa sur la messagerie de Leo, il tenta donc de jouer la carte de l'extrême sincérité. *J'ai une excellente excuse*, dit-il. *Je t'assure, Leo. Ne va pas croire que je te laisse tomber. Pas cette fois.*

Il fallait aussi qu'il appelle Tessa pour la remercier. Et la soufflante infligée par le renard argenté le rendait parfaitement conscient de ce qu'il lui devait. Mais lorsqu'on décrocha, il eut Parker Pope au bout du fil.

— Marcus, vieille branche.

— Monsieur Pope. Excusez-moi, j'essayais de joindre Tessa Bright, votre assistante.

— Elle n'est pas preneuse de ce que vous proposez, dit-il avant d'ajouter, avec son accent indien, je pensais que vous l'aviez compris.

Il partit d'un grand rire. Mark grimaça mais rit aussi.

— Oui, c'est juste, dit-il. Je voulais simplement, euh… bref, ce n'est pas grave, je vais lui faire un mail.

— Vous vouliez simplement, euh… la remercier d'avoir évité la prison à vos petites fesses ?

Merde.

— Oui, c'est exactement ce que je voulais lui dire, monsieur.

— Vous pouvez aussi bien me le dire à moi – accent indien – parce que c'est moi qui tire les ficelles.

— Dans ce cas, merci, monsieur Pope, je suis ravi d'être tiré d'affaire. Votre soldat est très… efficace.

— On peut le dire, Marcus, on peut le dire. Écoutez, y a pas de quoi, c'est le genre de service qu'on peut se rendre entre amis.

Mark profita de la courte pause pour descendre une bonne lampée de whisky.

— Mais dites-moi, Marcus, comment se fait-il que vous ne soyez pas en poste auprès de notre bon vieux James ?

Mark avala. Trop d'alcool en une gorgée. Les vapeurs lui montèrent directement au cerveau, ses yeux se mirent à larmoyer.

— Marcus ?

— Vous vous demandez pourquoi je ne suis pas au poste de narrateur en chef chez SineCo, si je ne m'abuse ?

— Bingo.

— James, enfin je veux dire M. Straw et moi désirions seulement déterminer, euh, l'envergure du travail pour ce poste, afin que je développe le plus pleinement possible, euh, mon potentiel…

Mark devait bien pouvoir baratiner Pope, merde. Pourquoi était-il tout flageolant d'un coup ?

— Et bon, pour être bref, nous ne sommes pas sûrs qu'elle soit ce qu'elle devrait être.

— L'envergure du travail n'est pas ce qu'elle devrait être ? Et c'est tout ? enchaîna Pope.

C'est sa bonne humeur excessive qui fait passer ce type pour un psychopathe, se dit Mark.

— Oui, je crois que c'est un bon résumé de la situation.

— Bien, écoute-moi bien, espèce de sac à merde.

La voix de Pope dégoulinait à présent du combiné, comme des milliers de fourmis grouillant par les trous d'une bûche pourrie.

— James Straw veut que tu acceptes ce boulot. Il va te payer une fortune. On dirait que tu penses mériter plus que ce qu'il te propose, et –

379

— Ne vous méprenez pas, monsieur Pope, il ne s'agit pas d'argent mais –

— Oh, il ne s'agit pas d'argent? Vraiment? Jamais, de toute façon, avec les gens de ton espèce, hein?

Mark était perdu. À quelle espèce Pope l'associait-il?

— Quel que soit le problème, reprit Pope, il faut passer outre. Tout de suite. C'est un super-boulot, et tu vas l'accepter.

Mark rassembla ce qui lui restait de courage.

— Pourquoi?

— Quoi? aboya Pope.

— Pourquoi voulez-vous que j'accepte?

— Oh, te prends pas pour un cador, hein. On en trouverait des milliers comme toi. Si on te veut, c'est parce que Straw te veut près de lui. Franchement, à mes yeux, ton bouquin, c'est une bouse de premier ordre. Mais notre homme croit que tu chies de la barbe à papa, et quelles que soient les conneries que tu lui racontes pendant vos petites séances, ça marche. Vingt ans que je ne l'ai pas vu aussi déterminé. Et j'ai besoin de lui comme ça. Alors évidemment, c'est dans mon intérêt de faire en sorte qu'il obtienne ce qu'il veut. Et ce qu'il veut, c'est que tu sois assis à un bureau en verre, à moins de mille mètres de lui. Comme ça, dès qu'il a la tremblote, hop, tu te pointes pour lui faire de l'air avec un chapeau, lui montrer ta bite, lui raconter une charade ou Dieu sait ce que tu fous dans ces moments-là.

— Bien. Je vais vous dire ce que je vais faire, monsieur Pope. Dès que je verrai James –

— Non, Marcus, répliqua Pope d'une voix presque gentille. Moi je vais te dire ce que tu vas faire. Tu vas appeler M. Straw aujourd'hui, demain, ou après-demain graaand maximum, et tu vas lui dire, *Oui, merci, j'accepte avec plaisir d'être le NEC de SineCo selon les généreuses conditions du contrat que vous avez fait rédiger, et je peux commencer dès maintenant.*

Téléphone calé contre son épaule, Mark vida son verre.

— On est bien d'accord? insista Pope.

— On est d'accord, s'entendit dire Mark.

S'il y avait réfléchi une seconde, Mark aurait concédé sans problème que ce n'était pas un hasard s'il avait fini cette journée avec une espèce de tambouille de neurones à la place du cerveau. Entre l'angoisse de revoir Leo, les enjeux de la conférence pour Nike, l'embrouille avec la sécurité de l'aéroport, le compte à rebours de l'ultimatum lancé par SineCo...

Mais avant que ces pensées lui traversent l'esprit, le grand-huit avait démarré. L'unique banane qu'il avait mangée à sept heures du matin se battait courageusement contre un double whisky, deux chardonnay, et un Xanax. Enfin, ce qu'il pensait être un Xanax. En sentant que le sommeil de plomb tant attendu ne venait pas, il s'était rendu compte que, bourré, il avait pioché la mauvaise gélule – un Nuvigil – dans sa trousse de toilette. S'était ensuivie une espèce de logorrhée démente et une frénésie d'alcool (le Nuvigil engagé dans une lutte neurochimique contre le whisky de l'avion) qui n'avait cessé que lorsqu'une hôtesse était venue l'isoler des autres passagers. Lui et le spectre qui avait pris les commandes de son corps avaient débarqué. La moquette turquoise de l'aéroport de Portland avait failli le rendre malade, le restaurant qui se la jouait bord de mer ne servait plus, alors son spectre avait hélé un taxi qui les avait emmenés à l'hôtel, et dans la chambre il y avait un frigo, et dans la trousse de toilette de Mark d'autres gélules, et son spectre et lui étaient ressortis bras dessus bras dessous, Mark aussi circonspect qu'un bodhisattva, mais aussi débraillé, et puant à des kilomètres.

Il se réveilla – si c'est le mot qui convient – dans un couloir sombre de son hôtel. Une petite femme de chambre latino-américaine lui murmurait "Ça va ? Vous avez besoin d'aide ?" En essayant de se lever, il faillit renverser son chariot de ménage. Elle l'aida et le fit entrer dans sa chambre avec le pass qu'il avait à la main. Il la remercia, surpris par le son de sa voix, et posa le front contre le métal frais du chambranle. Il prit plusieurs inspirations. Dans trois minutes, il allait vomir. Pour voir les choses du bon côté, il n'était pas blessé, à part une égratignure due à la moquette. Il tenta de savourer le soulagement provoqué par le fait qu'une fois de plus, son corps avait su rentrer sans encombre et apparemment éviter les pires désastres.

Par contre, il n'avait pas la moindre idée de ce qu'il avait foutu. Le noir total. Un film qu'il n'avait jamais vu. Dans deux minutes, il allait vomir.

Il fouilla dans ses poches : billets froissés, une cigarette mentholée, un mélangeur à cocktail, et... allez, allez... ouiii, son passeport et son Node. Ouf.

Mais il baissa les yeux sur l'écran de son Node.

14 appels manqués. 7 nouveaux messages.

Et l'heure! Le bide noué, il se rendit compte qu'il aurait dû se trouver dans les locaux de Nike depuis sept minutes, où il devait s'adresser à un parterre de responsables des RH, à propos de la Valorisation de la fierté et du potentiel de la multi-plateforme SineLife. Dans une minute, il allait vomir.

La lumière rouge du téléphone posé sur son chevet clignotait. Il appela la réception.

— Monsieur Deveraux, dit gaiement l'accueil, il y a un monsieur de chez Nike pour vous. Il est très impatient de vous voir.

— Bien sûr. Dites-lui que je serai là dans dix minutes.

Puis il vomit.

Vingt minutes plus tard, il s'était concocté l'apparence d'un humain en état de marche. Il prétexterait une intoxication alimentaire, s'excuserait et, sans savoir comment pour l'instant, s'en sortirait – N'abandonnez jamais!

Et au début, il y crut. Il fit abstraction de toutes ses connaissances de niveau supérieur pour se concentrer sur sa respiration et son environnement immédiat. Il put ainsi supporter le trajet très tendu jusqu'à Beaverton avec son chaperon de chez Nike, un certain Dave.

— Vous êtes sûr que ça va? lui demanda Dave.

— Ça va passer.

Il roula vitre grande ouverte, ce qui, tout en réduisant considérablement la conversation, provoqua un tourbillon d'air frais autour de sa gueule de bois.

Mais une fois arrivé, au moment de sortir de la voiture, Mark comprit que son état était désespéré. Dave le précéda à une allure impossible. Ils entrèrent dans un énorme bâtiment, puis dans une pièce où une quinzaine de personnes l'attendaient depuis une heure. Une série de fenêtres donnait sur les champs et ce splendide samedi matin d'été qui touchait à sa fin et dont il les empêchait de profiter.

Mark se lança direct dans sa présentation, qu'il avait bien potassée. Mais il rata tous ses effets, et se mit à transpirer. De toute évidence, ça n'allait pas bien se passer. Au bout d'une demi-heure, il décréta une petite pause. Il se rendit aux toilettes pour y déposer une chose d'une puanteur obscène, puis, debout devant le miroir, épongea son visage moite à l'aide d'un carré de papier recyclé chichement octroyé par le distributeur mural. Des clubs de striptease. Voilà de quoi sa nuit avait été faite. Puis un bar, accompagné d'une danseuse. Puis, peut-être, une autre destination. Il se rappela avoir compté des billets de cent.

— Et donc, ce n'est qu'en étant ouvert aux opportunités que nous saurons saisir celles qui se présentent, dit-il, sans conviction.

Certains n'étaient pas revenus après la pause. Il prit conscience de son odeur, douceâtre, mâtinée de sueur. La lumière du soleil était brutale.

— Mais bien sûr, la chose est difficile. Être ouvert, ça veut dire être prêt, et on ne peut jamais être prêt, parce que ça veut dire qu'on attend quelque chose, et si on attend une chose, on risque d'être déçu si on ne l'obtient pas.

Il voulut prendre une gorgée d'eau, mais sa bouteille était vide, et son aspiration fit craquer le plastique bruyamment.

— Mais... vous pouvez vous préparer à être prêt...

— Quelles conneries, marmonna une dame au premier rang.

Ce qui n'était jamais bon signe. Mais il poursuivit. Il se dirigeait vers une conclusion qui avait déjà fait ses preuves.

— Tant que vous vous lèverez jour après jour en vous disant : Voilà un autre jour où je vais pouvoir... hem... il faut changer de disque. Maintenant, je voudrais que la moitié d'entre vous – disons, ceux qui sont à ma droite, donc à gauche pour vous – écrive cinq peurs sur un papier. L'autre moitié – à votre gauche, donc à ma droite – vous écrivez vos désirs. Compris?

Son cerveau était comme rétréci. Il avait l'impression de tanguer.

— Je peux avoir un stylo? dit un homme au premier rang. C'est un de mes désirs.

Mark lui tendit son stylo.

— Moi aussi il m'en faut un, dit un autre.

— Pareil, le mien a plus d'encre, dit un troisième.

— Bon, je vais en chercher, annonça Mark avant de s'enfuir.

Il se retrouva dans un interminable couloir moquetté qui se dérobait sous lui, comme dans un kaléidoscope. Au loin, aussi petites que des souris, des personnes traversèrent d'une porte à l'autre. Il chancela, et crut un instant qu'il allait décoller du sol et tourbillonner en apesanteur tout le long du chemin, comme le type dans *Titanic* qui rebondit sur l'hélice avant de finir à la baille. Il se fia à son instinct et se concentra sur une porte lointaine et la promesse de l'extérieur verdoyant. Une fois dehors, une brise légère chassa un peu de son odeur. Le sentiment de panique et de vertige s'estompa légèrement.

Il n'avait aucune envie d'avoir à nouveau affaire à Dave. Il fallait qu'il se tire d'ici. Il allait appeler Leo Crane. S'il lui disait, *Je t'en prie viens me chercher, je t'expliquerai pourquoi quand tu seras là*, Leo viendrait non? Un œil fermé, il tripota son Node jusqu'à ce que s'affiche le numéro de Leo.

BEAVERTON, OREGON

Leila et Leo attendaient dans une Toyota Corolla vert foncé de dix ans avec une galerie sur le toit, garée sur l'immense parking du site de Nike. Leo avait l'impression d'être en pleine filature dans une vieille série policière. Il y avait même un sachet de noix sur la petite console entre eux. Leila en mangea quelques-unes, l'air absent. Elle était si concentrée. Quand est-ce que cette fille se détendait ?

— Est-ce que les noix étaient dans la voiture, aussi ? lui demanda-t-il.

Elle lui avait expliqué que la voiture l'attendait au dépose minute de l'aéroport, clés posées sur le pneu arrière droit. Elle appelait ça l'agence de voyages Dear Diary.

— Non, elles sont à moi, dit Leila. C'est des noix de pécan, en fait. Tu ne reconnais pas les différentes sortes de noix ? ajouta-t-elle, presque avec méfiance.

— J'aime pas trop les noix.

— Ah bon ?

Elle eut l'air tellement déçu qu'il rétropédala.

— Enfin, modérément quoi : poudre d'amandes pour le crumble, quelques cacahuètes sur un pad thaï…

Pour preuve de sa bonne volonté, il jeta quelques noix de pécan dans sa bouche, mais ne put cacher son dégoût. Le côté farineux, astringent, granuleux. Elle se moqua de lui.

— Tu n'es pas obligé d'aimer les noix.

Une heure qu'ils attendaient. Ils savaient que Mark se trouvait quelque part à l'intérieur de ce complexe. Leur source interne – Ted, un ami de Leo, qui leur avait permis de franchir

385

la barrière de sécurité en prétendant qu'ils étaient des visiteurs attendus – avait dit que le séminaire de Mark était censé finir à midi. L'idée était de fondre sur lui dès sa sortie. S'ils parvenaient à le faire monter dans la voiture, Leila essaierait de contacter un membre de Dear Diary qui les accueillerait quelque part, exposerait la situation à Mark, et, espérait-elle, lui ferait passer le test oculaire. Leo, de son côté, espérait pouvoir aborder le côté lettre d'amour de sa missive au jus de citron. Sujet évité jusqu'ici.

Mais Leila n'arrêtait pas de se demander comment convaincre Mark de les suivre.

— Tout le monde a une faille. Il y a bien une chose qui lui ouvrira les yeux. C'est quel genre de mec?

— Eh bien, son père s'est tiré quand il avait onze ans, par là. Il adore sa mère. Ils sont très proches. Il est très intelligent. Il adore aussi se défoncer. Enfin, avant, en tout cas. À en croire son livre, il a dépassé tout ça. Mais si c'est vrai, je veux bien manger mon chapeau.

— Ouais, il picolait sec le jour où je l'ai vu à l'aéroport.

Leo n'était pas enchanté que Leila et Mark se soient déjà rencontrés, ni qu'il lui ait fait un de ses tours de magie. Il décida d'enfoncer le clou.

— Tu sais, avec ce tour, tu ne pouvais tomber que sur une carte, Leila. Le valet qui s'est retrouvé sur ta valise était probablement dans sa manche depuis le début.

— Je n'ai pas dit que j'avais cru à de la magie. Mais l'illusion était parfaite, je ne sais pas comment il a réussi.

Du cran. Des couilles. Du culot. Peu importe le mot, Mark en avait à revendre. À l'époque de leurs études, en tout cas. Pour l'aventure, Mark était l'homme de la situation : il trouvait toujours l'escalier de secours qui menait au toit, toquait à la vitrine des pizzerias qui fermaient en demandant innocemment, *Il vous reste des parts? Froid, c'est parfait.* Avec son charme, son bluff, il s'immisçait partout. Leo contempla les pelouses vertes du géant de la basket. Ces gens aussi avaient leurs petites astuces... Payer un Indonésien quatre dollars la journée; payer un rouleau compresseur publicitaire cent millions de dollars par an. Abracadabra, j'augmente ma marge de cinq cents pour cent, ni vu ni connu. Et bien entendu, Mark était chargé d'un "séminaire" pour les cadres dirigeants de la société. Si on était prêt à mentir pour de l'argent, on pouvait sûrement aller très loin.

Le téléphone de Leo sonna. Un indicatif en 917. Rosemary? Heather?

— Allô?

— Leo?

— Mark?

— Oui. Écoute. Je suis désolé d'avoir annulé hier soir. J'étais malade. Mais je suis libre maintenant. Je suis à Beavertown.

Leo couvrit son téléphone d'une main et chuchota "C'est Mark" à l'attention de Leila. Mais, le doigt pointé vers le pare-brise, en direction d'un homme à environ trente mètres d'eux, elle murmura, "Il est là!"

— Mark, ne quitte pas, reprit Leo avant de plaquer le téléphone contre sa poitrine. Leila. Tu es prête?

Elle s'agrippa à son avant-bras, comme une demoiselle de film muet.

— Leo, il faut à tout prix le convaincre. Si Straw le reprend sur son yacht, on peut lui dire adieu. Si on le persuade de nous suivre, on peut riposter. On n'a pas le choix.

— Je sais. Je pense qu'on a toutes nos chances.

— Vraiment? De toute façon, si on lui parle de Dear Diary, il faut qu'il nous suive. On ne peut pas le laisser repartir et tout raconter au Comité.

L'air se comprima, comme si la voiture était dans un étau. Ce qu'on demandait à Leo, c'était de se porter garant du bon fond de son vieux pote. Ils avaient été comme des frères, à une époque. Alors, oui, il aurait pu répondre de lui. Mais… est-ce que les gens changeaient, au fond?

— Parfaitement, dit-il.

Après quoi il lui lança le regard du mec qui se jette à l'eau, ouvrit sa portière et se leva.

— Mark! lança-t-il.

Mark regarda Leo, puis son propre téléphone, plissa les yeux en direction de Leo à nouveau. Il marcha jusqu'à la voiture.

— Dis donc, c'était rapide.

— Je t'expliquerai plus tard. Monte.

Sans vraiment le vouloir, Leo avait employé un ton de gros dur, genre, *On ne discute pas*. Il ouvrit la portière arrière pour Mark. Mais Mark ignora son geste, ou alors ne le comprit pas, et s'engouffra sur le siège avant. Difficile pour Leo de lui mettre les points sur les i à présent. Mark était chiant à toujours faire ce genre de trucs.

— Lola Montes ? dit Mark, comme s'il n'était que moyennement étonné de la voir. Mark Deveraux. Vous m'avez aidé à résoudre le méli-mélo. Et on a joué aux cartes.

Non non non, pas cette fois, mon pote, se dit Leo.

— Mark, vous n'avez pas l'air dans votre assiette, lui dit Leila.

Ha ! s'exclama Leo intérieurement. C'est vrai que Mark avait une sale tronche. Couleur "assortiment de viande froide".

— Mais, vous vous connaissez ? demanda Mark.

Ni Leila ni Leo ne répondirent.

— C'est bon, c'est fini ton séminaire, là ? demanda Leo à la place.

— Oui, j'imagine. Vous m'attendiez, en fait, c'est ça ?

— C'est ça, dit Leila. J'ai besoin de votre aide, et Leo m'a assuré que vous m'aideriez.

— Tu veux te tailler d'ici ? demanda Leo.

— Plus que tout au monde, répondit Mark.

Ils passèrent le sommet de la colline qui constituait la frontière naturelle de la ville du côté ouest et approchèrent de l'entrée du tunnel. Leo imagina à quoi ressemblait cet endroit des années et des années plus tôt, par exemple pour un Indien Clatsop venu de la côte pour faire affaire avec ces nouveaux étrangers. Il n'y aurait pas eu le panneau RETIREZ VOS LUNETTES DE SOLEIL à l'entrée du tunnel. Quel monde, songea Leo, dans lequel une municipalité, ou la voirie, fabriquait des panneaux aussi énormes pour une chose pareille.

Concentre-toi, espèce d'idiot, s'intima-t-il. Pourquoi avait-il des pensées toujours aussi vaseuses ? Elles s'étalaient, pareilles à des racines, dans tous les sens, s'entremêlaient. Est-ce que c'était à cause du cannabis ? Sûrement. Après toutes ces années.

Quoique. Il avait toujours été comme ça. Bien avant de fumer des joints. Il avait toujours cherché à modifier sa perspective. Petit, il tournoyait sur lui-même dans l'entrée de la maison jusqu'à tomber à la renverse, et il adorait quand son père le baladait tête en bas au bout de ses mains puissantes; il se rappelait encore les lustres qui devenaient des champignons sortis de terre. À cet âge, il arrivait également à atteindre une sorte d'état de grâce glycémique en avalant quatre ou six mini-Snickers d'affilée, dont il y avait toujours un sachet sur le réfrigérateur. Donc, en fait, il avait toujours été un peu comme ça. À moins que le jeu du cochon pendu soit une drogue douce qui mène à d'autres, plus dures.

— Quel chemin? demanda Leila à Leo, l'arrachant à ses pensées.

— Prends la file de gauche.

Dès la sortie du tunnel, l'autoroute se séparait en trois, et il y avait intérêt à savoir où on allait. Sans compter qu'il fallait faire gaffe aux hésitants, qui pouvaient vous couper la route sans prévenir. Leo avait déjà vu un accident à cet endroit, un mec qui s'était décidé trop tard, avait mal calculé sa tangente et fini par heurter un de ces cônes orange qui séparaient les files les unes des autres. Cette bifurcation s'appelait le point carnage, rapport à la tôle froissée. Et les cônes remplis d'eau dans lesquels la voiture s'était vautrée s'appelaient des amortisseurs d'impact. Il aurait bien eu besoin d'un amortisseur d'impact quinze ans plus tôt, ce matin où il s'était réveillé dans sa chambre enfumée, s'était levé pour voir d'épaisses volutes grises glisser sous sa porte comme des fantômes, et avait descendu en chancelant les trois volées de marches en marbre du manoir, appelant sa mère et son père pendant qu'autour de lui, la fumée s'accumulait dans les coins et le papier peint cloquait avant de prendre feu. Des langues de lézard ambrées et noires léchaient les murs, comme dans une partie de cochon pendu qui avait très mal tourné.

Ç'aurait été plus facile si le choc avait été amorti sur plusieurs années au lieu de lui être administré sur un intervalle de cinq minutes – les deux minutes qu'il lui avait fallu pour sortir sur le trottoir, et les trois autres pendant lesquelles il avait songé retourner à l'intérieur trouver sa mère et son père, ou les chiens; ces trois minutes qu'il avait passées à attendre, lui l'adulte craignant le feu, jusqu'à ce que les fenêtres du deuxième étage explosent et qu'en surgissent des bouillons de fumée noire.

Il y a un club pour ces gens-là, les gens qui ont attendu sur le trottoir devant une maison en feu en sachant qu'ils ne retourneraient pas à l'intérieur, et que cette paralysie hanterait toute leur vie.

Merde, y aurait besoin d'amortisseurs d'impact pour toutes sortes de traumatismes – quand on se fait larguer, quand on se fait virer. Ou alors on pourrait avoir recours à un dispositif semblable pour allonger les épisodes joyeux de la vie? Pouvait-on étirer les moments dans lesquels on se sentait aimé, en sécurité? La joie et le traumatisme n'étaient-ils pas au fond la même chose, les valeurs positive et négative du même cardinal?

Putain, mais concentre-toi, se dit-il. Tout haut cette fois, mais comme il était à l'arrière, les deux autres n'entendirent pas. Ils bavardaient. Ben voyons! Elle lui parlait du valet de pique, du moment où elle l'avait vu sur sa valise. Mark fumait une cigarette à moitié aplatie, maintenant le bout incandescent dehors par la vitre entrouverte. Leila souriait. Pourquoi souriait-elle à ce mec? La crainte de Leo était que les filles, malgré tout le dogme féministe qu'on leur demandait d'embrasser, aimaient les connards. Ou plus précisément qu'elles réagissaient à leur comportement. Il savait que c'était injuste de foutre toutes les filles dans le même sac, mais il avait déjà été échaudé par une fille qu'il avait aimée, et qui l'avait quitté pour un bas du front doté d'un regard d'acier et d'une grosse bite toujours partante.

— Leo.

Il revint à la réalité. Le regard de Leila cherchait le sien dans le rétroviseur.

— Tu peux me rendre un service? Tu peux envoyer un texto à nos amis de ma part?

Tout le charme qu'elle faisait à Mark n'était peut-être qu'une stratégie pour le divertir. Ça lui allait. Elle lui tendit son téléphone puis récita un numéro. Leo n'avait jamais entendu un numéro de téléphone pareil.

Il lui fallut un moment pour écrire le message ; il ne comprenait pas trop ce que Leila avait annoncé à son contact de Dear Diary. Donc il résuma : Colis récupéré. Quel point de rdv ? Il se trouva très rusé.

— Vous voulez bien me ramener à mon hôtel ? demanda Mark. Il se trouve dans le centre.

Il leur donna le nom. Leila croisa à nouveau le regard de Leo dans le rétro. Leo comprit : était-il prudent de laisser Mark sortir de la voiture ? Devaient-ils lui dire maintenant qu'ils voulaient qu'il trahisse son employeur et rejoigne leur camp ? Et après ça ? L'hôtel de Mark était à cinq minutes. Pour gagner du temps, Leo se mit à donner des instructions à Leila qui rallongeaient leur trajectoire, comme un avion décrit des cercles au-dessus d'un aéroport. Ils traversèrent à nouveau Fremont Bridge et s'engagèrent sur l'I-5 en direction du sud, où elle écornait la rive droite de la Willamette et séparait le fleuve de la ville. Puis traversée du vieux Marquam Bridge tout déglingué, et retour sur la 405. Si Mark remarqua qu'ils avaient traversé le même fleuve deux fois, il n'en dit rien. Mais s'ils le traversaient une troisième fois, il ne manquerait pas de s'en apercevoir. Alors Leo dit à Leila de quitter la 405 pour prendre la 30, qui les plongea dans une zone d'entrepôts délabrés. Tandis qu'ils attendaient à un feu, ils virent passer un chariot élévateur qui transportait une énorme bobine de fil d'acier.

— C'est vraiment le chemin qui mène au centre ? demanda Mark, sur le point de découvrir la supercherie.

— Ouais, je sais, en fait Leila aurait dû tourner à gauche un peu avant, dit Leo. C'est ma faute. Je n'ai pas été très clair. Mais on n'est plus très loin.

— C'est qui, Leila ? s'étonna Mark. Elle s'appelle Lola.

Merde. Il avait oublié de s'en tenir à son nom de code. Leila monta au créneau.

— Non, je m'appelle bien Leila.

— Mais vous m'avez dit Lola.

— C'est vrai. Je voyageais sous un nom d'emprunt.

— Sans déconner ?

Le petit Nokia s'illumina dans la main de Leo. RDV dans le centre. Tt de suite indiquait l'écran.

— Prends à droite, dit Leo à Leila.

Ils étaient sur Front Avenue, sous les ponts. Le téléphone se mit à leur donner des instructions que Leo relayait à Leila. Ils se dirigeaient vers le cœur de la ville.

Ils étaient sur la Seizième en direction du sud lorsque le téléphone leur ordonna : Prenez de l'essence ici. Leila eut tout juste le temps de prendre à gauche pour entrer dans le garage Radio Cab, un bâtiment en briques à étage qui abritait une station-service dont peu de monde savait qu'elle était accessible au public.

— Dix dollars d'ordinaire. En liquide, annonça Leila au pompiste, un hipster avec une moustache matée à la cire.

— On a vraiment besoin d'essence ? demanda Leo à Leila en se penchant vers son siège.

— Qu'est-ce qui se passe ? demanda Mark.

— Pas vraiment, mais regarde là-bas, dit Leila.

Elle pointa un doigt vers la voiture devant eux, à l'autre pompe. Une Toyota Corolla vert foncé, d'une dizaine d'années, avec une galerie sur le toit.

Une voiture jumelle. À travers le pare-brise, Leo distingua trois personnes à l'intérieur. Une femme au volant, un homme sur le siège passager, et un autre à l'arrière, penché vers la conductrice.

— Qu'est-ce qui se passe ? répéta Mark.

Devant eux, clac, la pompe s'arrêta. Le moustachu retira le nez du tuyau, reboucha le réservoir et prit les deux billets que lui tendait la conductrice. La voiture prit la sortie qui débouchait sur Kearney Street.

Attendez 3 minutes. Puis Onzième Couch, ordonna le téléphone.

— C'est quoi la onzième couche ? demanda Leila.

— C'est le carrefour de la Onzième et de Couch Street. Qu'on prononce "couche", je sais pas pourquoi.

Leila sourit. *Quel joli sourire*, songea Leo. Ils sortirent de Radio Cab.

— Vous m'emmenez quelque part ? Je veux dire, ailleurs qu'à mon hôtel ?

Mark était tendu. Leo était finalement content d'être derrière lui.

— Je veux simplement vous présenter quelqu'un, dit Leila.

Leo crut voir Mark jeter un œil en direction de la poignée. Il glissa sur la banquette de façon à pouvoir regarder son ancien ami droit dans les yeux.

— Mark. Tu dois cesser de travailler pour les gens qui t'emploient actuellement, dit-il.

— Comment?

Mark essayait d'avoir l'air agacé, mais une courte inspiration le trahit : il savait de quoi Leo parlait. Il s'empressa d'enchaîner.

— Tu voudrais que je suive tes conseils sur ma carrière?

Le vrai sens de cette phrase se cachait dans la légère emphase qu'il avait mise sur le mot *tes*. Il était en train de traiter Leo de raté, de dire qu'il avait gâché sa vie malgré toute la chance qu'il avait eue.

C'était peut-être vrai. Mais pour l'heure, sa compréhension de la réalité était meilleure que celle de Mark, et ils le savaient tous les deux.

— Allez, Mark. Tu sais très bien que tu n'as pas envie de gravir cette montagne. Tu n'aimerais pas les gens que tu trouverais au sommet.

— Qu'est-ce que tu en sais? demanda Mark.

— Est-ce que tu me demandes de quel droit je te dicte quoi faire, ou est-ce que tu me demandes ce que je sais sur les manigances de tes employeurs?

Leo baissa les yeux sur le téléphone.

— On me dit qu'on est suivis.

— Va te faire foutre, dit Mark.

— Je ne plaisante pas.

Leila accéléra.

— Mais la voiture à la station-essence était censée piéger d'éventuels poursuivants, non? dit Leila.

— Ça n'a peut-être pas marché. Tiens, prends la Neuvième, à gauche.

— À gauche toute, dit-elle.

— Bon, d'accord, je veux bien que tu me dises ce que tu sais sur les manigances de mes employeurs.

— C'est pas le moment, Mark. Regarde derrière nous. Qui nous suit?

Mark le regarda l'air renfrogné, et de se dire, *Mais c'est quoi ce bordel ?* Mais Leo l'ignora.

— Sérieux, Mark. Ça te concerne autant que nous.

Mark scruta la rue derrière eux.

— Tourne à droite sur Couch, dit Leo.

— À droite sur Couuuuche, répéta Leila, que le mot fit sourire à nouveau.

— Alors, des véhicules louches, Mark ? demanda Leo.

— Négatif. Rien de louche. Ou alors toutes les voitures le sont. Il y a une Subaru bordeaux et un Jeep Wagoneer qui nous suivent depuis deux ou trois rues.

Leo tenait le Nokia délicatement, comme une baguette de sourcier. Il pensait qu'on les orientait vers Burnside, d'où ils auraient accès à diverses autoroutes. L'I-5 était à cinq pâtés de maisons. Ou alors ils coupaient à travers Burnside puis bifurquaient vers l'I-84. Le téléphone clignota à nouveau.

— À gauche, à gauche ! dit Leo.

Ils s'engagèrent dans un trafic dense. Des bénévoles de Greenpeace en quête d'adhérents et des chariots à smoothies envahissaient les trottoirs.

— Bien, et à gauche dans ce truc, dit Leo. Mark, tu l'as repéré ?

— La Subaru, c'est une dame avec un akita, dit Mark. Je ne pense pas qu'elle nous suive.

— C'est quoi, cet endroit ? demanda Leila.

— C'est le parking de la librairie Powell's.

Leo n'avait pas utilisé ce parking depuis des années, à cause de la chicane de la rampe et des emplacements trop étroits. Leila ralentit pour parler à l'agent dans sa cabine, mais la barrière se leva avant qu'elle ait le temps de baisser sa vitre.

Leila s'engagea sur la rampe.

— OK, c'est le Wagoneer, dit Mark. Mais la barrière ne s'est pas levée pour lui.

Ils venaient de passer la première chicane lorsque le téléphone leur ordonna de s'arrêter et de mettre le frein à main.

— Arrête-toi là, dit Leo. Mets le frein à main. On descend.

Ils sortirent de la voiture et se dirigèrent vers une porte métallique pratiquée dans le mur en béton du parking. Ils entendirent le Wagoneer commencer à monter la rampe. Mais lorsque après le premier virage son pare-chocs chromé tomba sur l'arrière de la Toyota, il s'arrêta net. Il y eut ensuite un bruit de frein à main. Mais le véhicule était lourd, la pente très raide, comme dans les films catastrophe. Le conducteur parlait dans un téléphone, mais comme s'il s'agissait d'un talkie-walkie. Il desserra le frein à main et se mit à descendre la rampe en marche arrière, par à-coups.

C'est Leila qui avait le Nokia à présent.

— Ils nous disent de passer par cette porte.

Mais la porte en question n'avait ni poignée ni levier, et elle était sur le même plan que le mur. Leo remarqua qu'un livre de poche était coincé dans le coin supérieur du chambranle. Il essaya de glisser ses doigts dans l'embrasure, sans succès. Il aperçut un stylo dans la poche de poitrine de Mark.

— Tu permets ? dit-il en s'en emparant.

Mark eut à peine le temps de protester que Leo se servait déjà de l'onéreux stylo pour faire levier. Leila réussit à glisser deux doigts derrière la porte, puis Leo aussi. Enfin, ils l'ouvrirent. Le bouquin tomba : un vieux *Mad* en version poche, "Espion contre espion".

Ils étaient quelque part dans l'immense librairie.

— On est où ? demanda Leila.

— Dans la Section rouge, dit Leo. Guides de voyage, atlas, autres religions. Les beaux livres érotiques sont par là-bas.

— Tu travailles ici ? s'étonna Leila.

— Non. Mais j'en ai eu l'intention. J'ai fait du repérage pendant des semaines avant l'entretien d'embauche.

— Et ils n'ont pas voulu de toi ? dit Mark, vexé pour Leo. Mais t'en connais pourtant un rayon. T'as tenu une librairie, bordel.

— Que j'ai fait couler à pic, comme tu le sais, dit Leo. Bref, qu'est-ce qu'on fait maintenant ? demanda-t-il à Leila.

Elle regarda le téléphone, mais il resta muet.

— Je ne sais pas. On bouquine ?

— Où sont les magazines ? demanda Mark.

— Suivez-moi, dit Leo.

Ils traversèrent à sa suite l'immense magasin, bondé, et arrivèrent à la section magazines, dotée de rayonnages sans fin.

Lorsque Mark se dirigea vers les revues, Leila s'entretint avec Leo.

— Tu crois qu'il est de notre côté ?

— Il a pas cherché à s'enfuir, dit Leo. C'est peut-être bon signe.

— Tu crois qu'ils comptent organiser une rencontre dans cette librairie ? Dear Diary, je veux dire.

— Je crois que ce sont eux qui nous suivent.

Leila plissa les yeux. Le signe que son cerveau tournait à bloc.

— Le téléphone a simplement dit, *Vous êtes suivis*. Ça ne disait pas par qui.

— Mais pourquoi ? On est dans le même camp.

— Moi, je ne suis pas membre de Dear Diary. Lui non plus. D'après ce que tu m'as dit, c'est même pas une opération approuvée par le QG. Ils craignent peut-être que Mark soit une sorte d'appât. Ou ils te considèrent peut-être comme l'agent solitaire qui quitte la base, et donc comme un danger potentiel. Ils t'ont fait abandonner ta voiture.

— C'est pas faux. J'avais mes affaires dans cette voiture.

Le téléphone s'illumina à nouveau, comme de la kryptonite.

— Ils sont devant, dit Leila. Allons-y.

— Toi, vas-y. Nous, on attend ici.

Il fit signe à Mark de rappliquer.

PORTLAND, OREGON

Mark n'était même pas au plus fort de sa gueule de bois. Il y aurait droit dans l'après-midi. Il allait avoir la gerbe un jour important. Leo Crane et la fille mystérieuse avaient eu vent des projets funestes du Comité et voulaient qu'il arrête de bosser pour Straw? *Mais moi aussi,* pouvait-il facilement répondre à Leo, *sauf que ce n'est pas aussi simple.*

— Où est passée ta partenaire? demanda-t-il à Leo.

Mais ils l'aperçurent alors de l'autre côté de la vitrine, penchée vers le côté conducteur du Wagoneer, dont la vitre était ouverte – le véhicule qu'ils avaient tenté de semer.

— Bon, Leo. C'est quoi, ce bordel?

— C'est ton occasion de te racheter.

— Me racheter?

— C'est le moment que tu attends depuis toujours, Mark.

La question n'était pas de savoir si cette occasion était effectivement le moment qu'il attendait depuis toujours. Ce qui importait en revanche, c'était de ne jamais laisser les gens vous convaincre de faire quoi que ce soit.

— En fait, je cherchais plutôt à savoir ce que vous mijotiez, toi et ta Schéhérazade, dit-il d'un ton égal.

— Mijoter est un peu réducteur, Mark. On donne plutôt dans le grand chambardement. Viens avec nous. Tu comprendras bientôt.

— Assure-moi que je ne cours aucun danger, alors. Le mec de la Jeep a pas l'air de rigoler.

Leo regarda dehors. Leila s'entretenait toujours avec le conducteur. Et en effet, il avait l'air costaud.

— Je crains que ce soit impossible.

— Mince, Leo quoi! Promets-moi quelque chose.

— Ce que je peux te garantir, c'est que si tu ne viens pas avec nous maintenant, tu auras raté ta dernière chance d'être du bon côté de l'histoire. Et tu le regretteras.

De l'histoire, carrément? Mark se demandait simplement comment se tirer d'un mauvais pas.

Leila revint les chercher dans la librairie. Elle semblait en effervescence. Mark hésitait encore.

— Allez, Mark, s'il vous plaît, insista-t-elle. Je vous ai aidé à résoudre le méli-mélo.

Dehors, le Wagoneer tournait au ralenti sur une place livraison.

— Je veux voir le conducteur, dit Mark.

Comme s'il avait entendu, le conducteur baissa sa vitre.

— Comment vous vous appelez?

— Brice Glass.

— Mais bien sûr. Vous êtes tout seul là-dedans?

— Ouaip.

Mark scruta le véhicule. C'était un dinosaure, un Grand Wagoneer du début des années 1980, vert foncé avec du placage imitation bois et une galerie sur le toit. Un gosse de riche s'était pointé à l'école avec le même leur dernière année de lycée. Celui-ci avait des vitres teintées, mais légèrement. À y regarder de plus près, ce n'était pas tant du verre teinté qu'une sorte d'effet flou.

— Et on va où?

— À une réunion, dit le type.

Mark fit mine d'envisager les options qui s'offraient à lui. Il jeta un œil en direction de son hôtel, se frotta le menton, regarda sa montre. Puis il passa devant la grosse voiture et monta du côté passager.

Brice Glass tapota sur un téléphone scratché au tableau de bord puis s'engagea dans la circulation. Il était très concentré sur les rues environnantes et regardait sans cesse dans ses trois rétroviseurs. Un coursier à vélo apparut sur son flanc droit, près de la vitre de Mark. Il roula à la même allure qu'eux sur un pâté de maisons, puis céda du terrain. Mais il surgit alors de l'autre côté, tandis qu'un autre cycliste prenait position près de Mark. Il se retourna. Oui, c'était bien ça, ils étaient encadrés par une flotte de coursiers.

— C'est quoi tous ces vélos ? demanda-t-il à Glass.

— Vous en faites pas. Ils sont avec moi.

Ils tournèrent trois fois à droite et descendirent en direction du fleuve et de Burnside Bridge. Les vélos les escortaient toujours malgré la circulation qui se densifiait. À l'approche du pont, les coursiers ralentirent, créant une sorte de bouchon sur toutes les files. Brice prit un virage serré à droite, accéléra, puis encore un, et un dernier. Il coupa le moteur une fois sur une aire de stationnement envahie de broussailles, sous le pont qu'ils venaient de traverser, tout près d'une construction autour de laquelle étaient rassemblés des ados, dans une ambiance à la *Mad Max*. La brise apporta de la poussière de gravier dans la voiture. Où est-ce qu'ils étaient ?

— C'est un skate park. Le skate park de Burnside, dit Leo, qui avait dû sentir la curiosité de Mark.

Brice remonta la vitre de Mark depuis son accoudoir, ce qui fit monter le coude de Mark en même temps.

— Hé, doucement.

— Bon, leur dit Brice. J'ai vraiment besoin que vous m'écoutiez.

Mais Mark avait du mal à être attentif : un trio de skaters descendus de leur paysage lunaire en béton s'avançaient vers la voiture, l'air déterminé. Ils traînaient une machine derrière eux.

— Je ne sais pas ce que vous avez de si important pour qu'on nous fasse descendre en ville à votre rencontre, mais on a fait appel à beaucoup de services pour vous, et rapidement. Alors faites-moi le plaisir de coopérer – et d'y aller mollo sur les bavardages – pendant que je vous emmène à cette réunion.

Le plaisir de coopérer ? se dit Mark.

— Euh, monsieur Glass, dit-il. On dirait que les skaters veulent nous parler.

Vêtus de plusieurs couches de tee-shirts effilochés, les trois mecs faisaient comme un escadron menaçant autour de la voiture. Brice baissa sa vitre et s'adressa au skater en chef.

— Fais-nous un petit relooking. Retire la galerie et change les plaques.

— C'est comme si c'était fait.

Brice remonta sa vitre et les trois skaters se mirent au travail. Ils retirèrent le placage imitation bois. La machine qu'ils traînaient derrière eux était en fait un karcher. L'un d'eux l'alluma et passa le jet puissant sur la carrosserie. L'eau grognait contre le métal, rugissait contre les vitres. L'eau verte drainée du toit et du capot s'écoulait par une grille de caniveau non loin. Leur voiture était en train de muer, de changer de couleur. Sous la couche verte, elle était gris acier.

— Je dois prendre des précautions avec vous, disait Brice.

Juché sur le toit, un skater jouait de la visseuse.

— Je refuse qu'on me bande les yeux, dit Leila.

— Ce n'est pas nécessaire, vous faites partie de Dear Diary. Mais les deux, là, non.

— Dites, cette réunion. On pourrait pas la faire dans un Starbucks, plutôt? dit Mark.

Brice l'ignora.

— C'est soit les yeux bandés, dit-il en désignant des masques pour les yeux pendus au rétroviseur, soit une petite pilule, et il agita un pilulier émaillé qu'il avait sorti d'une niche du tableau de bord.

— Je suis en période de sevrage, dit Leo.

Brice lui tendit un masque de nuit.

— C'est quoi, vos pilules? s'enquit Mark.

— Une sorte de benzodiazépine, répondit Brice, comme s'il disait, *C'est goût citron-graine de pavot.*

— Je prends, dit Mark. Et puis merde tiens, je prends la pilule et le masque.

Il aimait bien les benzos. Il mit le médoc dans sa bouche et renversa la tête en arrière, ce geste de gobeur de gélules professionnel.

— Leila, ou Lola, dit-il. Vous et Monsieur Désintox, vous êtes responsables de moi.

Il abaissa le dossier de son siège.

— Tu es sûre de vouloir faire ça? demanda Leo à Leila.

— Sûre et certaine.

— Comme tu voudras, dit-il, et il glissa le masque sur ses yeux.

Les skateurs avaient terminé et traînaient le karcher vers le skate park. Brice tendit à leur chef une liasse de billets et une clé USB. Trois des coursiers à vélo arrivèrent; l'un d'eux avait le sac de Leila et le mit dans le coffre du Wagoneer.

Tout ruisselant, à présent gris acier, sans galerie et avec de nouvelles plaques, le véhicule émergea de la grotte que constituait le pont.

Mark mit son petit masque de nuit, c'était le genre qu'on vous donnait en classe affaires.

— C'est vraiment une très booo... commença-t-il, mais ne put aller au bout de sa phrase.

À travers son bandeau, Leo récoltait de maigres renseignements – il percevait les formes imposantes, les zones sombres
ou éclairées. Il allait essayer de repérer dans quelle direction
ils allaient. Il se remémora une série télé de son enfance ; dans
un épisode, le gang des détectives se retrouvait pris au piège à
l'arrière d'un fourgon sans vitre, mais ils se localisaient… en
écoutant les bruits ? ou en chronométrant le trajet ? peut-être
bien en mettant au point un périscope.

Bon, mais on se fiche des ressorts de l'intrigue d'une série
pour gamins diffusée il y a une éternité, bon sang.

Brice Glass devait avoir confiance dans la nouvelle apparence de leur véhicule : il conduisait à une vitesse normale,
et ne passait pas son temps à changer de file. Ils roulaient
sur le Martin Luther King Boulevard, en direction du nord.
Quand ils tournèrent à droite, vraisemblablement sur
Columbia, Leo se dit qu'ils se dirigeaient vers l'aéroport,
mais selon un itinéraire moins fréquenté. Brice devait
connaître Portland, parce que sinon il aurait pris la 84 jusqu'à
la 205, qui aurait pu être embouteillée. Ils roulaient vers
l'est à présent. Ils passèrent devant la Humane Society et les
boîtes de location de grosses machines. Puis ils tournèrent
à gauche, ce qui les amenait sur ce terrain de golf riquiqui ;
le couinement d'une voiturette confirma ses impressions. Ils
allaient prendre à gauche à présent. Bingo. Normalement,
il allait sentir les bosses du rail du tram. Bien vu. Et un large
virage à gauche en direction du terminal de l'aéroport ? Eh
oui.

Mais ils bifurquèrent sur la droite, bien avant le hall des départs. Ils déviaient de leur chemin. Leo commença à s'inquiéter. Et si ce type n'était pas qui il prétendait être ? Ou devait-on dire *celui qu'il* ?

— C'est quoi votre nom, déjà ? demanda Leo.

— Brice Glass.

— Et vous faites partie de Dear Diary ?

— C'est ça.

Tu es sûre ? articula Leo en silence à l'attention de Leila, ou du moins à sa silhouette et l'odeur qu'il percevait d'elle.

— Bon, Brice, je retire le masque de Leo, dit-elle en posant ses mains derrière sa tête, le touchant pour la deuxième fois.

— Lola, ne fais pas ça, l'avertit sèchement Brice.

La voiture fit un écart lorsqu'il se retourna. Mais trop tard. Elle avait retiré le masque. Il voyait. Ils étaient pour ainsi dire dans les coulisses de l'aéroport, approchaient d'un immense hangar.

— Il n'y a aucun souci à se faire au sujet de Leo, dit Leila, inflexible. Et puis, il est avec moi.

Au début, Leo crut que Brice allait piquer une crise, il voyait qu'il était énervé rien qu'à ses épaules. Mais Brice les regarda dans le rétro, souffla longuement comme pour faire une concession, et dit :

— Très bien. C'était loin d'être une extraction dans les règles de l'art, de toute façon. Leo, tu peux t'occuper de ton copain ?

Leila arriva avec un chariot à bagages tandis que Leo soulevait Mark de son siège. Ils l'installèrent dessus, maladroitement. Il gémit, remua un peu, mais ne se réveilla pas. Ils le roulèrent jusque dans le hangar, près d'un petit avion que Brice semblait préparer en vue d'un vol. Plus loin, un mécanicien en combinaison bricolait sous le train d'atterrissage d'un avion d'affaires rutilant. À part cet homme, il n'y avait qu'eux. À quelques dizaines de mètres, dans le terminal passagers, les grand-mères devaient ôter leur ceinture pour les officiers de sécurité, mais ici, elle pouvait transporter un homme inanimé dans un chariot, d'une Jeep à un petit avion, pas de problème.

Leo attacha Mark en travers des deux sièges arrière de l'avion puis s'assit à côté de Leila sur un siège un peu raide et étroit en similicuir, face au corps avachi de celui qu'ils avaient kidnappé.

— L'un d'entre vous sait prendre un pouls ? leur demanda Brice depuis le siège avant, une fois qu'ils furent tous installés et que les portes furent fermées.

Leo acquiesça et glissa de son siège pour s'agenouiller devant Mark. Il posa deux doigts contre son cou, regarda sa montre, puis baissa les yeux pour se concentrer et compter les battements de cœur de Mark. Leo émouvait Leila. Quand elle l'avait vu pour la première fois, elle l'avait trouvé éparpillé, paumé, mais à présent, ce courage… Pourquoi était-il là ? Par amour ? Si oui, pouvait-elle lui rendre la pareille ? Le voulait-elle ? Certes, il provoquait chez elle un élan. Cette lettre. Est-ce que c'était à cause du fait qu'il était orphelin ? Pourquoi ce détail était-il attirant ?

— Soixante-quinze, force normale, annonça Leo. Respiration régulière et dégagée.

Le mécano en combinaison quitta son jet et se dirigea vers leur appareil. À l'aide d'un petit tracteur de piste relié à leur roue avant, il les remorqua à l'extérieur. Brice montra à Leila et Leo comment se servir du casque à écouteurs. Leila en mit un sur la tête de Mark, et positionna la molette sur Muet. Dehors, dans la lumière éblouissante du mois d'août, leur avion semblait encore plus petit que dans le hangar. Le mécano retira sa combi. Il était typé amérindien, massif, arborait une queue de cheval, une casquette délavée et un tee-shirt où l'on pouvait lire *Une loi pour le contrôle des armes à feu? Mettre les deux mains sur la crosse.* Il monta à bord par le flanc gauche, prit place à côté de Brice et enfila des lunettes d'aviateur un peu voyantes.

— Lola, Leo, je vous présente Mild Max. Il sera notre pilote aujourd'hui. Quant à moi, je serai le copilote, officier en second, chef de cabine et responsable du personnel navigant. Tenez, voici des noix.

Il tendit à Leila et Leo des sachets en alu de noix assorties. Sur le tarmac, l'appareil faisait petite chose. Mais au bout de la piste, Mild Max effectua un demi-tour serré, et après un bref silence, une respiration, les moteurs se mirent à vrombir. Leila, sur son siège qui faisait face à l'arrière de l'avion, sentit son corps se presser contre sa ceinture quatre points. Le *brrr* se mua en *bzzz*, puis les roues quittèrent le sol, et ils n'eurent plus moyen de faire machine arrière.

Ils montaient selon un angle abrupt. Le bourdonnement qui faisait vibrer la carlingue se ressentait jusque dans sa poitrine. Elle ne tarda pas à apercevoir la Columbia River qui serpentait en dessous d'eux. Elle se pencha vers Leo pour regarder par son hublot. Il sentait un peu le pain grillé. Ça et les sous-bois, une bonne odeur de champignons frais.

SUD DE L'OREGON

Lorsque Mark s'éveilla – si tant est que ce fût le mot juste – il se crut mort et en route pour le paradis. Un silence presque total, rien qu'un agréable bruit de fond. Et qu'est-ce que c'était que ça ? Des nuages ? Alors il y avait bien des nuages au paradis ?

Mais, non, il n'était pas mort. Il était dans un avion, un tout petit biplan. Leo Crane était là. Et cette fille rencontrée à Heathrow – Lola, Leila, ou n'importe. Ce qui s'était passé lui revint. Ils étaient venus le cueillir sur le site de Nike... non, ils l'attendaient déjà sur le parking. Puis ils avaient été poursuivis, et sauvés, par le même véhicule. Le skate park, le karcher, et la pilule.

Il avait la tête dans un étau. Comme quand il s'était réveillé dans le couloir mal éclairé de son hôtel le matin même. Le type qui lui avait donné le somnifère dosé pour un cheval était dans le cockpit, à côté du pilote. Le pilote ressemblait à un gros George Clooney amérindien.

La petite cabine était saturée de lumière. Il croisa le regard de Leo, qui hocha la tête, pouce à peine levé. Un geste censé le rassurer ? Ou bien c'était parce que la fille qui regardait les nuages par son hublot était, sans être vraiment blottie contre Leo, dans une position *a priori* prometteuse ? Mark pressa son visage brûlant contre le plastique froid de son hublot. En contrebas, il aperçut, par intermittence, le long des plis rocheux et verdoyants d'une terre encore sauvage, l'ombre de leur appareil. Il ferma les yeux.

Soudain, l'avion décrocha, et la lèvre de Mark glissa comme un racle-vitres le long du hublot, contre lequel elle avait adhéré. Puis ils remontèrent dans le ciel à un angle très raide et se stabilisèrent, avant de subir une autre descente violente, qui provoqua dans la cabine un bref moment d'apesanteur. Mark sentit son étui à cigarettes flotter dans la poche de sa veste en velours. L'avion vira alors brusquement, et Mark aperçut une crête montagneuse arborée sous l'avion. Le virage se termina, mais pas la descente : ils se dirigeaient vers une masse gris et vert qui se rapprochait dangereusement. Mark se redressa et regarda au-dehors par ce qu'on pouvait sûrement appeler le pare-brise, même pour un avion. Ils allaient heurter le flanc de cette montagne. Mais alors une piste d'atterrissage apparut. Une longue bande toute droite, rouge argile, se dessinait entre le vert des broussailles, et l'avion fonçait droit vers elle.

L'appareil rebondit – une fois, deux fois – avant de rester en contact avec le sol. La dérive tangua légèrement, les moteurs vrombirent, puis l'avion ralentit et s'arrêta sous une sorte d'abri. La lumière du soleil qui leur parvenait était fragmentée, comme si les rayons tombaient en flocons. Étaient-ils à l'intérieur ou à l'extérieur ? Le pilote coupa les moteurs.

Ce n'est qu'une fois redressé que Mark comprit : ils étaient sous un filet de camouflage tendu au-dessus du bout de la piste entre de hautes branches. Il s'imagina sous la toiture en feuilles de palmier d'un gigantesque bar de plage.

Le pilote – Mild Max, comme l'appelaient les autres – s'éloigna pour revenir avec un poney. Un poney avec des oreilles qui tiquaient et des paniers. *Quel beau petit animal,* se dit Mark en voulant le prendre en photo. Il tâtonna ses poches – portefeuille, étui à clopes, lunettes de soleil, mais pas de Node.

— Hé, Leo, est-ce que ce type a pris mon Node ?

— Ton téléphone ? Ouais.

— Tu crois que je peux le récupérer ?

— Je pense pas. Mais regarde-moi ça. Un poney nous attendait. T'es pas content d'avoir fait le voyage ?

Brice Glass se mit à décharger une palette sanglée à l'arrière de l'appareil qui contenait des ordinateurs portables. Il les déposa dans les paniers. Un ensemble hétéroclite : il y en avait des neufs, aux couleurs acidulées et ultraminces, mais la plupart étaient de vieux MacBook et des PC noirs éraflés, affublés d'autocollants pour certains.

Mark venait de s'allumer une clope aplatie lorsque Brice s'adressa à eux.

— Bon. Écoutez. On a de la route à faire, mais dans l'ensemble, ça descend, alors ça ne devrait pas poser de problème. Si vous avez besoin de faire une pause, ou si vous voulez qu'on ralentisse, vous le dites.

Sur quoi il se mit en route, tenant le poney par sa bride.

Ils progressaient en file indienne, sans parler. On n'entendait que le frottement des pantalons, la mesure à deux temps des sabots du poney, les ailes des oiseaux autour. Ils marchaient sur une crête, tantôt à découvert, tantôt sous les feuillages. Un rapace qui décrivait de larges cercles dans le ciel émit un croassement aigu dont l'écho retentit à deux reprises. Ils entendirent leur avion décoller, et Mark le vit s'élever avec grâce et s'éloigner jusqu'à devenir un grain de poussière.

Au bout d'une vingtaine de minutes, ils traversèrent une vaste prairie marécageuse puis pénétrèrent dans la forêt. Puis la forêt s'épaissit, et le chemin s'effila. Parfois il semblait disparaître, et ils suivaient simplement le sillage végétal de Glass et du poney. La bête dut dévier du sentier deux fois, à cause de troncs que les autres enjambèrent. Mark attendit que Glass ait pris un peu d'avance pour parler à Leila.

— Vous comptez m'informer sur qui je vais rencontrer ?
— Sur la personne que je vais rencontrer, dit Leo.
— Oh ta gueule, dit Mark.
— Je ne sais pas qui c'est, dit Leila.
— Sérieusement ?
— Sérieusement. Mais ça doit être quelqu'un d'important.

Mark, lui, n'en était pas si sûr. Pour autant qu'il puisse en juger, tout ça pouvait finir par la moisson de ses propres organes, en vue de leur revente. Non, Leo ne lui ferait pas une chose pareille. Il n'y avait pas une once de méchanceté chez ce garçon. L'histoire de Mark sur Cecil, le sage envoûtant sans abri, était en fait inspirée de la véritable amitié entre Leo et un vétéran de la guerre du Viêtnam à moitié sans-abri et à moitié fou, bouquiniste à Cambridge. Pendant une semaine au cœur d'un hiver cinglant qui avait frappé la Nouvelle-Angleterre, Leo avait hébergé cet homme chez lui.

Ils débouchèrent sur une zone de forêt brûlée où de jeunes conifères poussaient près des restes calcinés de leurs ancêtres, le tout dans un foisonnement de fougères parsemées de minuscules fleurs sauvages de couleurs vives. La fraîcheur s'amassait en poches dans les replis de la montagne. Mousse et lichen se cramponnaient aux aspérités de la roche et au bout des branches mortes.

Mark s'amusait. Il aimait s'éloigner du spectacle désolant de sa propre vie, qui se jouait désormais quelque part en dessous de lui, très loin d'ici. Ils se dirigeaient peut-être vers le paradis, ou le Shangri-la, bref, un endroit où lui seraient pardonnées toutes ses erreurs de jugement sur le fonctionnement de la vie, où il échapperait au piège dans lequel son orgueil et son avidité l'avaient précipité.

Son mal de crâne s'était plus ou moins dissipé. À cette altitude, l'air était exquis. Mais il avait un problème de chaussures. Il en avait trempé une en posant le pied dans un mince ruisseau et depuis, un pas sur deux, il faisait un bruit de ventouse. Il s'agissait de derbies en cuir anglais à grosse boucle, pas tout à fait le modèle indiqué pour une randonnée en montagne.

Ils arrivèrent dans ce qu'il aurait *a priori* appelé un vallon. Ils traversèrent un bois de séquoias, entre lesquels fleurissaient des rhododendrons, tels de tout petits arbres tordus qui tendaient des tasses couleur lavande aux flancs d'écorce de leurs parrains géants. Mark, en amoureux de la nature, se régalait de toute cette beauté.

Glass décréta une pause et leur proposa de l'eau dans une gourde métallique. Il devait y avoir un cours d'eau au débit rapide non loin, Mark l'entendait à travers la forêt.

— On ne doit plus être loin, maintenant ? lança-t-il à Glass, même s'ils pouvaient encore être à des kilomètres, des heures, voire des jours, de leur destination.

— On traverse le ruisseau, on marche un peu, et on y est, répondit Glass en pointant un doigt vers la forêt.

Mais Mark ne voyait que des arbres, et un peu de relief, que ce soit au premier plan, ou en arrière-plan. Comment ça, "un peu"? Dix pâtés de maisons? Cinquante?

— On y est... où ça, exactement?

— À la ferme.

Ils atteignirent le ruisseau après une série de lacets. À chaque virage, le poney ralentissait.

Han, je dirais plutôt que c'est une rivière, se dit Mark, qui avait une notion très côte Est du ruisseau. Il y avait du courant, et il se dégageait une fraîcheur très nette de ce large cours d'eau, comme quand on soulève le couvercle d'une glacière. Le poney semblait redouter la traversée à gué. Glass déclara que la bête avait besoin d'eau et de repos et leur dit de prendre quelques minutes. Mark descendit le long de la rivière, sur un demi-pâté de maisons. Il pendit sa veste en velours à une branche et s'assit sur un rocher à peu près plat, avant de défaire la boucle de ses chaussures débiles, qui étaient foutues. Il avait l'impression d'avoir des burritos à la place des pieds. Il les trempa dans l'eau. Le froid lui fit voir le monde avec plus d'acuité : les arbres sur les berges, les aiguilles sur les branches. Il se rappela ce que son père disait en rentrant du travail : *J'ai les pieds en compote*, lançait-il avant de s'asseoir et de les poser sur la table basse, verre à la main. Mais Mark n'avait aucune idée de ce que son père avait effectué comme travail, surtout qu'il lui arrivait parfois de revenir du boulot en début d'après-midi.

Lola, ou Leila, approcha. Elle avait l'air beaucoup moins affectée par cette longue marche que lui. En équilibre sur deux pierres instables au bord de l'eau, elle se pencha pour s'asperger le visage.

— Bon, c'est Lola ou Leila? lui demanda-t-il en allumant sa dernière cigarette.

— Vous pouvez m'appeler Leila.

— Et vous êtes prêts à me dire ce que vous attendez de moi, tous?

— Je ne sais pas précisément de quoi il s'agit. Mais je pense que vous seul êtes à même de le faire à cause de votre proximité avec Straw.

— Et qu'est-ce qui vous fait croire que je vais accepter?

— Leo a dit que vous aviez un bon fond.

Ils traversèrent le ruisseau et gravirent la berge opposée. Une fois au sommet, ils contemplèrent au-dessous d'eux ce que Mark prit au début pour un lac verdâtre, mais qui était en fait une petite forêt à l'uniformité très étrange, siégeant dans une déclivité parfaitement circulaire.

— Qu'est-ce que c'est? demanda Leo.

— Une caldeira, répondit Glass.

Leo demeura interdit, ce qui évita à Mark de passer pour l'ignare de service.

— Un affaissement de terrain dû à une activité volcanique, expliqua Glass.

— Un cratère? dit Leo.

— La géologie diffère, mais en gros, oui, répondit Glass.

Il fit descendre au poney les larges marches creusées dans la paroi rocheuse, puis le guida le long d'un chemin qui coupait droit entre les... arbres? plantes? Ça poussait en rangs bien alignés, comme du maïs, et comme le maïs, les tiges étaient fibreuses et solides. Mais c'était bien plus haut que des plants de maïs, et souple comme du bambou. Mark leva les yeux. À environ quatre mètres au-dessus de lui, les plantes se rejoignaient pour former une voûte en surplomb du chemin, une allée dans la jungle. Les plants avaient des feuilles de palmier à partir de la moitié de leur tige, qui se terminaient par une sorte de duvet vert foncé. Mark avait toujours été un simple consommateur, il n'avait jamais vu de plantation de cannabis de sa vie. S'il s'agissait bien de cela. À en juger par les pochettes d'album de reggae et les trucs dans ce genre, ces plants ne ressemblaient pas trop à de la marijuana. Mais qu'est-ce qu'on pouvait faire pousser d'autre sur une surface pareille à l'abri des regards?

L'allée débouchait sur une prairie. À une centaine de mètres d'eux se dressait une ferme à bardeaux entourée de quelques arbres, ainsi qu'une grange blanchie qui avait l'air branlante.

Tandis qu'ils marchaient vers la maison, il entendit le ressort d'une porte moustiquaire et vit une femme sortir sur la galerie.

— Chéri. Te revoilà ! lança-t-elle.

Il y avait de l'amour et du soulagement dans sa voix, et elle poussa même un petit cri de joie qui résonna bien au-delà de la prairie.

Leo était assis dans la cuisine avec la femme qui avait hélé Brice Glass à leur arrivée. Elle disait s'appeler Constance Herrigger. Leo écossait des pois pour l'aider. Il trouvait le chalet super, avec son côté artisanal, maison de hobbit. Il y avait une cuisine, une pièce commune, une chambre, et un dortoir.

Elle lava des pommes de terre dans une bassine d'eau puis se mit à les couper en rondelles. Son couteau avait l'air bien aiguisé.

— C'est quoi, ces plantes, dehors? demanda Leo.

Il travaillait près de la fenêtre.

— Est-ce qu'il y en a dans tout le cratère?

— C'est une caldeira, pas un cratère. Mais oui, il y en a sur les deux cent trente hectares. On vient de faire la récolte.

Elle cherchait un ustensile parmi la batterie de casseroles et de poêles pendues au-dessus de l'évier.

— C'est un de nos sites les plus productifs. Sûrement grâce à l'altitude, et au sol, riche en silice. Et puis, surtout, on est loin de tout. Personne ne produit autant que nous.

Il s'apprêtait à demander *Produit quoi?* lorsqu'elle lui dit :

— Combien tu en as?

Elle parlait des pois. Il pencha son saladier pour lui en montrer le contenu.

— Fais-en deux fois comme ça. On est six à table, ce soir.

Leo, à l'aise de ses mains et trouvant du réconfort dans le travail manuel, poursuivit. Le soleil s'élevait à vingt degrés au-dessus des parois qui les entouraient, et ses rayons pénétraient par les fenêtres de la cuisine ouvertes sur l'ouest ; le soir tomba doucement sur le vaste champ de plantes mystère.

Constance était passée aux champignons. Après quelques coups de lame contre le bois, un champignon retomba en tranches fines sur la planche à découper.

— Est-ce que c'est de la beuh ? demanda Leo.

Il n'avait jamais vu de plants de cannabis en vrai et n'en connaissait que ce qu'il avait vu sur des pochettes d'albums de reggae et trucs de ce genre. Elle cessa d'émincer ses champignons.

— Leo, regarde-moi.

Trois secondes s'écoulèrent. Constance avait l'air inquiète.

— Je n'ai pas fait assez de petits pois ? demanda-t-il.

— Tu veux bien me suivre s'il te plaît ?

Ils passèrent les portes battantes qui menaient à la salle commune. Leila, Mark, Brice et un autre type qui était déjà là à leur arrivée étaient assis autour d'une table en bois – il avait dit s'appeler Roman Igance ; Leila l'avait apparemment rencontré à Dublin. Mark semblait seul contre eux tous.

— Écoutez, je veux bien vous aider, disait-il, mais je refuse de passer ce test bizarre.

— Roman ? les interrompit Constance. Je pensais qu'on avait un seul test à effectuer ?

— C'est juste, dit Roman Igance.

— Mais, et lui alors ? Je pensais qu'il était – un silence – mais en y regardant de plus près, je crois que non. Je crois qu'il s'appelle vraiment Leo Crane.

Leo la trouvait impolie de parler comme ça de lui alors qu'il était juste à côté.

— Montes, dit sèchement Constance. Tu te portes garante de ces deux hommes ?

— Je me porte garante pour Leo, et Leo pour Mark.

— Moi aussi, je me posais la question, dit Brice. Le protocole d'extraction m'indiquait qu'il était non converti, mais sur le trajet, il m'a semblé connecté. J'ai cru qu'ils s'en étaient occupés à Portland.

Puis Roman s'adressa directement à Leo :

— Tu n'es pas membre de Dear Diary ?

— Qu'est-ce qu'il faudrait pour que je le sois ?

— Que tu passes un test oculaire, apparemment, dit Mark avec sarcasme.

Dans ses chaussures fichues, au cuir bouffi, il ressemblait à un mousquetaire vaincu.

— On court trop de risques, dit Constance à son mec et à Roman Igance. Je veux qu'ils passent le test.

Elle avait toujours son couteau à la main. Leo sentait l'onde du danger circuler dans la pièce.

— Moi, je veux bien, lança-t-il gaiement. J'aime bien les tests.

Constance posa un ordinateur portable en piteux état sur la table. Elle tapa, cliqua, et le tourna vers Leo.

Sur l'écran apparut une grille de chiffres et de symboles. Pour lui, ça ressemblait à un mélange de caractères arabes et de hiéroglyphes maçonniques.

— Attends. Ne regarde pas tout de suite, le gronda Constance.

Faudrait savoir. Il détourna le regard. Il se sentait étonnamment calme. Tous ces événements bizarres autour de lui, et il avait l'impression que c'était une de ces agréables soirées d'été où il jouait à des jeux de société avec ses sœurs sur les dalles encore tièdes autour de la piscine.

Leila était assise à côté de lui. Il la regarda. Elle acquiesça et lui sourit. Ah oui, c'est pour ça qu'il était si serein. Il lui rendit son sourire.

— C'est bon, tu peux regarder maintenant, dit Constance.

Leo s'exécuta. Ses yeux étaient un peu perdus, comme lorsqu'on regarde une carte postale avec une illusion d'optique.

— Dans quel sens je dois lire?

— N'importe. Tu regardes tout.

— OK, c'est bon. Est-ce que c'est un poisson?

— Tu n'es pas censé poser de question, dit Constance, agacée.

— Tu n'es même pas censé le vouloir, ajouta Roman.

Leo trouvait ça injuste. Il regarda Leila. Elle hocha à nouveau la tête.

— Tu regardes l'écran? demanda Constance à Leo.

— Oui, c'est bon. J'ai fini.

— Et il ne te donne pas de numéro?

— Ce n'est pas mon problème.

— Tu peux le regarder différemment?

Leo reporta son attention sur l'écran, différemment cette fois, et alors il vit l'écran derrière l'écran, constitué d'une autre série de symboles, ou de la même dans un ordre différent. Il sentit tout un tas de connexions s'enflammer dans son cerveau. Comme une de ses fameuses trouées de vérité, sauf que cette fois ça venait de l'intérieur. Il chancela légèrement vers l'avant. Est-ce qu'il faisait une attaque? Non, ce n'était pas désagréable. Mais il ressentait un effet de ralenti, qu'il avait déjà vécu au cours de ses terreurs nocturnes quand il était petit. Enfant, il avait souvent été malade, et avait parfois raté l'école plusieurs semaines d'affilée, qu'il passait seul avec sa mère dans leur grande maison. Elle remuait le ginger ale pour en chasser les bulles, posait le dos de sa main fraîche contre son front brûlant, ils regardaient des jeux télévisés. C'était pas si mal. Mais la nuit, avec la fièvre à 40 et une acuité auditive décuplée, il entendait une sorte de terrible secret tambouriner dans les placards. Là, avec ce test oculaire, c'était pareil, sauf que le secret était une bonne nouvelle, ou en tout cas une chose qui ne contenait aucune menace. La table débordait de son être-table. La lumière et toutes sortes de merveilles se déversaient par les fenêtres. Les visages fleurissaient, lumineux, ouverts.

— Leo?

Il nageait dans son propre esprit, se dirigea vers sa voix et remonta à la surface.

— Je vais claquer des doigts et vous serez de retour parmi nous, dit Mark, à l'autre bout de la table.

La plaisanterie fit rire Leo.

— Leo? répéta Leila. Ça va?

— Oui, super.

Et c'était vrai.

— Quel choc, dit-il.

Ce n'était pas sans point commun avec une bonne bouffée de bong, une bourrasque sur une rivière, ou une descente en pente raide à vélo.

— Tu aimes ton numéro? lui demanda Leila.

— Oui.

C'était le numéro de téléphone de Riverside Drive. Le feu avait ravagé la grande maison, mais on avait tout reconstruit, avec des matériaux bas de gamme. Sa maison était à présent une clinique de dermatologie, avec deux étages dédiés à l'hypnose. Il n'y avait jamais mis les pieds.

— Pourquoi est-ce qu'il n'a que sept chiffres? demanda Leila à Roman.

— Il doit avoir huit zéros en ouverture. C'est aussi la trente-cinquième suite de Fibonacci, cela dit.

— Et à la fois une chaîne de Markov, ajouta Brice. C'est la première fois que je vois un numéro aussi bas. Avec autant de blanc.

— Peut-être que Leo est quelqu'un de très… flexible, dit Constance.

C'est exactement ça, songea Leo.

Enfoiré de Leo, se dit Mark. *Il s'assoit et il passe ce test, même pas peur.* Mais il avait pas écouté ou quoi? Tout ce qu'ils avaient dit sur le fait qu'on ne pouvait pas revenir en arrière? *On a que deux yeux, merde, faut y faire gaffe.* Mark admettait cela dit qu'il n'était pas le plus farouche gardien de son propre temple. Leo faisait ça pour la fille, à tous les coups. Déjà à la fac, c'était pareil. Il faisait une cour trop assidue. Certaines filles s'étaient vu livrer les trucs les plus tarte : fleurs, petits gâteaux, poèmes. N'avait-il jamais appris que les plus intéressantes aimaient abattre leur partie du boulot? En tout cas, maintenant qu'il avait passé ce test, madame Brigades Rouges là-bas allait sûrement en pincer pour lui.

— À présent, à vous Deveraux, ordonna Constance en faisant grincer des pieds de chaise contre le sol pour appuyer son propos.

Mais Mark resta à sa place, et se laissa même aller contre son dossier.

— Et si je refuse? Maintenant que je suis ici... Dans la Petite Maison dans la Prairie du Cratère Anti-Satellite? Comment vous y prendriez-vous pour réduire le... le handicap que je représente?

Étape Huit : Faites-leur dire ce qu'ils pensent.

Glass finit par s'apercevoir que la réponse lui incombait.

— Dans l'éventualité où vous menaceriez de nous nuire, ou si nous ne pouvions pas être sûrs à cent pour cent que vous ne le feriez pas, nous vous rendrions incroyable.

— Vous me rendriez incroyable? répéta Mark.

— Vous vous verriez incorporer certains éléments qui feraient en sorte que personne ne croirait ce que vous racontez. Des éléments à base de plantes. Autolimités. Inoffensifs.

Mark le dévisagea. Cette tournure passive, cette façon de le regarder droit dans les yeux quand il avait répondu. Comment réagir face à Brice Glass et à ses éléments à base de plantes ? Un type comme ça était sûrement toujours prêt à éviter les coups de boule. Et le sauve-qui-peut ? Dehors, il n'y avait que ces arbres de bouquins pour enfants, le clair de lune, un chemin de crête et des montagnes plantées de résineux. Une cheville foulée, une meute de loups.

— Dites-moi simplement ce que vous attendez de moi. Inutile que je passe ce test.

— Hors de question, dit Constance.

Roman aussi secoua la tête.

— Mais pourquoi tu refuses, Mark ? dit Leo. Tu devrais, je t'assure.

— Parce que je ne veux pas être comme toi, dit-il, perdant patience. Comme eux, ajouta-t-il, en désignant toute la tablée. Ne le prenez pas mal, mais vous pouvez vous la garder, votre connectivité. Moi, je veux être moi, c'est tout.

— Vous n'êtes qu'une merde, dit Constance. Ce que vous voulez, c'est votre fric, oui, vos petits privilèges.

— J'ai bossé pour avoir ce fric.

— Oh, je vous en prie. Ce n'est pas ce que j'appelle travailler. Tricher, plutôt. Avez-vous vraiment travaillé un seul jour de votre vie ?

Et le Grill Ride, alors ? Ou même Harvard, où il avait dû, jour après jour, affronter le fait qu'il n'aurait jamais ne serait-ce que la moitié de l'argent auquel la plupart des gamins savaient d'ores et déjà qu'ils auraient droit. Il avait trimé comme un chien, dans les travées de Widener, pour prouver que ses parents avaient au final perdu leur fric en lui payant un lycée privé. Et le moment où l'aide financière s'était réduite à des clopinettes, et où il s'était fait dispenser d'assiduité pour bosser à plein temps ? Pendant que ses soi-disant amis picolaient à Barcelone et à Prague, il prenait un boulot indigne – concierge d'un cabinet de chiropracteur. Qui avait dû ouvrir le cabinet au pied levé, un samedi matin, pour s'assurer que le carillon était allumé et qu'il y avait du thé oolong à profusion sur les petites tables, hein, qui ?

Jamais travaillé de sa vie, je t'en foutrais. Et les quinze années qu'il avait passées à entretenir un rêve, à savoir, tout au fond de lui, qu'il était plus intelligent que la moyenne et à espérer que viendrait le jour où il en tirerait profit ? Et le boulot que ça représente de ne pas s'écrouler, hein ? De s'assurer que sa mère ait droit aux meilleurs soins médicaux ? De raconter une histoire sans perdre le fil ? Et puis, bien sûr, il y a les coups du sort, du bus raté au chromosome foireux en passant par l'astéroïde en pleine course.

— Si par "bossé" vous entendez ce livre que vous avez pondu, ce tas d'inepties sur l'efficacité, la richesse et l'égocentrisme à portée de tous, vous ne dupez personne ici.

Aïe.

— Hm, en fait, ce n'est pas vraiment moi qui l'ai écrit. C'est eux. Mais mon prochain bouquin abordera certains de ces problèmes. J'espère que vous le lirez. Enfin non, pas le prochain. Il vaudra mieux éviter celui-là. Mais celui d'après. Il s'appellera *Retentez votre chance demain*.

Il était tellement fier de ce titre.

— Voilà d'où vient votre problème, dit Constance. Pourquoi ne pas l'appeler *Retentez votre chance tout de suite*, plutôt ?

Merde. Un tout petit missile qui atterrissait en plein sur le quartier général. Elle avait absolument raison. Son titre à lui était une excuse déguisée en exhortation. Mais *tout de suite* ? Genre, là, maintenant ? C'était autre chose.

— Mark, dit Roman. Vous trouvez vraiment inconcevable que les gens puissent s'entendre et partager ce qui est à leur disposition ? Que nous soyons enfin capables de prendre en compte le bien commun au lieu de trimer chacun de son côté pour s'acheter les mêmes choses ? Vous n'êtes pas allé à l'école ? Vous n'avez jamais pris les transports en commun ? Fait la queue au cinéma ?

Mark avait fait tout ça. Mais pour être honnête, il espérait ne plus jamais avoir à prendre le bus.

— Moui, on pourrait peut-être y arriver, dit-il. Mais je ne suis pas persuadé que vous sachiez ce qu'est le bien commun. Je parie que vous avez tous bénéficié du système que vous dites combattre. Vous appartenez clairement au haut du panier. Vous tenez vraiment à ce qu'elle ait lieu, votre grande redistribution ? Vous êtes prêts à bosser comme des forcenés ? À extraire le minerai dont ils ont besoin pour les téléphones portables ? Le, le portablium ou je sais pas quoi ?

— Je n'appartiens pas au haut du panier, dit Constance. J'ai les mains dans le cambouis.

Mark l'ignora.

— Vous parlez de répartition des tâches, en imaginant que chacun sera content de faire sa part du boulot. Mais vous savez qui d'autre tenait en estime ce concept de répartition des tâches, hein ? Les Khmers rouges, eh oui. Oh, et puis Staline aussi, et Mao, et sûrement quelques enfoirés du continent africain. Idi Amin et l'autre taré là, qu'est pas encore mort – Mugabe.

— Vous vous rendez compte que vous parlez pour ne rien dire, j'espère ? dit Constance. Vous tenez au statu quo à cause des gens pour qui vous bossez. Personne ici ne tombera dans le panneau de votre concept fumeux de supériorité de l'individu.

En tout cas, Constance avait regardé un de ses séminaires en ligne les plus populaires.

— Écoutez, reprit Mark. Vous voulez organiser la redistribution à votre façon, pour un monde meilleur ? Le problème, c'est que les distributeurs deviennent forcément des connards. Il faut laisser chacun gratter ce qu'il veut, même si certains finiront toujours par en avoir plus que d'autres.

— Vous venez de vous traiter de connard, non ?

— Non, moi je suis un de ceux qui grattent. De mon point de vue, c'est vous qui allez être les connards.

Mark se tourna vers Leila.

— Vous, vous l'avez passé ? Le test oculaire ?

Elle acquiesça.

— Juste après vous avoir rencontré à Heathrow. Je suis nouvelle, comme vous. Allez, jetez-vous à l'eau. Elle est bonne.

Flippante, cette remarque. Sexy, mais flippante.

Leila n'était pourtant pas du genre influençable. Il l'avait appris en jouant aux cartes avec elle, et en la voyant agir ce jour même, sur le parking de Nike et dans la forêt. Comment est-ce qu'ils avaient pu la persuader de les rejoindre?

— Comment ils ont réussi à vous persuader?

Leila regarda du côté de Roman Igance, qui hocha imperceptiblement la tête.

— Ils ont dit qu'ils m'aideraient si je rejoignais le mouvement. Et c'est ce qu'ils ont fait.

— Comment?

— Vos potes ont niqué ma famille. Monté un coup contre mon père, provoqué sa crise cardiaque –

— Mes potes? Attendez. Si vous parlez de Straw, SineCo, le Node, tout ça… Je sais qu'il s'agit d'exploration de données, et que c'est pas bien. Mais on ne provoque pas de crises cardiaques. Pas moi, en tout cas.

— Mais oui. De l'exploration de données, Deveraux. Bien sûr. C'est tout à fait ça, dit Constance, plus ironique qu'une ado. Ils veulent simplement refourguer votre adresse au magazine *Sunset*.

Mark ne savait pas quoi répondre.

— Protection de données? dit Constance. C'est ce que Straw vous a vendu comme intitulé de son business?

Oui, c'était bien l'euphémisme que Mark se rappelait avoir entendu pour qualifier ce qu'ils faisaient sur le *Sine Wave II*. Et elle avait raison, *protection de données* ne correspondait pas trop à la réalité.

— Parce qu'il ne s'agit pas du tout de ça.

— Ah oui? Alors de quoi s'agit-il, Herrigger?

Mark tenta de prononcer son nom avec sarcasme.

— Ils ont l'intention d'influencer la pensée, le langage, la culture et l'ordre social, en contrôlant les moyens dont nous disposons pour communiquer entre nous. D'abord, ils vont faire en sorte qu'on s'habitue à l'idée de céder à leurs systèmes de gestion tous les renseignements qui nous concernent, puis –

— Personne n'acceptera une chose pareille, objecta Mark. Les gens protègent leurs secrets. Si des gens sont prêts à le faire, c'est parce que c'est leur truc, et ils n'auront que ce qu'ils méritent.

Constance balaya son objection.

— Oh, vraiment ? Et cette nouvelle application de SineLife qui permet d'activer le flux vidéo sur des lentilles connectées et d'enregistrer sa journée ? Après quoi Sine "écrit" pour vous le compte rendu de votre journée : certains prétendent qu'ils en sont au béta-test.

L'application Scénario Perso, oui, Mark en avait entendu parler. Ça faisait partie de ce qu'il aurait dû promouvoir chez Nike.

— Une fois qu'ils ont compilé un joli petit livre sur nous, ils peuvent s'en donner à cœur joie. Ce sera peut-être un bon vieux schéma pyramidal, où, sur chaque dollar dépensé dans le monde, un *cent* leur revient. Ou alors ils prétexteront une attaque de cybervoleurs nord-coréens ou ukrainiens, et ils nous revendront notre mot de passe original, celui qu'on ignorait avoir, mais qui est indispensable si on veut récupérer ses relevés bancaires, son certificat de naissance, le titre de propriété de sa maison, son dossier génétique. Peu importe de quoi il s'agit, il faudra payer pour y avoir accès, où qu'on soit dans le monde. Ou alors ils nous saigneront jusqu'à la dernière goutte, carrément. Ils transformeront le monde en plantation de hévéas, pendant que les dirigeants du Comité seront à l'abri dans leur super-yachts blindés et leurs continents privés.

Alors, là, oui, ça ressemblait davantage à ce que Pope et Straw manigançaient, digestif à la main, bien calés dans leurs fauteuils clubs capitonnés. Il aurait voulu que Constance se taise un peu, lui laisse le temps de réfléchir.

— Mais je ne crois pas que ce soit leur plan, poursuivit-elle. Enfin, ils emploieront peut-être une de ces méthodes au début, mais le vrai projet, leur solution finale si je puis dire, c'est un génocide ciblé. Je pense que les dirigeants du Comité s'apparentent à ces gens qui ont fait construire cette réplique de Stonehenge en Géorgie. À mon avis, au bout d'une dizaine d'années, ils auront recueilli suffisamment de données biologiques et génétiques sur nous pour demander à leurs ordinateurs géants de sélectionner les cinq pour cent de la population mondiale les plus à même de constituer la base d'un monde nouveau, et leur projet, qu'ils ont baptisé

Humanité perfectionnée, au passage, sera véritablement sur les rails. C'est un de leurs rédacteurs qui a pondu ça. Le genre de choses que vous ferez, vous aussi.

Il fallait qu'il se tire d'ici.

— Est-ce que quelqu'un a de quoi rouler un joint ? demanda-t-il à la tablée.

Personne ne répondit.

— Cannabis ? Beuh ? Ganja ?... Brice, vous m'avez l'air du mec qui sait s'y prendre avec un bong. Vous avez bien ça dans un coin ?

Glass le regarda longuement puis finit par parler.

— Le sachet à glissière dans le pot en terre cuite dehors sur la galerie, à gauche de la porte.

— Merci, dit Mark en se levant de table d'un air qu'il espérait effronté.

Il ne voulait pas ressembler au mec apeuré, crevé, paumé, qui a besoin de sa dose.

Il trouva le sachet en question, plus dodu qu'il ne l'aurait cru – pas un petit paquet rabougri, non, un bon vieux sac de congélo de la taille d'un pigeon mort. Et ça, c'était quoi ? Une petite boîte de tabac. Youpi ! Il se roula un joint et l'alluma. La nuit était tombée, il était assis là, entouré de la lointaine enceinte du cratère, sous un ciel indigo et une lune rose. L'air sentait l'herbe humide et le feu de bois.

Une minute plus tard, la porte moustiquaire s'ouvrit en grinçant. C'était Leo, seul. Il s'approcha, et Mark, avec l'assurance tranquille d'un marin de quart, lui tendit le joint. Leo le refusa d'un geste circonspect.

— Ah oui, c'est vrai. Le sevrage, dit Mark. Même si, à ce que je vois, tu t'autorises un petit test oculaire neurotransformateur de temps en temps.

— C'est pas ce que tu crois, Mark.

— Ah ? Alors éclaire-moi, dit-il sans ironie.

— Disons que – tu vois le matin, quand tu te lèves et que tu sais exactement quoi faire ? T'es pas largué, t'as pas peur qu'on te traite d'imposteur, t'as pas de secrets, tu pardonnes les offenses et tu te sens toi-même pardonné ?

— Ah oui, la fameuse drogue dans la chanson de Huey Lewis.

Mais Mark voyait de quoi parlait Leo. Il avait vécu ces instants avec son dernier amour, quelque temps à la fac, et aussi plus tôt, dans les brumes de sa tendre enfance. Si tendre que ça ? Certes, son père s'était fait la malle. Mais on a tous nos problèmes. Il avait eu la sécurité d'un foyer, une mère, un jeu de Monopoly. C'était peut-être pour ça qu'il prenait toute cette drogue. Pour essayer de retrouver ça.

— Vraiment ? dit-il en plissant les yeux. Ils scannent ma rétine et je me révèle à moi-même ?

— C'est pas un scan, tu regardes l'écran, c'est tout. Bon. Tu vois, au pachinko, quand la bille dévale la planche au gré des petits clous sur son passage ? C'est pareil. La façon dont ton regard sillonne l'écran fait de toi un identifiant unique, et ça te donne un numéro. Le test ne te prend rien et ne te laisse aucune séquelle.

— Une planche de pachinko ?

— Ouais, mais en beaucoup, beaucoup plus grand. Et au lieu que ce soient des clous, tes yeux rebondissent sur des idées. En fait, je crois que je ne sais pas vraiment en quoi consiste le pachinko. Bref. Et l'écran te regarde, lui aussi.

— Comment un écran peut te regarder ?

— J'en sais rien. Mais celui-ci, il te regarde. C'est peut-être le Second Avènement.

— Pardon ?

— Ben, pourquoi le grand retour ne se ferait pas comme ça ? En ligne, je veux dire ? Je crois pas qu'ils essaieraient de nous refaire le coup du mec en chaussons.

— Qui ça, "ils" ? Et tu veux pas dire en sandales, plutôt ?

— C'est ça, en sandales. Tu sais bien : ils. Nos juges. C'est toi qui m'as appris à les envisager comme des juges, Mark. Tu te souviens pas ?

Vaguement. C'était dans les mois qui avaient suivi le décès des parent de Leo, quand il était au fond du trou. Ses sœurs étaient plus vieilles quand ça s'était passé. Pour Leo, qui n'était plus un enfant, et pas tout à fait un adulte, le choc avait été rude. Alors Mark l'avait emmené dans le Maine, loin des sœurs, des avocats, et de ce psy très bizarre spécialiste du deuil. Sur la route, ils avaient envisagé toute une cosmologie dans laquelle il existait bel et bien des entités spirituelles apparentées à des anges qui voyaient ce qui se passait sur cette pauvre Terre, mais qui n'étaient ni toutes-puissantes, ni omniscientes ; elles étaient simplement bien plus âgées que les gens qui avaient une enveloppe physique, et elles avaient une certaine influence sur le monde. C'étaient les juges. On choisissait ses juges en fonction de la situation, là était la faille. C'était une cosmologie du pardon.

— À propos, dit Leo, tu fous le feu à tous tes juges ?

— Comment ?

— Ton bouquin, là. *Se manifester.*

Bien, il tenait au moins l'occasion de se racheter.

— Leo, je suis désolé. L'héritier de la société de jouets du livre n'était pas censé être toi. Ta famille fabrique des jeux de société, pas des jouets, pas vrai ?

Leo pinça les lèvres pour lui signifier d'arrêter de se foutre de lui. Mark cessa.

— OK, pardon. Je suis vraiment désolé. J'ai foiré.

— Merci. Ça va, je suis passé à autre chose, dit Leo, et ça semblait vrai. Ce que je pige pas, c'est que tu as écrit un truc pas mal, et puis tu l'as vendu, enfin tu t'es vendu, à ces mecs. Résultat, ton bouquin est devenu une bouse absolue. Combien de fric ils t'ont filé ?

— Pas assez.

— Existe-t-il un montant qui te satisferait ?

Mark fut agacé par son ton moralisateur.

— Ouais, je pourrais te donner un ou deux exemples. Je te signale que toi aussi t'as un prix, mon pote, tout le monde en a un. Le tien est simplement biaisé par un compte épargne.

Il pensait avoir visé là où ça faisait mal – Leo était très susceptible au sujet de sa rente. Mais ce dernier se contenta d'un "Probablement". Après quoi il inspira tout l'air nocturne autour de lui. Sa poitrine se gonfla.

— Mais franchement, Mark. Si j'avais écrit un truc aussi bon que ce que tu tenais dans ce petit essai, je ne pourrais pas imaginer un seul instant laisser qui que ce soit en faire de la merde, comme tu les y as autorisés.

— Ouais, merci de ta contribution, dit Mark.

Mais il savait que Leo avait raison. Il tira sur son joint et fit tomber la cendre dans le petit cendrier posé à côté du pot en terre cuite.

— Cela dit, tu devrais y aller mollo sur le côté révolutionnaire. C'est un peu gonflé de ta part de te la jouer Che Guevara.

— Je crois que ce mec était un bourgeois, en fait.

— Leo. Tu as grandi dans un manoir. Une semaine de sevrage, et ça y est, tu rejoins le Front uni de je sais pas quoi, cette bande d'anarchistes, et tu crois savoir pourquoi l'oiseau en cage continue à chanter.

— On n'est pas anarchistes.

On. Bien sûr. Mark renâcla.

— Mais ce qui est sûr, c'est que je suis dans le camp de l'oiseau, pas dans celui de la cage, tu me suis? ajouta Leo en descendant les marches.

— Tu vas où? lui demanda Mark.

— Dans la grange. Je veux en savoir plus sur ce poney.

Quelques instants plus tard, la porte grinça à nouveau ; cette fois c'était Constance, venue mettre son kilo de sel.

— Excellente, la beuh de votre homme, dit Mark pour détourner son attention.

Et c'était vrai. Un effet net et rapide, comme ils décrivent la fumette à la télé. Il lui tendit le joint. Elle fit non de la main plusieurs fois de suite pour signifier son dégoût.

— Vous voulez en rapporter chez vous? On en a plein, dit-elle en désignant l'étrange forêt qui les entourait.

— Ce sont des plants de cannabis?

— Pas au premier chef. Il s'agit d'un novophylum. Mais le pollen – cette sorte de frange verte au bout des feuilles? Ça, c'est un cannabinoïde, apparemment. Un détail qui s'est avéré très utile quand nos fermes ont été découvertes par la police. Ils nous prennent pour des cultivateurs de chanvre à la main particulièrement verte. Ils brûlent ou détruisent les plants sans vraiment chercher à comprendre de quoi il s'agit.

— Et de quoi s'agit-il, en vrai?

— Hm, quelqu'un comme vous appellerait ça des ordinateurs, je suppose.

— Quelqu'un comme moi?

— Qui n'est pas converti.

— Et vous, vous appelez ça comment?

— Ce sont des plantes… Elles vivent dans un monde parallèle juste à côté du nôtre. Mais avec celles-ci, on peut communiquer.

Mark ne comprenait pas. Un ordinateur végétal? Une plante informatique?

— Bon. On est descendu de nos arbres, on a inventé un langage, on a appris à l'écrire, puis à l'encoder sous forme de un et de zéros qu'on a stockés sur des appareils minuscules.

— C'est un résumé de l'âge de pierre aux années 1970?

— *Grosso modo*. Bien, mais ce qu'on a ici, c'est quelque chose de différent. Il s'avère qu'il existe un langage qui nous est commun depuis le début. On le connaissait peut-être mieux quand on vivait encore dans les arbres. Il est dans l'air, la terre, l'eau. Et ça, ils ne pourront pas nous le prendre. Il est tout autour de nous, tout le temps. Les mecs pour qui vous bossez en sont encore à tout graver sur des circuits, des disques durs. Ce qu'ils appellent le *cloud*, mais vous savez comme moi que c'est nocif. Ce nuage, il est lourd, métallique, bruyant.

— Si votre technologie est tellement plus avancée que la leur, pourquoi vous jouez en défense? Avec vos plantes, vous devriez être capable de les anéantir.

— Mark, il va nous falloir des années avant de comprendre quoi faire de tout ce savoir. C'est tellement nouveau… Le test oculaire est encore un mystère pour nous. Les ordinateurs portables que nous fabriquons ici sont vraiment très rudimentaires. Et depuis que cet enfoiré de Pope est de la partie, le Comité ne nous lâche plus. Ils ont peut-être même trouvé un moyen de tricher au test. Des brebis galeuses se sont introduites chez nous, et nous avons fait face à des brèches comme jamais auparavant, au niveau de la sécurité, des renseignements. Il ne nous reste plus beaucoup de temps, Mark. Bluebird est en train de fondre sur nous. Ils nous traquent et nous éliminent les uns après les autres. Les risques augmentent à vue d'œil. S'ils nous mettent la main dessus, ils prendront tout – nos avancées en science végétale, neurologique. Ce sera classé secret défense, puis monétisé. Saisie des actifs financiers, confiscation des biens privés, les butins de la guerre contre le terrorisme.

Le regard de Mark s'enfonça dans le bleu de la nuit.

— J'imagine que vous n'êtes pas censée raconter tout ça à un non-converti ? Même s'il vous reste encore la possibilité de me rendre incroyable. Ou de me transformer en engrais pour vos plantes.

— Je vous raconte tout ça parce que vous allez nous rejoindre. Hein ? C'est bien pour ça que vous êtes sorti, seul ? Pour planer un peu, et rassembler votre courage ?

Mark prit une autre bouffée, avec indolence.

— Mais Leo a dit que je n'aurai plus de secrets. Et je ne veux pas qu'une chose pareille arrive.

— Ouais, Crane, il est pas banal. Il a un numéro très bas. C'est presque comme s'il faisait déjà partie de nous. Bref. Je ne partage pas son avis sur cette histoire de secrets. Il y a tout un pan merdique de ma vie dont je préfère ne rien dire. Je pense que la réaction de Crane est plus en rapport avec, disons, le côté biologique de la situation.

Mark secoua la tête pour lui demander de s'expliquer.

— Il est amoureux de cette fille, dit-elle sur le ton de l'évidence. C'est effrayant de rejoindre un groupe d'inconnus, Mark, je sais bien. Et j'ai pas été tendre avec vous ce soir, mais au fond j'aime bien le fait que vous soyez sceptique. Je l'étais moi aussi. Je le suis encore. On a besoin de gens comme vous. Ne vous en faites pas pour votre moi, il survivra. Ça ne fait qu'ajouter une nouvelle dimension. Le test fait hésiter ceux qui sont trop sûrs d'eux et permet aux hésitants de s'engager. Réfléchir les travailleurs acharnés et réagir les tire-au-flanc ; il rend les cyniques plus indulgents, les idéalistes plus prudents. Ça vous aidera à voir ce que vous êtes censé faire avec nous, et dans cette vie. Et il vous donnera un numéro. Nous saurons qui vous êtes, et que vous êtes un des nôtres. Nous ne pouvons rien vous demander en termes d'action tant que subsistera la moindre éventualité que vous vous dégonfliez et retourniez d'où vous venez.

— Et si je tire un mauvais numéro? Si le test dit que je suis une brebis galeuse?

— Je n'y crois pas une seconde, Mark. Et vous?

Non, il ne le pensait pas non plus. *Eh, incroyable.*

De retour à l'intérieur, autour de la grande table en bois.

— Qu'est-ce que je vais ressentir? demanda Mark à Roman.

— La plupart des membres évoquent une expérience intense, agréable, et brève. En général, un pic de connectivité survient juste après le test. Mais ça s'estompe – les grandes idées, tout ça. Ce qui est important, c'est ce qui reste.

Les grandes idées et leur disparition, Mark était en terrain connu.

— Je peux gérer la montée. Je veux simplement m'assurer que je ne vais pas me transformer en jihadiste débile dans votre projet.

— Je vous promets que ça n'arrivera pas, lui dit Constance.

L'espace d'un instant, elle eut la même apparence et la même voix que sa mère vingt ans plus tôt, sa mère quand il était petit garçon.

Mark regarda l'écran.

Il prit une grande inspiration... puis tout était fini. Il était de retour à la table. De retour, vraiment? Ça aurait pu durer une nuit et un jour, mais tout portait à croire que ça n'avait pris qu'une seconde – tout le monde était exactement à la même place. Un peu comme ce jeu à la mode quand il était au collège, où il fallait hyperventiler, après quoi quelqu'un vous donnait un coup de poing en plein plexus et vous tombiez dans les pommes. Bon, voyons : il était dans une sorte d'utopie cascadienne*, avec une bande de hackers et d'espions. Il avait toujours envie d'un verre et d'une douche chaude; il pensait toujours que l'économie planifiée était une mauvaise idée. Parfait, il n'était pas devenu une girouette.

---

* Cascadie : État utopique indépendant et souverain, fruit de l'union de la province canadienne de Colombie-Britannique et des États américains de Washington et de l'Oregon.

Constance lui lut son numéro. Mais il était capable d'anticiper chaque chiffre qu'elle prononçait. Il comportait des séquences de trois et quatre chiffres qui lui évoquaient des images s'insérant à leur tour dans la plus grande image que lui inspirait le numéro dans son entier. Il le connaissait dans un sens et dans l'autre, comme s'il s'agissait de son propre nom.

— Je peux avoir un verre?

Brice Glass lui versa du whisky dans un pot de confiture.

— Alors ça y est? dit Mark à Constance et Roman. Je fais partie de Dear Diary?

— Avec tous les droits et les responsabilités que ça comporte, répondit Roman.

— Dans la joie comme dans la douleur, ajouta Constance.

Il était sur le point de dire, *Super, alors je peux me choisir un nom de code débile maintenant,* mais il se ravisa et ôta le mot *débile,* parce qu'il savait déjà comment il voulait se faire appeler. Son nom serait Mike Rosoft.

Roman commença à expliquer ce que Dear Diary attendait précisément de lui. Le test oculaire avait incontestablement changé quelque chose en lui, mais il avait du mal à dire quoi au juste, et il ignorait combien de temps l'effet durerait. Depuis des années, Mark était habitué à analyser la façon dont son corps et son esprit réagissaient aux drogues, et il appliqua le même principe. Il se sentait éloquent, prompt à la repartie, comme sous l'influence d'un stimulant. Mais il n'y avait pas la fausse assurance et le dédain induits par la coke. Son audition et sa vue étaient claires, mais il n'était pas derrière la vitre trop propre des amphétamines. Physiquement, il avait l'impression d'avoir accès à une sorte de canal partagé. De mettre ses mains dans un courant vif et froid.

Ils voulaient que Mark transmette un agent pathogène, qu'il soit le vecteur d'une maladie.

— Mais... un virus informatique, dit-il, sceptique. Est-ce que ça va suffire? Parce que bon, j'imagine que ces mecs sont suréquipés en logiciels antivirus.

— En fait, non, dit Roman. Ce qu'ils ont en revanche, c'est un système fermé. Il n'y a que six serveurs, six portes d'entrée. Deux souterrains, deux en orbite, un sur une plateforme pétrolière en mer de Chine. Le serveur principal se trouve sur le yacht de Straw, le *Sine Wave*. C'est là que tu entres en jeu.

— OK. Vous parlez bien de *Sine Wave*, le voilier italien de quatre-vingt-cinq mètres de long, doté de cinq ponts, de gréements en fibre de carbone, d'un bloc chirurgical et d'un herbier ?

Constance et Roman acquiescèrent. Ils devaient avoir lu le même article dans *Le Mensuel des super-yachts*.

— C'est là que votre agent vous a dit que se trouvait ce serveur principal ?

Nouveau hochement de tête.

— Et ce pathogène numérique que je suis censé transmettre – il ne contiendrait pas une technologie que le Comité pourrait recréer ?

Constance l'arrêta tout de suite.

— Tu te trompes, Mark. L'agent est avec nous. Elle a passé le test oculaire. C'est une proche conseillère de Straw. Et elle court d'ailleurs un grand danger, vu sa situation.

Elle ?

— On dirait que vous avez grand besoin de moi, dit Mark en avalant une gorgée de whisky. Il n'y a aucune femme dans le cercle restreint de Straw. Il y a bien quelques secrétaires et hôtesses, la fille qui pousse le chariot du buffet dans le salon privé. Les femmes sont pour lui, je cite, de sales connes sournoises. Je dirais que votre agent a triché au test et qu'elle vous guide dans la mauvaise direction.

— Non, dit Constance, mais Mark vit qu'elle doutait. Straw a une chose sur ce yacht à laquelle il tient plus que tout. On surveille le *Sine Wave* quasiment vingt-quatre heures sur vingt-quatre. Il est en mer du Nord en ce moment.

— Cette chose à laquelle il tient, c'est probablement sa collection de statues érotiques. Et pendant que le *Sine Wave* est surveillé de près, est-ce que quelqu'un a songé à garder un œil sur le *Sine Wave II* ?

Constance, Roman et Brice se penchèrent en avant comme un seul homme.

— Si vous voulez faire tomber ces mecs, je veux bien vous aider. Mais je refuse de vous accompagner dans un piège.

— C'est quoi, le *Sine Wave II*? demanda Constance au bout de quelques secondes.

— Un tanker de sept cent mille tonnes? L'Étoile Noire des mers? La cage flottante d'un ordinateur qu'ils appellent la Bête, qui se nourrit des données mondiales *via* des câbles sous-marins jusqu'à ce qu'elle soit saturée et recrache des disques atomiques SSD dans de profondes tranchées? Je suppose que c'est l'ordinateur dont vous me parliez à l'instant, celui qui est en train de planifier notre éradication. Vous êtes en train de me dire que vous ne saviez rien de tout ça?

Aucun des trois n'avait de réponse.

— Donc, ce qu'il faut, c'est que je dépose votre virus sur le *Sine Wave II*. Mais j'espère que vous avez des sous-marins. Parce qu'il faudra aussi s'occuper des serveurs de sauvegarde, pour être sûrs. Glass, on a des sous-marins?

— Quelques-uns. Il va falloir les armer, cela dit.

— Mettez une équipe là-dessus. Et faites marche arrière avec votre agent. Elle vous fournit de fausses informations et donne au Comité des listes de cibles. Oubliez le *Sine Wave*. Il faut que je retourne à bord du *Sine Wave II*, avec ce pathogène que vous avez créé. Celui qui a un nom stupide.

— Ce n'est pas un nom stupide, dit Leila, qui se taisait depuis que Mark était rentré. C'est ma sœur qui l'a créé, et elle l'a créé pour nous. Il s'appelle Prodigium Deux : La Revanche.

Puis elle montra un Node à Mark – le sien.

— On l'a téléchargé sur ton téléphone. Il te suffira de l'approcher de cet ordinateur. Il faudra peut-être faire appel à tes talents de prestidigitateur. Où est passé Leo?

— Dans la grange, je crois.

Leila s'excusa.

— Mais il faut que je vous dise que j'ai foiré ma prestation à Portland. Chez Nike. J'étais déjà dans une situation délicate, du moins avec Pope. On peut pas se saquer.

— Oui, dit Glass. On sait. Ses sbires te collent au train comme des mouches sur un étron. Ils t'ont suivi hier soir au club de striptease, puis dans cet endroit qui fait des défilés lingerie privés, sur Columbia.

Des défilés lingerie privés sur Columbia? Oh merde. Il se dégoûtait. Heureusement que Leila n'avait pas entendu ça.

— Ils te suivent toujours, à vrai dire.

— Comment ça?

— On les a mis sur la piste de vos leurres, à Radio Cab. Et vos doubles sont encore en vie — enfin deux d'entre eux, en tout cas. Il y a des agents de Bluebird en planque à ton hôtel et devant chez Leo. Ils n'ont jamais identifié Lola, donc son double leur a échappé. Mais il y a autre chose. Une chose très étrange. Quelqu'un d'autre vous suivait.

— Oui. Vous, dit Mark.

— Non, encore quelqu'un d'autre, dit Glass. C'est pour ça qu'on a dû faire une Olympia sous Burnside Bridge.

— Ça doit être le facteur, dit Roman à Constance et Brice.

— Le facteur? s'étonna Mark.

— Il paraît qu'il y a un service de renseignement du gouvernement fédéral non corrompu au sein du service des postes, dit Roman.

— C'est aussi crédible que la petite souris, ton truc, dit Constance.

— Constance est une sceptique, dit Roman.

— C'est déjà arrivé par le passé, cela dit, concéda-t-elle. Une force de police ou une agence de renseignements soi-disant non corrompue se rapproche de nous, et nous envoie le signal qu'ils sont aussi contre le Comité, que nous avons une cause commune. Ils font semblant de solliciter notre aide. Dans tous les cas, ç'a été un piège. Pope a vidé toutes les agences qu'il convertit; il intègre les meilleurs éléments au Comité et laisse derrière les fournitures de bureau et ceux qui font partie des meubles. Ce facteur, ça va être pareil, tu verras.

— Bref, dit Mark en essayant d'attirer leur attention. Il se peut que j'aie grillé toutes mes cartouches avec Straw. Et si les sbires de Pope sont devant mon hôtel, je parie que c'est parce qu'il veut m'éloigner de Straw et m'empêcher de revenir à bord du *Sine Wave II*.

Les autres prirent l'info en considération.

— Ton double est terré dans sa chambre, à picoler, dit Constance. Comme tu allais le faire. Tant que les mecs de Bluebird te croient là-bas, on peut te faire aller n'importe où.

Pas la peine de préciser "Comme tu allais le faire", songea Mark.

— Ça va quand même être difficile de réintégrer le navire sans l'approbation de Pope. C'est un peu lui qui mène la barque.

— Trouve un moyen, Mike Rosoft.

Mark réfléchit.

— Vous avez une ligne extérieure, ici?

Leila trouva Leo dans la grange; il avait la tête contre le cou brun du poney, les yeux fermés, un sourire serein aux lèvres.

— Leo? Ça va?

Il ouvrit les yeux, la regarda.

— Tu sens l'odeur de ce poney? dit-il.

Elle avait eu une conscience olfactive de l'animal dès qu'il était apparu au bout de leur piste d'atterrissage. Oui, ça sentait bon, un poney, enfin celui-là en tout cas.

— Mais… à propos de ton sevrage? ou de ta sobriété? enfin je ne sais pas trop comment tu dis…

— Tu crois que je n'ai pas le droit?

— De quoi? De sniffer du poney?

— Non, je parle du test oculaire.

— Oh non, je pense que le test oculaire est parfaitement autorisé. Ce que je veux dire, c'est que si tu as l'impression d'être sur un nuage, il ne faut pas que ça te perturbe. Ce sera terminé dans quelques heures.

— Ce n'est pas une raison pour ne pas en profiter, dit Leo avant de regarder le poney droit dans ses yeux ronds comme de grosses billes, et de demander: Tu n'es pas d'accord avec moi, poney?

À le voir si insouciant, si accaparé par ce poney, Leila éprouva de la colère. Une colère dirigée à tort contre lui, mais c'était un sentiment très fort, et il fallait qu'elle le mette en mots.

— Bon, ce n'est pas le plus important, de toute façon.

— Qu'est-ce qui n'est pas le plus important, et par rapport à quoi?

— Avoir l'impression d'être quelqu'un d'un intérêt ou d'une sublimité transcendantale, ce n'est pas ce qu'il y a de plus important dans le groupe. Ni même dans la vie, d'ailleurs. On a du boulot, Leo.

Elle avait capté son attention. Il cessa de caresser le poney et se tourna vers elle d'un air plus résolu.

— Mais ces choses que tu évoques sont très importantes pour moi, tu sais.

— Oui je sais. Moi aussi, ça m'arrive de lâcher prise, de glisser dans ce grand vide. Je crois que notre travail consiste surtout à garder la tête sur les épaules. Il faut au moins qu'on essaie de rester connectés au monde ordinaire dans lequel on vit.

Un fragment de poème lui revint.

— *Nous devons seulement essayer**.

— Ouais, je sais, dit Leo. *Le reste n'est pas notre affaire***.

Oh, il le connaissait aussi !

— Mais tu es sûr de comprendre ? Si les choses ne se passent pas comme tu le voudrais, est-ce que tu vas penser que tu es un raté ?

— De quoi on parle, là, Leila ?

Il était désarmant. Elle avait eu l'intention de lui secouer les puces, et il avait esquivé les coups tel un maître d'aïkido et s'était rapproché d'elle. Elle sentait son odeur iodée.

— De la lettre que tu m'as écrite.

— Oui, bon, écoute, si j'étais à côté de la plaque, je m'excuse. Ça valait le coup de tenter.

Il n'avait pas l'air désolé.

— Tu n'étais pas à côté de la plaque, Leo.

Ils étaient tout proches, l'air entre eux chargé de particules électriques, semblables à des lucioles.

— Mais ton histoire de tipis et de wigwams, c'est pas un bon système. Tu serais soit un génie soit un raté ? Et si tu n'étais ni l'un ni l'autre ? Si tu étais entre les deux, ou un peu des deux ? C'est beaucoup plus probable.

* Extrait du poème *Quatre quatuors* de T. S. Eliot, traduit par Pierre Leyris, Le Seuil, 1950.
** *Idem.*

Il n'avait plus l'air d'un doux dingue. Il avait le regard aussi clair que celui d'un prédateur.

— Je sais. Je sais ce que je suis censé ressentir. Je suis censé m'accepter comme je suis, ou alors changer ce qui ne me convient pas. Mais je suis à la moitié de ma vie, Leila, et j'ai toujours été comme ça. La plupart du temps, je suis un raté. Quand je suis un génie, pourquoi ne pas m'accrocher à ce sentiment ? Comme ça j'atteins une sorte de moyenne.

— Oui, dit comme ça... Mais les sentiments ne sont pas des lianes, on ne s'y agrippe pas comme on veut. On les subit, ils nous traversent, on peut les apprécier...

Elle pensait au briseur d'assiettes, à sa meilleure amie de la fac, à un oncle du côté de sa mère – tous accros à quelque chose – qui semblaient toujours être au cœur de tempêtes qu'ils auraient facilement pu éviter.

— Il y a un problème fondamental dans ta façon de voir les choses.

— Dit comme ça...

— Pardon. C'est un peu salaud de ma part de dire un truc pareil.

— Non, je n'irais pas jusque-là. Mais pourquoi tu t'intéresses à mes petites manies, Leila ?

Pourquoi cet intérêt ? Est-ce que c'était de l'amour, ou toute autre chose précédant l'amour ? Ça ressemblait plutôt au ver solitaire, ou à ce ver des livres pour enfants de Richard Scarry, avec son petit chapeau tyrolien et sa petite valise, qui serait venu s'installer derrière son sternum. Leila avait toujours souffert d'un déficit en romantisme, une lacune fortement condamnée chez les femmes. Elle ne se rappelait même pas être vraiment tombée amoureuse, même de ceux qu'elle avait aimés le plus. Elle avait plutôt eu l'impression de gravir lentement une pente abrupte.

— Parce que tu avais raison, dit-elle. Dans ta lettre. Quand tu disais que d'autres choses devaient se passer entre nous. C'est en train d'arriver, non ?

Il acquiesça. Le poney leva la tête. Ses naseaux noirs se dilatèrent et humèrent l'air.

— Très bien, mais je refuse d'être une simple expérience, dit-elle. J'ai existé avant toi et j'existerai après toi. Et si on doit se lancer, j'ai besoin de savoir si je peux compter sur toi. Alors ?

Il regardait le ciel par la porte ouverte derrière elle. Elle laissa passer deux fois plus de temps que nécessaire.

— Leo ?

— Oui. Je réfléchis.

— Tu ne devrais pas avoir besoin de réfléchir autant pour répondre à cette question.

— J'aimerais qu'un jour on vive à Rome et qu'on baigne notre enfant dans une baignoire en fer. Enfin, dans n'importe quel genre de baignoire, en fait. Avec toi, je ferais toujours de mon mieux. Aide-toi, et le Ciel t'aidera, comme on dit. Je ne mentirais pas, je ne me cacherais pas. J'ai envie de te nourrir, qu'on baise, de te demander comment ça va, de marcher avec toi dans je ne sais quel désert aride, quelle rue bondée, de me ruer dans la joie ou les problèmes qu'on rencontrera.

Ses mots la propulsèrent au bord d'une falaise. *Rome ? Notre enfant ?* Pourquoi, et comment, se laissait-il porter si loin ? Elle aurait pu se blottir contre lui, mais il poursuivit :

— Mais il ne s'agit que de promesses et de rêves, alors je ne vois pas pourquoi ça compterait pour toi. Quant à savoir si tu peux compter sur moi…

Sa main exécuta une sorte de moulinet au niveau de sa tempe.

— Qu'est-ce que ça veut dire ? demanda-t-elle, déroutée par ce grand écart permanent.

— Ça veut dire que mon esprit est imprévisible. Je ne peux pas te dire que je suis quelqu'un sur qui on peut compter, et ensuite passer le reste de ma vie à trimer pour atteindre ça.

Un esprit imprévisible ? Hm, inquiétant, songea Leila.

— Je crois au contraire que c'est exactement ce que tu devrais faire.

— Quoi donc ?

— Passer ta vie à essayer d'atteindre tes idéaux. Le reste n'est pas notre affaire.

Elle vit qu'il réfléchissait à ce qu'elle disait.

— Mais… comment on fait quand deux ou plusieurs idéaux entrent en conflit ? Par exemple tu es devant une porte et tu ne peux pas être à la fois le mec qui prend des risques et celui sur qui on peut compter et passer cette porte ?

Elle le planta là, avec le poney et sa colère à deux balles, ses dilemmes dignes de Hamlet. Pourquoi il ne pouvait pas opter pour telle ou telle chose ? Leur enfant qui prend un bain à Rome, oui ou non ? C'était trop de boulot d'aimer un homme comme ça, tiraillé par mille décisions à prendre chaque jour. Elle marcha dans la prairie immobile ; la lune avait disparu, le ciel était un dôme bleu constellé.

En rentrant dans la maison, elle tomba sur Mark, Constance et Roman regroupés autour d'un ordinateur. Pas un de ceux que Dear Diary bricolait apparemment sur place – les vieux portables vidés et farcis de novophylum. Celui-ci était un vieux PC avec une tour et un grand écran, enveloppés d'aluminium. Le Node de Mark était relié à la tour par un câble USB. Un autre câble, du diamètre d'un tuyau d'arrosage, partait de ce montage, serpentait au sol et arrivait à la crosse d'un fusil que tenait Brice. Il était en train de s'asseoir sur une chaise en bois près de la fenêtre. Il prit une autre chaise et la retourna pour faire une sorte de trépied à son arme, et il dirigea le canon vers l'extérieur, vers le ciel.

Leila comprit alors qu'il ne s'agissait pas d'un fusil mais d'un genre de télescope. À la place de l'embouchure du canon, il y avait une toute petite antenne parabolique en céramique.

Constance posa un index sur sa bouche pour faire signe à Leila de ne pas faire de bruit. Leila resta où elle était.

— Attendez, dit Brice sans se retourner pour regarder les autres derrière lui.

Il baissa son fusil-télescope au niveau de la ligne d'horizon.

— OK. Accès sécurisé dans trois secondes. Deux. Un. C'est bon.

Leila remarqua qu'il était très concentré sur sa cible.

— Vas-y, dit Constance à Mark.

Mark appuya sur un bouton de son Node. Leila entendit le petit bruit de bulles des sonneries.

— Allô ? dit une voix dans le PC.

Mark parlait dans son téléphone.

— James, c'est moi. Mark.

440

— Mark? Ce n'est pas ce que m'indique l'écran. Pourquoi un appel masqué? Parker dit que ça ne doit servir qu'en cas d'urgence.

— Je sais, James. C'est justement sur Parker que je ne voulais pas tomber. Je craignais qu'il intercepte mon appel. Il a l'air d'en avoir après moi.

— Je vous le confirme. On est tous un peu comme lui, d'ailleurs. J'ai entendu parler de votre performance chez Nike. Vous savez que j'ai déjà fait beaucoup pour vous, Mark.

— Je sais James, je sais. Et pour la conférence, c'est dû à une intoxication alimentaire aux fruits de mer. Je suis mortifié, je vous assure.

Silence de Straw.

— Mais ce que je voulais vous dire, James, c'est que je ne pense pas que Parker nous comprenne. Je ne suis pas certain qu'il puisse apprécier la... la nature du lien qui nous unit. Moi-même, j'ai pu vouloir m'en méfier par moments... Parce que j'avais peur, oui, j'ai eu peur d'accepter cette proximité que vous m'offriez.

— Proximité? dit Straw sur la ligne crachotante.

Mark ferma les yeux et poursuivit.

— Je parle de nos esprits, James. Ils sont devenus si proches. Si seulement je pouvais vous parler de ce travail que vous me proposez.

— Vous acceptez le poste?

— Oui, James, de tout cœur. Mais je tiens à vous le dire de vive voix. Au bord de la piscine, pourquoi pas. Je suis désolé d'avoir eu le mal de mer la dernière fois. Je veux que vous m'en disiez davantage. Que vous soyez mon professeur.

— C'est une excellente nouvelle, Mark. J'espérais que vous finiriez par ouvrir les yeux.

— Quand puis-je vous retrouver? Bientôt? Où êtes-vous? Je suis toujours à Portland.

Mark était l'impatience et l'enthousiasme incarnés.

— Nils! aboya Straw. Nils!

Une réponse inaudible.

— Où sommes-nous?

Une réponse de Nils difficile à comprendre.

— Votre coup de fil tombe à pic, Mark. Nous sommes en train de faire la récolte du réseau transpacifique.

Bruits de parasites.

— Nous sommes tout près, dit Straw avant un autre échange avec Nils.

Près de la fenêtre, Brice fit signe à Mark de conclure en décrivant un cercle au-dessus de sa tête avec l'index. Il continuait à viser le même point.

— Vous pourriez être sur la côte demain soir? demanda la voix du vieil homme. À ce point précis?

Il récita des coordonnées GPS. Mark jeta un coup d'œil à Constance, qui regarda Roman, qui réfléchit une seconde et hocha la tête.

— Bien sûr, James, dit Mark. Mais, dites-moi, pourrait-on laisser M. Pope en dehors de tout ça? Lui et ses sbires, ce sont de vraies brutes. Je vois en quoi nous avons besoin d'hommes comme lui, mais il a une dent contre moi, et par ailleurs, je ne suis pas persuadé qu'il attende les mêmes choses que vous de Nouvelle Alexandrie. Nous devrions nous entretenir avant de prendre d'autres décisions. Rien que vous et moi.

— Comme vous voudrez, Mark. Un Zodiac viendra vous chercher. Que souhaitez-vous voir au menu demain soir? Bucatini al vongole? Billes de melon et riesling frappé? Je vais parler au chef.

— Ç'a m'a l'air délicieux, James. Bien, à demain alors.

Mark raccrocha. Dans son coin, Brice baissa son fusil.

— Je n'aime pas ça du tout, dit-il. Ça a duré cent dix secondes. Ils risquent de nous repérer.

— Mais ça valait le coup. Mark sera chez eux dans moins de vingt-quatre heures, dit Roman.

Leila voyait bien que ça ne rassurait pas Brice pour autant.

— Espérons que le Comité ne remarquera pas les deux minutes de signal satellite anormal dans le sud-ouest de l'Oregon, dit-il.

— Ça va? demanda Leila à Mark. Belle séance de flirt avec Straw. Il commençait à faire chaud là-dedans.

Mark sourit.

— J'ai pas mal appris d'Oscar Wilde à Harvard.

Dans la pénombre de la mezzanine, Leo distinguait les fougères et les bégonias en pot qui grimpaient le long des murs mansardés. Mark dormait la bouche ouverte, sur une sorte de banquette, ou de méridienne. Ses pieds dépassaient de sous la couverture, telles les poignées d'un gouvernail.

Leila et Leo avaient fait chacun leur lit par terre, rapidement et en silence, comme des soldats.

— Bonne nuit, Leo, dit Leila avant de lui tourner le dos.

Il se figurait qu'elle lui en voulait de ne pas l'avoir retenue quand elle était sortie de la grange.

— Bonne nuit, Leila.

Il n'était toujours pas fatigué. Comment ces deux-là pouvaient s'endormir comme ça? *Grosse journée*, se dit-il. Elle méritait un compte rendu dans son journal. Il respira plus lentement, et compta les feuilles de bégonia sur lesquelles tombait la lumière par la fenêtre de toit.

Le problème, c'était que son sac de couchage était taille fillette. Seuls les trois quarts de son corps entraient dans les pans du duvet à l'effigie d'une héroïne de dessin animé. Il semblait en émerger, paralysé entre la nymphe et l'imago. Leila avait un sac de couchage vert taille adulte. Mais elle dormait déjà. Dormait-elle vraiment? Il sentait une telle électricité entre eux, ses épaules à elle à moins de cinquante centimètres de son sternum. Elle était un coquillage et lui la mer.

— Leila, murmura-t-il en direction de sa nuque, dont il remarqua le fin duvet.

Il se peut que son épaule ait frémi. Sa respiration se modifia légèrement. Leo, dont le système nerveux était comme dilaté, avait conscience du moindre détail. Mais au bout d'une minute, elle n'avait toujours pas répondu. Dehors, un insecte nocturne grésillait de temps en temps. Il ne répéta pas son nom. Si elle dormait vraiment, il ne voulait pas la réveiller. Il resta allongé là, mi-découvert, banane à moitié épluchée.

Une fois assoupi, il rêva que Leila et lui, juchés chacun d'un côté de la même échelle, essayaient de changer une ampoule. Plus ils montaient, plus ils se rapprochaient l'un de l'autre. Mais la lumière qu'ils devaient atteindre ne cessait de reculer, jusqu'à ce que, pour ne pas tomber, ils soient obligés de se cramponner l'un à l'autre. Ils échangèrent quelques outils. À un moment, Leila ne portait plus qu'un ceinturon d'outils à la taille. Puis il se retrouva tout seul au sommet, en équilibre sur un échelon où il était écrit CECI N'EST PAS UN ÉCHELON, et il sentit qu'il allait tomber d'un moment à l'autre. Il bascula vers l'avant et se réveilla dans un sursaut hypnagogique. Son duvet avait glissé et ne couvrait plus que ses jambes. Sous le tapis, il sentait les lames de parquet, et il avait froid.

— Leila, chuchota-t-il. Leila.

Elle émit un son fait de "n" et de "h".

— Leila, est-ce qu'on peut échanger nos sacs de couchage ? Rien.

— Leila, répéta-t-il. Tu es réveillée ?

Elle se redressa, comme un zombie qu'on réveille.

— Oui. Bien sûr.

Elle glissa hors de son sac de couchage, toute taille, hanches et cheveux électriques. Elle était de loin la plus belle fille qu'il avait jamais vu, et toute la scène se déroula pour lui au ralenti. Mais elle se rendormit aussi sec dans l'autre duvet. Son corps n'émettait pas la même vibration que celui de Leo. Il était attiré par elle ; il était la mer et elle la lune. Il se rappelait qu'au lycée, un prof de sciences physiques lui avait dit que la lune était en chute constante. C'est le principe de l'orbite, après tout.

Leo essayait de se rendormir, mais il était distrait par un minuscule point lumineux orange qui jouait sur la fenêtre en contrebas de la mezzanine. En y regardant de plus près, il distingua Constance, Brice et Roman à l'extérieur. Une sorte de conclave sur la galerie. Le point orange, c'était le bout incandescent de la clope de Brice. Difficile de comprendre leurs voix étouffées, mais au rythme des paroles et des silences, Leo conclut qu'ils étaient inquiets. Il espérait qu'ils avaient la situation bien en main. Constance avait dit qu'il y aurait des scones au petit-déjeuner.

Il s'assoupit à nouveau, mais cette fois ses rêves furent trop abstraits pour se prêter à une analyse. Le scénario de l'échelle ne se répéta pas, ou peut-être comme un rêve dans le rêve, mais en araméen ou quelque chose comme ça.

— Debout tout le monde !

Leila se redressa d'un coup. Elle était dans un autre sac de couchage. Ah oui, c'est vrai.

Une lumière violente s'alluma dans la pièce principale en dessous d'eux. Brice, en bas, tapait dans ses mains.

— Dear Diary, il y a eu une faille dans la sécurité, on évacue la ferme. On part tout de suite. Je vais dans la serre, je reviens dans huit minutes.

Il fit un pas, mais se ravisa.

— En fait, non. Constance, vérifie les sacs d'urgence, et veille à ce que le chalet soit nickel. Roman, va seller Petit Nell, n'oublie pas les paniers. Whiskey, Tango et Foxtrot, là-haut, vous prenez vos affaires et vous attendez dehors. Non. Un de vous doit venir avec moi. Mark, tu sais te servir d'un lance-flammes ?

Mark, assis sur son lit, ajustait la boucle de ses chaussures foutues.

— J'ai jamais essayé, lança-t-il, la voix enrouée. Mais faut bien un début à tout.

Leila descendit rapidement par l'échelle, suivie de Leo.

— Qu'est-ce que je peux faire, Constance ? demanda-t-elle.

— Reste là avec Leo pour l'instant. Attendez mes instructions, dit Constance en sortant des sacs à dos d'une penderie pour les ouvrir tour à tour et en vérifier le contenu.

Leila et Leo attendaient dans un coin.

— À propos d'hier soir, dans la grange, lui dit-il.

Vraiment ? On va faire ça maintenant ? songea-t-elle.

— J'ai vraiment envie de vivre à Rome avec toi, dit-il. J'ignore simplement ce qui va se passer entre ici et là-bas, entre maintenant et ce moment-là. Je me sens capable d'affronter à peu près tout, mais il m'est déjà arrivé de penser la même chose.

— Tu ne peux pas te poser, rien qu'une minute ? Tu émets une certitude, et d'un coup, c'est *Ouais, sauf que le contraire pourrait arriver.*

Il hocha la tête en signe d'approbation, ce qui ne fit que l'agacer davantage.

— Comment tu peux être sûr, dans ce cas, qu'une grande histoire nous attend ?

— C'est à cause de nos numéros.

— Comment ça ?

Il eut l'air presque gêné de devoir lui expliquer.

— Je suis ta racine carrée, Leila.

Il y eut une sorte de flash entre eux, audible, comme le craquement d'une brindille, le *clac* d'un piège qui se referme. Le numéro de Leo surgit dans l'esprit de Leila, avec ses chiffres qui produisaient des étincelles. En effet, multiplié par lui-même, il était égal au numéro de Leila. Elle sentit la clé trouver sa serrure et une porte s'ouvrir en elle. Rien à voir avec les tests oculaires et les gouvernements parallèles. Rien que l'amour. Cet essor de l'âme, cet élan vers l'autre. Son histoire à elle coulait dans la sienne.

— Montes, les sacs, dit Constance. Devant la grange. Action, bordel ! Je veux qu'on ait passé la crête dans vingt minutes.

Leo prit les sacs, mais Leila resta là, hébétée.

— Lola ? dit Constance, en agitant une main sous son nez. Tu es avec nous ?

— Leo dit qu'il est ma racine carrée.

Constance tourna la tête pour regarder Leila puis Leo. Roman en fit de même. Puis chacun hocha la tête.

— Han, c'est pas banal, dit Constance.

Leo aurait voulu que Brice lui confie une tâche. Mark avait le droit d'utiliser un lance-flammes. Mais bon, comme ça, il pouvait rester auprès de Leila. Il s'était levé plein de désir pour elle. Elle avait encore le visage endormi.

Ils prirent chacun trois sacs à dos, bien pleins et bien lourds, et sortirent dans l'aube naissante. À l'est, l'horizon était couleur pêche, mais au-dessus d'eux, le ciel formait toujours le même dôme d'azur profond. *Un jour nouveau*, se dit Leo.

Il regarda derrière lui. Une colonne de fumée grise s'élevait de la forêt de novophylum. Leo entendit un bruit de souffle à plusieurs reprises, puis un grésillement qui allait crescendo, probablement la serre sous les assauts du lance-flammes.

— Lequel d'entre nous est qui, d'après toi ? demanda-t-il à Leila tandis qu'ils traversaient la grande prairie.

— Comment ça, qui ?

— Brice nous a appelés Whiskey, Tango, Foxtrot. Tu crois que je suis Foxtrot ? Je parie que tu es Tango. Je suis sûrement Foxtrot.

— Et mon nom de code ? dit-elle. Tu crois que je devrais garder Lola Montes ? Ce n'est pas moi qui l'ai choisi.

— Oui, garde-le. Ça te va bien.

— Et toi tu en as choisi un ?

— Casper Plex ?

Elle vit tout de suite la blague.

— Non, je vais garder Leo Crane.

— Hm, une décision qui en cache une autre…

Avait-elle compris qu'il s'était pardonné de ne pas être un génie ? Qu'il était prêt à se mettre debout, à résister contre le monde, puisqu'il n'était plus un fugitif, ni un mec qui passe son temps à s'excuser ; qu'il voulait un enfant, une tâche dans laquelle se jeter à corps perdu ; qu'elle était sa raison d'être, qu'elle avait déverrouillé quelque chose en lui ? Entre toutes les époques et tous les lieux possibles, elle vivait ici et maintenant, et lui aussi, et ils étaient tombés l'un sur l'autre. C'était peut-être de la chance, ou quelque chose qui les dépassait ; l'un ou l'autre lui allaient très bien.

— Tu as rêvé cette nuit ? lui demanda-t-il.

Son rêve à lui avait semblé si réel qu'elle aussi avait dû rêver de lui. Dans un monde qui comportait des langues cachées et des ordinateurs végétaux, on pouvait sûrement co-rêver avec sa racine carrée.

Elle leva les yeux vers lui. Si belle. Si proche.

— Oui, des rêves incroyables. Mon père qui manœuvrait son lit d'hôpital au beau milieu d'une pommeraie. Puis c'était moi qui étais aux commandes, sauf que c'était plus un lit mais un bateau, et ma mère, perchée sur le Golden Gate Bridge, me lançait des bébés lapins.

OK. Cette fille demeurait un mystère.

Mark les rejoignit, haletant, en sueur, avec une odeur de fumée, comme s'il s'était roulé dans un feu de camp.

— Vous savez où on va ? leur demanda-t-il.

— Aucune idée, dit Leo.

Par la porte ouverte de la grange un peu plus loin, il vit Roman en train d'atteler Petit Nell. Puis il aperçut un autre homme. Qui était-ce ? Brice et Constance étaient derrière eux.

— Attendez-moi là, dit Leo.

Il alla glisser une tête à l'intérieur de la grange et revint.

— Alors, c'est qui ? voulut savoir Leila.

— Je sais pas. Un type. Peut-être notre ticket de sortie. Il y aussi autre chose là-dedans.

— Quel genre ? demanda Mark, dont la patience avait des limites.

— Un truc. Tu vois, quoi, une sorte de buggy.

— Genre une charrette, ou un buggy Volkswagen ?

Constance arriva derrière eux avec une brouette chargée d'ordinateurs portables.

— Constance, où est-ce qu'on va ? lui demanda Leila.

— Mark part sur la côte, tout de suite. Nous, on va au Ranch Sept, à Enterprise.

— C'est le type qui m'emmène, là-bas ? demanda Mark.

Constance fit oui de la tête. L'homme sortit de la grange. Leila tendit le cou et plissa les yeux pour mieux le voir.

— L'un des nôtres ? demanda Leo.

— Il pourrait. Mais c'est aussi un agent du gouvernement, et il n'a pas passé le test.

— C'est pas bon, ça, dit Leila.

D'un hochement de tête, Constance concéda que ce n'était pas l'idéal.

— Mais on a besoin de lui. Il confirme ce que Mark nous a dit sur notre agent en place chez SineCo : elle se fout de nous. Et il a de vrais atouts, dans l'équipe de Pope. Des agents doubles.

— Triples, si on y réfléchit, dit Leo.

— Il a quelqu'un sur ce bateau. Une personne dont tu auras besoin Mark, quand tu arriveras là-bas.

— Donc, je suis censé descendre cette montagne seul avec un agent non testé ? s'écria Mark. Je pensais que vous aviez un règlement, les mecs.

Leila marcha d'un pas décidé vers la grange. Ce type lui rappelait quelqu'un. Quand elle entra, ses yeux mirent un moment à s'habituer à la lumière vive qui tombait du plafond. Roman installait les paniers de chaque côté du poney. L'homme était penché sous le capot d'une voiture. C'était bien un buggy Volkswagen des années 1970, orange passé. Lorsqu'il se tourna vers elle pour lui faire un signe de tête, elle le reconnut immédiatement. C'était Ned. Celui qui, le premier, l'avait orientée vers Ding-Dong.com. À Mandalay, elle avait vu un type un peu empâté, avec une tête légèrement trop grosse. Là, dans la grange, il était beau, avait la mâchoire carrée.

Les autres entrèrent derrière elle. Leo et Mark l'encadrèrent, tels deux lieutenants.

— Lola Montes, voici l'inspecteur Ned Swain, du Service d'inspection postale, dit Constance.

— Ouais, je sais qui c'est, dit-elle. C'est un menteur.

— Tu connais ce mec, Leila ? demanda Leo en faisant un pas vers elle.

— Je vous demande pardon, Leila, dit Ned Swain.

— C'est Lola, le reprit-elle d'un ton égal.

— Swain représente la dernière agence de renseignements américaine non gagnée par la corruption, dit Constance. C'est lui qui nous a prévenus de l'urgence de l'évacuation.

— Est-ce que ces types ne sont pas plutôt chargés de surveiller des boîtes aux lettres ? dit Mark.

— Ça, c'est la police des postes, dit Ned avant de refermer le capot de cette voiture absurde. Moi, je travaille pour le Service d'inspection postale, soit la plus ancienne agence de renseignements américaine. Créée avant la République. La boutique de Ben Franklin, si vous voulez.

— Ça fait quelque temps que Swain essaie de nous trouver, dit Constance. C'est toi qu'il a suivie, Lola. Et c'est pour ça qu'on doit partir. Alors que je vivais ici depuis cinq ans.

Leila lui fit un signe d'excuse.

— Il dirigeait l'équipe du Comité chargée de te débusquer, mais en fait, il a fait tout ce qui était en son pouvoir pour les empêcher de te trouver.

Ned approuva non sans fierté.

— Vous mettre la main dessus et vous suivre, rien qu'avec des ressources postales, ç'a pas été de la tarte, dit-il à Leila. On vous a localisée à Heathrow, puis on perdu votre trace, qu'on a retrouvée à Los Angeles et suivie jusqu'à Portland. J'ai fait en sorte que les méchants vous perdent de vue dans la station-service, puis je vous ai perdue après le pont.

— Et comment vous avez fait pour nous trouver ici? s'enquit Leo.

— Nous avons remarqué un signal satellite anormal à neuf heures treize hier soir, ce que de simples cultivateurs de cannabis n'auraient pas pu mettre au point.

— Comment vous êtes arrivé? En voiture? demanda Mark, en montrant le buggy du doigt.

— Il a été parachuté d'un drone il y a une demi-heure, dit Constance. Il est venu nous prévenir. Et il est venu seul.

— Ouais, dit Ned. Vous auriez pu me transformer en engrais pour vos plantes.

— Faisons-lui passer le test oculaire, dit Leila.

— Pas maintenant, dit Ned.

— Lola, c'est bon, la rassura Constance. Il y a des circonstances atténuantes. Avec Roman on s'est dit qu'on pouvait s'en passer. On a invoqué la clause de la cause commune.

— Il faudrait faire attention à ne pas trop avoir recours à cette clause, dit Mark, aligné sur le même plan que Leila et Leo, en front uni.

— Écoutez, dit Ned, vous et moi, nous voulons sauver l'Amérique des griffes de ces salopards, non ? La voilà, notre cause commune.

— Je ne me suis pas franchement engagée pour l'Amérique, précisa Leila.

— Est-ce qu'il faudra encore l'appeler Amérique une fois qu'on l'aura sauvée ? demanda Leo.

Sa question déstabilisa Ned.

— Nous en débattrons, Crane. Pour l'instant, pas de temps à perdre. Le Service d'inspection postale n'est pas le seul à pouvoir localiser des gens. J'ai réussi à ralentir leurs recherches, mais si je suis ici, Bluebird ne doit pas être très loin. On ne doit pas avoir plus d'une heure devant nous.

— Avant que débarquent les hélicoptères de vos amis ?

— Ce ne sont pas mes amis, et ce ne sont pas des hélicoptères. Ça s'appelle des Kestrels, et vous ne verrez rien venir.

— Il a raison, dit Constance. Il faut qu'on se tire. Tout de suite.

Elle transvasa les portables de sa brouette dans les paniers. Elle perdait son sang-froid, dans l'urgence.

Brice Glass débaula dans la grange, yeux écarquillés et injectés de sang, visage noir de suie. Un pan de son manteau était encore fumant. Il toussa, cracha, et s'accroupit.

Constance se rua vers lui.

— Brice, ça va ? demanda-t-elle en battant son manteau.

— Complètement défoncé. Mais ça va.

— Tu as tout détruit ?

— Tout sauf les derniers cultivars, dit Brice en brandissant un bouquet de novophylum roulés dans un cône de papier humide.

Son entrée fumante avait accentué l'urgence de leur départ. Leo finit de charger les ordis dans les paniers. Mark se dirigea vers la voiture.

Leila ne bougeait pas. Elle avait besoin de quelques secondes de plus. Elle songea à sa famille, et aussi au bébé qu'elle porterait peut-être un jour. Était-ce le meilleur moyen de les aider ? Comme sur une boule de billard magique, la réponse lui apparut progressivement : Tout indique que oui.

Après quoi elle surprit les chuchotements de Constance à Brice :

— Chéri, il y a cinq minutes, Mike Rosoft a fait un lapsus… Il a dit *vous, les mecs* au lieu de *nous*, en s'excluant du groupe. Il faudrait un petit examen de contrôle.

Mark observait le véhicule qui était censé lui faire dévaler le versant d'une montagne très boisée puis parcourir quatre cents kilomètres le long de la côte de l'Oregon. Les sièges ressemblaient à des chaises de camping. Le plancher était en métal nu. Le pare-brise était abaissé, avec une vitre toute fissurée.

— Ce truc va vraiment nous amener à bon port?

— Dommage qu'on ne puisse pas faire une montée en parachute, n'est-ce pas? Mais oui, vous en faites pas. Vous arriverez à bon port. Et ce n'est pas un buggy ordinaire, vous savez. Cette série est équipée d'un moteur 1,6 litre, 4 cylindres à plat, refroidi par air. Suspension de quinze centimètres supplémentaires. Et de freins plus puissants.

Pour Mark, c'était du chinois. Ça l'agaçait quand les hommes croyaient qu'ils partageaient tous les mêmes connaissances en mécanique; il ne savait rien du fonctionnement des machines. Tout ce qu'il savait, c'est qu'on était loin du Gulfstream V. Il se rendit compte alors que si tout se passait comme prévu, il pouvait faire une croix sur les vols en jet privé de luxe. Ce test lui avait ouvert les yeux sur la politique, mais il savait qu'au fond de lui il aimait toujours les belles choses et que ce serait sûrement toujours le cas. Le genre de choses qui n'existaient pas en nombre suffisant pour tout le monde. Cette cuisinière en fonte à six brûleurs de marque française. Cette cave à vins réfrigérée.

Il s'installait sur le siège passager lorsqu'il vit Brice se ruer vers lui. Avec son teint de suie et ses yeux rouges, il ressemblait à un démon. Il saisit Mark par la nuque avec une de ses mains énormes.

— Qu'est-ce que tu fous? s'écria Mark tandis que Brice plaquait son autre main sur son sternum et approchait son visage tout près du sien.

Mark s'apprêtait à appliquer la technique du coup de boule pour la deuxième fois en deux jours lorsqu'il sentit la main de Brice se décrisper, pour se poser doucement sur son cœur; pas de menace, pas de danger. Au contraire, une sorte d'élan se manifesta en lui, qu'il était gêné d'éprouver si près du visage et du corps d'un autre homme. Glass soutint la nuque et le regard de Mark un long moment – quatre secondes sirupeuses, peut-être – puis le relâcha.

— Tout va bien, lança Glass à Constance. Il veut toujours s'acheter des trucs, mais tout va bien.

— Content qu'on ait éclairci ce point, dit Mark, de mauvais poil, se calant dans son siège.

Roman ouvrit une porte coulissante à l'autre bout de la grange. Ned Swain s'installa au volant et démarra l'engin qui, en effet, vrombissait avec plus de puissance que ces voitures le font en général. Il tendit à Mark une sorte de calotte d'aviateur en cuir avec lunettes intégrées et en mit une aussi. Mark enfila la sienne et se retourna pour montrer à Leila et Leo. Leo aidait Leila à mettre un gros sac à dos sur ses épaules. Mark les siffla, et ils se tournèrent vers lui. Bien que chargée comme une mule, Leila leva son pouce bien haut.

— Fais attention à toi, Mark, dit Leila.

— Bon voyage, dit Leo Crane.

45°40'04.4"N 123°56'27.9"W

Le soir était tombé. Le ressac grondait pacifiquement sur le sable moucheté d'obscurité. Mark était sur une plage jonchée de rondins, à l'abri d'un rocher gros comme une maison. Un vent frais venait de l'océan et il n'avait que sa veste en velours pour le protéger.

Il attendait depuis plus d'une heure ; avait vu le soleil se coucher dans l'eau, le ciel se teinter d'orange, de corail, puis de rouge sang. Était-ce Patel qui venait le chercher ? Singh ? Straw avait simplement dit qu'il enverrait un Zodiac.

Mark et Swain avaient passé treize heures dans ce buggy. Swain avait foncé à travers la forêt puis le long des petites routes pour atteindre la côte. Un Paris-Dakar d'un autre monde.

Ils n'avaient pas échangé un mot. Les casques en cuir et le bruit infernal du moteur les en avaient empêchés. Ils s'étaient arrêtés deux fois pour faire le plein, ceci dit, à de vieilles pompes à essence de postes de maintenance au fin fond de la forêt nationale. À la première, ils avaient retiré leur casque et bu dans des gourdes.

— C'est Tessa Bright, non ? demanda Mark. Votre agent chez Bluebird ?

— L'un de nos meilleurs éléments, en effet, répondit Swain en se passant un mouchoir dans le cou.

Mark s'était bien dit que l'avocate lesbienne d'une cabale funeste n'aurait jamais fumé de Lucky Strike.

À la seconde halte, regrettant de ne pas avoir de clopes, il avait demandé :

— Alors vous êtes vraiment la dernière force de police non corrompue du gouvernement ?

— Agence de renseignements, rectifia Swain. Pope n'a pas encore converti le service des Forêts.

Il remit le tuyau en place, ainsi que le petit cadenas qui empêchait les gens de se servir.

Mark crut distinguer quelque chose à l'horizon, un grain noir se détachant sur le bleu marine. Est-ce qu'il se rapprochait? Il sortit de derrière son rocher et avança vers le rivage. Mais impossible de dire si la chose se rapprochait. Pourquoi cette occasion s'était-elle présentée à lui? De changer de vie à mi-chemin, de retrouver ses amis, de se battre pour d'autres que lui seul? Le grain avait grossi. C'était un canot gonflable, un Zodiac, qui arrivait à vive allure. Il distingua la plainte aiguë de son moteur et une lumière verte qui clignotait en haut du tout petit mât de la poupe.

Regarde, maman. Tant que tu le peux encore. Le bien de l'humanité dépend en partie de mon acte, dont aucun manuel ne fera état. Tu vas être fière de moi.

Le bateau n'était plus qu'à une trentaine de mètres, voguait sur le remous. Mark essaya de reconnaître celui qui conduisait, ou barrait, ou n'importe. Le Zodiac ralentit et s'immobilisa tout près du bord, son moteur émettant à une fréquence plus basse, gutturale. Il comprit alors que ce qu'il avait cru être le capitaine n'était que le petit poste de pilotage. Il n'y avait personne. Il n'y avait personne aux commandes.

Son Node vibra dans sa poche. Il l'en sortit et lu sur l'écran lumineux : Montez à bord du Zodiac, Mark. Je vous attends pour dîner. James.

Si ça tourne mal, songea-t-il, *c'est clair que personne ne viendra visiter ma tombe.*

Plus il approchait de l'eau, plus le sable mouillé retenait ses chaussures bouffies. Il les retira, roula le bas de son pantalon et marcha dans les vaguelettes. *Jette-toi à l'eau. Elle est bonne*, avait dit Lola. Ses jambes ne tardèrent pas à s'engourdir tandis qu'il pataugeait, le froid provoquant une onde de lucidité dans tout son corps. Il se trempa jusqu'à mi-cuisses avant de pouvoir monter à bord. Il resta un instant allongé sur la plateforme pour reprendre son souffle, puis leva la tête vers les premières étoiles qui brillaient à l'est. Le plus grand des mystères, suspendu au-dessus de nos têtes nuit après nuit. Il y avait l'Étoile polaire. Et là, moins lumineuse, le Grand Chariot. La poignée du Grand Chariot décrit un arc de cercle, lui avait appris son père il y avait très longtemps. Suis cet arc et tu tomberas sur Arcturus. *Un arc vers Arcturus.*

Repose en paix, p'pa, pensa-t-il, sans amertume peut-être pour la première fois. *Toi aussi tu vas être fier de moi.* Mark écrirait bel et bien sa grande œuvre, mais peut-être sur son cœur seulement, et pour un seul lecteur.

Il fit le point. Il y avait un siège de pilotage ergonomique derrière la petite barre, une sorte de couverture ou de cape en néoprène posée sur son assise. Il se leva et s'en enveloppa. Il dut se cramponner au siège lorsque l'engin fit demi-tour avant de prendre de la vitesse et de filer vers l'horizon, tapant à l'occasion contre les vagues. Au bout d'une minute, Mark se retourna. L'Amérique n'était plus qu'un relief gris sous les prémices de la nuit. Il était calme, plein de lui-même et de secrets, mais aussi d'une chose nouvelle.

REMERCIEMENTS

Voyons. Il y a eu les lecteurs de la première heure, Christine Monk et Layla O'Mara, qui m'ont dit *Ne t'arrête pas continue*. Puis il y a eu Monica McInerney, qui a remonté Arklow Street à toute vitesse pour me dire *Ne t'arrête pas continue*, et qui m'a mis en contact avec Gráinne Fox, agent littéraire franche et futée, qui m'a fait traverser des contrées bizarres. Il y a eu le dynamique duo que composent Miranda Driscoll et Feargal Ward, amis, piliers jumeaux et combatifs de The Joinery – cet endroit dingue et authentique de Arbour Hill. Un endroit où j'avais d'autres compagnons qui, comme moi, façonnaient quelque chose, chacun penché sur sa forge. Sans oublier les Lilliputiens du rez-de-chaussée, grâce à qui j'ai gardé l'œil vif et un bon rythme de boulot. Merci à la fondation Amy & Paul, en bordure de la South Circular, de nous avoir fait tant de place. Un grand merci aussi au CroMara Institute, sur Swinemünderstrasse, et à Tucker Malarkey du Dant Conclave. Je pense également à Tom et Constance Corlafsky, aux délices de leur foyer. Je dois beaucoup à N. Lowry, à son amitié, et à son réseau d'abris sûrs dans l'Est londonien. Katharine Johnson n'a jamais douté que j'y arriverais. Heather Watkins m'a prêté son studio dont les murs tremblent au passage des camions et m'a donné une chaise qui grince, des crayons bien taillés et des petites collations dans des ramequins. Nicole Morantz a dit *Tu vois. Tu n'as pas fait tout ça pour rien.* Dharma Nicotera et Andrew Land ne m'ont jamais laissé tomber. Patrick Abbey a fini par nous rejoindre. Lola Oyibo m'a encouragé. Mon compagnon de route MacGregor Campbell a joué le rôle de consultant en théorie du complot. Merci à mes conseillers en droit pénal Celia et Ben. Et respect éternel à Edward McBride, qui m'a emmené en Birmanie, à Beyrouth et dans la plaine de la Bekaa.

Chez Fletcher & Company, Mink Choi m'a remonté le moral et ouvert des perspectives en défendant dès le début ce bouquin et son auteur. De même, Rachel Crawford est une femme bien, à avoir dans son équipe. Mon éditeur chez Mulholland Books, Joshua Kendall, a entrevu dès le premier jet foisonnant du roman ce que *WTF* allait devenir. Il a fallu que je lui fasse confiance, et je ne le regrette pas un seul instant. Mes sincères remerciements à Wes Miller et Garrett McGrath. Ainsi qu'à Pamela Brown, Carrie Neill, Andy LeCount, Ben Allen, Nicole Dewey, Heather Fain, Judy Clain, et Reagan Arthur. Voilà tout le bataillon qu'il a fallu pour faire ce bouquin. J'ai une dette conséquente envers les graphistes de Little, Brown et l'artiste qui a signé la couverture pour Faceout Studio ; je crois qu'ils ont tapé dans le mille. Et je remercie ma bonne étoile d'avoir fait passer *WTF* entre les mains de la correctrice Tracy Roe avant qu'il atterrisse dans les tiennes, cher lecteur. Et toute ma reconnaissance à Laure Manceau, praticienne de l'art mystique de la traduction. C'est sa voix que vous avez entendue dans ces pages.

Merci également à Isaac Hall, qui m'a appris tout un tas de choses sur la vie examinée, sur les joies et les dangers de l'examen. Et à Chris Hollern (RIP), qui m'a donné cette ville. Je n'oublie pas mes sœurs, toujours derrière moi, ni mes parents, qui m'ont fait lire et laissé écrire.